SOPHIE-JULIE PAI

Racines de faubourg

• 1 •

1950-1970

L'envol

suivi de

Le désordre

(première partie)

Guy Saint-Jean ÉDITEUR

Guy Saint-Jean Éditeur
3440, boul. Industriel
Laval (Québec) Canada H7L 4R9
450 663-1777
info@saint-jeanediteur.com
www.saint-jeanediteur.com

. . . .

Catalogage avant publication de Bibliothèque et Archives nationales du Québec et Bibliothèque et Archives Canada

Painchaud, Sophie-Julie, 1973-
Racines de faubourg
Édition originale : c2010-c2011.
Sommaire : t. 1. 1955 à 1970 -- t. 2. 1970 à 1986.
ISBN 978-2-89758-000-1 (vol. 1)
ISBN 978-2-89758-001-8 (vol. 2)
I. Titre.
PS8631.A36R32 2015   C843'.6   C2015-940420-7
PS9631.A36R32 2015

. . . .

Nous reconnaissons l'aide financière du gouvernement du Canada par l'entremise du Fonds du livre du Canada (FLC) ainsi que celle de la SODEC pour nos activités d'édition. Nous remercions le Conseil des Arts du Canada de l'aide accordée à notre programme de publication.

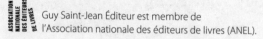

Gouvernement du Québec – Programme de crédit d'impôt pour l'édition de livres – Gestion SODEC

Cette édition est une compilation intégrale des ouvrages suivants :
Racines de faubourg, tome 1 : L'envol (© Guy Saint-Jean Éditeur inc. pour l'édition originale, 2010) et d'une partie de *Racines de faubourg, tome 2 : Le désordre* (© Guy Saint-Jean Éditeur inc. pour l'édition originale 2010).

© Guy Saint-Jean Éditeur inc. 2015

Conception graphique de la page couverture et mise en pages : Christiane Séguin

Dépôt légal – Bibliothèque et Archives nationales du Québec, Bibliothèque et Archives Canada, 2015
ISBN : 978-2-89758-000-1

Imprimé et relié au Canada
1re impression, mai 2015

Guy Saint-Jean Éditeur est membre de
l'Association nationale des éditeurs de livres (ANEL).

Remerciements

À Jean-René, pour ta sagesse, ton incroyable sens de l'humour et pour m'emmener à la mer aussi souvent que possible. Ce livre n'existerait pas sans toi. Merci de me répéter que j'ai ma place quelque part. Je t'aime.

À Guillaume et Dominic, pour avoir la patience de vivre avec une mère souvent dans la lune. Je vous aime.

À mon père Antoine, pour nous avoir si souvent raconté tes souvenirs du faubourg à mélasse, et à ma mère Francine, pour nous les avoir fait vivre, dans ton vieux bazou, en nous promenant, Caroline, Marc et moi à travers des rues qui n'existent plus.

À mon frère Marc pour, à sa manière, garder vivants tous ceux que nous avons aimés et qui ne sont plus là.

Aux familles Painchaud, Noël, Théroux et Couture. Parce que. Je vous aime et je tenais à vous le dire.

À toute la merveilleuse équipe de Guy Saint-Jean (en particulier à Sara, qui arrive à m'endurer), dont l'enthousiasme m'a conquise dès le premier jour. J'y ai fait des rencontres extraordinaires. Merci.

Ce livre est dédié à mes grand-mères, Marie-Louise Painchaud et Simonne Noël. Cette histoire parle de l'importance des racines et où que j'irai, vous serez toujours les miennes. J'espère que vous êtes fières de moi.

Arbre généalogique des personnages

FAMILLE MOUSSEAU

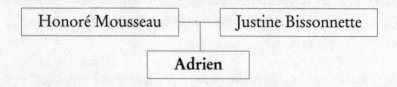

| Honoré Mousseau | Justine Bissonnette |

Adrien

FAMILLE MARCHAND

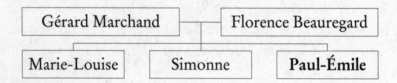

| Gérard Marchand | Florence Beauregard |

| Marie-Louise | Simonne | **Paul-Émile** |

FAMILLE TAILLON

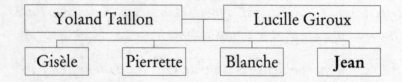

| Yoland Taillon | Lucille Giroux |

| Gisèle | Pierrette | Blanche | **Jean** |

FAMILLE FLYNN

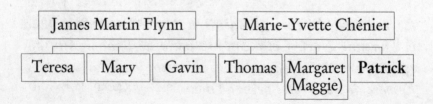

| James Martin Flynn | Marie-Yvette Chénier |

| Teresa | Mary | Gavin | Thomas | Margaret (Maggie) | **Patrick** |

Prologue
Mai 2006

Nostalgie: regret mélancolique d'une époque passée où une douleur atroce qui n'est plus apparaît moins lancinante que celle qui est à venir et que l'on ne connaît pas.

Ils ont tout raconté. Absolument tout. Avec joie. Avec tristesse. Avec appréhension, aussi, quelquefois. Comme s'ils avaient peur d'être jugés par leur propre vie. Pour ce qu'elle fût. Et ce qu'elle ne fût pas, surtout. Mais cette peur disparaissait complètement devant le besoin de se souvenir avant de partir; devant le besoin de revivre leur existence, avec ses hauts et ses bas, avec ses joies et ses peines, tout en se disant qu'ils n'auraient rien pu y changer. Venant ainsi leur donner, par le fait même, la force nécessaire pour faire abstraction de cette certitude de n'avoir pas toujours su donner le meilleur d'eux-mêmes.

Ils ont ri. Beaucoup. Ils ont pleuré, aussi. Et leurs souvenirs, inévitablement anonymes et sans intérêt aux yeux de certains, demeurent évidemment, pour eux, les plus extraordinaires, venant leur permettre, à partir du moment où ils se figent dans le temps, de s'en servir comme un rempart contre un avenir qui semble souvent terrifiant à mesure que l'on vieillit. Tout comme ces souvenirs les amènent souvent, pour ostraciser la peur, à revivre continuellement des joies et des peines toujours aussi présentes, toujours aussi familières et, par le fait même, beaucoup moins menaçantes que celles qu'ils ne connaissent pas.

Mais est-ce que les choses étaient réellement plus simples autrefois? Leur vie, à eux quatre, ne fut jamais facile, et chaque fois qu'ils parlaient du bon vieux temps se dégageait surtout une angoisse certaine à trouver un angle positif au fait que chacun d'entre eux allait partir à plus ou moins brève échéance; une justification venant soulager leur crainte d'être laissés derrière, de se sentir mis à l'écart: leur époque à eux fut meilleure. Ou moins pire. Plus vraie. Plus stimulante. Alors d'une certaine manière, ils sont heureux d'avoir déjà vécu leur vie. Pour rien au monde ne voudraient-ils être à la place des jeunes d'aujourd'hui. Et pourtant, en racontant leur histoire, ils étaient visiblement conscients que l'on apprend, avec le temps, qu'il n'y a jamais rien d'acquis dans l'inconnu, et qu'un passé figé dans le temps apparaît bien plus rassurant qu'un avenir refusant toutes garanties. Et que l'on supporte mieux, pour la plupart, l'idée de la mort en embellissant l'histoire. Ou en essayant d'en oublier de grandes parties. Ce qu'ils firent eux aussi, également, et c'est pourquoi chacun d'entre eux ne put se résoudre à raconter sa propre histoire. Tous les quatre savaient qu'une objectivité totale leur ferait défaut, et ils tenaient trop à laisser derrière eux le souvenir de ce que fût véritablement leur vie, plutôt que de laisser la trace de ce qu'ils auraient voulu qu'elle soit. Alors, ils ont tout mis en commun. Leurs souvenirs, leur passé, leurs victoires, leurs échecs. Et leur amitié, surtout. Avec ses grands moments et ses périodes moins remarquables.

Ils étaient quatre: Paul-Émile, Jean, Adrien et Patrick. Et quatre, ils seront toujours.

Chapitre I
1955

1
Paul-Émile... à propos d'Adrien

Pour une rare fois, l'habituel silence qui régnait chez les Mousseau n'irritait pas Adrien. Mon copain n'avait pas envie de parler, ce qui lui arrivait à peu près aussi souvent que le passage de la comète de Halley au-dessus de la ville de Montréal. Adrien supportait mal le silence, et rien ne le faisait se sentir plus en sécurité que de se retrouver au beau milieu d'une conversation tout en écoutant les gens discuter de tout et de rien; ou encore de nous entretenir sur des sujets insignifiants, allant de la météo jusqu'à la collecte des ordures, si cela pouvait faire en sorte qu'il n'avait pas à supporter ailleurs le silence décrété chez lui par ses parents.

Honoré Mousseau, le père d'Adrien, travaillait la nuit sur les quais du port de Montréal et exigeait dans sa maison un silence total pendant la journée afin de lui permettre de ronfler en toute quiétude. Le problème, selon Adrien, relevait plutôt de ce silence imposé même lorsque son père ne dormait pas. Si le silence est d'or, pour monsieur Mousseau, la parole était de plomb et il était fortement suggéré de n'ouvrir la bouche devant lui qu'en cas d'extrême nécessité.

Il m'est souvent arrivé de prendre Adrien en pitié. Et comme j'aurais probablement reçu un coup de poing dans l'estomac si je lui avais confié ce qu'il m'inspirait, cela ne fut pas difficile, pour moi, de garder le silence. Nous n'avions pas cette manie des filles de tout se raconter, après tout, et je devinais qu'Adrien ne m'aurait pas invité à prendre le thé si je lui avais dit que je le plaçais au même niveau qu'un chat de ruelle lorsque je m'attardais à observer sa vie de famille.

J'ai connu Adrien à six ans, sur les bancs d'école. Pendant longtemps, je me suis demandé s'il savait que son père représentait pour moi la personnification parfaite du Bonhomme sept-heures. Craignant encore de recevoir un coup de poing sur la gueule, je n'ai pas cherché de réponse à ma question.

Les Mousseau habitaient un logement de la rue Montcalm, un peu plus petit que celui où j'habitais avec mes parents et mes sœurs, et l'entièreté de leur vie quotidienne s'y déroulait en silence. Le petit déjeuner, le dîner, le souper, le bain... À Noël 1952, le grand-père maternel d'Adrien avait offert à ses parents un téléviseur, l'un des premiers à arriver dans le quartier, et je me souviens qu'Adrien avait reçu ce cadeau, à dix-sept ans, comme une preuve, qu'il n'attendait plus, que le père Noël existait vraiment. Malheureusement pour lui – et aussi pour moi, qui croyais m'être déniché un endroit où je pourrais visionner les matchs du Canadien –, monsieur Mousseau se chargea brutalement de lui remettre les deux pieds sur terre: même lorsque la famille était réunie au salon pour regarder *La Famille Plouffe*, le volume du téléviseur devait toujours être au plus bas et Adrien, découragé devant un tel gaspillage de technologie, n'avait d'autre choix que de se fier aux images afin de déchiffrer l'intrigue. Patrick, Jean et moi avons souvent noté l'ironie, pour Adrien, de passer des romans-feuilletons de la radio, où il n'y avait pas d'image, à ceux de sa télévision, où il n'y avait pas de son. Nous le faisions en riant, mais jamais méchamment. Adrien était notre copain et nous savions, mieux que n'importe qui, à quel point sa vie de famille affectait le reste de son existence.

Lors de son neuvième anniversaire de naissance – occasion que madame Mousseau avait dû souligner au Poulet Doré pour ne pas déranger son époux dans sa vie de moine bénédictin en résidence –, Adrien avait demandé à sa grand-mère Bissonnette, le seul membre de sa famille, à l'exception de sa mère, avec qui il entretenait des relations chaleureuses, de lui expliquer pourquoi son père ne souriait jamais. Et comme la grand-mère avait une forte tendance à décrire le fonctionnement de la montre lorsque quelqu'un lui demandait l'heure, Adrien dut écouter la réponse pendant un long moment.

L'histoire de monsieur Mousseau était, somme toute, plutôt banale. Le genre de banalité qui m'aurait poussé à me tirer une balle si j'avais eu à la vivre, mais qui seyait parfaitement à la personnalité d'un homme comme le père d'Adrien. Le problème, c'est que monsieur Mousseau aurait préféré choisir sa médiocrité plutôt que de s'en voir imposer une qui ne lui convenait pas. Originaire de Saint-Léonard-de-Port-Maurice, petit bled situé dans le nord-est de l'île de Montréal, monsieur Mousseau avait grandi sur la ferme ancestrale et entrevoyait avec bonheur une vie entière à traire des vaches et à ramasser des œufs de poule.

Mais, un jour, alors que monsieur Mousseau avait vingt et un ou vingt-deux ans – imaginer le père d'Adrien à peine sorti de la puberté relève toujours de la gymnastique cervicale la plus intense; pour moi, il ne fut jamais rien qu'un vieux grincheux menaçant de sortir son bâton de baseball si nous avions le malheur d'aller sonner chez Adrien avant qu'il ne parte pour le travail –, son père, Lomer, lui demanda ainsi qu'à ses onze frères et sœurs de venir le rejoindre à la cuisine. Une fois tous réunis, les enfants Mousseau se groupèrent autour de la table, où leur mère, assise, pleurait comme une Madeleine.

« Qu'est-ce qui se passe ? avait demandé Antoinette, l'aînée des filles. Y'a pas quelqu'un de mort, toujours ?

— Ben non ! Ben non ! répliqua Lomer Mousseau à sa fille. Y'a personne de mort. Ta mère va finir par se calmer, ça sera pas long.

— Qu'est-ce qui se passe, d'abord ? demanda monsieur Mousseau, le père d'Adrien.

— Les enfants, j'ai une grande nouvelle à vous annoncer. Ça faisait longtemps que j'y pensais, mais là, c'est chose faite. Je viens de vendre la ferme. »

Lomer Mousseau avait essayé d'expliquer en détail les raisons de sa décision, mais les pleurs toujours plus bruyants de sa femme enterraient sa voix et commençaient à sérieusement l'irriter.

« Vas-tu finir par te calmer, Louisa ?! On s'entend plus parler, ici-dedans ! Mouche-toi le nez pis arrête de brailler. C'est faite, c'est faite.

— Je peux-tu savoir pourquoi vous avez vendu la ferme ? avait demandé le fils, le teint blafard, à son père.

— Parce que moi, traire les vaches pis nourrir les cochons, j'ai jamais aimé ça. Ça m'a toujours pué au nez. Pis à l'âge où je suis rendu, je pense qu'y'est à peu près temps que j'en fasse à ma tête. Ça fait que j'ai décidé que tout le monde s'en va en ville.

— En ville ?! poursuivit son fils, à mi-chemin entre la rage et le choc. Êtes-vous sérieux ? Tout le monde crève de faim, en ville ! Ça fait la queue pour manger trois repas par jour, pis vous voulez aller en ville ?!

— Avec l'argent que j'ai fait, y'a personne dans cette famille-là qui va mourir de faim. Lomer Mousseau a toujours été capable de faire vivre sa famille, pis c'est pas aujourd'hui que ça va changer.

— Mais on est quatorze dans cette maison-là !

— Pis ? Avec l'argent de la ferme pis celui que j'ai mis de côté depuis une couple d'années, on va être capables de bien vivre jusqu'à ce que les choses se tassent. Ça durera pas éternellement, cette crise-là, jamais je croirai… »

Les enfants Mousseau s'étaient divisés en deux groupes : ceux, ravis de partir vers la ville, réunis autour de leur père, et les autres, atterrés par la perte soudaine de leur vie telle qu'ils l'avaient connue, qui rejoignirent leur mère. Honoré, le père d'Adrien, fut le seul qui ne bougea pas.

« Vous rendez-vous compte de ce que vous avez fait ? Cette ferme-là est dans la famille depuis des générations ! Vous pouviez pas faire ça !

— Cette ferme-là était à moi et je pouvais en faire ce que je voulais ! Pis je te conseille fortement de me parler sur un autre ton, Honoré Mousseau !

— Cette ferme-là était aux Mousseau ! La seule raison pourquoi vous l'avez eue, c'est parce que c'est vous qui étiez le plus vieux ! Pis parce que tout à coup, ça vous tente pus de traire les vaches, moi, je suis supposé de lâcher ce qui m'appartenait depuis ma naissance ! Je perds tout ce que j'ai toujours travaillé pour depuis que j'ai dix ans parce que vous voulez aller traîner parmi les putains pis les quêteux ! Moi, j'appelle pas ça être père de famille. J'appelle ça être égoïste. »

Dans sa manière théâtrale de retracer le fil des événements, la grand-mère maternelle d'Adrien raconta que son père ne sut jamais s'il avait eu le temps de terminer sa phrase ou si le poing de Lomer l'avait heurté avant, laissant toute la place au souvenir de haine pure émanant des yeux de celui-ci et à la stupeur immobilisant sa mère, ses frères et ses sœurs.

« Je sais pas pour qui tu te prends, mais je vais m'arranger pour t'enlever tes accroires tout de suite. Dans cette maison-là, pis partout ailleurs, je suis ton père pis toi, t'es rien pantoute. Le coup que tu viens de recevoir, considère-le comme le premier pis le dernier avertissement que je te donne : la prochaine fois que tu vas me manquer de respect comme ça, t'es pus mon fils. Pas plus que tu vas être le fils de ta mère, ou le frère de tes frères pis de tes sœurs. C'est clair ? »

Le père d'Adrien ne dit rien. En fait, depuis ce jour où il s'était senti volé de sa ferme et de ce qu'aurait dû être sa vie, il n'avait pratiquement plus rien dit du tout. Un mois plus tard, la famille partait pour la ville et Saint-Léonard-de-Port-Maurice, au fil des années, allait devenir aussi urbain que la rue Saint-Timothée où les Mousseau avaient élu domicile, ironie que Lomer se chargeait toujours de rappeler à son fils aîné.

« T'aurais eu l'air fin, han ? Regarde ce que c'est en train de devenir, Saint-Léonard-de-Port-Maurice ! La ferme existe même pus ! Ça valait la peine de faire un fou de toi comme tu l'as fait ce jour-là, han, Honoré... »

Monsieur Mousseau demeurait alors muet, comme c'était maintenant devenu son habitude. C'était une chose, pour lui, de perdre la ferme parce que la ville grossissait de plus en plus. C'en était une tout autre de la perdre parce que son père l'avait trahi.

Comme le grand-père d'Adrien l'avait prévu, les effets de la crise économique faisant rage à Montréal n'atteignirent pas vraiment sa famille. Dans les rues du faubourg à mélasse, les Mousseau étaient souvent observés par leurs voisins avec un peu de jalousie dans les yeux, envieux de voir le patriarche de la famille jouir d'une retraite qu'il considérait comme pleinement méritée, alors que plusieurs hommes de son âge se voyaient dans l'obligation de retourner sur le marché du travail. Lomer Mousseau, après avoir passé la plus grande partie de son existence à entretenir une ferme qu'il avait en horreur, apprenait à découvrir les beautés de Montréal avec, à son bras, une épouse qui ne cessa jamais de pleurer sa vie perdue.

Monsieur Mousseau, quant à lui, fit plutôt le cheminement inverse de son père. Après avoir été heureux sur ce qu'aurait dû être sa ferme, il fut transplanté en ville où il réussit, quelques semaines à peine après son arrivée, à obtenir un emploi au port de Montréal. Il épousa ensuite la première fille lui accordant plus de deux secondes d'attention, tout en se dépêchant de quitter le logement de ses parents pour emménager dans un logis, beaucoup plus petit celui-là, de la rue Montcalm.

Essayant d'analyser son besoin maladif de silence, je me suis souvent demandé pourquoi monsieur Mousseau avait pris la décision de se marier et de bâtir une famille. Pourquoi imposer le calvaire du mutisme perpétuel à un enfant aussi agité et aussi à l'aise dans le tohu-bohu que pouvait l'être Adrien ? La seule réponse que j'ai trouvée – réponse simpliste, je n'en suis pas fier – est qu'il se refusait tout simplement à faire lui-même les tâches ménagères. Qu'il s'était imposé une concession majeure à son vœu du silence tout simplement parce qu'il voulait que quelqu'un d'autre se charge de la cuisine, de la lessive, etc., ce qu'il aurait dû faire lui-même s'il avait choisi de demeurer seul. La grand-mère Bissonnette, pour sa part, n'était pas tout à fait du même avis.

« Veux-tu savoir de quoi ton père aurait besoin ? De se la faire pomper plus souvent. Malheureusement, ça fait pas partie des grands talents de ma fille. Qu'est-ce que tu veux ? Elle peut pas retenir de moi dans tout. »

Si j'avais entendu ma propre grand-mère, lorsque j'avais neuf ans, m'entretenir sur ses habiletés érotiques, j'aurais probablement fait fi de toute trace d'orgueil qui m'habitait déjà et me serais mis à hurler. Mais Adrien était demeuré immobile, essayant plutôt de comprendre, dans les propos de sa grand-mère qui semblait s'imaginer que son petit-fils de neuf ans en avait dix de plus, les causes de l'incessante tristesse de son père.

Je ne crois pas qu'Adrien ait pu y parvenir. Au grand désespoir de son fils, Honoré Mousseau ne cessa jamais de vivre son malheur dans le silence le plus complet. Et Patrick, Jean ainsi que moi-même étions pris à entendre Adrien déblatérer sur tout et sur rien afin de meubler cette peur du mutisme que le père avait profondément inculquée chez son fils.

Mais en ce matin du 17 mars 1955, pour une des rares fois de sa vie, je le répète, Adrien n'avait pas envie de parler.

« Adrien ! chuchota Justine, sa mère, alors que Patrick, Jean et moi sonnions à la porte. Tes amis sont venus te chercher. Allez dehors. Ton père dort. »

Lorsque nous allions tous les trois chercher Adrien chez lui, Jean marchait toujours d'un pas plus rapide que nous afin d'être celui qui allait appuyer sur la sonnette avec un doigté, disons, aussi ferme qu'interminable. En raison de ce qu'il qualifiait d'égoïsme et de cruauté envers Adrien et sa mère, Jean détestait souverainement monsieur Mousseau et se délectait avec une passion sans cesse renouvelée à le lui faire savoir. Je me souviens tout particulièrement de cette fois où, alors que nous devions passer chercher Adrien pour aller à l'école, Jean s'était installé sous la fenêtre de la chambre de monsieur Mousseau afin de donner un grand coup de gong bien senti. Jean dut faire l'école buissonnière afin de se cacher du père d'Adrien, qui voulait l'étrangler. Littéralement. Je savais qu'Adrien allait être celui devant payer pour la témérité de Jean, mais je n'avais pu m'empêcher de rire. J'en ris encore, d'ailleurs.

« Mes amis, dites-leur d'aller ailleurs. Ça me tente pas de voir personne aujourd'hui.

— Adrien Mousseau, lève-toi pis va dehors. J'ai assez de ton père qui nous impose son train de vie de monastère, c'est pas vrai que mon gars va faire la même chose. Envoye dehors ! Pis de toute façon, tu les connais, tes chums ! Ils vont revenir sonner tant que tu te montreras pas la face. Ça me tente pas d'avoir ton père sur le dos parce que tes chums auront ruiné son précieux sommeil.

— Mais oui mais je file pas, pis…

— Aïe ! Ça va faire, là ! La terre arrêtera pas de tourner parce que Maurice Richard peut pas jouer au hockey, mon petit gars. Le soleil va encore se lever, demain matin. Pis si tu veux être capable de faire pareil, t'es mieux de te lever pis de sortir dehors parce que je te garantis que si ton père se réveille, je la trouverai pas drôle. D'avoir le silence ici dedans, c'est une chose. Mais de jamais rien entendre parce qu'y'est trop concentré à polir sa face de carême, c'est une autre affaire. »

Quelques instants plus tard, Adrien apparut enfin devant nous, prenant rapidement conscience que Jean et moi étions tout aussi déprimés que lui. Seul Patrick osait sourire à pleines dents.

« Pas un mot, sinon je te saute dessus, l'avertit Adrien.

— Quoi ? demanda Patrick. Qu'est-ce que j'ai fait ?

— Il dit pas un mot, mais y'a son air d'imbécile heureux depuis qu'on est allés le chercher », répondit Jean.

Je connaissais tout de la frustration d'Adrien. Je connaissais tout de celle de Jean. La mienne était identique en tous points.

«Il peut ben sourire, dis-je. Ses maudits Red Wings pis son Ted Lindsay[1] vont gagner la Coupe Stanley les deux doigts dans le nez!

— Ben là... Franchement! Je veux ben croire que Maurice Richard est bon, mais il fait quand même pas l'équipe à lui tout seul, répliqua Jean.

— Écoute ben, Jean, lui répondit Adrien. Y'est peut-être ben bon, Bert Olmstead[2], mais c'est pas Maurice Richard. Pis c'est pas Gordie Howe non plus.

— Ou Ted Linsday, ajouta Patrick.

— Ta gueule, rétorqua Adrien avant de se retourner vers Jean. Ça fait que je pense pas qu'on ait des grosses chances de gagner le championnat de la ligue, ou la Coupe Stanley.»

À observer Jean et Adrien, je savais que tous les deux pensaient la même chose que moi. Je savais que le sourire aussi incessant que niais de Patrick provoquait en eux une forte envie de le défigurer. Je le savais parce que je ressentais la même frustration devant ce copain qui favorisait les Red Wings dans le but avoué de nous emmener au bord de la crise de nerfs. Son plaisir évident à nous regarder faire le deuil de la saison du Canadien venait confirmer la raison véritable de cet engouement inexplicable qu'il ressentait pour les Red Wings de Détroit: notre hargne, notre indignation, notre exaspération l'amusaient et, en silence, Adrien, Jean et moi étions en train de nous questionner sur ce qui nous tenait le plus à cœur: venger l'affront fait à Maurice

---

1 Ailier gauche ayant joué pour les Red Wings de Détroit et les Black Hawks de Chicago, de 1944 à 1960, et en 1964-1965.
2 Ailier gauche ayant joué pour le Canadien de Montréal et les Maple Leafs de Toronto, de 1948 à 1962.

Richard ou respecter l'amitié qui nous liait à Patrick. À la vue du sourire crasse de celui-ci, notre décision penchait sérieusement du côté de la deuxième option.

« Regardez-moi pas de même, ricana Patrick en tentant de réprimer un fou rire. C'est quand même pas moi qui l'ai ordonnée, sa suspension, à Maurice Richard.

— Peut-être pas, mais mettons que ça fait pas mal ton affaire, répliqua Jean. Mais dis-toi ben une chose, Patrick Flynn : une victoire contre le Canadien sans Maurice Richard, c'est pas une vraie victoire. »

Sans perdre son sourire, Patrick s'accorda quelques secondes de silence, tout en soupirant longuement.

« C'est ben de valeur que vous me parliez sur ce ton-là. Hier, à'taverne, mon père a gagné quatre billets pour la partie d'à'soir. Je le sais pus trop si ça me tente de vous emmener. »

Au diable, Maurice Richard ! Ma décision était prise. Patrick Flynn devenait tout à coup, à mes yeux, le meilleur ami de l'homme après Lassie et, s'il l'exigeait, j'étais même prêt à chanter en chœur avec lui, du faubourg à mélasse jusqu'aux portes du Forum, un hymne à la gloire de Ted Lindsay et des Red Wings de Détroit.

Exhibant à mon tour un sourire crasse, j'étais tout à coup le plus heureux des hommes. Je partais vers l'ouest de la ville. Je retournais chez nous.

2
Jean... à propos de Patrick

La légende voulait, dans tout le quartier, que la famille de mon copain Patrick Flynn fût apparentée – de loin; de très, très loin – à Errol Flynn, légendaire Robin des Bois du cinéma américain et indécrottable coureur de jupons qui arrivait à faire soupirer ma propre mère comme la dernière des jouvencelles. En fait, presque personne au sein de la famille Flynn ne s'était jamais aventuré à confirmer qu'il existait bel et bien un lien de parenté entre eux et l'acteur, celui-ci étant né en Australie, alors que les ancêtres des Flynn de la rue de la Visitation provenaient du fin fond du comté de Wexford, en Irlande. Ce détail, néanmoins, demeurait somme toute insignifiant aux yeux de Marie-Yvette Flynn, la mère de Patrick, qui avait décrété très tôt qu'Errol partageait effectivement les mêmes aïeux que la famille de son époux, tassant du revers de la main les penchants marqués du «cousin» pour les jeunes filles et le whisky.

«On a les fiertés qu'on peut. Et comme ça ne nous tombe pas dessus, celle-là, on va la prendre. Pis à part de ça, vous en voulez, une preuve, qu'y'est apparenté avec nous autres? Ben je vais vous en donner une: paraît qu'y'est saoul à longueur de journée. Vous pouvez pas avoir de meilleure preuve que celle-là. Lui, c'est un Flynn. Un vrai!»

Mesdames et Messieurs, faites la connaissance de la délicieuse Marie-Yvette Flynn, femme mal mariée et mère frustrée, réduite à accrocher au mur de sa cuisine la photographie d'un acteur sur le déclin afin de s'abreuver de cet... exotisme qu'elle avait souhaité donner à sa vie en épousant un Québécois d'origine irlandaise, elle qui rêvait de voyager alors qu'elle n'avait jamais franchi les frontières du faubourg à mélasse.

En réponse à son épouse, qui provoquait en lui un besoin chronique d'émigrer à la taverne la plus proche afin d'être en mesure de supporter ses années de mariage, James Martin Flynn se plaisait à répliquer que l'exotisme de sa famille avait pourri en même temps que les pommes de terre quelque part dans les champs de l'Éire, à l'époque de la Grande Famine. Marie-Yvette piquait inévitablement une sainte colère lorsqu'elle l'entendait parler de cette façon.

«Un Irlandais qui parle pas un maudit mot d'anglais, ironisait James Martin. Me semble que tes lumières auraient dû allumer!»

Parmi les habitants du quartier, les Flynn étaient souvent considérés comme grotesques, comme s'ils faisaient partie d'un très mauvais cirque que tous regardaient de loin en riant, mais que personne ne voulait voir monter leur chapiteau dans sa cour. Sans vouloir leur manquer de respect, disons que la mère de Patrick était aussi séduisante qu'une femme à barbe, et que son père était un funambule tombé depuis longtemps de sa corde raide et n'ayant jamais eu la capacité de se relever. Et que dire de leurs enfants? Les fils Flynn, tout comme James Martin, s'employaient depuis longtemps à faire comme si leur foie était un organe tout à fait secondaire au bon fonctionnement du corps humain. Les filles, de leur côté, se livraient des batailles tout à fait épiques, enrichissant la mémoire collective des habitants d'un quartier n'ayant jamais été en mal de personnages colorés, afin de savoir laquelle d'entre elles allait gagner l'amour d'une mère qui ne voulait tout simplement rien d'autre qu'être ailleurs. Seul mon copain Patrick, s'employant à fuir le chapiteau parental pratiquement depuis qu'il était en âge de marcher, arrivait à conserver un équilibre relatif me rendant parfois perplexe.

Ma propre vie familiale n'était pas parfaite, loin de là. Mais alors que je côtoyais depuis vingt ans un père et une mère s'aimant encore comme de jeunes mariés, j'observais les Flynn et je n'avais de cesse de me demander ce qui, au départ, avait bien pu les attirer l'un vers l'autre. J'avais entendu tellement souvent Marie-Yvette parler de son époux comme s'il n'était rien d'autre pour elle qu'un vieux tapis d'entrée si usé qu'elle répugnait à y mettre les pieds, tout comme j'avais si souvent vu James Martin ivre au point où on le retrouvait étendu sur un banc de parc au lever du jour, que je n'arrivais tout simplement pas à les imaginer au tout début d'une relation, alors que le besoin de l'autre, comme les filles aiment bien le raconter, prime sur tout le reste. La timidité ne m'ayant jamais particulièrement caractérisé, j'étais allé rejoindre James Martin à la taverne Normandie, un soir, afin de connaître la réponse à ma question. L'air désabusé qu'il afficha soudainement, alors qu'il remontait le fil du temps, me portait à croire que la Marie-Yvette dont il était tombé amoureux n'avait jamais vraiment existé, tout comme il avait su donner une fausse image de lui-même à une femme ayant cru s'amouracher d'un homme qui, le croyait-elle, allait la sortir d'un quotidien qui la répugnait.

«En tout cas, mon James Martin, laisse-moi te dire une chose: de vous regarder aller, toi pis Marie-Yvette, ça m'enlève complètement le goût de me marier. Y'a au moins ça de positif.»

Éclatant d'un rire qui m'avait semblé empreint d'une mélancolie me donnant presque envie de le prendre dans mes bras pour le consoler – un peu de retenue; nous étions dans une taverne, tout de même! –, James Martin me raconta cette soirée où il avait fait la rencontre de ses futurs beaux-parents alors que ceux-ci lui avaient clairement fait comprendre qu'ils ne sautaient pas de joie à la perspective de voir leur fille épouser un membre de ce qu'ils considéraient comme le camp ennemi.

«Un membre de ma famille est mort à Saint-Eustache, moi, Monsieur. Tué par les maudits Anglais pendant la guerre des Patriotes. Ça fait que j'aime mieux vous le dire tout de suite: jamais je vais accepter que ma fille marie un maudit Anglais à marde! Prenez pas ça personnel.

— Monsieur Chénier, laissez-moi juste vous dire que mes origines sont irlandaises, pas anglaises. C'est pas pareil. Les Irlandais sont vus par la plupart des Anglais comme du monde qui se lavent pas pis qui connaissent rien aux bonnes manières. Venez avec moi vous promener dans Westmount pis je vous garantis qu'à la minute où je vais leur dire mon nom de famille, ils vont me regarder d'aussi haut que n'importe quel Canadien français. Vous pis moi, on est du même bord. Surtout que j'ai jamais voulu apprendre un traître mot d'anglais de toute ma vie…»

Après cette mise au point, les Chénier s'étaient alors fait un point d'honneur d'accueillir James Martin les bras ouverts, la larme à l'œil. Marie-Yvette, pour sa part, avait été déconcertée devant ce revirement de situation et interpréta, dans la nouvelle attitude de ses parents, une compréhension qu'elle n'attendait plus vis-à-vis de ce qu'elle était et, surtout, de ce qu'elle ne serait jamais, c'est-à-dire comme eux. Toute sa vie, la mère de Patrick avait rêvé de cinéma, de galas, des *Warner Brothers*, de grandes robes à crinoline et d'un quotidien passé à valser dans les bras de Fred Astaire, vivant un amour à la Clark Gable et Carole Lombard. Ses parents, en l'observant, s'étaient souvent demandés de quelle planète leur fille pouvait provenir, stupéfaits de son obsession pour la culture américaine, alors qu'ils s'étaient efforcés pendant des années à lui inculquer l'importance de la survie de la race. Marie-Yvette, de son côté, interpréta l'affection de ses parents pour James Martin comme un signe lui indiquant qu'ils l'avaient enfin comprise, et qu'il l'acceptait telle qu'elle était. Erreur.

Les propos de son promis sur les différences entre Anglais et Irlandais ne lui sont venus aux oreilles qu'après son mariage, alors qu'il était trop tard pour revenir en arrière, et que Marie-Yvette commençait déjà à découvrir que ce monde nouveau qu'elle avait cru voir dans les yeux de James Martin n'avait jamais vraiment existé, et que celui-ci mettait plutôt toute son énergie à entretenir une banalité qu'elle n'avait pas su reconnaître en lui.

Depuis ce jour, Marie-Yvette s'employait avec une ardeur tout à fait remarquable à faire payer James Martin pour une erreur de jugement qu'ils avaient pourtant été deux à commettre, et à chercher dans les moindres recoins de sa vie ce rêve qu'elle ne serait jamais en mesure de réaliser.

« Tous nos enfants portent des noms anglophones, m'avait d'ailleurs fait remarquer James Martin, entre deux rots et autres gorgées de ce qui devait être sa sixième ou septième bouteille de bière. Elle veut pas lire autre chose que des journaux en anglais, pis les rares fois où on va aux vues, on est pognés pour regarder des maudits films américains ! Y'a-tu quelqu'un, quelque part, qui pourrait lui dire qu'on vit pas à Los Angeles ? »

Comme je l'ai mentionné précédemment, je demeurais plutôt perplexe devant le stoïcisme de Patrick à l'égard de ce grotesque carnaval que constituait sa famille, et je n'avais jamais vraiment réussi à savoir si son apparente sérénité prenait racine dans vingt années d'habitude bien enracinées à vivre dans un match de lutte perpétuel, ou si elle ne cachait pas plutôt la peur de finir comme son père et ses frères s'il se permettait, ne serait-ce qu'un instant, de prendre conscience de l'incidence absolument épouvantable qu'allait avoir sa famille sur sa propre vie. J'obtins ma réponse, qui était plus ou moins constituée d'un mélange des deux hypothèses, le jour où Marie-Yvette décida que Patrick allait intégrer les ordres, sans que celui-ci n'oppose la moindre résistance. Pourtant...

« Veux-tu ben me dire pourquoi ? avait d'ailleurs demandé James Martin à sa mégère.

— Parce qu'avec la vie que j'ai, si j'ai pas la garantie que je vais aller au Ciel quand je vais crever, ce sera pas long avant que je tue quelqu'un, ici dedans.

— Pourquoi Patrick ? Pourquoi pas Thomas ? Y'est tout le temps rendu à l'église. Me semble que c'est un choix qu'y'aurait plus d'allure.

— Parce que Patrick, c'est le seul ici, à part pour moi, Maggie, Mary pis Teresa, qui boit pas une goutte d'alcool. Pis encore... Maggie, je suis pas sûre. En tout cas... Tout ça pour dire que si on se ramasse avec un fils qui dit la messe saoul comme une botte, on va faire rire de nous autres à 'grandeur de la paroisse. »

Pour ma part, j'ai toujours cru que la décision de Marie-Yvette de transformer Patrick en homme d'Église – métamorphoser serait peut-être un terme plus approprié – relevait du délire le plus pur et plaçait à l'avant-scène le fait que cette mère ne savait absolument rien de ses propres enfants. Je connaissais Patrick depuis que j'étais en âge de me souvenir de qui que ce soit, et je n'arrivais pas à me rappeler une seule fois où mon ami était demeuré éveillé pendant l'entièreté d'une messe dominicale. Tout comme je ne l'avais jamais entendu réciter le « Je vous salue, Marie » sans faire d'erreur. Adrien, Paul-Émile et moi avons d'ailleurs souvent fait des paris, lorsque Patrick devait réciter seul une prière en classe, sur le nombre de fois où il allait se tromper. Disons seulement que, toutes proportions gardées, j'ai fait beaucoup d'argent.

Ce fut au moment précis où Patrick accepta de devenir prêtre que nous trois avons compris qu'il n'était malheureusement pas différent du reste de sa famille. Alors que tout le quartier, ayant été témoin de ses ronflements incessants à l'église Saint-Pierre-Apôtre, se questionnait sur la pertinence de le voir arborer le collet romain, nous avons fini par comprendre que Patrick faisait partie intégrante du cirque au même titre que les autres membres de sa famille. Ce qui le différenciait des autres, par contre, est qu'il ne cherchait pas refuge dans l'alcool comme ses frères, ou encore l'approbation maternelle comme ses trois sœurs.

Son refuge, Patrick le trouvait en nous, et je devinais, malgré notre haine viscérale pour les Red Wings de Détroit et les propos quelque peu agressifs qui en découlaient, qu'il allait tout de même nous emmener avec lui au Forum, s'accordant ainsi quelques heures de répit de sa famille dysfonctionnelle.

« T'as pas beaucoup mangé, s'inquiéta soudainement Marie-Yvette un peu avant notre arrivée. T'es pas malade, j'espère ?

— Ben non, répondit Patrick. Pourquoi je serais malade ?

— De toute façon, tu me le dirais pas. Tu serais mourant pis tu trouverais le moyen de te rendre pareil au Forum, juste pour pas manquer ton maudit hockey. Surtout que tes sacro-saints Red Wings sont en ville !

— Vous parlez mal, maman. C'est pas beau de blasphémer devant un futur curé.

— T'as raison. Mais c'est pas ben mieux d'entendre un fils qui répond à sa mère, par exemple. »

Marie-Yvette s'était éloignée en adoptant une attitude fière et digne, ce qu'elle faisait toujours lorsqu'elle était convaincue de la pertinence de ses propos. Patrick, pour sa part, ne put s'empêcher d'éclater de rire tout en se disant que s'il pouvait toujours se rendre au Forum après son ordination, la vie serait encore belle.

3
Patrick... à propos de Jean

« À Verchères, le 14 mars 1910 à l'âge de trente-quatre ans, est décédé dans des circonstances tragiques monsieur Jean Taillon, époux d'Albina Brouillette. Outre sa bien-aimée épouse, monsieur Taillon laisse dans le deuil ses cinq enfants, Yoland, Josette, Rosette, Armande et Ondine. »

Cet avis nécrologique était affiché en permanence dans le salon des Taillon, rue de la Visitation, au grand chagrin de Jean, mon ami d'enfance et petit-fils du défunt, qui ne pouvait jamais s'empêcher de grimacer lorsqu'il apercevait son père saluer au passage le visage imprimé sur l'avis en question, comme si celui-ci avait été un invité bien installé dans un fauteuil du salon. « As-tu peur des morts ? » lui avait un jour demandé Adrien, sourire en coin, alors que Jean faisait état, une fois de plus, de sa frustration à voir constamment le visage du grand-père affiché bien en évidence.

Irrité, Jean avait regardé Adrien en grimaçant et je le savais déçu par la boutade de celui-ci, qui connaissait tout autant que Paul-Émile et moi la raison véritable derrière la frustration chronique de Jean à devoir toujours croiser le regard de celui qu'il appelait Jean Ier en roulant les yeux

Privé de son père à un très jeune âge, Yoland Taillon, le père de Jean, s'était constamment débrouillé non seulement pour garder la mémoire de son père vivante, mais également pour faire comme s'il n'était, en fait, jamais parti. Lors de réunions de famille à Verchères, là où les sœurs de monsieur Taillon habitaient toujours, les conversations portaient invariablement sur leur père, sur sa bonté, son sens de l'humour et ses qualités indéniables qui en avaient apparemment fait un homme de famille tout à fait extraordinaire. Tout défaut, toute faiblesse et tout manque dont Jean Taillon avait pu faire preuve au cours de sa vie étaient catégoriquement interdits de mention, rejetés en faux, niés, comme si sa mort en avait fait la preuve vivante que la perfection existe bel et bien sur Terre, ce qui avait pour effet de rendre son petit-fils, grand cynique et pragmatique devant l'éternel, constamment au bord de la crise de nerfs.

« Ils parlent de lui comme s'il avait été un mélange du pape, d'Aurèle Joliat, de Louis Cyr, de Mozart pis de Louis XIV ! Pourquoi pas la reine Victoria, un coup parti ! »

Mais au-delà de cette tendance au révisionnisme plutôt extrême dont sa famille aimait faire preuve, la frustration véritable de Jean, ayant parfois des allures de pure panique, prenait véritablement racine dans un autre dévouement malsain que sa famille vouait à un autre membre du clan Taillon : lui-même. Seul petit-fils parmi toute la progéniture plutôt imposante de Jean Ier et d'Albina, Jean détestait avec une ardeur sans cesse renouvelée ces rencontres à Verchères où chacun des enfants Taillon s'obstinait à voir dans le seul descendant masculin de la famille une ressemblance avec leur père qui n'existait pourtant pas du tout.

« Mon grand-père avait des airs du géant Beaupré, simonac ! Comment ils font pour penser qu'on se ressemble quand moi, je suis la copie carbone de Tyrone Power ? ! »

Si Adrien, Paul-Émile et moi éclations toujours d'un rire franc devant la confiance plutôt étendue de Jean envers ses attributs physiques – s'il était vrai qu'il n'avait pas des airs du géant Beaupré, cela l'était tout autant d'affirmer qu'il ne ressemblait absolument pas à Tyrone Power ; Dizzy Dean[3],

---

3   Lanceur de baseball pour les Cards et les Browns de Saint-Louis, de 1930 à 1947.

des Cards de Saint-Louis, serait un exemple se situant plus près de la réalité –, nous étions par contre tout à fait en mesure de comprendre le besoin de plus en plus maladif de Jean à mettre une distance certaine entre sa propre vie et ce que fut celle de son grand-père. Comment faire autrement, alors que toute sa famille s'acharnait à voir en Jean la réincarnation d'un homme parti trop tôt? Comment ne pas le prendre en pitié alors que les Taillon s'entêtaient à croire, tout simplement parce qu'ils étaient deux à porter le même prénom, que Jean allait connaître une fin aussi prématurée que celle de son aïeul? «S'ils s'imaginent que je vais crever de la même manière que le grand-père, j'ai des petites nouvelles pour eux autres, moi! Vous pouvez être certains que je me promets une fin pas mal plus glorieuse!»

Je me permettrai, ici, un léger retour en arrière afin d'apporter quelques précisions aux propos de Jean: par un superbe matin du mois de mars, le grand-père Taillon était parti, comme tous les matins, en direction du travail. En cours de route, pris tout à coup d'une urgente envie d'uriner, il immobilisa son cheval près du chemin et se soulagea à l'ombre d'un arbre. Plutôt maladroitement, le grand-père s'était installé derrière son cheval, qui en profita pour décocher, bien évidemment, une magnifique ruade faisant atterrir le grand-père tête première sur un mur de pierres, son pantalon aux chevilles et son membre bien en vue. Il ne reprit jamais conscience.

Fin du retour en arrière.

Au moment où Jean nous raconta les circonstances entourant le décès de son grand-père, Paul-Émile, Adrien et moi avons ri comme cela nous est rarement arrivé dans notre vie, de manière aussi incontrôlable que douloureuse, alors que ventre, côtes et mâchoires nous faisaient atrocement mal, incapables de chasser de notre tête l'image de ces gens sans doute venus porter secours à un homme gisant dans sa propre urine. Ce n'était pas drôle, pourtant. Et Jean était le premier à ne pas rire de cette situation, prisonnier du souvenir d'un homme qu'il n'avait pas connu et que ses aînés croyaient enfin revenu vers eux après tant d'années d'absence, abhorrant toutes ces visites à Verchères alors que son père, ses tantes et même sa grand-mère lui répétaient à quel point il ressemblait à son grand-père, à quel point il parlait comme lui, à quel point il avait le même regard, les mêmes manières, tandis que Jean ne voyait rien d'autre, dans leurs propos, qu'un acharnement pathétique à le rendre identique à un mort.

« Il faut que tu le comprennes, avait d'ailleurs expliqué Lucille Taillon à son fils. C'était son père. Il l'aimait, pis il l'a pas eu avec lui ben longtemps. En toi, y'a l'impression de le retrouver un peu. »

Si madame Taillon arrivait à comprendre le réconfort que pouvait ressentir son époux lorsqu'il plongeait son regard dans les yeux de son fils, elle était d'une incapacité chronique à comprendre le désarroi de Jean, qui ne se sentait nullement l'envie ou la force de vivre une vie autre que la sienne dans l'unique but de plaire à son père et à ses tantes, mais qui, néanmoins, n'arrivait pas à se débarrasser de cette croyance imposée par sa famille, le ramenant au même rang qu'un disparu prématuré de trente-quatre ans. Alors, comment faire autrement que de se rebeller ? Comment faire autrement que de mener sa vie en opposition totale à celle, perdue, qu'il rejetait avec une ardeur peu commune ?

En cette fin de journée du 17 mars 1955, alors que je le voyais traverser la rue de la Visitation pour rejoindre Paul-Émile et Adrien afin de prendre la direction du Forum, je savais que Jean se demandait de quelle manière son grand-père vivrait chacun des moments de sa vie afin qu'il s'applique à agir de manière tout à fait contraire. Si Jean Ier était droitier, alors son petit-fils mettrait tout en œuvre, malgré les coups de règle des frères enseignants, pour devenir un indéfectible gaucher. S'il était vrai que Jean Ier avait été un homme de famille tout à fait remarquable, alors mon ami se conditionnerait à ne jamais le devenir. Ces exemples, deux parmi tant d'autres, reflétaient cette mission que Jean s'était donnée tout en se jurant de la mener à bien: garder son grand-père au loin. Vivre sa vie en totale opposition à lui. Peut-être alors arriverait-il à conjurer ce sort lancé par les membres de sa propre famille et à survivre bien au-delà de ses trente-quatre ans.

Rien d'autre que la vie. La sienne. À n'importe quel prix.

4
Adrien... à propos de Paul-Émile

Je suis au courant de cette réputation de bavard incorrigible que Paul-Émile m'a donnée, et je tiens à dire que je ne suis nullement froissé contre lui. Il a entièrement raison. Mais je tiens toutefois à préciser – j'ignore si Paul-Émile l'a déjà fait – que mon besoin de parler sans cesse prenait racine dans une peur bleue du silence, plutôt que dans un besoin pathétique de ramener sans cesse l'attention vers moi. Je n'ai jamais éprouvé la moindre difficulté à m'effacer devant quelqu'un ayant une bonne histoire à raconter, et c'est très exactement ce que je m'apprête à faire ici, alors que je suis sur le point de dévoiler l'histoire des Marchand, histoire qui pourrait très bien se raconter toute seule, ou encore servir de trame de fond à un radioroman voulant illustrer les mésaventures d'une famille de riches.

Ces mêmes Marchand, qui logeaient sur la rue Wolfe, près du boulevard Dorchester, étaient une authentique famille de bourgeois perdue au beau milieu de la classe ouvrière. Gérard Marchand, le père de mon copain Paul-Émile, avait longtemps travaillé comme courtier – comme son père et son grand-père l'avaient fait avant lui – et n'avait eu d'autre choix, après une crise économique de 1929 particulièrement difficile pour lui, de déménager femme et enfants dans un quatre et demi d'un quartier populaire, au grand désespoir de son épouse, Florence. Celle-ci aurait d'ailleurs été prête à donner, sans hésiter, ce qu'elle ne possédait plus afin de pouvoir conserver son train de vie d'Outremontaise huppée n'ayant rien à cirer de cette populace sans intérêt, ce que nous étions très certainement pour elle jusqu'au moment de son arrivée dans le quartier.

«Jamais, tu m'entends?! avait-elle crié à son mari lorsque celui-ci avait annoncé l'emplacement de leur nouvelle demeure. Jamais je n'irai habiter parmi la vermine! Je t'en prie, Gérard! Dis-moi que tu n'es pas sérieux! Je sais que les choses vont mal, mais tout de même!

— On n'a pas le choix, Florence. C'est ça ou la rue!

— Ils n'oseront tout de même pas sortir une femme de sa maison! Je suis chez moi, ici, et j'y reste.

— Pourrais-tu être raisonnable, Florence, une fois dans ta vie? Si tu ne sors pas d'ici de ton propre gré, c'est la police qui te sortira et, fais-moi confiance, tu seras bien mieux là où je veux t'emmener que dans une cellule de poste de police.»

De ce que je qualifierais d'un peu méchant, les gens du faubourg ont longtemps ri au souvenir d'une Florence Marchand en pleurs, accompagnée de son époux et de ses deux filles, alors qu'elle faisait son entrée, d'un pas majestueux, dans sa nouvelle demeure n'ayant absolument rien d'un château d'Outremont ou de Westmount. Les voisins, curieux, s'étaient alors tous réunis à leurs fenêtres pour se demander ce qu'une famille provenant visiblement de la haute société venait faire parmi des gens comme eux.

«Ça me console un peu de voir que les temps sont pas durs juste pour nous autres.

— Quand même! Ça doit pas être facile! Tu serais content, toi, de partir d'un château d'Outremont, ou de Westmount, pour venir vivre dans un coin comme le nôtre?

— Qui te dit qu'ils viennent de Westmount?

— Franchement! Regarde le linge qu'y'ont sur le dos. Ce monde-là, ça s'habille pas chez Woolworth, je t'en passe un papier.

— S'ils sont pris pour venir vivre ici, y'ont peut-être même pus les moyens d'aller chez Woolworth.

— Ferme les rideaux ! Ferme les rideaux ! Ils nous ont vus ! »

Le père de Paul-Émile, faisant contre mauvaise fortune bon cœur, s'était plutôt bien adapté à son nouvel environnement, provoquant stupéfaction et admiration chez ses nouveaux voisins, dont ma propre mère, et développa rapidement des liens amicaux avec beaucoup de gens du quartier. Curieusement, son ancienne vie de courtier, où tout le monde dans le faubourg l'imaginait en train de côtoyer ministres, vedettes et autres membres du gratin qu'eux savaient ne jamais pouvoir rencontrer ailleurs qu'à la radio ou dans les journaux, ne semblait pas lui manquer le moins du monde. Malgré l'aspect cérébral que nécessitait son métier d'autrefois, monsieur Marchand adorait les travaux manuels qu'il devait effectuer afin de pourvoir aux besoins de sa famille, et s'identifiait beaucoup aux hommes qui l'entouraient et qui, comme lui, devaient lutter jour après jour – et un repas à la fois, dans certains cas – pour que personne à la maison n'ait le ventre vide.

Monsieur Marchand n'habitait plus une maison assez grande pour abriter tout un pâté de maisons du faubourg à mélasse. Ses complets ne provenaient plus de chez Ogilvy's et il en était réduit à rêver aux vieux pays en souriant tristement, comme le faisaient la plupart de ses nouveaux voisins, alors qu'il connaissait certaines grandes villes européennes davantage que son propre pays d'origine. Pourtant, il semblait parfaitement heureux. En paix, même. Pour ma part, je ne pouvais que lever mon chapeau devant cette capacité d'adaptation tout à fait spectaculaire dont faisait preuve monsieur Marchand, serein à la simple pensée que sa famille ne manquait de rien.

Par contre, la situation était tout autre pour madame Marchand, la mère de Paul-Émile, qui ne parvint jamais à s'habituer à son nouvel environnement. En dépit de toute leur bonne volonté, de leur sucre à la crème, de leurs tourtières et de leurs soirées de bingo, les dames du quartier ne réussirent jamais à l'approcher tout à fait, madame Marchand ne se gênant pas pour les classer dans la catégorie des gens qu'elle considérait indignes de la côtoyer. Refusant de céder le pas à l'intimidation que la mère de Paul-Émile provoquait chez elles, furieuses devant un mépris aussi évident qu'injustifié, les voisines eurent tôt fait de la désigner comme leur toute nouvelle tête de Turc, ne ménageant aucun sourire moqueur ou raillerie lorsque madame Marchand daignait pointer son nez à l'extérieur. Après quelque temps, les femmes du quartier se mirent enfin à l'ignorer complètement, probablement par lassitude plutôt que par l'apparition d'une quelconque forme de compassion pour ce que pouvait vivre Florence Marchand. Celle-ci ne se formalisa d'ailleurs aucunement de cette nouvelle attitude, elle qui ne désirait rien d'autre – à l'exception d'un retour à Outremont ; à pied, s'il le fallait – que d'être laissée à sa solitude.

Pour ma part, j'aimais bien madame Marchand. Le garçon impressionnable en culottes courtes que j'étais à l'époque devenait béat d'admiration – pour ne pas dire complètement niais – devant ce que je considérais comme la plus belle créature ayant jamais foulé le sol de mon quartier. Alors que ma propre mère avait depuis longtemps cessé de mettre ses charmes en valeur pour plaire à mon père, qui n'en avait absolument rien à cirer, de toute façon, alors que la vue des filles Flynn ne m'offrait rien d'autre que bigoudis et mâchoires déformées par des chiques de gomme, alors que les filles de mon âge n'avaient encore comme unique ambition que de ressembler à Shirley Temple, j'étais ébloui devant cette femme qui ne sortait jamais de chez elle sans que ses cheveux ne soient coiffés à la perfection, ou que sa robe ne soit impeccablement repassée. Il arrivait souvent à ma mère de soupirer d'impatience, elle qui considérait madame Marchand comme la quintessence du snobisme, lorsque je me mettais à radoter sur les charmes exceptionnels de la mère de Paul-Émile et sur mon bonheur puéril à voir quelqu'un comme elle atterrir au beau milieu de gens aussi insignifiants que nous.

C'était avant que je ne devienne fier de mes origines. C'était avant que je ne devienne fier de qui j'étais. Et, surtout, c'était avant que je n'apprenne l'étendue du mépris que madame Marchand vouait à cet endroit m'ayant vu grandir. C'était avant que je sache que chaque matin, elle se levait, préparait le petit déjeuner – j'allais même jusqu'à l'imaginer beurrer du pain avec la même grâce qu'une biche gambadant dans les prés; j'étais vraiment sans espoir –, habillait ses deux filles pour l'école et courait acheter le journal, histoire de vérifier si quelqu'un, quelque part, ne serait pas en manque d'un bon courtier.

«Voyons, Florence, soupirait monsieur Marchand. Ça marche pas comme ça, tu le sais. Les emplois de courtier sont jamais annoncés dans le journal. Pis de toute façon, personne a l'argent pour ça, en ce moment. Tu perds ton temps.

— Seigneur que tu es pessimiste, Gérard! Tu ne dois pas te faire oublier.»

Dois-je également spécifier que c'était la première fois de ma vie où j'entendais quelqu'un parler en négation? J'étais en transe. Littéralement.

«Un jour, quelqu'un aura besoin d'un bon courtier comme Gérard Marchand mais, s'ils ne savent pas où te trouver, comment veux-tu qu'ils viennent te chercher?

— Florence…

— Laisse-moi donc faire, Gérard! Ça prend bien quelqu'un qui essaie de nous sortir de notre trou à rat! Toi, tu es occupé à mendier un emploi toute la journée. Je ne te reproche rien. Tu n'as pas le choix, je le sais. Alors, il revient à moi de prendre les choses en main si on veut retourner à Outremont. »

Devant une incapacité aussi évidente à voir les choses en face, monsieur Marchand choisit de se taire. Tous les matins, il observait son épouse se leurrer alors qu'elle se disait qu'aujourd'hui était enfin leur jour de chance et, tous les matins, il ne disait rien, préférant garder pour lui que jamais ils ne retourneraient à leur vie d'avant, et que ce leurre lui faisait beaucoup plus de mal que de bien. Préférant, surtout, garder pour lui cette espérance qu'il avait de ne jamais retourner dans son ancien milieu.

Préférant garder pour lui ce matin où il avait croisé son ancien patron, quelque part sur la rue Craig, et que cet homme avait détourné ses yeux de monsieur Marchand, préférant traverser la rue comme s'il venait de croiser un pestiféré.

Pourtant, malgré sa propension à ne pas voir les choses en face, la réalité se chargea de rattraper madame Marchand par un matin du mois de janvier 1935, alors qu'elle et son époux venaient d'apprendre qu'ils allaient avoir un troisième enfant.

« T'es certaine?

— Je connais mon corps, Gérard. Franchement! Tu parles d'une question stupide!

— Pourquoi t'as cet air-là? On va avoir un autre enfant. Tu devrais être contente.

— Contente de quoi? On en a déjà deux et on arrive à peine à les faire vivre décemment.

— Tu trouves pas que t'exagères? Simonne et Marie-Louise manquent de rien. Comparé à d'autres familles du coin, moi, je trouve qu'on vit très bien.

— Tu commences un peu trop à ressembler aux hommes du quartier, Gérard Marchand. Je n'aime pas ça. Tes filles ne manquent peut-être de rien, mais elles n'ont plus le train de vie auquel nous les avons habituées. J'ai honte de les avoir fait vivre dans un quartier mal famé comme celui-là depuis quatre ans. C'est cruel, ce qu'on leur fait !

— Cruel… Franchement, Florence ! Marie-Louise, c'est la bonne humeur en personne, pis Simonne est pas assez vieille pour se souvenir de la maison à Outremont. Dis-le donc, enfin, que tu trouves que les quatre dernières années ont été cruelles pour toi. Pas pour les filles.

— Je n'en peux plus ! C'est ça que tu veux savoir, Gérard ? Je n'en peux plus ! Ça fait quatre ans qu'on a été parachutés ici et j'ignore comment j'ai fait pour ne pas devenir complètement folle ! Je ne suis pas faite pour ça, moi, Gérard ! Je ne suis pas faite pour la pauvreté. Je ne suis pas faite pour me priver. Je ne suis pas faite pour un minable quatre et demi mal éclairé avec des murs minces comme des feuilles de papier. Je ne suis pas faite pour m'asseoir sur mon balcon avec ma bouteille de Kik Cola et mon baril de chips. Je ne suis pas faite pour bavarder avec la voisine à propos des derniers commérages du quartier, pas plus que je ne suis faite pour m'intéresser à rien d'autre que le dernier exemplaire du *Radio-Monde* !

— Maudit que tu peux être méprisante, des fois ! »

Malgré mes origines prolétariennes, je n'ai jamais été très intéressé par la lutte des classes. Pour moi, le monde n'était pas divisé entre riches et pauvres, mais plutôt entre francophones et anglophones, et l'envie était pressante d'aller lutter contre ce que je considérais être la pire forme de discrimination qui soit. Et surtout qu'à l'époque où j'ai grandi, la lutte des classes était un concept étroitement associé au communisme qui, lui, représentait pour le monde occidental une menace aussi terrifiante que l'invasion des barbares en sol romain. Sans parler que la seule vue de Staline me donnait des frissons dans le dos... Mais lorsque je pris conscience, bien des années plus tard, alors que j'en étais rendu à grimacer de dégoût à la pensée des fantasmes qu'elle avait un jour fait naître en moi, de l'étendue du mépris que nous portait Florence Marchand, et ce, uniquement en raison de notre statut social, je ressentis alors une envie tout à fait phénoménale de m'enrôler au sein de l'Armée rouge.

Enfin... Je tiens à m'excuser. Encore une fois, je babille sans arrêt et sans aucun intérêt. Revenons plutôt à l'histoire des Marchand, et à madame, en particulier, qui essayait de justifier ses propos pour le moins élitistes.

«Je ne suis pas méprisante, Gérard. Je suis réaliste. Je viens d'Outremont, moi! J'ai été élevée pour devenir une femme du monde. Pas une grosse truie du bas de la ville! J'ai une formation de pianiste classique, j'ai étudié en Europe, j'ai visité tous les grands musées de...

— Tu peux ben radoter pendant des heures sur ta supériorité bourgeoise, Florence, mais ça changera pas le fait que maintenant, être la fille du docteur Beauregard, ou la femme du courtier Marchand, ça donne pus grand-chose.

— Je ne te comprends pas, Gérard. Non seulement tu ne fais rien pour nous sortir d'ici mais, en plus, tu te sens bien là-dedans.

— Oui, je me sens bien. Veux-tu savoir pourquoi? Parce que pour la première fois de ma vie, j'ai l'impression d'avoir des amis pour une autre raison que la grosseur de mon portefeuille.

— Et quelle est cette raison, exactement? La grosseur de votre bedaine de bière?

— Si seulement tu faisais un effort, Florence, pour apprendre à connaître les gens qui t'entourent, je suis certain que tu finirais par les aimer. »

Pauvre monsieur Marchand ! Sur ce point, il se leurrait presque autant que sa belle lorsqu'elle s'imaginait pouvoir retourner à Outremont grâce à la section des petites annonces du *Devoir*. La froideur qui caractérisait les relations entre madame Marchand et les habitants du quartier était là depuis trop longtemps, trop solidement installée, pour espérer que les rapports puissent un jour devenir chaleureux. Polis, peut-être. Respectueux était un terme, j'imagine, qui aurait pu ne pas être qualifié d'utopique. Mais espérer que Florence Marchand vienne chanter *Prendre un verre de bière, mon minou* avec les gens du voisinage lors d'un quelconque réveillon du Jour de l'An semblait aussi plausible qu'un mois de novembre sans la moindre goutte de pluie.

« De toute façon, poursuivit madame Marchand, il n'y a rien qui change le fait que l'on ne peut se permettre d'avoir un troisième enfant. Pas dans ces conditions.

— Ça veut dire quoi, ça ?

— Ça veut dire ce que ça veut dire.

— Florence Marchand, si tu penses que tu vas faire comme ta sœur a fait après avoir couché avec le notaire Boudreau, je te le dis tout de suite, enlève-toi ça de la tête.

— Comment tu sais ça, toi ?

— Je le sais, c'est tout. Pis ce que je sais, aussi, c'est que ma femme se fera jamais toucher par un faiseur d'anges. S'il faut que je te fasse surveiller jour et nuit, je vais le faire !

— Tu préfères mettre un enfant dans la misère ?

— Y'a personne ici dedans qui vit dans la misère, Florence ! Arrête donc de te plaindre la bouche pleine, pour une fois !

On vit peut-être pus dans une maison de quinze pièces avec un foyer pis un piano Bluthner mais, au moins, on a un toit décent au-dessus de notre tête, on mange à notre faim, pis on est capables d'aller se promener dehors en plein hiver sans se geler le bout des pieds. Y'a pas beaucoup de familles du coin qui peuvent en dire autant. »

Les huit prochains mois, madame Marchand allait les passer à ignorer systématiquement son pauvre époux, préférant encore et toujours se réfugier dans ses rêves d'une vie passée qui ne reviendrait manifestement jamais plus. Quoique, comme tout ce qui sortait de la bouche de son épouse était lamentations répétitives concernant son piano à queue et sa chambre à coucher avec vue sur l'Oratoire Saint-Joseph, si j'avais été à la place de monsieur Marchand, j'aurais considéré ces huit mois comme les plus spectaculaires de toute ma vie. Enfin…

Puis, par un chaud après-midi du mois de septembre, alors que monsieur Marchand se trouvait au travail et qu'elle revenait de l'école où elle avait accompagné ses deux filles, madame Marchand fut soudainement prise, à quelques pas de chez elle, de violentes contractions annonçant que le bébé allait faire son entrée plus tôt que prévu.

« Madame Marchand… »

Je ne crois pas qu'elle l'ait jamais su, mais madame Marchand fut incroyablement chanceuse que Mirande Desrosiers, voisine ignorée superbement depuis quatre ans, fut celle qui se trouva sur son chemin ce jour-là. Bien des années plus tard, alors que Paul-Émile, Jean, Patrick et moi avions depuis longtemps commencé à faire nos coups pendables dans tout le faubourg à mélasse, j'entendais encore certaines personnes affirmer que si madame Marchand s'était trouvée devant eux lorsque les premières contractions se firent sentir, ils l'auraient laissée accoucher toute seule, au beau milieu de la rue Wolfe. C'est dire à quel point l'inimitié entre Florence Marchand et les gens du voisinage était profonde.

« Ça ne se peut pas ! Ça ne se peut pas ! s'exclama madame Marchand à l'intention de sa voisine. Le bébé ne doit pas encore arriver avant trois semaines !

— C'est pas pour vous contredire, répliqua madame Desrosiers, mais je pense pas que votre bébé va attendre jusque-là.

— Ah ! mon Dieu ! Mes reins... Je sens une autre contraction qui s'en vient !

— Accrochez-vous à mon bras, je vais vous emmener chez nous. Y'a pas d'escalier à monter. De là, j'appellerai le docteur.

— Gérard...

— Je vais envoyer mon mari le chercher. Inquiétez-vous pas. »

Doucement, mais fermement, madame Desrosiers entraîna sa voisine, qui se tordait de douleur, vers le logis qu'elle partageait avec son époux et leurs huit enfants.

« Roger ! ROGER !

— Qu'est-ce qu'y'a ?

— C'est madame Marchand.

— La pimbêche à Gérard ? Qu'est-ce qu'elle a de... Ah ! ben ! Madame Marchand !

— Viens m'aider ! Elle va accoucher.

— Ici ?!

— Ben oui, ici. C'est pas la première fois que tu voies une femme accoucher, Roger. De toute façon, elle souffre déjà le martyr comme c'est là, j'y ferai pas monter l'escalier pour la faire accoucher chez elle, certain.

— As-tu besoin de quelque chose, Mimi ?

« — Va me remplir un bol d'eau, pis apporte des serviettes avec ça. Moi, je vais l'installer dans notre lit. Inquiétez-vous pas, madame Marchand. C'est peut-être pas l'hôpital Notre-Dame, chez nous, mais c'est aussi propre. »

Une heure et trente-sept minutes plus tard, peu après que monsieur Marchand soit arrivé au pas de course chez les Desrosiers, Paul-Émile, fils de Gérard Marchand et de Florence Beauregard, anciennement de la rue Pratt à Outremont mais logeant depuis presque cinq ans sur la rue Wolfe, à Montréal, venait au monde.

Ma grand-mère Bissonnette disait souvent qu'il n'y avait rien de mieux que l'arrivée d'un beau bébé en pleine santé pour réunir les ennemis d'hier et effacer les vieilles rancunes. Je mentirais effrontément si j'affirmais que l'arrivée de Paul-Émile transforma madame Marchand et les gens du voisinage en amis intimes, ce qu'ils n'auraient jamais été, de toute façon. Mais l'indécrottable complexe de supériorité dont madame Marchand avait gravement souffert lors de son arrivée sur la rue Wolfe s'atténua quelque peu après son accouchement sans, toutefois, jamais disparaître complètement. La sollicitude et la bonté dont fit preuve madame Desrosiers à son égard l'avaient grandement touchée, sentiment que madame Marchand ne se permit jamais d'oublier, et une profonde amitié se développa entre ces deux femmes qui s'ignoraient encore avec ardeur le matin même où Paul-Émile vint au monde.

Contrairement à ses sœurs, mon ami d'enfance ne fit pas son entrée dans le monde accompagné des meilleurs obstétriciens de Montréal. Contrairement à Simonne et Marie-Louise, qui n'en avaient d'ailleurs conservé aucun souvenir, il n'eut pas droit aux services d'une bonne d'enfants, pas plus qu'à une grande chambre garnie des plus beaux oursons en peluche et de jouets tous plus magnifiques les uns que les autres. Le logement où je vivais avec mes parents n'avait absolument rien d'un manoir, mais la chambre à coucher de Paul-Émile aurait pu faire passer la mienne pour une chambre – la moins chère, tout de même – du Ritz Carlton. J'étais un enfant unique, après tout, tandis que Paul-Émile était le dernier arrivant d'une famille comptant déjà deux enfants, et sa bassinette fut logée dans la chambre de ses parents jusqu'à ce qu'il soit assez vieux pour dormir seul dans son petit lit pliant installé dans un coin du salon, là où Paul-Émile apprit rapidement l'art du sommeil accompagné de sons provenant du poste de radio, ou des bruits que faisaient monsieur Marchand et les autres hommes du quartier lorsque son épouse acceptait de voir ceux-ci débarquer chez elle pour une soirée de cartes.

Mais, en dépit de ses qualités d'adaptation presque aussi exceptionnelles que celles de monsieur Marchand, Paul-Émile apparut très rapidement comme étant à l'étroit à l'intérieur des frontières du bas de la ville. Son père et ses sœurs avaient appris à y être heureux mais, de plus en plus, mon ami semblait devenir une copie conforme de sa mère qui, elle, s'était sentie très tôt comme un arbre transplanté dans un sol qui lui serait toujours infertile. Paul-Émile était le seul membre de sa famille à n'avoir jamais connu la richesse mais, curieusement, il était celui à qui elle manqua le plus cruellement. Comme s'il n'arrivait pas à accepter que ses parents et ses sœurs aient un jour fait partie d'un club sélect, dont les membres étaient triés sur le volet, et qu'on lui en avait refusé l'accès. Madame Marchand prit d'ailleurs note de ce ressentiment assez rapidement, glissant au passage à son époux que si quelqu'un arrivait un jour à les sortir de la rue Wolfe, ce serait Paul-Émile.

« Pourquoi tu dis ça ? lui demanda son mari.

— Parce qu'il est comme moi. Il aime le beau, la variété…

— Il aime l'argent.

— Qu'y a-t-il de mal là-dedans ?

— Rien. À condition de jamais oublier d'où il vient. »

Madame Marchand souriait toujours de manière presque pédante lorsque son époux parlait de l'importance des racines, ne sachant que trop bien que celles de Paul-Émile ne se trouvaient pas dans un vieil appartement humide de la rue Wolfe et, à mesure qu'il grandissait, sa mère était heureuse de voir qu'il s'identifiait de plus en plus à cette vie ancienne qu'elle lui racontait mais qu'il n'avait pourtant jamais connue. Fréquemment, il nous imposait des voyages en tramway jusqu'à Outremont, où nous nous ramassions inévitablement devant l'ancienne résidence de la rue Pratt, maison où lui-même n'avait jamais vécu mais dont il connaissait néanmoins les moindres recoins.

« Un jour, cette maison-là va redevenir la propriété d'un Marchand. »

À quinze ans, alors que notre univers tournait presque exclusivement autour des filles et du hockey, Patrick, Jean et moi étions loin de penser à l'avenir, et encore plus loin d'un avenir à Outremont. Nous ne faisions donc que hausser les épaules et bâiller d'ennui devant ce que nous prenions pour des idées de grandeur de la part de Paul-Émile, impatients de retourner au sport et à la chasse aux filles. Pourtant, si nous avions été plus attentifs, nous aurions compris à ce moment-là que Paul-Émile appartenait davantage au paysage tout en fleurs de la rue Pratt plutôt qu'aux immeubles de béton et de briques parfois poussiéreux de la rue Sainte-Catherine. Il ne le disait jamais très haut, ne s'appliquait jamais à nous le faire comprendre clairement mais, si nous avions davantage tendu l'oreille, nous aurions entendu la complainte de quelqu'un transplanté de force à l'endroit même où auraient dû se trouver ses racines. Nous aurions entendu la complainte d'un fils désireux de retourner à cette vie que sa mère avait dû un jour quitter.

Le soir où nous nous sommes rendus tous les quatre au Forum, Paul-Émile avait poliment écouté Jean en silence alors que celui-ci racontait la frustration de son père à savoir que son fils devait traverser chez les Anglais afin de pouvoir assister à un match du Canadien. Je savais que la frustration de monsieur Taillon prenait racine avant tout dans la nervosité et l'intimidation que provoquait chez lui une communauté anglophone lui étant complètement fermée, tout comme je savais également que Paul-Émile ne souffrait absolument pas du même complexe d'infériorité.

Pourquoi en aurait-il été ainsi ?

Paul-Émile retournait chez lui. Tout simplement.

5
Jean... à propos des quatre

J'ignore pourquoi on m'a choisi pour raconter ce qui suit. Pourquoi moi, exactement ? Encore aujourd'hui, je n'arrive pas à comprendre. Je n'arrive pas à savoir pourquoi on a retenu mes souvenirs et rejeté de la main ceux des trois autres. Au risque de me faire lancer des tomates, je ne me suis jamais vraiment intéressé au 17 mars 1955[4] d'un point de vue autre que le mien, et qui était éminemment très personnel. Malgré l'abondance d'articles de journaux et de livres que j'ai lus portant sur ce sujet, malgré les films et autres documentaires analysant ce qui s'est passé, je ne me suis jamais senti concerné par ce que tous s'entendent pour qualifier de point tournant dans l'histoire du Québec. Le drame national ayant découlé de cette soirée ne m'a jamais particulièrement ému, comme ce fut le cas pour Adrien, et je n'ai jamais pu comprendre pourquoi certains s'obstinaient à en faire le point de départ de la Révolution tranquille. Pour moi, la soirée du 17 mars 1955 ne fut rien d'autre qu'un événement heureux – notre première partie au Forum – ayant particulièrement mal tourné. Peut-être est-ce là la raison véritable pouvant expliquer pourquoi je suis celui qu'on a choisi pour raconter ce qui s'est passé. Suis-je le seul à être en mesure d'analyser cette tranche de notre histoire sans que des éléments externes ne viennent mettre en jeu mon objectivité ? Adrien n'aurait certes pas pu le faire, trop outré par l'affront ayant été fait à Maurice Richard qu'il considérait comme une gifle au visage des Canadiens français au grand complet. Pas plus que

---

4   17 mars 1955: émeute au Forum en raison de la suspension de Maurice Richard.

Paul-Émile n'aurait pu raconter quoi que ce soit, alors qu'il se serait très certainement laissé influencer par l'intense dégoût provoqué en lui par la vue de la violence qui éclata dans les rues. Et pour ce qui est de Patrick, celui-ci ne fut pas en mesure, comme je l'expliquerai plus loin, de se souvenir de quoi que ce soit, de toute façon. Pour ma part, tel que je l'ai déjà mentionné, je n'ai jamais pu me souvenir de cette soirée au-delà de ce qui nous est arrivé, à Paul-Émile, Adrien, Patrick et moi. J'étais triste pour le Canadien, bien évidemment, mais j'étais incapable de voir quoi que ce soit d'autre que l'incidence que cette soirée allait avoir sur nous quatre. Le lendemain, j'ai lu dans les journaux que des vitrines avaient été fracassées et que des autobus furent renversés. Je ne m'en rappelle même pas.

Ce dont je me souviens, par contre, est qu'il y avait déjà beaucoup de manifestants massés autour du Forum, lorsque nous sommes arrivés au coin des rues Sainte-Catherine et Lambert-Closse, un peu moins d'une heure avant le début de la partie. C'est drôle parce qu'en dépit de notre indignation à l'égard de la suspension de Maurice Richard, Adrien, Patrick, Paul-Émile et moi avions à ce moment précis quelque chose de complètement différent en tête. Nous avions refusé de prendre le tramway pour nous rendre au Forum, choisissant plutôt de conserver le peu d'argent que nous avions afin d'acheter quatre verres de bière, ce que nous ne pouvions légalement pas faire puisque aucun d'entre nous n'était encore âgé de vingt et un ans. Et au lieu de laisser libre cours à la rage que provoquait en nous la suspension du Rocket, nous songions plutôt à la manière dont nous allions nous y prendre pour mettre la main sur nos verres de Molson. C'était clair dès le départ que Patrick, qui semblait parfois ne pas avoir plus de quatorze ans, ne serait pas celui qui se présenterait au comptoir de bière. Pas plus que Paul-Émile, jouissant d'une formidable pomme d'Adam jumelée d'une voix de baryton, mais qui ressemblait néanmoins un peu trop, justement, à un collégien tenté d'acheter de la bière pour ensuite la boire en cachette. Il allait donc revenir à moi et à Adrien, qui n'avions pas l'allure de garçons prépubères sans toutefois ressembler à des apollons dans la force de l'âge, de dégager une confiance en nous-mêmes suffisante pour ne pas éveiller les soupçons du préposé à la bière. Nous en étions, d'ailleurs, rendus à compter nos sous pour bien nous assurer que nous possédions la somme exacte lorsque nous avons enfin pris conscience de ce qui se préparait aux portes du Forum. Une foule considérable y était amassée, et la tension palpable nous fit rapidement comprendre que la moindre étincelle risquait de tout faire exploser.

Un nombre incalculable d'hommes étaient présents. De tous les âges. Des jeunes hommes comme nous, des pères de famille… Des vieillards aussi, arrivant parfois à peine à se tenir debout. Mais il y avait également des femmes, dont certaines étaient accompagnées de jeunes enfants. Certains hurlaient leur colère, leur indignation devant l'injustice de la suspension imposée au Rocket, alors que d'autres choisissaient plutôt de se faire discrets, démontrant leur approbation à l'égard des plus bruyants d'entre eux par un hochement de tête ou de simples applaudissements.

Pour notre part, nous étions trop pressés de nous enivrer pour manifester notre mécontentement vis-à-vis quoi que ce soit.

Une fois entrés à l'intérieur du Forum, Paul-Émile et Patrick répétèrent à Adrien et à moi en quoi consistait notre stratégie afin d'obtenir nos verres de bière, et l'importance de respecter cette stratégie à la lettre. En gros, Adrien et moi devions arriver au comptoir et faire semblant d'avoir déjà quelques verres derrière la cravate. Toutefois, notre performance devait comporter une certaine dose de nuance, afin de ne pas avoir l'air trop éméché et que le barman nous refuse notre bière sous prétexte que nous risquions de sortir du Forum à quatre pattes.

« Faites comme si vous étiez mariés, pis chialez après vos femmes, suggéra Patrick. Ça va faire plus sérieux.

— C'est quoi le rapport ? demanda Adrien à Patrick.

— Ben... À la taverne où mon père va boire, la moitié des hommes font ça à longueur de soirée. »

Adrien, visiblement nerveux, hocha la tête, tout en prenant soin de retenir la suggestion. En passant, notre petite mise en scène lui permit de découvrir à quel point ses dons pour la comédie relevaient du vaudeville, justement, alors que sa seule façon de prétendre être ivre se résumait à regarder vers le haut et cligner des yeux.

« Veux-tu ben me dire qu'est-ce que tu fais ? m'informai-je, alors que nous faisions la queue pour acheter notre bière.

— Ben, quoi ?... J'ai pas l'air paqueté ?

— Non. T'as l'air d'un innocent qu'on vient de laisser sortir de l'asile.

— Qu'est-ce que tu veux que je fasse ? Je suis quand même pas pour me mettre à chanter !

— Dis rien pis laisse-moi faire. »

Arrivés devant le barman, Adrien mis les mains dans ses poches en souriant comme un demeuré, alors que je me lançai dans une performance prodigieuse, qui m'éblouit encore aujourd'hui. Avant même que le barman nous demande ce que nous voulions, lui qui nous regardait déjà

comme les morveux que nous étions, je me mis à mono-
loguer sur ma toute nouvelle épouse – je n'étais pas très loin
de mes vingt et un ans, alors je pouvais passer pour un nouveau marié sans problème – qui tenait absolument à ce que
sa mère emménage avec nous un mois après notre retour de
voyage de noces ! Seulement, mon coup de génie ne se
résuma pas à feindre mon horreur devant la perspective de
voir la belle-mère débarquer avec ses valises et son air bête,
mais plutôt à mettre le barman dans le coup : que devais-je
faire, selon lui, pour convaincre ma légitime que sa mère
était bien là où elle se trouvait, c'est-à-dire loin de moi ? La
meilleure défense étant l'attaque, c'est bien connu, je m'y
suis jeté comme le dernier des perdus.

Je la voulais, ma bière, et j'allais l'avoir.

Déstabilisé, le barman cessa de me regarder de manière
soupçonneuse pour ensuite m'observer, après quelques
secondes, comme si j'étais le dernier des martyrs canadiens.
Au bout du compte, il ne répondit pas à ma question – surtout que j'en étais presque rendu à beugler sur l'épaule d'un
Adrien complètement dépassé –, se contentant de nous
donner les verres de bière en me souhaitant bonne chance,
grimaçant comme si j'étais sur le point de me faire écraser
par un train et qu'il ne pouvait absolument rien faire pour
me sauver.

Fier comme un paon – vous reconnaîtrez tout de même
que je méritais tout le crédit pour ce tour de force –, je suis
parti rejoindre les autres en compagnie d'Adrien, remerciant
Patrick pour son excellent conseil.

Quelque temps après le début de la partie, alors que les
Red Wings menaient déjà 2 à 0, nous étions tous les quatre
occupés à déguster notre bière dont le goût, au bout du
compte, s'était avéré plutôt fade, lorsque la foule se mit

subitement à hurler. Je n'ai pas compris immédiatement la cause d'un tel soulèvement. Sans vouloir paraître ingrat, les billets donnés par monsieur Flynn n'étaient pas exactement les meilleurs qui soient, et c'est à peine si j'arrivais à voir les joueurs sur la glace. Ce fut Paul-Émile qui, me montrant du doigt l'homme et la femme se dirigeant vers leur siège, arriva à me faire comprendre que la mauvaise humeur des gens ne prenait pas uniquement racine dans les deux buts comptés par les joueurs des Red Wings.

« Clarence Campbell...

— Y'a du front, lui, de venir se montrer la face ici ! » s'exclama Adrien.

Je me souviens très exactement, à ce moment-là, avoir ressenti une vive irritation envers Clarence Campbell[5], non parce qu'il avait osé se pointer au Forum après la suspension imposée à Maurice Richard, mais plutôt parce que sa seule présence dans l'édifice allait très certainement aboutir, selon moi, à un carnaval sans précédent qui allait me priver de la joie d'apercevoir enfin Bert Olmstead en personne. La suite des choses me donna malheureusement raison.

Aussitôt installé sur son siège aux côtés de son épouse, Clarence Campbell se fit huer avec une violence tout à fait inouïe, le tout assaisonné d'insultes qui, personnellement, m'auraient donné envie de provoquer en duel la foule du Forum au grand complet. Mais Campbell ne bronchait pas et, tout en l'observant, je n'arrivais qu'à me demander si sa capacité à garder le dos droit sous le poids des injures relevait davantage d'une force et d'un courage que nous devions tous

---

5   Président de la Ligue nationale de hockey de 1946 à 1977, Clarence Campbell fut celui qui imposa la suspension à Maurice Richard en mars 1955 pour le reste de la saison et toute la durée des séries en raison d'un coup de poing assené à un juge de ligne.

reconnaître, ou ne dépendait pas plutôt d'une inconscience et d'un refus de voir la réalité, ce qui nous aurait semblé plus plausible. Et plus souhaitable, aussi. Bien franchement, je n'eus pas le temps de trouver réponse à ma question alors que verres de bière, tomates, fruits pourris et autres projectiles en tous genres étaient lancés en direction de Campbell, qui ne bougeait toujours pas, choisissant simplement de s'essuyer, d'éloigner les objets et de demeurer assis sur son siège. Pour ma part, alors qu'Adrien essayait de me convaincre de ne pas baisser mon pantalon pour montrer mon derrière au président de la Ligue nationale de hockey en guise d'injure, j'étais partagé entre l'admiration et la frustration que Campbell provoquait chez moi en quantités égales.

Pour la suite de l'histoire, je fus mis dans l'obligation de me fier à d'autres sources que ma propre mémoire. Ce n'est pas que je ne me souvenais plus de rien, mais ce qui survint ensuite me donna l'énergie nécessaire afin de me concentrer que sur un seul être, un seul traumatisme, un seul souvenir. À ce jour, je ne me souviens même pas avoir vu un homme s'avancer pour gifler Clarence Campbell. Quelques jours plus tard, alors qu'Adrien me racontait en menus détails ce moment comme s'il s'agissait de la bataille des plaines d'Abraham revisitée, je me contentai de hocher la tête en signe d'approbation, essayant comme un bel abruti de me souvenir de la claque. J'aurais bien voulu, pourtant, me rappeler de ce qui ressemblait de plus en plus à une soirée à la taverne du coin sur le point de mal tourner, mais je ne me souvenais que de Patrick, silencieux sur son siège, écoutant une conversation entre les deux hommes assis à sa gauche.

« Regarde ça, souffla celui assis tout juste aux côtés de Patrick, alors qu'il sortait d'une poche de son manteau un objet que je n'arrivais pas encore à identifier.

— Qu'est-ce que tu fais avec ça ? Es-tu fou ?!

— C'est un de mes chums qui est policier qui me l'a donnée. J'étais certain que cet écœurant-là allait se montrer le bout du nez, icitte à soir.

— On va se faire arrêter ! Veux-tu ben remettre ça dans ton manteau ?!

— Calme-toi. Je ferai pas sauter le Forum avec ça. C'est juste du gaz lacrymogène. Ça me tente de faire brailler Campbell un peu. »

J'ai revécu la scène je ne sais plus trop combien de fois. Adrien et Paul-Émile aussi, sans aucun doute. Tout comme les deux voisins de Patrick, alors que nous l'avons tous regardé s'emparer de la bombe lacrymogène, pour ensuite la lancer de toutes ses forces en direction de Clarence Campbell. Aujourd'hui, lorsque je repasse cette scène dans ma tête, l'action se déroule toujours au ralenti, comme si le temps avait voulu nous permettre, à Paul-Émile, à Adrien et à moi, de comprendre la nature du geste que Patrick avait posé ; de lire dans les moindres détails les émotions qui se trouvaient sur son visage alors que nous en avions été parfaitement incapables sur le coup. Nous aurions tous voulu comprendre. Nous aurions tous voulu demander à Patrick pourquoi lui, fan inconditionnel des Red Wings et de Ted Lindsay, s'était permis de jeter le Forum dans le chaos le plus total, alors qu'il avait souri comme un bel abruti en apprenant la suspension de Maurice Richard. Si Adrien avait commis le geste, j'aurais pu comprendre. Les événements ayant mené à la décision de Clarence Campbell allaient provoquer en lui un éveil au nationalisme québécois qui n'allait jamais plus trouver de paix et qui, bien franchement, venait quelque peu irriter l'hédoniste insouciant et convaincu que j'étais déjà. Mais Patrick ? Le fils à maman de Marie-Yvette

Flynn ? Le futur curé ? Adrien, Paul-Émile et moi en étions tout à fait abasourdis.

« Es-tu fou ? ! », demanda brutalement Paul-Émile à Patrick, une fois la bombe lacrymogène lancée, alors que celui-ci demeurait immobile sans dire le moindre mot. Son voisin de gauche, par contre, semblait sur le point d'éclater en sanglots, comme s'il avait été un enfant de huit ans s'étant fait voler son tout nouveau Big Wheel le jour de sa fête.

La pure panique qui découla du geste posé par mon ami empêcha Paul-Émile d'obtenir une réponse satisfaisante à sa question. Mais Adrien, avec une présence d'esprit qui fit défaut au reste d'entre nous, empoigna Patrick tout en nous faisant signe, à Paul-Émile et à moi, que l'heure était venue de quitter les lieux.

« Venez-vous en ! On part d'ici ! », cria-t-il en cherchant des yeux la sortie la plus proche.

Nous avons évidemment quitté nos sièges au pas de course, pressés de retourner à l'est du boulevard Saint-Laurent comme quatre peureux ayant croisé Godzilla, mais chaque porte de sortie nous menait invariablement vers des milliers de manifestants cherchant mille prétextes pour exprimer leur colère devant la décision de Clarence Campbell, alors que nous ne cherchions qu'à fuir le Forum le plus rapidement possible afin que Paul-Émile, Adrien et moi puissions emmener Patrick à un endroit où il aurait à nouveau pris les traits familiers de cet ami de toujours, et qui était demeuré, visiblement, quelque part dans les hauteurs du Forum.

Les milliers de personnes venues démontrer leur furie nous forçaient à la paralysie.

Quelques instants plus tard, en raison d'un geste insensé que ni Adrien, ni Paul-Émile et ni moi n'avons vu venir, nos vies allaient prendre une tournure tout à fait indésirable pour le jeune homme que j'étais à l'époque. À l'exception de l'école, qui nous emmerdait tous royalement, notre existence se résuma longtemps aux filles, aux gorgées de bière prises à la sauvette et aux différentes parties de hockey qui peuplaient nos hivers. Les nôtres et celles du Canadien. Et j'étais heureux dans cet environnement insouciant qui parvenait à me faire oublier le fantôme étouffant de mon grand-père pendant quelques heures. Alors pourquoi tout chambarder? Pourquoi balancer ce qu'avaient été nos vies jusqu'à maintenant pour se défouler en lançant de toutes ses forces une bombe lacrymogène dans un Forum déjà survolté?

Pourquoi?

Une fois de plus, je n'eus pas le temps d'obtenir une réponse satisfaisante à ma question. Alors que la foule massée à l'extérieur de l'amphithéâtre scandait «Tuez Campbell!» à pleins poumons, alors que nous cherchions à retrouver le plus rapidement possible les frontières rassurantes du faubourg à mélasse, une énorme pierre destinée à la représentation calcinée du président de la Ligue nationale de hockey vint violemment heurter Patrick sur le côté gauche de sa tête, et il s'écroula. Horrifiés, Adrien, Paul-Émile et moi sommes demeurés paralysés pendant plusieurs secondes, observant Patrick qui gisait à nos pieds, incapables de croire que notre vie venait de basculer de manière aussi absurde. Je n'ai jamais su si ce fut le cas pour Adrien et Paul-Émile, mais je me souviens avoir espéré, pendant un moment qui m'a semblé une éternité, que quelqu'un émergerait de la foule pour porter secours à Patrick, nous libérant ainsi d'une tâche que nous nous sentions incapables de mener à bien. Surtout moi, qui devenais blanc comme un drap à la vue de la moindre goutte de sang. Mais personne ne venait, la très grande majorité des gens autour de nous s'appliquant sans remords à ignorer un blessé, alors que les quelques autres semblaient nourris dans leur colère par la vue de Patrick gisant sur le trottoir. Comme si Clarence Campbell lui-même avait lancé la pierre.

Une fois de plus, Adrien fut le premier à sortir de sa torpeur. Du sang avait commencé à s'échapper de la plaie ouverte à la tête de Patrick, et celui-ci risquait de se faire piétiner à tout moment, si rien n'était fait, par des manifestants de plus en plus enragés. Adrien s'est alors penché pour tenter de redresser Patrick, tout en nous faisant signe, à Paul-Émile et à moi, de venir lui donner un coup de main.

Un taxi nous ramena sur la rue de la Visitation. Le chauffeur, par empathie, refusa d'ailleurs de se faire payer de quelque manière que ce soit, ce qui nous soulagea grandement puisque nous avions embarqué dans sa voiture tout en sachant que nous n'avions pas le moindre dollar à lui donner. Patrick était encore inconscient lorsque nous sommes enfin arrivés au logis des Flynn, et ce fut le chauffeur lui-même qui se chargea d'annoncer à Marie-Yvette et James Martin qu'un accident était arrivé à leur fils et que celui-ci aurait fort probablement besoin des soins d'un médecin.

Le pauvre chauffeur regretta amèrement son geste de compassion lorsqu'il fut témoin de toute la force de l'ouragan Marie-Yvette Flynn.

«Voir si ç'a de l'allure, s'était-elle exclamée, presque démente. UN FUTUR CURÉ! Je vais y en faire, moi, des émeutes! S'il faut que je l'attache jusqu'à temps qu'il rentre au Grand Séminaire, je te jure ça sur la tombe de ma mère, je vais le faire!»

Le chauffeur de taxi, éberlué par la crise de Marie-Yvette, retourna à son véhicule presque au pas de course, alors que le pauvre James Martin essayait de jongler avec l'horreur provoquée par la vue de son fils inconscient et son embarras de voir son épouse réagir de cette façon.

«Calme-toi, Marie-Yvette. Le petit a quasiment eu le crâne fracassé. C'est pas la peine d'y défoncer les tympans en plus.

— Qu'est-ce que tu veux que je fasse? Que je lui donne une tape dans le dos en y disant bravo? Voyons donc! Y'avait pas d'affaire à se trouver là! Pis quand je pense que c'est toi qui lui as donné les billets! Bout de viarge, je sais pas ce qui me retient de pas te sacrer dehors avec les vidanges!»

Paul-Émile était allé chercher un linge qu'il avait ensuite mouillé à l'eau froide, alors qu'Adrien et moi étions au chevet de Patrick, étendu sur le lit de la chambre à coucher qu'il partageait avec son frère Gavin, étendu dans son lit lui aussi, trop saoul, comme à son habitude, pour se rendre compte de quoi que ce soit. Et lorsque Patrick ouvrit enfin les yeux, grimaçant de douleur en raison d'un mal de tête que je ne voulais même pas imaginer, nous fûmes les trois personnes qu'il aperçût en premier, alors que ses parents, étaient encore occupés à s'entretuer dans la cuisine.

«Écoute-moi ben, James Martin Flynn. J'ai pas perdu mon temps à faire des mamours au curé Julien pour que les études de Patrick soient payées pour absolument rien! As-tu pensé trente secondes à ce qui risque d'arriver si le curé apprend où le petit était, à soir? Penses-tu que ça va lui tenter, au curé Julien, de payer des études à un fanfaron assommé par une gang d'hystériques qui pensent que la fin du monde est arrivée parce qu'un joueur de hockey pourra pus pousser une *puck* pour le reste de l'année ? Ce qui s'est passé à soir, fais-moi confiance, personne va le savoir. En échange, je te demande de mettre tes culottes pis de faire comprendre à ton gars qu'y'est temps qu'il mette de l'ordre dans ses priorités. C'est pas trop dur à faire, ça, me semble ? »

J'aurais dû être heureux de voir que Patrick avait enfin ouvert les yeux. Adrien et Paul-Émile également. Nous n'étions qu'horrifiés. À la vue de notre ami ayant malheureusement tout entendu des propos de sa mère, nous savions que sa blessure la plus douloureuse ne se situait pas à la tête, et qu'elle n'avait aucune chance de guérison rapide.

« Vous savez, ma femme…, nous dit James Martin, embarrassé. Elle veut pas mal faire. Quand le chauffeur de taxi est venu nous avertir, elle pleurait. Elle était dans tous ses états. Là, j'imagine que c'est les nerfs qui retombent. »

Alors qu'il regardait James Martin, piteux, s'éloigner lentement du lit de son fils, Adrien rageait devant sa lâcheté, tandis que Paul-Émile, tout en appliquant le linge mouillé sur la blessure de Patrick, essayait de relativiser, de trouver une logique quelconque à tout ce qui venait de se passer. Nous savions depuis toujours que les Flynn étaient les bêtes de foire du voisinage. Tout le monde le savait, depuis très longtemps. Seulement, Adrien, Paul-Émile et moi nous étions permis de l'oublier, refusant de reconnaître qu'avant d'être notre presque frère, Patrick était surtout leur fils à eux, et que le jour viendrait où il serait brisé comme tous les autres. Comme Maggie, Thomas et Gavin, qui ne savaient pas regarder la vie autrement qu'à travers une bouteille de bière ; comme Teresa et Mary, qui ne cherchaient même pas à espérer quoi que ce soit de mieux de leur existence ordinaire tellement Marie-Yvette avait réussi à les convaincre qu'elles ne valaient pas mieux.

Pour Adrien, Paul-Émile et moi, Patrick n'était rien d'autre que notre ami d'enfance, souriant, généreux, loyal, aussi heureux d'être avec nous à ne rien faire qu'à passer une journée d'hiver à glisser sur le Mont-Royal. Pourtant, ce soir-là, sa réalité rattrapa la nôtre à une vitesse fulgurante. La possibilité de voir l'ami disparaître sous les méandres d'un fils brisé et piétiné nous est apparue comme une claque en plein visage, alors que Marie-Yvette ne se donnait même pas la peine de nous demander comment il allait, et que James Martin, le dos courbé, évitait de le regarder. L'idée même que Patrick puisse un jour ressembler à Thomas et Gavin nous donna l'envie de hurler, d'arrêter le temps. Comment l'imaginer en loque humaine ? Nous ne voulions désespérément pas le savoir. En voyant Patrick allongé sur son lit, affaibli, nous voyions aussi quelqu'un de coincé entre un passé moche, vide de sens, menant à un avenir qui lui ressemblerait en tous points. Rien d'autre ne l'attendait que ce désespoir résigné, propre aux Flynn, de savoir que sa vie ne pourrait jamais être quoi que ce soit d'autre qu'un échec, tout simplement parce que celle de sa mère en fut un et qu'elle ne supportait pas l'idée qu'un des siens réussisse là où elle avait échoué.

C'est à ce moment-là que j'ai tout compris. C'est à ce moment-là que j'ai réalisé à quel point mon ami était profondément et sincèrement malheureux.

La bombe lacrymogène, Patrick ne la lança jamais autant en direction de Clarence Campbell que contre lui-même, comme s'il avait espéré qu'elle vienne l'atteindre à la manière d'un boomerang. Toute sa vie, il s'était écrasé lamentablement devant les volontés de sa folle de mère, incapable de lui dire qu'il voulait hurler à la seule pensée de cette vie malheureuse qu'elle voulait lui imposer, comme elle l'avait fait avec tous les autres.

Ce soir-là, au Forum, après avoir lancé la bombe à bout de bras, Patrick n'avait pas bougé. Les gens hurlaient, couraient dans tous les sens – moi, le premier –, mais il n'avait pas bougé, comme s'il attendait quelqu'un, ou quelque chose. Plus tard, alors que je l'observais sur son lit, l'air misérable, j'ai enfin compris la raison première de son immobilisme : Patrick avait voulu se faire prendre. La défiance des gens présents au Forum l'avait gonflé à bloc, lui donnant ainsi une force de se rebeller qui lui faisait cruellement défaut à l'ombre de son exécrable mère. Jamais n'aurait-il la force de refuser cette vie de prêtre imposée par Marie-Yvette tout en regardant celle-ci dans les yeux, mais la contestation tout à fait phénoménale émanant du Forum ce soir-là, ce refus soudain d'un destin tout tracé d'avance, Patrick se les était appropriés, croyant ainsi que ce moment dans le temps arriverait, par sa simple force, à faire dévier une destinée dont il ne voulait pas, sans toutefois ne jamais avoir la force de la rejeter lui-même.

Bien involontairement, Adrien, Paul-Émile et moi avons fait échouer son plan. En le sortant du Forum à toute vitesse, nous venions de tuer dans l'œuf la seule possibilité qu'il avait enfin su se donner de refuser quelque chose qui n'était pas pour lui. Cet état de fait, selon moi, le blessa de manière bien plus violente que la pierre qu'il reçut sur le côté de sa tête.

Patrick ne s'est jamais fait prendre, et il ne nous restait qu'à lui souhaiter de trouver enfin par lui-même et en lui-même cette force qui ferait dévier sa trajectoire.

« Y'est assez tard, les gars. Vous pouvez rentrer chez vous. »

Adrien, Paul-Émile et moi connaissions Marie-Yvette Flynn depuis suffisamment longtemps pour savoir que ce commentaire de sa part signifiait que nous disposions, très exactement, de dix secondes pour quitter les lieux et la laisser seule à sa misère. Ces mots, nous les avions entendus tellement souvent: après toute une journée à jouer aux cowboys et aux Indiens, alors que l'heure du souper était arrivée; après avoir passé plusieurs heures à analyser dans leurs moindres détails les plus récentes joutes de la LNH et qu'elle n'en pouvait plus de nous entendre radoter comme si nous avions été Michel Normandin; lorsqu'elle surprenait ses trois filles à nous reluquer d'un peu trop près... Mais nous n'étions maintenant plus des gamins. Et si cette soirée du 17 mars 1955 ne nous avait pas tout à fait métamorphosés en hommes, la transformation était suffisamment enclenchée pour qu'Adrien, Paul-Émile et moi fissions comprendre à la langoureuse Marie-Yvette que nous n'étions pas des membres de sa famille, heureusement, et qu'elle ne nous inspirait alors aucune crainte.

Nous sommes demeurés encore un long moment au chevet de Patrick. En silence, comme si nous ne savions pas encore tout à fait quoi faire de ce qui venait de se passer. Comme si nous espérions, bien stupidement, que le décor familier des Flynn allait nous permettre de transformer ce vœu que rien n'avait vraiment changé en immuable réalité. Avec le temps, j'ai fini par comprendre que nous sommes demeurés silencieux parce que nous prenions conscience, à notre corps défendant, d'avoir vécu cet instant qui allait nous lier les uns aux autres à tout jamais; cet instant dont Patrick, Adrien, Paul-Émile et moi allions nous souvenir dans ses moindres détails, parce qu'il avait solidement contribué à ce que nous étions sur le point de devenir.

Au fil des années, je me suis rendu compte que les gens ne parlent jamais d'eux à la première personne lorsqu'ils évoquent leurs souvenirs de l'émeute au Forum. À la différence des assassinats du président Kennedy et de John Lennon, par exemple, alors que chaque personne se souvient de l'endroit où elle se trouvait, les souvenirs individuels sont plus difficiles à recueillir. Comme si la fureur provoquée par la suspension de Maurice Richard n'avait pu atteindre son apogée que dans une force collective en mesure de lui donner son véritable élan. Pourtant, mes souvenirs de cette soirée historique ne portent que les noms de Patrick, Paul-Émile, Adrien et Jean. Réunis. Peut-être est-ce là la raison véritable expliquant pourquoi je fus l'heureux désigné chargé de raconter ce qui s'y était passé. Parce que je ne sus jamais être en mesure de me rappeler de quoi que ce soit d'autre. Et s'il est vrai que les Canadiens français commencèrent à s'unir au lendemain de l'émeute, ce ne fut malheureusement pas le cas pour nous quatre. Dès ce moment, les liens solides nous ayant tous unis depuis l'âge de six ans commencèrent sournoisement à s'effriter, et une très grande période de temps allait s'écouler avant que nous puissions être frères à nouveau.

CHAPITRE II
1960

1
Paul-Émile... à propos d'Adrien

Madame Mousseau était toujours très fière lorsqu'elle mettait les pieds dans la salle de cours d'Adrien, à l'école Saint-Jean-de-Brébeuf, dans le quartier Rosemont. Alors que, pour ma propre mère, il allait de soi que j'allais devenir médecin, avocat ou courtier, madame Mousseau avait presque remercié le ciel en pleurant lorsqu'Adrien avait pris la décision de faire son cours classique en vue de devenir professeur. L'exercice d'une profession libérale n'était pas très courant parmi les habitants du bas de la ville. Pas plus que les carrières en milieu agricole, comme monsieur Mousseau put le constater par lui-même.

«Fermier, ça te tenterait pas? avait-il demandé à Adrien, espérant sans doute retrouver chez son fils un peu de cette vie perdue il y a si longtemps.

— Heu... non. Pas vraiment. Je pense pas que je suis fait pour la vie de ferme.»

Bon. Après avoir passé les vingt premières années de sa vie à courir les rues d'un quartier aussi urbain que celui du faubourg à mélasse, il aurait été étonnant qu'Adrien se développe tout à coup une envie pour la traite des foins et le fumier de cochon. Mais monsieur Mousseau ne s'en était pas formalisé. Il avait tendu sa ligne, Adrien n'avait pas mordu, et il était simplement retourné à son silence. Comme s'il n'avait jamais ouvert la bouche.

Et parlant d'ouvrir la bouche, j'aurais été prêt à parier tout ce que je n'avais pas encore que le choix d'Adrien de devenir professeur était une conséquence directe de ce silence imposé par son père depuis si longtemps. Je ne voudrais pas affirmer qu'Adrien n'était pas un bon professeur. Absolument pas. Par contre, je ne pus m'empêcher de faire le lien avec sa situation familiale et le fait qu'il était maintenant payé pour parler à longueur de journée, alors qu'il n'a jamais mentionné devant moi – pas une seule fois – un désir de transmettre son savoir à une quelconque relève. Quoique valait mieux une réaction comme celle-là, à mon avis, que de se retrouver comme sa pauvre mère qui en avait perdu la voix à force de ne pouvoir faire autre chose que chuchoter pour se faire comprendre. Avec l'innocent qu'elle avait pris pour époux, je me disais qu'elle devait constamment vouloir lui hurler au visage toute la haine ressentie pour lui en raison de presque trente ans d'un mutisme imposé, alors qu'il était pathétique de constater qu'elle s'était mise, avec les années, à avoir des airs d'un chihuahua handicapé de ses cordes vocales.

« Je voudrais deux livres de bœuf haché maigre, s'il vous plaît.

— Quoi ?

— Deux livres de bœuf haché maigre.

— Pourriez-vous parler plus fort, ma petite madame ? J'essaie de vous entendre, mais je suis pas capable.

— DEUX LIVRES DE BŒUF HACHÉ MAIGRE !

— Deux bouteilles de vinaigre ?

— Bout de viarge, de baptême de…

— Avez-vous une extinction de voix ? »

Alors je suppose qu'il valait mieux, pour Adrien, de s'ouvrir la bouche le plus souvent possible, même lorsqu'il embêtait royalement son auditoire, plutôt que de se transformer en copie de sa mère qui avait subi en silence – c'est le cas de le dire – les abus d'Honoré Mousseau. Seul petit problème à mon radar : Adrien radotait de plus en plus souvent d'indépendance, parfois avec la même ardeur qu'un membre d'une secte parti vers des contrées lointaines pour convertir des infidèles. J'avais longtemps cru que son radotage n'était rien d'autre que sa haine de Clarence Campbell se faisant encore sentir ; qu'il utilisait ce prétexte pour se donner un air intéressant qu'il ne croyait pas avoir, au naturel. Erreur. Je me suis rendu compte que la situation était beaucoup plus sérieuse que je ne l'avais cru lorsque Jean m'apprit qu'Adrien était allé offrir son soutien aux réalisateurs de Radio-Canada, en grève pendant les derniers jours de 1958 jusqu'au début du mois de mars 1959 ; qu'il avait également mis sur pied un comité réunissant différents professeurs, indépendantistes comme lui, afin de discuter du Québec comme pays, et des moyens pour y parvenir. Mon ami d'enfance était devenu un nationaliste pur et dur, croyant qu'il était grand temps que le Québec s'occupe de ses affaires sans rendre de comptes à personne.

Pour ma part, je ne pouvais m'empêcher de soupirer d'impatience. Je n'ai jamais été un très grand fan de science-fiction.

Si l'émeute au Forum avait éveillé chez Adrien une envie urgente de ceinture fléchée et de ruine-babines, cette soirée n'avait réussi qu'à me faire comprendre que le Québec était loin d'avoir la maturité et l'âge nécessaires pour entrer seul dans les bars ; qu'il avait encore besoin d'un guide pour avancer. Rapidement, Jean et Patrick ont pu constater les divergences d'opinions de plus en plus profondes entre Adrien et moi, et nous sommaient fréquemment de passer à autre chose, d'aborder des sujets différents. OK. Lesquels, exactement ? À vingt-cinq ans, nous n'étions plus en âge de ne penser à rien d'autre que la bière bue clandestinement à même la réserve de James Martin Flynn. Tout comme nous avions de moins en moins de temps à consacrer à nos joutes de hockey en vue d'une carrière qui, nous étions assez vieux pour le savoir, ne se matérialiserait jamais. Nous n'avions que la fougue et l'âge permettant de se jeter à corps perdu dans ce qui nous passionnait réellement et, pour ma part, l'indépendance ne me passionnait pas du tout.

Afin de meubler ce silence qu'il redoutait tellement – il ressemblait d'ailleurs toujours à un enfant ayant une peur bleue du noir lorsque plus de dix secondes s'écoulaient sans que personne ne dise un mot –, j'avais enduré Adrien alors qu'il radotait sur des sujets aussi insignifiants que les avantages du beurre d'arachides croquant par rapport au beurre d'arachides crémeux. Je l'avais entendu radoter sur les supposées parties de pêche de Ted Williams dans le nord du Québec, sur la sorte de poisson qu'il allait manger et sur la manière dont il allait l'apprêter. Je l'avais entendu radoter sur l'importance vitale des mouches vertes bien dodues – communément appelées « mouches à marde » dans les rues du voisinage – afin qu'elles puissent servir de nourriture aux oiseaux... Ces conversations étaient souvent pénibles au point de prier pour que la foudre vienne nous frapper, et Jean, Patrick et moi écoutions sans protester parce que nous connaissions l'aversion d'Adrien pour le silence, et aussi parce qu'il lui arrivait quand même fréquemment de discuter avec nous de sujets autrement plus stimulants que la pêche au saumon de Ted Williams. Mais de l'écouter nous expliquer, à tous les trois, les mille et une raisons justifiant une déclaration unilatérale d'indépendance de la part du

Québec m'irritait au plus haut point. J'avais l'impression d'être un démocrate que l'on avertissait qu'il en allait de ma santé mentale et de ma vertu si je ne passais pas immédiatement dans le camp des républicains. Ou encore d'être un utilisateur d'une marque de savon donnée, fortement sollicité pour adopter la marque concurrente parce qu'en cas contraire, j'allais avoir la peau du visage ridée avant l'âge de trente ans.

Je me sentais bousculé par les positions qu'Adrien voulait m'imposer et je ne comprenais pas que Jean et Patrick, aussi intéressés par la politique que je l'étais par le beurre d'arachides croquant, ne se formalisaient pas davantage de ce que je considérais comme une véritable intrusion dans nos opinions personnelles.

Étais-je le seul à me sentir ainsi? Oui. Jusqu'à ce que Denise Légaré vienne se pointer le bout du nez.

2
Patrick... à propos de Jean

Adrien, Paul-Émile et moi avons donné un coup de main à Jean lorsque celui-ci emménagea dans son nouvel appartement. Il fut le premier d'entre nous à quitter le domicile familial et, au-delà de notre envie à le voir se donner les moyens d'une liberté qu'il avait cherchée toute sa vie, je soupçonnais, chez Paul-Émile, une pointe supplémentaire de jalousie à voir Jean déménager dans un logis de la rue Sherbrooke, aux frontières de Westmount et de Montréal, alors que lui-même avait toujours cru qu'il serait le premier – et probablement le seul d'entre nous – à quitter les rues du bas de la ville. D'ailleurs, je fus quelque peu surpris de le voir apparaître ce jour-là. Nos rencontres avec Paul-Émile, depuis quelque temps, se faisaient de plus en plus rares, de plus en plus espacées, alors qu'il se consacrait à son travail avec une énergie tout à fait hors du commun qui ne nous caractérisait aucunement dans la pratique de nos professions, et nous l'avions accueilli chaleureusement lorsqu'il était venu proposer ses services pour le déménagement. Il nous avait manqué. Nous tenions à le lui faire savoir.

Jean n'avait pas planifié de quitter le quartier. Ce fut un événement plutôt dérangeant – j'en parlerai d'ailleurs un peu plus loin – qui eut tôt fait de le convaincre que le temps était venu d'aller vivre seul, après nous avoir fait promettre, à Paul-Émile, Adrien et moi, que nous allions tous nous voir aussi souvent qu'autrefois même s'il n'habitait plus le quartier et que son propre horaire devenait de plus en plus chargé. Le cœur gros, nous avions acquiescé en hochant la tête.

Mais si nous trois étions tristes à l'idée de voir Jean s'éloigner, ce ne fut absolument rien en comparaison de monsieur et madame Taillon, qui sanglotaient sans aucune retenue à la vue de leur fils – le bébé de la famille et supposée réincarnation du grand-père mort dans sa flaque d'urine – quittant la maison, alors que Jean rayonnait comme s'il venait tout juste de remporter la loterie.

« Il pourrait au moins faire semblant d'être triste de partir, avait d'ailleurs chuchoté Paul-Émile à Adrien. Ses parents hurlent comme des perdus, pis lui a l'air d'un enfant de cinq ans qui s'en va à Luna Park. »

À la décharge de Jean, je me dois d'ajouter que celui-ci fut élevé en parfait enfant unique, malgré la présence de trois sœurs plus âgées que lui, en raison du dévouement tout à fait maladif à l'égard du grand-père Taillon, ce qui eut pour effet de transformer Jean en un être plutôt égocentrique, peu enclin à faire ce dont il n'avait pas envie. De toute évidence, il n'avait absolument aucune envie de cacher sa très grande joie d'être enfin débarrassé de l'avis nécrologique accroché sur le mur du salon de ses parents.

Jean avait longtemps occupé de petits boulots – la plupart, mal rémunérés – afin de se payer des études en droit pour devenir un avocat n'ayant, comme seule conviction, d'engraisser son portefeuille autant que possible avant que celui-ci n'explose. Pendant un long moment, il s'était demandé ce qu'il allait faire de sa vie et n'obtenait comme seule réponse que le vif désir d'une existence foncièrement différente de celle d'un grand-père ayant consacré sa vie à ne jamais dépasser les frontières de son train-train quotidien. Que devenir, alors ? Médecin ?…

« Es-tu fou ? Je m'égratigne un genou en tombant de mon bicycle, pis le cœur me lève. Présente-moi quelqu'un avec les tripes qui lui pendent de partout et je te garantis que je lui vomis dessus. »

Homme d'affaires ?

« Jean Taillon qui travaille dans la haute finance, avait répliqué Paul-Émile, un sourire en coin. Voyons donc ! L'argent te brûle les mains ! J'espère que t'es pas sérieux parce qu'on risque de devenir le premier centre financier au monde à faire faillite. De toute façon, le monde des affaires, c'est réservé aux Anglais. Tu parles pas la bonne langue. »

L'analyse plutôt expéditive de Paul-Émile avait quelque peu vexé Jean, mais celui-ci finit tout de même par admettre que notre copain avait raison. Jean n'avait jamais rien compris aux chiffres, sauf lorsque son solde bancaire affichait un gros zéro, et reconnaissait aussi que ce n'était pas l'argent qu'il aimait, mais bien l'action de la dépenser. Il aurait effectivement fait un très piètre financier.

Lorsque Jean prit la décision d'obtenir un diplôme en droit – démontrant beaucoup moins d'enthousiasme à l'annonce de cette décision qu'il pouvait en manifester lorsqu'il mettait le grappin sur une fille, qu'il abandonnait toujours le matin venu –, son pauvre père s'était presque prosterné à ses pieds.

« Mon fils, tu pourras jamais savoir à quel point ton grand-père est fier de toi ! Un avocat ! Comme notre bon maire Drapeau ! Toi aussi, tu vas nous faire honneur en défendant le petit monde comme nous autres ! En protégeant la veuve pis l'orphelin ! »

Jean n'avait pas cru bon répliquer, offrant à son père son sourire le plus niais avant de se retourner vers nous en roulant ses yeux d'impatience.

Tout de même… Pauvre monsieur Taillon ! Parlez-moi d'une extraordinaire capacité à ne regarder que ce que l'on veut bien voir ! Il est vrai que, tout comme le maire Drapeau, Jean n'avait absolument peur de personne, savait parler aux gens et pouvait débattre avec n'importe qui sur n'importe quel sujet. Mais là s'arrêtaient les ressemblances entre les deux! Lorsque Jean nous avait fait part de sa décision d'étudier le droit, nous savions qu'il désirait avant tout pratiquer un métier en mesure de lui garantir une solide liberté financière – bien franchement, nous étions depuis longtemps convaincus que ce métier allait se retrouver à l'intérieur des frontières de la pègre –, tout comme nous savions également que la pratique du droit allait mettre à profit sa capacité déconcertante à faire abstraction de sa conscience lorsque la situation l'imposait. Principale différence distinguant Jean d'avec le maire Drapeau, que monsieur Taillon ne voulait pas voir.

J'en ai ri un bon coup lorsque monsieur Taillon fit le lien entre le maire Drapeau et Jean. J'ai ri encore plus lorsqu'Adrien affirma que si Jean s'était retrouvé dans l'équipe du maire chargée d'épurer les mœurs à Montréal, il aurait à coup sûr claqué une retentissante dépression nerveuse. L'ayant souvent accompagné dans des bars mal famés du boulevard Saint-Laurent, où des effeuilleuses nommées Ginger, ou Rosita, faisaient leur numéro avec une cigarette pendant au bout des lèvres, nous connaissions tous son penchant pour la bamboche et à quel point il aurait eu toutes les misères du monde à afficher le minimum de respectabilité nécessaire à un représentant de la loi et de l'ordre.

Monsieur et madame Taillon choisirent pourtant d'ignorer le côté profondément libertin de leur fils, afin de ne se concentrer que sur le comportement qu'il affichait avec nous: rieur, généreux, honnête et loyal. Jamais n'ont-ils été en mesure de comprendre que Jean ne fut pas avec eux tout ce qu'il se permettait d'être avec nous. Jamais n'ont-ils été en mesure de réaliser que Jean, dès qu'il arrivait à leur domicile, cessait complètement de rire, brisé d'avoir constamment à se battre aux poings avec ce fantôme qu'il refusait de devenir. Et, surtout, jamais monsieur et madame Taillon n'ont été en mesure de comprendre que si Jean se permettait d'être rieur, généreux, honnête et loyal avec nous, c'était, avant tout, parce que nous lui reconnaissions le droit inconditionnel d'être qui il était réellement, sans ne jamais rien attendre de lui en retour; parce que nous lui donnions volontiers cette liberté d'être dont il avait tant besoin, mais qui lui fut toujours refusée par sa famille.

Je n'ai jamais été un adepte des théories psychofamiliales expliquant l'importance des racines sur le genre de personne que l'on devient avec le temps. Peut-être parce que l'étendue de mes propres racines se limitait à ma mère, que je craignais comme la peste. Mais Paul-Émile, Adrien et moi avons toujours su que Jean n'aurait probablement pas fait les choix qu'il a faits, et donc, forcément, n'aurait pas souffert autant, si son père l'avait laissé être ce qu'il était réellement appelé à devenir. Sa vie aurait été assurément celle d'un autre si son père n'avait pas exigé de lui qu'il déménage sur la Rive-Sud, quitte pour le travail à dos de cheval et meure dans sa propre urine, à l'âge de trente-quatre ans, après avoir reçu une formidable ruade du Seabiscuit de Verchères.

Nos hypothèses, monsieur Taillon ne les a jamais comprises. Ou voulu les comprendre. Et Jean devenait de plus en plus insensible à cette incompréhension.

Après son examen réussi au Barreau, la mère de Jean avait invité les membres de la famille Taillon, ainsi que quelques amis, au logis de la rue de la Visitation afin de célébrer l'événement.

«Un avocat dans la famille, se plaisait-elle à répéter à qui voulait bien l'entendre. On rit pus! Quand je pense que ma tante Georgette, la sœur de ma mère, pétait de la broue parce que son mari était en charge de la collecte des vidanges de Ville Saint-Pierre! Donnez-moi trente secondes: je m'en vais l'appeler. »

Lors de cette soirée, Jean avait souvent senti le regard de son père posé sur lui, empli d'une fierté qui ne prenait nullement naissance dans le choix de carrière que son fils avait fait, mais plutôt dans cette certitude qu'il allait se rendre conforme à cette vision illusoire que monsieur Taillon se faisait de lui. Que Jean allait incarner le spectre d'un homme mort il y a cinquante ans, et qui n'était plus que le souvenir embelli d'un fils encore en deuil.

Ce regard, cette fierté, Jean allait tout faire pour s'en échapper.

À la fin de la soirée, alors que presque tout le monde était parti, nous quatre étions assis sur le perron, discutant des dernières statistiques de Bert Olmstead, parti jouer pour les Maple Leafs de Toronto – Adrien considéra évidemment son départ comme une trahison passible de la peine de mort –, lorsque monsieur Taillon s'approcha lentement de nous, tenant fermement dans ses mains une petite boîte métallique.

« Est-ce que je peux vous déranger juste un peu? Ce sera pas bien long. »

Au regard qu'il affichait, nous étions sous l'impression que monsieur Taillon tenait dans ses mains un trésor, un objet rare qu'il s'apprêtait à offrir à son fils en guise de cadeau de graduation alors que Jean, pour sa part, aurait très certainement préféré une bouteille de Beefeater, ou encore un certificat-cadeau d'une durée illimitée dans une maison close du Red Light.

Nous étions sur le point de savoir que la boîte métallique ne contenait malheureusement aucune trace d'un quelconque trésor, et encore moins une garantie de rendez-vous avec une pulpeuse fille de joie.

« Tiens, dit monsieur Taillon en tendant la boîte à Jean d'un geste trop solennel. Je gardais ça pour toi, pour quand tu serais un homme. Je pense que tu peux pas être plus homme que tu l'es en ce moment. »

À ce moment précis, Adrien, Paul-Émile et moi devions très certainement ressembler à des gamins de sept ou huit ans, persuadés que la boîte contenait une invitation à assister au tournage du prochain film de Tom Mix, et que, par association, nous étions tous sommés d'être présents. Jean était le seul d'entre nous à ne pas sourire, son regard anxieux contrastant de manière troublante avec l'anticipation enfantine qui nous animait. Je le savais espérer de tout son cœur que la boîte ne renfermât pas le foutu avis nécrologique suspendu au salon depuis la nuit des temps mais, comme j'étais allé à la salle de bains quelques minutes auparavant et que ledit avis se trouvait toujours bien cloué au mur, je devinais que ce n'était pas ce que Jean allait recevoir en cadeau. Tous les espoirs étaient donc permis.

Quelques secondes plus tard, lorsqu'il ouvrit enfin la boîte, Jean essaya de tout son être de camoufler cette grimace de dégoût lui ornant soudainement le visage.

« Quand papa est mort, expliqua monsieur Taillon, on l'a veillé toute la nuit. Mais juste avant que le croque-mort referme la tombe, je me suis arrangé pour être tout seul avec le corps et je lui ai coupé une couple de mèches de cheveux. En souvenir. C'est ce que j'ai de plus précieux au monde, pis aujourd'hui je t'en fais cadeau. Parce que je suis fier de toi, mon fils. »

J'ignore ce qu'il en était pour les autres, mais j'aurais nettement préféré l'avis nécrologique.

La boîte ne contenait pas que quelques mèches de cheveux, comme l'avait affirmé monsieur Taillon, à un point tel que, lorsque Jean l'ouvrit enfin, une bonne partie de la chevelure du grand-père vola au vent, atterrissant sur les cuisses d'Adrien qui ne put s'empêcher de grimacer de dégoût lui aussi. De toute évidence, Jean n'avait pas à s'inquiéter d'un quelconque problème de calvitie chez les Taillon : la boîte contenait suffisamment de cheveux pour garnir le crâne de Jean Iᵉʳ, mais également pour en faire cadeau à mon propre père qui s'était retrouvé avec rien d'autre qu'une couronne de cheveux avant l'âge de vingt-cinq ans.

Honnêtement, la vue d'un cadavre me donna toujours envie de me sauver à des années-lumière d'un salon funéraire. Et je n'ai jamais pu comprendre ceux qui s'approchaient d'un cercueil pour embrasser un mort, ou encore pour lui couper quelques mèches de cheveux en guise de souvenir. Alors, m'imaginer monsieur Taillon, âgé de huit ans, scalpant pratiquement son père afin de conserver sa chevelure en guise de prix de consolation fit poindre en moi un profond sentiment de compassion à l'égard de ce que Jean avait pu vivre au sein de sa famille : le logement de la famille Taillon était un perpétuel salon funéraire, où tous l'imaginaient allongé dans la tombe de Jean Iᵉʳ qu'ils préparaient pour lui.

Encore aujourd'hui, j'ignore comment Jean s'y est pris pour demeurer maître de ses émotions. Impassible, il ramassa les quelques cheveux qu'Adrien avait jetés par terre du revers de la main, les remit dans la boîte, referma celle-ci et remercia son père en lui serrant la main. Ému, monsieur Taillon sourit à Jean avant de tourner les talons pour rejoindre sa femme et ses filles. Ce fut à ce moment que Jean nous annonça sa décision de quitter la rue de la Visitation, décision mûrissant certainement depuis un long moment, mais qui devint définitive, j'en aurais mis ma main au feu, au moment où il se retrouva avec la chevelure de Jean Ier sur les bras.

Deux mois plus tard, Jean quittait pour son nouvel appartement de la rue Sherbrooke, beaucoup trop cher selon moi, faisant fi du chagrin de ses parents à le voir quitter le domicile familial.

Quelques semaines plus tard, alors qu'il était maintenant bien installé, Adrien et moi étions allés lui rendre visite afin de visionner dans son salon une partie opposant le Canadien aux Black Hawks de Chicago. Aussitôt sur les lieux, Adrien poussa un commentaire sur la teinte orangée plutôt intense qui ornait les murs, alors que je lui demandais pourquoi il n'avait pas cru bon installer des rideaux à ses fenêtres.

«J'aime la lumière, pis je veux en avoir tout le temps. Partout.»

Adrien et moi nous sommes regardés, étant soudainement sous l'impression d'être de parfaits crétins pour avoir ignoré ce qui semblait être une évidence dans la vie de Jean: la première chose qui lui fut enseignée est que l'obscurité viendrait bien assez vite, trop vite, et il se devait alors de faire le plein de vie et de lumière avant que cette obscurité ne s'empare de lui complètement.

Nous aurions dû le comprendre. Je ne suis pas certain que nous l'ayons jamais fait.

3
Adrien... à propos de Paul-Émile

Chacun de nous doit vivre avec les actes manqués de toute une vie. Certains n'arrivent jamais à vivre sous le poids des regrets, certains assument avec dignité les conséquences de leurs gestes, alors que d'autres y parviennent en s'enfonçant la tête dans le sable juste assez profondément pour pouvoir respirer, tout en ayant la possibilité d'ignorer ce qu'ils ne veulent pas voir.

Pour Paul-Émile, le plus grand acte manqué de son existence avait pour nom Suzanne Desrosiers, fille de Roger et Mirande Desrosiers, voisins et amis de ses parents. Sans vouloir être méchant, je me dois ici de préciser que Suzanne fut longtemps considérée comme l'une des filles les plus moches du quartier. En fait, ce n'était pas tant qu'elle était moche, mais qu'elle jouissait plutôt d'une capacité tout à fait hors du commun à s'accoutrer comme si elle était la dernière des insignifiantes. Ses cheveux étaient, la plupart du temps, ternes et mal peignés, attachés par un ruban qui aurait pu passer pour de la simple ficelle. Quant à ses vêtements, elle se voyait dans l'obligation, comme bien des cadets du quartier, de se vêtir de guenilles portées avant elle par ses quatre sœurs, et qui auraient amplement mérité de prendre le chemin du sac à poubelle le plus proche en guise de maison de retraite. De plus, son visage, donnant parfois l'impression d'avoir été lavé à l'eau de Javel, aurait fortement bénéficié d'une quelconque touche de maquillage qui ne venait malheureusement jamais.

Suzanne n'avait pas les yeux croches, pas plus qu'elle n'avait une dentition déficiente ou encore le visage massacré par l'acné. Elle était ordinaire, tout simplement, et Jean, qui aimait les femmes plantureuses et flamboyantes, ne prenait jamais la peine de la saluer lorsqu'il la croisait. Pas par méchanceté. Jean ne fut jamais quelqu'un de foncièrement méchant. Mais parce qu'il ne la remarquait jamais, tout simplement. Parce qu'il ne la voyait pas.

Dans le cas de Paul-Émile, la situation différait considérablement. Lui et Suzanne étaient voisins, avaient grandi côte à côte et, comme c'est souvent le cas avec de jeunes garçons et filles devant se côtoyer sur une base quotidienne, se comportaient comme chien et chat lorsqu'ils devaient s'endurer pendant plus de trente secondes. Surtout lorsque Suzanne faisait jouer ses disques le samedi matin et que Paul-Émile dormait encore.

« Aïe, la fatigante ! Ça te tenterait pas de changer de disque, une fois de temps en temps ?

— J'ai le droit d'écouter la musique que je veux.

— Oui. Pis nous autres, on a le droit d'être écœurés d'entendre Germaine Dugas se lamenter à longueur de journée.

— T'as beau passer ton temps à péter plus haut que le trou, mon pauvre Paul-Émile, t'as jamais été capable de comprendre les vertus de la musique.

— Pis toi, t'as jamais été capable de comprendre que je suis capable de prendre un *pick up*, de le lever, pis de le lancer au bout de mes bras. Ça te tente-tu de me voir faire ? »

Une dispute de ce genre se terminait invariablement par Suzanne qui haussait le son de sa stéréo, et par Paul-Émile qui lui jurait avec ardeur qu'elle allait très prochainement retrouver sa collection complète de 33-tours, dont ceux de Germaine Dugas, Bobby Darin et Lucille Dumont, en passant par Elvis Presley, au fond d'une poubelle en mille morceaux.

La situation se modifia quelque peu à l'été 1959 lorsque Suzanne fut invitée à séjourner pendant trois semaines à Québec chez l'une des sœurs de madame Desrosiers. Paul-Émile, trépignant d'impatience à l'idée de passer vingt et un jours sans avoir à supporter la discographie complète de Suzanne, ne se priva absolument pas pour lui démontrer sa très grande joie à l'idée de la voir partir.

« Paraît que les toilettes du Château Frontenac sont de toute beauté. Me semble que je te verrais bien, moi, habiter là.

— Cré Paul-Émile ! Je vais m'ennuyer de toi, moi, pendant trois semaines. Ris pas, c'est vrai. Qui d'autre, à part toi, peut arriver à me prouver hors de tout doute que l'homme descend vraiment du singe ? »

À cette époque, Paul-Émile fréquentait une secrétaire, Micheline Laforest, qui travaillait au bureau de la direction des Hautes Études commerciales, où il était chargé de cours en économie. Patrick, Jean et moi avions appris la présence de Micheline dans sa vie un mois après le début des fréquentations. Aucun de nous n'arrivait à en comprendre la raison, mais Paul-Émile fut toujours extrêmement réticent à discuter de sa vie privée. Pourtant, tous les trois avons longtemps été convaincus d'en avoir fait partie à part entière. Pas de la même manière qu'un homme et son épouse, bien évidemment, mais de la façon que quatre amis d'enfance ont de se raconter à peu près n'importe quoi. L'arrivée en scène de Micheline Laforest nous imposa une remise en question de cette certitude.

Pourtant, avec le recul, le silence de Paul-Émile m'apparaît beaucoup plus bruyant qu'il ne l'était à l'époque. Par exemple, lorsque nous feuilletions en cachette le catalogue Eaton de madame Marchand, personne ne parvenait jamais à savoir lequel des mannequins en brassière Paul-Émile pré-férait, alors que Patrick, Jean et moi – surtout Jean – étions plutôt volubiles sur le sujet. Paul-Émile se contentait d'exa-miner les pages de la section des sous-vêtements en souriant d'un air satisfait. Il ne se permettait que très rarement de s'exprimer davantage. Avec nous, en tout cas.

Son comportement changea toutefois, bien malgré lui, le jour où Suzanne revint de Québec. J'ignore complètement où elle s'était arrêtée en roulant sur l'autoroute 20, mais le vilain petit canard insignifiant du faubourg à mélasse avait maintenant les airs d'un cygne extraordinaire, obligeant les hommes à se retourner sur son passage.

Je voudrais spécifier, ici, que madame Desrosiers, pour sa part, ne sembla pas particulièrement enchantée par la trans-formation de sa fille.

«Pour l'amour du ciel, Mirande, calme-toi, lui avait dit madame Marchand. Elle vieillit, ta fille. C'est normal. Tu n'espérais quand même pas qu'elle ressemble à Shirley Temple pour le reste de ses jours.

— Non. Mais ma sœur était quand même pas obligée de me l'arranger comme Ava Gardner, par exemple!»

Lorsque Paul-Émile aperçut Suzanne, nous étions tous les quatre sur le point de nous rendre au stade de Lorimier pour assister à une joute des Royaux de Montréal contre les Chiefs de Syracuse. Nous avions à peine eu le temps d'en-tendre les lamentations de madame Desrosiers sur l'appa-rence de sa fille que Paul-Émile roulait déjà les yeux de frustration à la perspective d'entendre à nouveau l'œuvre complète de Germaine Dugas. Et puis, sans que nous puis-sions instantanément la reconnaître, Suzanne est apparue sur le perron des Desrosiers, ignorante ou insensible au regard purement béat que nous lui lancions. Et comme toutes les fois où il rencontrait une jolie femme, Jean fit connaître ses intentions de manière aussi claire que sonore.

« Elle a changé, la petite voisine fatigante… Donnez-moi une heure, pis je vous garantis que je la mets à l'horizontale. »

Paul-Émile n'a rien dit, choisissant de demeurer muet, mais nous fûmes tous témoins de son dos qui courba légèrement sous le poids des propos de Jean. Pour celui-ci, l'apparition d'une Suzanne aux allures de la *Comtesse aux pieds nus* n'était qu'un prétexte de plus servant à assouvir son besoin de conquérir toutes les belles femmes croisant son chemin. Pour Paul-Émile, par contre, la vision de Suzanne avait relevé du mysticisme, de la spiritualité, et il s'était mis à la dévisager comme s'il venait d'apercevoir la Sainte Vierge, ayant tout oublié de la jeune fille au visage d'eau de Javel et aux cheveux sans éclat.

Au bout du compte, Paul-Émile ne fut pas davantage expressif au sujet de Suzanne qu'il ne l'avait été à propos de Micheline Laforest – mystérieusement disparue du portrait quelque temps plus tard –, ou encore avec les mannequins du catalogue Eaton. Mais nous savions tous qu'il était obsédé par sa voisine en raison de certains gestes aussi puérils que juvéniles qu'il posait, tel que rentrer en courant des Hautes Études commerciales afin de l'apercevoir lorsqu'elle revenait de son cours de secrétariat, ou encore la regarder partir, semblant sur le point d'exploser – je n'exagère pas –, lorsqu'elle quittait pour le cinéma ou la salle de danse en compagnie d'un amoureux. Toutefois, jamais ne se laissa-t-il aller à confirmer de vive voix ce que nous savions déjà depuis un bon moment, demeurant silencieux devant Suzanne, comme s'il hésitait à faire le moindre geste pour aller au-devant d'elle, soupirant toujours d'impatience lorsque nous cherchions à savoir pourquoi. Comme si nous devions comprendre. Je suppose que Patrick, Jean et moi étions trop convaincus que Paul-Émile faisait effectivement partie de nous pour percevoir autre chose, dans son immobilisme à l'égard de Suzanne, qu'une timidité et un orgueil mal placés. Nous nous sommes rendu compte de notre erreur de jugement par un après-midi du mois de mars 1960, alors que Marie-Louise, la sœur de Paul-Émile, sur le point d'accoucher de son premier enfant, tout en aidant sa mère à préparer le souper, se mit à taquiner son frère devant sa frustration évidente de ne pas avoir vu Suzanne lors de son retour des HEC.

« Pourquoi tu me regardes comme ça ? lui avait demandé Paul-Émile alors qu'il s'installait à la table de la cuisine, une copie du *Devoir* entre les mains.

— Suzanne était pas dehors à t'attendre parce que son cours finit plus tard, aujourd'hui. »

Il y a quelque chose de pathétique à feindre l'indifférence lorsque la peau de notre visage devient aussi rouge qu'une écrevisse. Pourtant, Paul-Émile continua de jouer la carte du je-m'en-foutisme, en dépit de Marie-Louise qui riait aux éclats et de la lueur d'inquiétude illuminant les yeux de madame Marchand.

« C'est elle qui t'a dit ça ? »

Franchement ! Les garçons de ma classe de 6e année B arrivaient à feindre une meilleure indifférence devant les filles de l'école Sainte-Philomène. Une cause de plus nous poussant à croire, sans raison, que Paul-Émile faisait preuve envers Suzanne d'une timidité que nous ne lui connaissions pas.

« Non. C'est madame Desrosiers qui l'a dit à maman. »

Subitement, madame Marchand délaissa les pommes de

terre qu'elle était en train d'éplucher, prit la main de Marie-Louise et l'entraîna dans sa chambre à coucher.

« Marie-Louise, ça fait assez longtemps que tu es debout, maintenant. Ce n'est sûrement pas bon pour mon petit-fils. Viens t'étendre dans mon lit, cela te fera le plus grand bien. »

Après toutes ces années passées à la côtoyer, et en dépit de son attitude hautaine qui m'irritait de plus en plus, je demeurais toujours aussi ébloui au son de l'éloquence presque mélodieuse de la mère de Paul-Émile.

Après avoir déposé un édredon sur Marie-Louise, qui fermait les yeux, madame Marchand referma doucement la porte de la chambre avant de retourner à la cuisine.

Si les Flynn furent longtemps considérés comme le cirque en résidence du faubourg à mélasse, madame Marchand et Paul-Émile étaient perçus, pour leur part, plus ou moins comme les extraterrestres du voisinage. Ils n'avaient pas les mêmes goûts que nous – à l'exception du hockey dans le cas de Paul-Émile –, ne s'intéressaient pas aux mêmes choses que nous, et allaient même jusqu'à marcher, à déambuler sur la rue d'une manière différente de la nôtre. Et par « nous », je me dois de préciser que cela incluait, tristement, monsieur Marchand, Simonne et Marie-Louise. La seule concession que Paul-Émile arriva à faire au quartier, à l'exception du hockey qui n'en était pas vraiment une, concernait le langage. Paul-Émile parlait comme nous, contrairement à sa mère qui s'efforçait chaque seconde de sa vie de ne pas perdre sa prononciation bourgeoise, mélange hybride entre l'accent québécois et l'accent français, tout droit sorti d'Outremont. Je me souviendrai d'ailleurs jusqu'à la fin de mon existence de ce jour où, bien malgré elle, madame Marchand laissa sortir un « toé » bien senti, exprimant l'ampleur de son horreur en courant se réfugier dans sa chambre à coucher. C'était le jour du quatorzième anniversaire de Jean, qui considéra pendant longtemps cet «écart de langage» comme l'un des plus beaux cadeaux qu'il ait jamais reçu. Tout le voisinage en rit encore.

«Est-ce vrai, ce que ta sœur a dit? Suzanne t'intéresse?... C'est vrai qu'elle est très belle.»

Paul-Émile ne répondit pas immédiatement, préférant poursuivre sa lecture du *Devoir*, considérant que sa mère connaissait déjà la réponse à sa propre question. Réponse fort différente, au demeurant, de celle à laquelle nous supposions avoir droit.

«Tu peux me le dire, tu sais. Je ne suis pas Adrien, Jean ou Patrick, mais...

— Je parle pas vraiment de ça avec eux autres.

— Tu peux tout me dire, Paul-Émile. Tu le sais.

— Elle est belle, c'est vrai, mais elle m'intéresse pas vraiment. Je les aime beaucoup, monsieur pis madame Desrosiers. C'est du bon monde. Mais j'ai travaillé comme un fou pour me rendre où je suis rendu, pis j'irai certainement pas marier une fille du bas de la ville. Je vaux plus que ça.»

Avec une réponse comme celle-là, tout prenait maintenant un sens: les absences de plus en plus répétées de Paul-Émile; son apparente timidité à l'égard de Suzanne; son incapacité présumée à aller au-devant d'elle; son refus catégorique d'expliquer cette timidité. Patrick, Jean et moi avions toujours su que Paul-Émile était différent de nous à bien des égards. Cette différence, nourrie assidûment par madame Marchand, nous sautait toujours en plein visage lorsque nous nous retrouvions à Outremont et que Paul-Émile affichait ses airs d'imbécile heureux, tandis que le reste de nous n'attendions rien d'autre que cet instant béni où nous allions enfin retourner en pays de connaissance.

Naïvement, Patrick, Jean et moi avons toujours cru que l'amitié allait primer sur tout le reste. Que les souvenirs d'enfance allaient nous lier à jamais, en dépit de ce monde imaginaire – pour nous, en tout cas – qui nous séparait. J'avais tort. L'immense soupir de soulagement poussé par madame Marchand, jumelé au silence approbateur de Paul-Émile, venait me le démontrer hors de tout doute.

À travers son rejet de Suzanne, c'est nous tous que Paul-Émile s'apprêtait à laisser derrière.

4
Jean... à propos de Patrick

Sous le chapiteau du cirque Flynn, depuis quelque temps, la photo du planureux cousin Errol, mort en 1959 d'une crise cardiaque, avait été remplacée par celle d'un sénateur américain que je ne connaissais ni d'Ève ni d'Adam, et qui répondait au nom de John Fitzgerald Kennedy.

« C'est qui, lui ? » avais-je demandé à Maggie, la seule sœur de Patrick buvant autant que son père et ses frères. Celle-ci me répondit par un regard empreint de mépris, comme si j'avais été le dernier des ignorants parce que je ne savais pas encore qui était John Kennedy, avant d'ouvrir la bouche pour laisser sortir un rot bien dégorgé, suintant la grâce et la féminité.

En riant, Adrien m'avait déjà demandé ce que je ferais si je me retrouvais un jour sur une île déserte avec Maggie Flynn. Je lui avais aussitôt répondu que je demanderais un recomptage.

J'appris enfin qui était le nouveau détenteur de la place d'honneur sur le mur de la cuisine des Flynn lorsque se mit en branle la campagne présidentielle américaine de 1960 opposant Kennedy à Richard Nixon. Mais, à l'exception de son sourire Pepsodent qui faisait littéralement baver de désir les sœurs Flynn – Mary, Maggie et Teresa –, je n'arrivais toujours pas à comprendre pourquoi Marie-Yvette lui vouait autant d'admiration. Sa victoire à l'arraché sur Nixon me permit d'obtenir une réponse satisfaisante à ma question.

« Y vient de ton coin de pays, James Martin ! Tu devrais être fier ! Le nouveau président des États-Unis, c'est pas rien !

— Je le connais pas, Marie-Yvette. Je l'ai jamais vu de ma vie. Explique-moi donc pourquoi je serais content d'y regarder la face sur le mur de la cuisine tous les jours que le bon Dieu amène ?

— Parce que j'ai fait des recherches, pis ç'a l'air qu'une de tes cousines Ryan de New Ross aurait marié un de ses cousins. Aïe ! On est apparentés au nouveau président des États-Unis ! C'est pas rien ! »

L'élection de John Kennedy à la présidence américaine avait réussi le tour de force d'accrocher un sourire au visage de Marie-Yvette, ce qui provoquait toujours un sentiment de malaise chez tous ceux qui la connaissaient. Paul-Émile, que l'on voyait de moins en moins souvent, avait d'ailleurs remarqué avec justesse que regarder sourire la mère de Patrick semblait aussi étrange qu'une danse en ligne au son de *Carmina Burana*. Quelque chose clochait. Pour ma part, j'étais davantage déconcerté par le fait que Marie-Yvette semblait considérer la victoire de Kennedy comme une réussite personnelle, et je trouvais extrêmement triste de constater qu'elle n'arrivait jamais à être heureuse à l'intérieur des limites de sa propre vie. Pathétique Marie-Yvette…

« Apparemment qu'on était cousins aussi avec Robin des Bois, répliqua James Martin. Tu l'as mis où, sa photo, à lui ?

— Aux poubelles. Y'a assez de saoulons dans cette maison-là, ça me tentait pas, en plus, de voir la face d'un innocent qui s'amuse à pogner les fesses des filles en calant sa bouteille de whisky. Y'a déjà ben assez que la même chose risque d'arriver aux deux tiers de cette famille-là… »

Avec le temps, le ton qu'employait la mère de Patrick lorsqu'elle parlait de sa famille n'était plus acerbe, agressif ou querelleur, mais plutôt résigné, comme cette femme qu'elle était devenue, n'ayant toujours su désirer que ce qu'elle n'avait pas tout en rejetant du revers de la main ce qu'elle possédait déjà. Incluant sa propre famille.

L'agressivité disparut le jour où Patrick fut ordonné prêtre.

« J'aurai eu une vie de chien mais, au moins, je suis certaine d'aller au paradis à la fin de mes jours. »

Je me suis souvent demandé si Marie-Yvette savait qu'elle-même était la raison expliquant que les deux tiers de sa famille se dirigeaient tout droit vers une extraordinaire cirrhose du foie. Probablement pas. Le mépris qu'elle affichait sans aucune retenue pour son époux et la plupart de ses enfants était déjà insupportable à regarder pour un membre extérieur de la famille comme je l'étais, alors je refusais de m'imaginer la profondeur des blessures qu'elle leur infligeait, tout en s'assurant que celles-ci ne guérissent jamais. Adrien, Paul-Émile et moi n'abordions pas directement le sujet de Marie-Yvette avec Patrick. Tout d'abord, parce que la plaie devait être suffisamment vive sans que nous ayons à rajouter notre grain de sel, mais aussi parce que nous savions que notre rôle consistait avant tout à le faire sourire, à lui changer les idées en le traînant au Forum, ou encore en agissant comme des clowns pour le faire rire, tout simplement. Cette tâche devint nettement plus ardue lorsque Patrick intégra la prêtrise.

Comprenez-moi bien : je n'ai absolument rien contre les prêtres, les religieuses, les curés, et autres représentants de la religion catholique de tout acabit. Leur présence est nécessaire, j'imagine, pour stimuler les croyants paresseux comme moi qui ne font acte de présence à l'église que pour Pâques et la messe de Minuit. Et encore !... Le problème, c'est que Patrick aussi faisait partie de ces croyants paresseux – il n'était même pas capable de nommer les douze apôtres sans se tromper, et ce fut Adrien qui lui apprit, un jour, que la rue Saint-Denis ne fut pas ainsi baptisée pour rendre hommage à l'un d'entre eux – et que certains de ses collègues prêtres commençaient à s'en rendre compte.

L'un d'eux se nommait Paul Lavallée, vieil abbé à la paroisse Sainte-Bibiane dans le quartier Rosemont et fervent admirateur du pape Jean XXIII ainsi que des réformes que celui-ci souhaitait apporter au catholicisme. L'abbé Lavallée était doté d'un esprit rebelle et plutôt avant-gardiste venant expliquer pourquoi, à soixante ans et fort d'un dévouement tout à fait exemplaire envers Jésus Christ qui ne me caracté-risera très certainement jamais, il n'avait pas accédé à un rang plus haut que celui de simple prêtre.

Patrick le trouvait calme, serein, en paix avec lui-même, nous le décrivant d'une manière qui, bien ironiquement, me mettait en tête l'image d'un vieux moine bouddhiste. Adrien avait un jour affirmé furtivement que l'abbé Lavallée repré-sentait tout ce que les parents Flynn ne seraient jamais, et je crois que c'est précisément pour cette raison que Patrick s'est attaché à lui aussi rapidement. Et je sentais que j'allais moi aussi l'abreuver de toute mon affection lorsque Patrick nous raconta que l'abbé lui avait fait savoir, doucement, mais fermement, qu'il serait préférable, pour lui, de faire une croix définitive sur la prêtrise. Pardonnez-moi le jeu de mots douteux, mais je n'ai pu résister.

Très tôt après l'ordination de Patrick, Maximilien Julien, le curé de notre paroisse, celui ayant financé les études au Grand Séminaire à la demande pressante de Marie-Yvette, avait reçu quelques commentaires au sujet de mon copain, et la plupart d'entre eux n'étaient pas élogieux, allant de l'apa-thie la plus totale à une indiscipline chronique dans ses acti-vités quotidiennes. La rumeur courait dans le quartier qu'il s'était endormi au beau milieu d'une période de contempla-tion, et Patrick s'était réfugié dans un mutisme borné lorsque Paul-Émile lui avait demandé, en ricanant, si ce que l'on racontait à son sujet était vrai. Ce fut à ce moment-là que le curé Julien réalisa qu'il s'était fait royalement berner par une mère de famille lui ayant fait croire que son fils avait la vocation, alors que tout le monde savait que ce n'était pas vrai du tout.

Contrairement à certains de ses collègues qui avaient commencé à lever le nez sur Patrick, l'abbé Lavallée éprouvait plutôt beaucoup de compassion à son égard, alors qu'il le savait piégé dans les ordres par une mère ayant voulu se garantir le paradis à la fin de ses jours.

« Une femme qui impose une vocation à son fils qui n'est pas la sienne n'est pas une mère. Elle est bien des choses, mais elle n'est pas une mère.

— Je suis loin d'être le premier à qui ça arrive, mon père.

— Vous avez raison. Mais vous êtes très certainement le premier de tous ceux que j'ai connus qui mourra étouffé par son collet. J'ai adoré chaque minute que j'ai consacrée à Dieu, vous le savez. Et c'est pour la même raison que je ne peux que constater que vous n'êtes pas à votre place, ici. J'aimerais tellement vous donner la force de partir ! »

Parfait ! Excellente idée ! Mais pour aller où ? Pour faire quoi ? Patrick était devenu prêtre avec autant de conviction que j'en aurais eu si ma mère m'avait forcé à devenir meneuse de claques. Mais il ne s'était jamais permis de rêver à ce que sa vie aurait pu devenir, à ce qu'il aurait pu en faire s'il avait eu le choix de prendre lui-même cette décision. À quoi bon ? Sa destinée était tout décidée d'avance, et il ne serait rien d'autre que prêtre, même si cela signifiait qu'il était appelé à devenir l'un des membres les plus inaptes de toute la communauté religieuse du grand Montréal. Et même si la présence constante et bénéfique de l'abbé

Lavallée dans sa vie lui rappelait que ce n'était pas son existence à lui qu'il vivait, qu'il avait accepté sans condition celle imposée par sa mère, l'incroyable force dominatrice que Marie-Yvette exerçait sur les siens enlevait à Patrick toute illusion de ne jamais pouvoir un jour se rebeller.

Secouant la tête de dépit, Paul Lavallée était tout doucement en train de comprendre ce que tout le voisinage savait depuis déjà longtemps : Patrick allait s'éteindre, étouffé par Marie-Yvette, qui ne sut jamais accepter que l'un de ses enfants puisse être heureux alors qu'elle ne l'a jamais été. Bienvenue au chapiteau, abbé Lavallée. *Bring on the popcorn and enjoy the show.*

5
Paul-Émile... à propos d'Adrien

Mon devoir est de raconter ce qui suit et je ne passerai pas par quatre chemins : dans ce chapitre-ci, Denise et Adrien se rencontrent, Denise et Adrien se reluquent, Denise et Adrien copulent. Point final. Fin du chapitre. Je pourrais même me permettre de ne rien ajouter tellement il n'y a rien d'autre à raconter, mais je profiterai tout de même de ma tribune pour me libérer d'un degré de frustration qui m'anime à l'égard de quelques sujets. Alors, voilà.

La plupart des filles que je connaissais, à l'époque de ma jeunesse, étaient des adeptes de photos-romans sirupeux, où deux acteurs en manque de contrats usaient de leur talent photogénique pour jouer dans des sous-espèces de romans d'amour ayant très bien pu être écrits par un élève de la classe de 6e année B d'Adrien. Mes propres sœurs, Simonne et Marie-Louise, n'étaient malheureusement pas en reste, gaspillant la plupart de leur temps libre à la lecture de romans d'amour dont les pages couvertures provoquaient en moi un besoin régulier de régurgiter ce que j'avais dans l'estomac à ce moment précis.

La principale source de ma frustration – qui est loin d'être uniquement mienne – prend racine dans ce qui suit : elles ne l'admettront jamais, mais la plupart des filles portées sur la lecture de romans à l'eau de rose, ou de romans-photos, s'attendent à ce qu'elles lisent se transpose dans la vie de tous les jours, et sont inévitablement déçues lorsque ce n'est pas le cas. J'ai fréquenté dans ma vie suffisamment d'adeptes de ce genre de littérature pour être convaincu de ce que j'avance, et ce constat, à l'époque de mes jeunes années, me faisait toujours soupirer d'impatience. Je m'appelais Paul-Émile Marchand, originaire de Montréal, Québec, Canada. Pas Carter Van Sandwich, duc de Devonshire, préférant mon cheval blanc à une Country Square Wagon, galopant sans peur et sans reproche alors que je m'apprêtais à faire mon entrée chez Dupuis Frères – toujours à dos de cheval, évidemment – pour y cueillir l'une des caissières que j'allais emmener au cinéma.

Ma frustration prend de l'ampleur alors que je dois maintenant raconter les débuts de la relation entre Denise Légaré et mon copain Adrien. Pour arriver à cultiver un minimum d'intérêt, je dois admettre que je ressens une certaine pression à embellir l'histoire, à en faire ce qu'elle n'a jamais été. De faire comme si Denise et Adrien – que je pourrais rebaptiser Arabella Von Leushner et Palmer McCorquadale – furent frappés par la foudre lorsque leurs regards s'étaient croisés, alors que ce ne fut pas le cas. Leur première rencontre fut anodine, banale, et ne présageait aucunement la naissance d'un roman d'amour allant se retrouver dans tous les dépanneurs du coin, en vente à 2,99 $.

Comme je l'ai déjà mentionné, Adrien était professeur à l'école Saint-Jean-de-Brébeuf, tandis que Denise, pour sa part, enseignait à des filles de troisième année à l'école Sainte-Philomène, située de l'autre côté de la cour d'école. Lui était célibataire. Elle aussi. Il était en charge de la surveillance des élèves lors de la récréation, le mardi après-midi. Elle aussi. Adrien n'était pas porté à reluquer les jeunes prépubères de Sainte-Philomène, pas plus que Denise n'était intéressée par les garçons ayant à peine trois poils de barbe au menton. Et lorsqu'ils ont fini par se remarquer mutuellement, ce ne fut pas en raison d'une attirance inexplicable les portant l'un vers l'autre, mais bien parce qu'ils étaient les seules personnes, dans un rayon d'un kilomètre, à être âgées de plus de douze ans. La politesse exigeait d'eux qu'ils se saluent, au minimum, d'un signe de la tête.

Adrien ne fut jamais ce que je qualifierais de chaud lapin. Il aimait regarder les filles, quelques-unes d'entre elles aimaient aussi l'observer, mais les choses allaient rarement plus loin. Malgré son apparence physique décente – depuis la parution d'*On the Road,* en 1957, ma mère disait souvent qu'Adrien était la copie conforme de Jack Kerouac –, il était loin de posséder le talent de Jean pour faire la cour aux femmes, et ne semblait jamais savoir quoi faire afin d'en attirer quelques-unes vers lui. Je me souviens particulièrement d'un soir du mois de juin 1958 où, après avoir invité chez Da Giovanni une fille dont je ne me souviens plus du nom, il était venu nous rejoindre, occupés que nous étions à disputer une partie de balle-molle, à une heure où il aurait dû se retrouver, s'il avait su comment se comporter, sur le belvédère du Mont-Royal, installé sur le siège arrière de sa voiture en galante compagnie.

«Qu'est-ce que tu fais là? lui avait demandé Jean, alors qu'il venait tout juste d'être retiré sur trois prises. T'avais pas une *date* avec?...»

Bon. Admettons qu'elle s'appelait Charlotte.

«Elle m'intéresse pas tant que ça, Charlotte, finalement. On n'avait pas grand-chose à se dire», avait répondu Adrien de manière évasive. Patrick, Jean et moi l'avons regardé pendant quelques secondes en sourcillant.

Nous avions raison de douter de sa sincérité puisque, quelques jours plus tard, alors que je croisai l'anonyme Charlotte, je pus apprendre la raison véritable de la soirée écourtée d'Adrien.

«Y'a passé son souper à me faire la lecture du *Refus global*! Quarante-cinq minutes de temps! Du moment où la serveuse a pris nos commandes, jusqu'à temps que je finisse mon assiette de spaghetti, que j'y fasse accroire que je voulais aller aux toilettes, pis que je me sauve du restaurant en cachette ! Le *Refus global* !!!... Une autre *date* comme ça, pis je rentre au couvent ! »

Dans le cas de Denise, la situation différa sensiblement. Il n'y eut pas de sourire gêné, de regard furtif. Pas plus qu'il n'y eut de battement de cœur accéléré, de demande nerveuse pour un souper aux chandelles, et l'occasion de tout foutre en l'air en lisant et analysant le *Refus global* pendant quarante-cinq minutes. Pour ma part, j'ai toujours cru qu'il était malheureux que Denise et Adrien n'aient pas eu droit au processus habituel d'une cour en bonne et due forme parce que, si cela avait été le cas, tous deux se seraient probablement épargné des années de tourment inutile.

Plusieurs me diront que les contraires s'attirent, que l'on grandit dans la différence, que l'on ne peut réellement évoluer que lorsque l'on arrive à se compléter par rapport à quelqu'un d'autre, bla-bla-bla ! Je ferai peut-être preuve d'étroitesse d'esprit, mais je tiens à dire que je n'ai jamais cru à tout ça. De telles affirmations sont vraies lorsque l'un aime sa soupe aux pois avec jambon, que l'autre la préfère avec plus de lard, et que tous les deux comparent leurs recettes. Ou encore lorsque la femme aime Olivier Guimond, que l'homme préfère Gilles Pellerin, et que les deux se mettent d'accord que, dans la vie, tout est question de goût. Dans le cas de Denise et Adrien, jamais personne n'arrivera à me convaincre qu'un consensus était possible lorsque l'une vouait une admiration presque maladive à Wilfrid Laurier – admiration que je partageais, soit dit en passant, sans aucune réserve –, et que l'autre pleurait d'émotion en écoutant chanter Gilles Vigneault ! En amitié, peut-être leur relation aurait-elle été viable. Sûrement. Mais pas dans le train-train quotidien d'une vie de couple. Pas quand deux personnes diamétralement opposées doivent vivre côte à côte, jour après jour, essayant de respecter tout ce que l'un est, et que l'autre ne voudra jamais devenir. Et surtout pas lorsque leurs rapports physiques furent aussi grotesques qu'ils ne l'ont été la première fois où ils se sont touchés.

Après avoir passé des semaines à se reluquer dans la cour d'école, Adrien et Denise furent invités à une soirée donnée par Célina Bégin, une collègue de Denise. Plusieurs professeurs de Saint-Jean-de-Brébeuf et de Sainte-Philomène étant présents, ils furent nombreux à se demander si Célina n'avait pas organisé cette soirée expressément pour pousser Adrien et Denise dans les bras l'un de l'autre.

La réponse est oui. Et Célina s'en voulut pendant plusieurs années.

Très tôt, lors de ce samedi soir, les blagues fusèrent de toutes parts à propos d'Adrien et de Denise, et de leurs apparentes difficultés à ne pas s'arracher leurs vêtements devant tout le monde. Lucien, l'époux de Célina, alla même jusqu'à leur dire que les draps de son lit étaient propres, et qu'ils pouvaient se sentir très à l'aise d'utiliser la chambre à coucher autant de fois qu'ils le voulaient. Et après quatre ou cinq bières avalées en vitesse, comme s'il était sous l'impression que les invités s'attendaient vraiment à ce qu'il saute sur elle, Adrien eut enfin le courage de jouer à l'étalon avec Denise qui, tout aussi éméchée que lui, l'entraîna dans la chambre à coucher des Bégin.

C'est là que les choses se sont gâtées. Pour trois raisons.

Première raison: si l'alcool, chez certaines personnes, représente une plus-value en termes de prouesses sexuelles, ce ne fut pas le cas pour Adrien qui, une fois ivre, semblait avoir perdu les deux tiers de ses capacités motrices. De manière pas très sexy, il passa une bonne minute à se débattre avec le bouton de son pantalon, incapable de le sortir du trou. Pendant ce temps, Denise – ayant réussi à se dévêtir en un temps record – le regardait se ridiculiser, et commençait à s'impatienter.

«Est-ce que t'as besoin d'aide? demanda-t-elle à Adrien.

— Non, non, répondit-il, essayant maintenant d'arracher le bouton du pantalon. Allonge-toi là, je m'en viens.»

Bon. Avec une telle réplique, je ne comprends pas pourquoi Denise ne s'est pas rhabillée pour laisser Adrien en plan et aller rejoindre les autres. N'y a-t-il pas un juste milieu entre les chasseuses de chevaliers de romans Harlequin et celles prêtes à se contenter de vingt secondes de sexe au fond d'une ruelle? Que pouvait-elle trouver de séduisant chez Adrien à ce moment-là, lui qui n'arrivait même pas à se déculotter sans faire un fou de lui?

Je cherche encore la réponse.

Deuxième raison: pour la plupart d'entre nous, les samedis soirs ne signifiaient qu'une chose: le Canadien jouait un match de hockey, à domicile ou à l'étranger. Et si Adrien l'avait momentanément oublié, ivre, dans la chambre à coucher des Bégin, ils furent nombreux à le lui rappeler. Alors qu'il se trouvait dans le feu de l'action avec Denise.

Pauvre Adrien, qui avait enfin réussi à enlever son pantalon…

«*All riiiiight!* cria un collègue de Saint-Jean-de-Brébeuf, frappant dans le mur attenant le salon à la chambre à coucher. Adrien, c'est 2 à 1 pour le Canadien!»

Comme le dernier des abrutis, Adrien s'arrêta, regarda Denise, regarda le mur, regarda Denise, regarda le mur, avant de poser la question suivante, d'une voix ridiculement aiguë:

« Qui a *scoré* ?

— Marcel Bonin ! »

Insultée – on le serait à moins –, Denise regarda Adrien en secouant la tête, la bouche ouverte aussi grande que les yeux, alors que l'étalon de la rue Montcalm se remit au travail, comme si rien ne s'était passé.

« Adrien, c'est 3 à 1 ! Un but de Ralph Backstrom ! »

Cette fois, mon ami eut assez de jugement pour garder le silence et se concentrer sur Denise. Mais pour ce que ça allait donner, de toute façon…

Troisième et dernière raison, mais non la moindre : alors qu'Adrien travaillait très fort pour partager avec Denise son enthousiasme de savoir les Maple Leafs de Toronto en manque de deux buts, le pékinois des Bégin, une horreur grise du nom de Zapato, grimpa sur le lit et se mit à lui lécher les fesses. Chatouilleux, Adrien se mit à rire au nez de Denise qui, ignorante de la présence de Zapato, prit, bien sûr, le ricanement comme une insulte personnelle.

« T'as du front, toi ! s'exclama-t-elle.

— Je ris pas de toi, répliqua Adrien, essayant de retenir son fou rire pendant que Zapato redoublait d'ardeur. C'est le chien !…

— Quoi ?! »

Quand ça va mal !…

Ses ardeurs définitivement refroidies, Denise essaya de se lever pour sortir de la chambre mais Adrien, débarrassé de Zapato, réussit à aller jusqu'au bout tout juste avant qu'elle ne réussisse à se libérer de lui.

Au risque, encore une fois, de chagriner les ferventes admiratrices de photos-romans, romans à l'eau de rose et autres œuvres de science-fiction, les premiers rapports physiques, au même titre que les premières rencontres, ne représentent pas toujours un point déterminant dans une vie, un moment figé dans le temps poussant deux êtres à vivre le reste de leur existence en ne faisant rien d'autre que de se regarder dans les yeux, passer leurs fins de semaine dans un *bed & breakfast* de Saint-Sauveur, et courir, main dans la main, dans des champs de lavande. Quelquefois, rien d'autre n'arrivait à ressortir d'une rencontre entre deux personnes qu'une envie de se sauver dans des directions opposées et de s'ignorer pour le reste de leurs jours. Adrien et Denise, quant à eux, ne voyaient même pas la pertinence de se saluer la prochaine fois qu'ils se croiseraient dans la cour d'école. On repassera pour la gymnastique pyrotechnique.

Pour Adrien et Denise, il n'y eut pas de coup de foudre, pas de désir incontrôlable d'être dans les bras l'un de l'autre et pas de sourire éperdu. Rien d'autre que le sentiment d'avoir perdu leur temps, et le besoin pressant d'effacer de leur mémoire un rapport physique embarrassant.

Le moment déterminant vécu par un homme et une femme, celui qui bouleverse une vie tel que décrit dans des romans à la sauce Barbara Cartland, n'était pas venu.

Ce moment viendrait plus tard. Beaucoup plus tard.

6
Adrien... à propos de Paul-Émile

Lorsqu'il enseignait aux HEC, Paul-Émile avait la pire des réputations. Pas qu'il était désagréable, loin de là. Paul-Émile arrivait toujours en classe de bonne humeur, manifestement heureux d'être là, et ne rechignait jamais lorsque venait le temps d'aider un étudiant qui lui en faisait la demande. Par contre, ses questions d'examen relevaient presque de la torture psychologique, et non seulement les élèves devaient-ils étudier de manière intensive, mais ils devaient également analyser chacune des questions afin d'éviter les pièges que Paul-Émile s'amusait à leur tendre. «Vous n'aviez qu'à porter attention», répondait-il toujours aux nombreux étudiants qui se plaignaient de son intransigeance. Mais Paul-Émile était ainsi fait: il ne cédait jamais sous la pression, et c'était là un aspect de sa personnalité que je lui enviais grandement. Il vivait sa vie à sa façon, ne laissant jamais personne d'autre que lui – à l'exception, peut-être, de sa mère – décider de la direction qu'elle prenait. Doucement, son existence se détachait de la nôtre.

Rendus à ce point, Patrick, Jean et moi supposions que l'existence tout entière de Paul-Émile ne tournait qu'autour du travail. Après tout, il n'était pas professeur depuis longtemps et, comme le milieu universitaire se veut très compétitif, nous avions déduit qu'il consacrait le plus clair de son énergie à se faire un nom en son sein. Nous n'avions pas entièrement tort. Paul-Émile travaillait effectivement comme un forcené, mais sa réputation était déjà assise sur des bases beaucoup plus solides que ce que nous croyions, et pas seulement en raison de ses questions d'examen plutôt douteuses. Discrètement, sans le crier sur tous les toits – pas les nôtres, en tout cas –, il avait su faire sa place non seulement parmi le personnel de la faculté, mais également parmi les hommes d'affaires qui gravitaient autour. Ce fut à ce moment qu'Albert Doucet fit son entrée dans la vie de Paul-Émile.

Pour tous ceux qui l'ignorent, Albert Doucet était une légende vivante au sein du monde des affaires canadien et, dans une moindre mesure, au sein des milieux politiques, où il était l'un des plus gros donateurs pour le Parti libéral du Canada. Parti de rien – enfant, il volait des fruits afin de pouvoir nourrir ses frères et sœurs –, il réussit à mettre sur pied une compagnie de pâtes et papiers, Northern Industries, qui lui rapporta une fortune considérée comme l'une des plus grosses au pays. Même ceux qui bâillaient comme s'ils n'avaient pas dormi depuis une semaine à la seule mention du mot « finance » savaient qui était Albert Doucet, tout comme ils savaient qu'il était un homme de grandes contradictions. Un exemple : reconnu pour sa générosité avec sa famille et son entourage, il était d'une pingrerie révoltante envers ses employés. Autre exemple : amoureux fou de sa femme – contradiction tellement banale qu'on la voit déjà venir au galop –, il se faisait un devoir d'entretenir une maîtresse dans chacune des villes où Northern Industries avait une adresse. Et dernier exemple, très certainement le plus fascinant à mes yeux : Albert Doucet jouissait d'un intellect tout à fait remarquable en dépit d'une éducation qui frôlait parfois l'analphabétisme. N'ayant jamais pu étudier en raison de l'extrême pauvreté affligeant sa famille, il admirait plus que tout les grands penseurs, les gens bardés de diplômes, et rien ne l'avait autant ému – à l'exception de la naissance de ses deux enfants, j'ose espérer – que ce jour où l'Université de Montréal lui accorda un doctorat *honoris causa*. Il demeurait d'ailleurs toujours très près de l'université, physiquement et financièrement, depuis ce moment où il avait reçu ce qu'il considérait comme le plus grand honneur de sa vie.

Ce qui me ramène à Paul-Émile. Albert Doucet avait organisé une soirée chez lui où plusieurs membres du corps professoral des HEC furent invités. Madame Marchand avait d'ailleurs frôlé l'apoplexie lorsqu'elle apprit que son fils était du nombre et, aussitôt remise de son malaise, elle s'était fait un devoir d'aller cancaner que SON Paul-Émile était invité à manger chez Albert Doucet. À Westmount. Sur l'avenue Clarke. En smoking. Je comprenais la fierté d'une mère devant ce qu'elle considérait comme le début de l'ascension de son fils au sein d'un monde qu'elle avait dû quitter à regret, mais le ton emprunté par madame Marchand alors qu'elle faisait son annonce, en criant presque « Oyé ! Oyé ! » au beau milieu de la rue Sainte-Catherine, frisait une condescendance qui irritait grandement les habitants du faubourg à mélasse. Certains d'entre eux ne se gênèrent d'ailleurs pas pour le lui faire savoir.

« À la tabagie, l'autre jour, ma fille a vendu un paquet de gomme à Juliette Pétrie. Est-ce que je suis allée cogner chez vous pour vous écœurer avec ça ? »

Une femme ne cherchait qu'à exprimer l'intense fierté qu'elle ressentait pour son fils, alors que les autres n'y voyaient qu'une preuve supplémentaire du mépris qu'elle ressentait pour eux. Nouveau chapitre dans la relation houleuse qu'entretenait madame Marchand avec les gens du quartier.

Curieusement, nous ne connaissions pas la date exacte de cette soirée organisée chez Albert Doucet, et nous n'avons pas cherché à savoir. Madame Marchand ne parlait plus que de ça à qui voulait l'entendre et, surtout, à ceux qui ne le voulaient pas. Monsieur Marchand l'observait souvent d'un air irrité, l'enjoignant des yeux à se calmer, mais elle ne semblait pas s'en formaliser. Tout devait être parfait pour cette soirée qu'elle devait imaginer, selon moi, comme sa planche de salut lui permettant de retourner à Outremont, plus de trente ans en arrière. Mais une affreuse question demeurait en suspens : comment Paul-Émile allait-il se rendre chez les Doucet ? Pas à pied, tout de même ? Quelle horreur !

« C'est pour ça que je suis ici, avait annoncé Paul-Émile à Jean, lorsqu'il lui rendit visite à son appartement de la rue Sherbrooke.

— T'as du front, toi, avait répliqué celui-ci.

— Quoi ?...

— T'appelles jamais ! On te voit jamais la face ! Quand c'est nous autres qui t'appelle, t'es toujours trop occupé, pis quand tu te décides à donner signe de vie, c'est pour m'emprunter mon char !

— C'est vrai que je suis ben occupé. Je fais jamais rien à part travailler.

— Pis qu'est-ce que tu vas aller faire, chez Albert Doucet ? Analyser l'impact du caviar sur le produit national brut canadien ?

— S'il te plaît, Jean... C'est quand, la dernière fois que je t'ai demandé quelque chose ?

— Mon Impala... T'en aurais besoin pour quand ?

— Samedi prochain. »

À ces mots, Jean sourcilla légèrement, croyant avoir entendu Suzanne, quelque temps plus tôt, raconter à une copine que Paul-Émile s'était enfin décidé à l'inviter ce samedi à manger au Poulet Doré. Mais Jean demeura silencieux. Paul-Émile, en dépit de ses jambes qui devenaient aussi molles que de la gélatine lorsqu'il l'apercevait, semblait résolu à demeurer loin d'elle, se rappelant pratiquement aux demi-heures que ses origines populaires la rendaient indigne de lui. Mais Paul-Émile avait effectivement invité Suzanne à souper, se disant qu'une fois n'était pas coutume, et que son désir de conquérir le monde ne s'en trouverait pas compromis s'il se laissait aller, le temps d'une seule soirée, à se rapprocher de Suzanne.

« C'est beau. Je te passe mon char.

— Merci, Jean.

— À une condition.

— Laquelle ?

— T'es mon lanceur partant à la prochaine partie de balle-molle au parc Iberville.

— Jean… Je peux pas te garantir que…

— Adrien est receveur, pis je suis à l'arrêt-court. Patrick aussi va être là. »

Précisons que Patrick allait être présent en tant qu'arbitre derrière le marbre. Comme joueur de baseball, il était lamentable. Je me souviens tout particulièrement d'une joute où, après avoir frappé la balle, il s'était dirigé à toute vitesse vers… le troisième but. Nous étions une vingtaine de joueurs, des deux équipes, à le regarder courir sans dire un mot.

« Viens, poursuivit Jean. Ça va être comme dans le temps. Surtout que si c'est toi qui lances, la victoire est assurée.

— Ça va dépendre de la journée, parce que…

— Tu sais, chez Albert Doucet, tu peux y aller en autobus. Je suis sûr que ta mère serait très fière de te voir débarquer au coin d'Atwater pis…

— C'est correct. Je vais être là. »

La résidence d'Albert Doucet était située dans la partie

nord de l'avenue Clarke, là où le logement de mes parents n'aurait sûrement pas été plus grand qu'une seule des salles de bains des maisons environnantes. Je n'étais pas à l'aise dans une ville comme Westmount, ou Outremont, et cela m'irritait profondément. Pas en raison d'une quelconque rivalité m'opposant à Paul-Émile. Cela n'avait rien à voir. Contrairement à lui, je ne rêvais pas d'être quelqu'un d'autre ou de partir ailleurs. J'aimais le faubourg à mélasse de manière viscérale. J'y étais né. J'y avais passé mon enfance. J'y étais devenu un homme. Mais au même moment, je rageais de constater que le syndrome du petit pain, affligeant avec tellement de force les différents quartiers ouvriers de la ville, m'avait moi aussi atteint de plein fouet. J'étais mal à l'aise à Westmount ou à Outremont parce que je ne m'y sentais pas à ma place. Je ne me sentais pas l'égal des gens qui y habitaient, et ce constat me donnait envie de hurler. Mes convictions politiques m'imposaient une bataille contre ce syndrome du petit pain, ce défaitisme qui nous immobilisait, et raconter l'histoire de Paul-Émile, surtout au moment de son ascension, me faisait comprendre que j'avais lamentablement échoué. Peut-être y avait-il entre nous, après tout, une certaine rivalité que je ne voulais pas voir ? L'essence même de l'homme qu'il était m'avait ouvert de nouveaux horizons où je ne croyais pas appartenir, alors qu'il s'y sentait comme un poisson dans l'eau. Et j'étais frustré.

Toute sa vie, madame Marchand avait préparé Paul-Émile pour un moment comme celui qu'il allait vivre en pénétrant dans la maison d'Albert Doucet. Mais qui sait comment se déroulent réellement les choses lorsque l'on tombe dans la réalité la plus plate ? Madame Flynn passa vingt ans de sa vie à mouler Patrick afin qu'il puisse se conformer en tous points à l'existence d'ecclésiastique qu'elle lui réservait, et quel prêtre absolument insignifiant il est devenu! Mais Paul-Émile se montra à la hauteur des espérances de sa mère, et pas une seule fois n'avait-il manifesté la moindre trace de nervosité lorsqu'Albert Doucet se présenta à lui, convaincu qu'il lui était son égal d'une manière dont nous ne pourrions jamais l'être.

Ce soir-là, Paul-Émile passa son temps à manger des cornets de saumon fumé et à boire du champagne dans des coupes hors de prix, alors qu'Albert Doucet faisait part de ses impressions favorables à l'égard de mon copain. Le recteur des HEC les avait introduits l'un à l'autre, et Paul-Émile eut tôt fait de mentionner que Northern Industries, l'un des plus beaux fleurons du monde des affaires canadien, avait tout le potentiel nécessaire pour une véritable percée mondiale.

Entre les deux, un grand amour était né.

Un peu plus tard dans la soirée, Albert Doucet, désireux de présenter sa famille à Paul-Émile, fit signe à ce dernier de s'approcher. La première à tendre la main fut Juliette, l'épouse d'Albert, beauté classique et intemporelle – après avoir vu une photo d'elle dans les journaux, ma mère avait cru qu'Albert Doucet avait épousé Nicole Germain[6] –, rieuse et enjouée, qui aurait très certainement pu être la grande amie de madame Marchand si la crise de 1929 n'avait pas été aussi catastrophique pour cette dernière. Madame Doucet serra chaleureusement la main de Paul-Émile, tout en lui souhaitant la bienvenue chez elle.

Le deuxième à tendre la main, quoique avec une réticence manifeste, fut Raymond, l'aîné des enfants Doucet, qui observa Paul-Émile pendant quelques instants en faisant la

---

6 Actrice et journaliste québécoise.

moue de quelqu'un ayant mordu à pleines dents dans une belle et grosse pomme amère. La main que Raymond tendit à Paul-Émile était molle, sans conviction; le genre de poignée de main que mon copain détestait parce qu'il croyait toujours y déceler une quelconque trace de malhonnêteté. Après quelques secondes d'un silence inconfortable, Raymond s'éloigna de la scène, faisant clairement savoir qu'il avait mieux à faire que d'écouter son père vanter les mérites de quelqu'un d'autre que lui.

Enfin, Albert et Juliette Doucet pressèrent leur fille Mireille de s'avancer vers Paul-Émile. Quiconque rencontrait Mireille Doucet pour la toute première fois ne pouvait s'empêcher d'être ébloui par la très grande beauté de son sourire et par l'expression infinie de ses yeux. Tout le contraire de Paul-Émile, très peu porté sur l'expression de ses émotions, et je ne pus m'empêcher, la première fois que je les aperçus ensemble, de faire le lien avec mes parents. Je les trouvais tout aussi bien assortis. C'est dire…

Et au moment même où Albert Doucet présenta sa fille à Paul-Émile, celui-ci ressentit, en la regardant, alors qu'il était soudainement incapable de porter son regard sur qui que ce soit d'autre, qu'une très grande partie de sa vie venait de se jouer.

Plus rien n'avait d'importance pour lui. Pas même Suzanne, qui rageait d'avoir été laissée en plan par Paul-Émile, alors qu'ils avaient bel et bien rendez-vous, ce soir-là. Mon ami ne s'était même pas donné la peine de lui dire qu'il ne passerait pas la chercher.

Regardant Mireille dans les yeux, voyant en elle tout ce que sa famille avait perdu en une seule journée d'octobre 1929, Paul-Émile songea à l'offre d'achat qu'il allait faire sur l'ancienne maison familiale, à Outremont.

7
Jean... à propos de Patrick

Nous étions plusieurs à souhaiter que Patrick ne se définisse pas essentiellement par son travail de prêtre parce que si cela avait été le cas, il aurait assurément passé ses journées à pleurer son temps perdu. Quelques années plus tard, Adrien avait dit à la blague que les églises du Québec avaient véritablement commencé à se vider le jour où Patrick célébra sa première messe. J'en ris encore. Et comme chaque blague comporte son fond de vérité...

Bien sûr, Marie-Yvette s'appliquait à ne rien voir et à ne rien entendre concernant les aptitudes plutôt déficientes de Patrick pour la prêtrise, allant même jusqu'à ignorer de superbe manière les regards de plus en plus acides que lui lançait le curé Julien lors de la messe du dimanche à l'église Saint-Pierre-Apôtre. Ces coups d'œil, tout le quartier les avait remarqués, mais Marie-Yvette refusait de quitter cet univers parallèle qu'elle s'était créé, où Patrick avait toutes les chances d'aboutir un jour au Vatican.

Bonne chance !

Il y avait plus d'une église dans le faubourg à mélasse, mais celle de Saint-Pierre-Apôtre tenait une place spéciale dans le cœur de ses habitants. Ceux qui prétendront que je ne fais que prêcher pour ma paroisse – je n'ai pu résister le jeu de mots douteux; pardonnez-moi encore une fois – n'auront qu'à venir jeter un coup d'œil; je leur garantis qu'ils ne pourront que s'extasier devant l'éclat et la grandeur de ce temple qui ressemble à une cathédrale égarée au beau milieu de ce qui fût autrefois un quartier d'ouvriers.

Quelques années auparavant, le curé Julien nous avait raconté en long et en large – en très long et en très large, si je peux me permettre de préciser – sa rencontre avec le cardinal Francis Spellman, archevêque de New York et joyeuse crapule qui ne faisait rien pour me ramener dans le giron de l'Église. En fait, ce ne fut pas tant sa rencontre avec Spellman qui lui gonfla quelque peu la tête, mais plutôt la ressemblance frappante entre la cathédrale Saint-Patrick et l'église Saint-Pierre-Apôtre. Après avoir été mis au courant de ce fait, je me dois d'admettre que nous fûmes nombreux à voir nos têtes prendre des proportions démesurées. Si la cathédrale Saint-Patrick, située dans un coin huppé de Midtown Manhattan, était devenue l'une des figures emblématiques de la religion catholique en Amérique du Nord, la tout aussi merveilleuse église Saint-Pierre-Apôtre pourrait alors parfaitement devenir, de son côté, l'un des joyaux de la communauté montréalaise, québécoise, voire canadienne. Avec l'appui de tous les paroissiens qui se gonflaient la poitrine, le curé Julien s'était donc octroyé une mission à la hauteur de son ego. Le tout semblait prometteur.

Mais comme l'ego du curé Julien tolérait plutôt mal les constats d'échec, la présence dans son entourage de Marie-Yvette Flynn, celle qui fut à l'origine du seul véritable faux pas de sa vie professionnelle, était fortement à déconseiller. L'admission de Patrick au sein de la congrégation des Oblats avait constitué une erreur de jugement sérieuse de sa part, et le curé tolérait plutôt mal de se la faire constamment mettre sous le nez, ce qui venait expliquer cette soudaine envie de s'enfuir de son propre presbytère comme le dernier des voleurs lorsqu'il aperçut la délicieuse Marie-Yvette, par une belle matinée printanière, déambuler sur la rue de la Visitation en direction de l'église.

« Mademoiselle Dupuis, chuchota le curé Julien à sa secrétaire. MADEMOISELLE DUPUIS ! »

J'ai toujours trouvé très drôles ces gens qui murmurent à tue-tête. Non seulement leur ton de voix est-il suspect, mais ne savent-ils pas qu'on les entend de manière presque aussi claire que ceux qui ne se gênent pas pour hurler ? Quelqu'un devrait penser à les enregistrer.

« Oui, monsieur le curé ?

— Marie-Yvette Flynn s'en vient ici. Pour l'amour du Ciel, pourriez-vous lui dire que je suis pas là ?

— Je lui dis quoi ? demanda mademoiselle Dupuis en sourcillant.

— Dites-lui ce que vous voulez. Dites-lui que je suis parti à l'archevêché, dites-lui que je suis parti donner l'extrême onction à quelqu'un ! Jésus Marie, dites-lui que je suis parti aux danseuses, si vous voulez ! Dites-lui juste que je suis pas là ! »

Le curé Julien aurait pu lui donner un coup de pied au derrière qu'Amandine Dupuis n'aurait pas été davantage piquée au vif. La secrétaire du curé était un modèle de droiture et de respect des principes comme j'en ai rarement vu dans ma vie. À l'âge où je suis rendu et avec l'expérience que j'ai accumulée avec les années, je pourrais être en mesure d'apprécier, aujourd'hui, un tel parangon de vertu et d'honnêteté. Mais à une époque où la sagesse à venir ne peut absolument rien contre l'arrogance de la jeunesse, moi-même et les autres garçons de mon âge étions en mesure de ne rien voir d'autre, chez Amandine Dupuis, qu'une vieille fille aux fesses serrées ayant un sérieux besoin de se trouver un homme pour la chambre à coucher. Dieu que nous pouvions être vulgaires ! Et cons, aussi, sans doute…

« Monsieur le curé, franchement ! Un langage comme ça, c'est indigne de vous ! Aussi indigne que ce que vous me demandez de faire ! Vous savez très bien que je suis pas capable de mentir, encore moins dans un presbytère. Vous devriez avoir honte de me demander ça! Pis en passant, c'est pas nécessaire de parler tout bas. Toutes les fenêtres sont fermées. Madame Flynn peut pas vous entendre.

— Avec elle, on n'est jamais trop prudents, précisa le curé Julien, suppliant du regard mademoiselle Dupuis de lui accorder cette faveur. Vous savez que c'est pas mon genre, mais Marie-Yvette Flynn, c'est pas pareil. Vous le savez! Vous êtes pas capable de la sentir autant que moi! Elle a toujours été détestable mais, depuis qu'elle s'imagine être parente avec le président Kennedy, c'est pire qu'avant! Je vous en supplie, dites-lui que je suis pas là. Je vous le demanderai pus jamais! Pis je suis même prêt à vous emmener souper Chez Butch. Vous prendrez une portion double de croûtons au fromage!

— Marie-Yvette Flynn est peut-être une femme déplai-sante, monsieur le curé, mais c'est quand même une créature du bon Dieu autant que n'importe quel paroissien. Pis excusez-moi de vous dire ça, mais vous, vous êtes un envoyé du bon Dieu. Vous devriez avoir honte de mentir. Même à cette femme-là.»

Au moment où Marie-Yvette fit sonner le carillon de la porte d'entrée, j'aurais mis ma main à couper que le curé Julien, à ce moment précis, aurait voulu catapulter Amandine Dupuis et ses principes suffisamment loin pour l'empêcher de répondre à la porte.

«Voulez-vous que j'aille ouvrir la porte, ou vous irez vous-même?

— Allez-y», grogna le curé Julien.

Si j'avais été à la place du curé Julien, j'aurais fort proba-blement fait la même chose que lui. J'aurais cherché à éviter. J'aurais tenté de fuir. En fait, j'aurais probablement fait bien pire, peut-être même menacer la sensuelle mademoiselle Dupuis de congédiement si elle n'ordonnait pas immédiatement à Marie-Yvette de retourner chez elle. C'est dire l'incroyable intensité de l'antipathie qu'inspirait la mère de Patrick aux gens qu'elle rencontrait. Adrien, Paul-Émile et moi nous sommes souvent demandés si notre copain, que tout le monde aimait bien, n'avait pas été adopté. Mais comme Marie-Yvette aurait probablement répondu à notre question en courant après nous avec un rouleau à pâte, nous avons pris la sage décision de ne jamais nous en enquérir.

« Bien le bonjour, monsieur le curé, salua Marie-Yvette en enlevant ses gants.

— Bonjour, madame Flynn. Comment allez-vous ?

— Ça va, ça va. Ça irait si le temps se réchauffait, mais bon! Moi, en bas de soixante degrés, je gèle tout rond. Je regardais le temps qu'il fait à New York, à matin, pis y'ont pus un seul pouce de neige! »

Lorsqu'elle prononçait des mots à consonances anglaises, Marie-Yvette s'appliquait avec un zèle chronique à n'avoir aucun accent, ce qu'elle réussissait plus ou moins bien. Dans sa bouche, « New York » sonnait plutôt comme « Nieww Iyorkkkk », comme si elle avait été une matriarche snob résidant sur Park Avenue et ne vivant que pour le bottin mondain. Loin de moi l'idée d'affirmer que le langage coloré des Canadiens français devait aussi se refléter lorsqu'ils parlaient la langue de Shakespeare – mon propre père avait fait s'esclaffer son patron anglophone lorsque celui-ci lui avait demandé l'heure et qu'il avait répondu « tri o'cloc » –, mais à force d'en beurrer épais, la tranche de pain finit par tomber sur le cœur.

« Pendant ce temps-là, nous autres, on patauge dans'*slush* pis on gèle comme des tout-nus. C'est pas mêlant, même sur la météo, les Américains sont meilleurs que nous autres. Mon cher monsieur le curé, si j'étais pas pognée avec mon bon à rien de mari, ça ferait longtemps que j'aurais sacré mon camp de ce pays de ti-counes là. »

Avouez que c'était quand même quelque chose : réussir le tour de force d'être détestable en discutant d'un sujet aussi plate que la météo ! C'était dans des moments comme celui-là que Marie-Yvette, en dépit de toutes ses faiblesses et de ses irritants, représentait pour moi l'un des personnages les plus fascinants que j'ai rencontrés. Si seulement la fascination qu'elle provoquait chez moi n'entraînait pas également la ruine de sa propre famille…

« C'est bien beau, tout ça, madame Flynn, mais vous avez quand même pas pataugé dans la *slush,* comme vous dites, juste pour me faire part que le printemps est déjà arrivé à New York.

— Ben sûr que non. »

La tête de Marie-Yvette penchait maintenant vers l'arrière, son menton pointant vers l'avant, voulant ainsi signaler au curé Julien qu'elle n'appréciait pas le ton condescendant qu'il empruntait pour lui parler. Depuis quelque temps, Marie-Yvette s'acharnait à vouloir ramener Patrick dans la paroisse et personne n'arrivait à comprendre pourquoi. Patrick était affecté à la paroisse Sainte-Bibiane dans le quartier Rosemont, qui se trouvait à une trentaine de minutes d'autobus du faubourg à mélasse. Ce n'était tout de même pas comme s'il s'était retrouvé à Tadoussac ou à Chibougamau. Pour ma part, je ne pouvais que supposer que Marie-Yvette voulait le retour de son fils dans le quartier afin d'être en mesure de le contrôler, d'avoir son mot à dire sur ce qu'elle voulait qu'il soit appelé à devenir. Jamais il ne me serait venu à l'idée qu'elle pouvait tout simplement s'ennuyer de son fils. Un faucon s'ennuie-t-il de sa proie après l'avoir dévorée ?

« Madame Flynn, je vous l'ai déjà dit : y'a pas grand-chose que je peux faire pour vous.

— Aïe ! Venez pas me dire qu'y'a rien à faire ! Si vous étiez le curé de la paroisse Saint-Clin-Clin-des-Trois-Prunes, je comprendrais. Mais vous êtes en charge de l'église Saint-Pierre-Apôtre, une des plus grosses paroisses à Montréal !

— Vous savez, j'ai parlé à Patrick, hier. Tout semble très bien aller à Sainte-Bibiane, et...

— Patrick est un sans-colonne. Pareil comme son père pis ses frères. Jamais il va vous dire quelque chose de négatif, même gros comme le bout de son pouce. Mais mon gars, je le connais. Je le sais qu'il est pas bien là où il est. »

Pauvre Marie-Yvette ! Si seulement elle avait été en mesure de comprendre à quel point elle avait raison. Si seulement elle avait été en mesure de comprendre qu'elle-même était la cause du malaise de son fils.

« Je gagerais tout ce que j'ai que c'est la faute de l'abbé Lavallée.

— L'abbé Lavallée ? », répéta le curé Julien en sourcillant.

Comment Marie-Yvette en était arrivée à connaître l'existence de l'abbé Lavallée demeure, jusqu'à ce jour, un total mystère pour moi. Si Patrick n'eut jamais la force nécessaire pour tenir tête à sa mère, il n'était certes pas assez stupide pour lui confier l'importance croissante que prenait dans sa vie cet homme l'incitant à défroquer. Si elle avait su quoi que ce soit au sujet de l'abbé Lavallée et de l'idée qu'il se faisait des dons extraordinaires de Patrick pour la prêtrise, Marie-Yvette aurait mis la paroisse Sainte-Bibiane au grand complet à feu et à sang.

«Écoutez, se radoucit le curé Julien. Je connais l'abbé Lavallée depuis des années et, sans dire que c'est un de mes bons amis, je peux vous affirmer qu'il est un homme très bien, et…

— Qu'est-ce que vous attendez pour ramener mon gars dans la paroisse ?»

Et voilà. Le chat – ou plutôt la tigresse – venait de sortir du sac. Le curé Julien avait très probablement su dès le départ la cause véritable de la visite de Marie-Yvette, expliquant en partie pourquoi il aurait été prêt à mettre véritablement les pieds dans un bar de danseuses si cela lui avait permis de ne pas la voir. L'ordination de Patrick avait été une erreur monumentale que tous connaissaient maintenant depuis longtemps, sauf, bien évidemment, la mère de l'heureux élu. Mais de ramener Patrick dans la paroisse aurait aussi signifié que Marie-Yvette aurait été à ses côtés encore plus souvent qu'elle ne l'était déjà, l'exposant à une critique perpétuelle de la manière dont il traiterait Patrick, et il en était évidemment hors de question. Le curé Julien aurait été prêt à se balader sur la rue Sainte-Catherine uniquement vêtu de son collet romain si cela lui avait garanti de pouvoir effacer l'erreur qu'il avait commise en payant les études théologiques de Patrick. Et, au point où il en était rendu, je crois qu'il aurait été prêt à bien pire si cela lui avait garanti que Marie-Yvette lui ficherait la paix.

«Je vous l'ai déjà dit, madame Flynn. Je n'ai pas l'autorité pour faire ça.

— Prenez-moi pas pour ce que je suis pas, monsieur le curé. Vous êtes en bons termes avec l'archevêque. Vous pourriez y demander de ramener Patrick dans la paroisse. Mais si vous voulez pas le faire, je vous dis tout de suite que moi, ça me dérangera pas pantoute de passer par-dessus vous pis d'appeler à l'archevêché pour raconter ce qui se passe dans votre église. »

Je n'ai jamais osé demander à Marie-Yvette si elle s'était vue, dans les secondes ayant suivi la prononciation de ses mots, se balancer elle-même au bout d'une corde. Le curé Julien, je l'ai déjà dit, jouissait d'un ego assez considérable qui ne lui permettrait jamais de se faire ainsi humilier, rabaisser par une femme qu'il méprisait autant. Et de toute façon, connaître la réponse à ma question n'aurait strictement servi à rien. Les mots avaient été dits. La menace, envoyée. Et Marie-Yvette Flynn n'était pas le genre de femme à baisser les bras. Même lorsqu'elle se savait perdue.

« Et qu'est-ce que vous auriez à raconter, madame Flynn ? demandant le curé d'un ton menaçant. Ça fait sept ans que je suis curé ici, pis mon dossier est sans tache. Vous le savez très bien.

— Ça dépend du point de vue. Pour ramasser de l'argent pour votre église, c'est vrai que personne a rien à dire. Mais quand c'est le temps d'aider des familles pauvres comme la mienne, par exemple, c'est drôle qu'il reste jamais beaucoup d'argent. »

J'ose croire que c'est pour venir en aide à des gens lamentablement incapables de se taire quand la situation l'exige que le métier d'avocat fut inventé. Si Marie-Yvette s'était retrouvée dans une salle de commissariat de police quelconque, interrogée pour un crime dont on la soupçonnait fortement, elle aurait, à coup sûr, hérité de la peine de mort. Comment pouvait-elle s'imaginer que le curé Julien accepterait de rapatrier Patrick après s'être fait envoyer par la tête une insulte de la sorte ? N'avait-elle pas réfléchi une seule seconde aux conséquences qui pourraient en découler ? C'était à n'y rien comprendre. Son supposé lien de parenté avec le président Kennedy lui était vraiment monté à la tête!

«Et qui, au juste, a payé pour les études de Patrick? Je vais vous donner un conseil, ma petite madame, que vous feriez mieux de suivre à la lettre: ça donne jamais rien de s'attaquer à plus haut et plus fort que soi. Pis vous obtiendrez jamais rien de ma part en faisant des menaces. C'est pas parce que votre pauvre fils est devenu prêtre que vous êtes tout à coup devenue Jeanne la papesse. Vous l'avez dit vous-même, tantôt: je suis en très bons termes avec monseigneur Léger, et j'ai juste à donner un coup de téléphone pis je vous garantis que vous passerez même pas la réception.»

Pour la toute première fois de sa vie, Marie-Yvette Flynn n'eut pas le dernier mot. Secouée par la fureur soudaine du curé Julien, elle remit ses gants et se dépêcha de quitter le presbytère au pas de course, passant devant Amandine Dupuis, qu'elle ne prit même pas la peine de saluer.

«Doux Jésus, s'exclama mademoiselle Dupuis. Qu'est-ce qui s'est passé ici?»

Il s'est passé qu'en cet instant, l'enfance de quatre copains venait véritablement de prendre fin et, pour ça, j'en ai longtemps voulu à Marie-Yvette et au curé Julien. Comment aurais-je pu faire autrement? Dans une scène digne d'un mauvais feuilleton, l'ego de deux personnes avait été mis à rude épreuve et le seul qui paya le prix de cette tiraillerie pathétique fut Patrick. Uniquement. Et si j'ai déjà expliqué le raisonnement futile de cette motivation de Marie-Yvette à imposer à son fils une vocation qu'il n'avait pas, rien, absolument rien ne pouvait justifier la décision que le curé Julien prit à la suite de cette altercation. Je fus complètement atterré par son manque total de considération des conséquences que sa décision put avoir sur un jeune homme de vingt-cinq ans qui ne connaissait absolument rien de la vie, à l'exception de ce qu'une mère abusive et un père ivrogne avaient bien voulu lui enseigner.

Officiellement, Maximilien Julien tenta de se justifier en affirmant qu'il en allait de l'apprentissage de Patrick afin que celui-ci puisse devenir, avec le temps, le prêtre que tout le voisinage savait qu'il ne deviendrait jamais. Alors pourquoi avait-il agi de la sorte ? Avait-il voulu faire payer Marie-Yvette pour l'insolence dont elle avait fait preuve envers lui ? Ou avait-il seulement cherché à se débarrasser de Patrick, dont l'incompétence devenait de plus en plus embarrassante à mesure que le temps passait ? Personne ne l'a jamais su. Au bout du compte, je ne voulais pas le savoir. Pour ce que ça aurait changé... Et tous ceux qui me connaissent savent que les questions hypothétiques m'ont toujours grandement irrité.

À cet instant précis, la seule chose ayant de l'importance pour moi était que, pour une durée indéfinie, Patrick partait en mission au Cameroun.

8
Patrick... à propos de Jean

Contre toute attente – les miennes, en tout cas –, Jean était devenu, avec le temps, un excellent avocat. Bien franchement, nous étions plusieurs à avoir cru qu'il se contenterait plutôt d'empocher son salaire, de représenter des Bobonne Boivin demandant le divorce après dix ou quinze ans de mariage, de s'acheter un bungalow à Duvernay et de faire griller des T-Bones de catégorie A sur son barbecue, alors que des blondes à la poitrine de catégorie D paraderaient en bikini au bord de sa piscine creusée. Nous avions tort, ayant pour la plupart oublié que Jean recherchait avant tout une liberté qui, pour lui, était synonyme d'indépendance financière, et il avait compris que cette même indépendance viendrait beaucoup plus rapidement s'il mettait un peu d'ardeur au travail. Ce qu'il fit avec un dévouement qui me manquait lamentablement dans l'exercice de ma propre profession. Jean était méthodique, alors que j'étais plutôt brouillon. Il aimait aller à la rencontre de ses collègues afin de se bâtir un réseau de contacts qui allait, il le savait parfaitement, lui être d'une grande utilité dans des causes futures alors que pour ma part, je n'étais pas très porté sur la vie sociale après les heures de bureau, à l'exception de mes visites à l'abbé Lavallée. Et, surtout, Jean s'était découvert un intérêt sincère et profond pour le droit – ou, du moins, ce qu'il en faisait –, alors que je n'arrivais jamais à me souvenir, même après tout ce temps, si un paroissien devait recevoir l'eucharistie de la main gauche ou de la main droite. Tout doucement, Jean devenait une sommité dans son domaine, alors que mon manque de vocation pour la prêtrise avait fait croire à plusieurs qu'il était permis de rire de moi lorsque j'avais le dos tourné.

Tout le faubourg à mélasse était fier de Jean et lui, en retour, ne ratait jamais une occasion de mentionner l'endroit d'où il était originaire. Mais personne ne criait sa fierté d'une voix aussi forte que celle de monsieur Taillon, et j'y voyais la triste ironie d'un fils qui, à travers les yeux émus de son père, cherchait à enterrer la seule partie de son passé qu'il aurait volontiers reniée. Jean acceptait son passé en doses impersonnelles, accompagné de personnes qui ne cherchaient pas à le faire grimper sur une branche déjà cassée de son arbre généalogique et remontait le fil du temps par le biais de souvenirs qui se voulaient collectifs, mais jamais individuels. Il se rappelait avec une émotion intense du Ouimetoscope, des charrettes de chevaux où l'on vendait des patates frites et dont l'odeur de friture, les jours d'été, envahissait nos résidences. Tout comme il aimait se souvenir du Trinidad Ballroom où il dansa son premier *slow* avec une fille qui aurait été prête à vendre sa mère pour une promesse de fidélité qui n'est jamais venue.

Avec les années, Jean s'est acharné à se reconstruire une mémoire, à vivre ce qui allait être des souvenirs qui n'appartiendraient qu'à lui et qu'il n'aurait pas à partager avec cette autre partie de lui-même qu'il ne voulait pas, que sa famille cherchait à lui imposer.

À cette époque, je n'avais absolument aucun contrôle sur ma vie et, pour passer outre la frustration que cela provoquait en moi, je me raccrochais à cette certitude que j'avais de pouvoir, un jour, interpréter mes souvenirs à ma façon. Je savais que, dans cinquante ans, je n'allais pas faire le bilan de ma vie en me disant que ma propre mère avait tout décidé à ma place. Qui peut être en mesure d'avancer en sachant que ce qui s'en vient demeurera à jamais figé dans le temps sur un fond de tableau noir et blanc ? Pour ma part, je savais que j'allais y ajouter quelques teintes, écrire de nouveau mon histoire qui raconterait plutôt qu'ayant toujours été proche de ma mère, nous avions eu une discussion franche et chaleureuse sur mon avenir qui semblait incertain, et que nous avions convenu, d'un commun accord, que la prêtrise était ce qu'il y avait de mieux pour moi. Mon incapacité à assumer ma vie était d'un ridicule à faire pleurer, je le savais très bien, mais c'était la seule façon qui s'offrait à moi pour passer au travers de mon présent: l'inévitable réécriture de son passé, si l'on veut être en mesure de faire un bilan de sa vie sans s'effondrer.

À bien des niveaux, Paul-Émile, Adrien et moi avions l'impression que Jean en était déjà rendu là; qu'il vivait son présent tout en le réécrivant pour les souvenirs qu'il emmagasinait. Comme s'il s'était prématurément rendu à l'heure des bilans. Je ne peux que supposer que, bien malgré lui, il vivait toujours avec cette peur de mourir à trente-quatre ans, comme la totalité de sa famille semblait le croire, et même l'espérer. Alors, il se créait son présent, non conforme à tout ce que son père attendait de lui, ayant comme réflexe de justifier chacun de ses faits et gestes de la même manière que quelqu'un refusant d'accepter ce que fût sa vie aurait fait. L'alcool coulait à flots, l'argent était dépensé sans compter et les filles circulaient presque avec la même régularité qu'une série d'autobus à l'heure de pointe. Mais le spectacle était parfois pénible à regarder.

Jean ne semblait pourtant pas malheureux, mais il devenait parfois frustrant, pour les rares initiés qui le connaissaient vraiment, de le voir régler sa vie uniquement en fonction de ce que celle de Jean Ier ne fût jamais. L'exemple le plus flagrant fut lorsqu'il accepta de représenter des membres de la pègre, qui faisait la pluie et le beau temps dans les rues du faubourg à mélasse depuis des générations. En acceptant d'entrer dans ce milieu, même en tant qu'avocat, Jean savait très bien qu'il ne pourrait jamais en ressortir. Pourtant, il prit sa décision à une vitesse qui m'en donna presque la nausée, et qui avait à peu près tout à voir avec le grand-père Taillon : d'après le portrait utopiquement parfait que Yoland Taillon faisait de son géniteur, celui-ci n'aurait même jamais osé s'approcher d'un gamin s'étant emparé d'une gomme Bazooka sans la payer. Alors Jean, en acceptant de se mêler à des criminels à qui l'on reprochait bien davantage que le vol de friandises vendues à 1 ¢ dans tous les bons dépanneurs du coin, se démarquait encore plus du fantôme qui le pourchassait partout depuis qu'il était en âge de marcher. Ainsi, se disait-il en respectant la logique tordue qui semblait incurablement affecter la famille Taillon au grand complet, il arriverait sans doute à survivre au-delà de ses trente-quatre ans et à ne pas se retrouver inconscient le derrière solidement botté par un cheval.

D'ailleurs, ai-je besoin de préciser que Jean évitait le Vieux-Montréal et ses carrioles de chevaux comme la peste ?

Pour en revenir à l'orientation professionnelle de Jean, celui-ci réussit le tour de force de maintenir son père dans le noir concernant la branche du droit dans laquelle il avait choisi de se spécialiser. Pendant longtemps, monsieur Taillon crut effectivement que son fils représentait des Bobonne Boivin en manque de liberté, attendant qu'une meilleure occasion se présente afin qu'il puisse mettre en valeur les qualités exceptionnelles d'humaniste et de missionnaire qu'il ne détenait absolument pas. J'en profiterai ici pour ouvrir une petite parenthèse : j'ai remarqué que, lorsque je raconte l'histoire de Jean, je fais souvent mention de la mienne. C'est involontaire et je tiens à m'excuser si je tends à parler un peu trop de moi-même. Ce n'est pas par égocentrisme, mais plutôt pour bien souligner la différence entre Jean et moi. Entre son existence et la mienne. Entre son besoin presque pathologique de se libérer de son destin, alors que j'en étais lamentablement incapable, et que j'attendais avec impatience mes années d'âge d'or pour pouvoir me souvenir de ce que je n'aurais jamais vécu. Jean, lui, vivait ses souvenirs au temps présent, constitué principalement de gin-tonic et de la Casa Loma, où mon copain accourait avec une joie presque enfantine pour assister au tout dernier spectacle de Lili St-Martin, alias Agathe Robitaille, grande vedette de cabaret qui envoyait souvent un baiser impétueux à Jean après l'une de ses représentations, lui signifiant ainsi qu'elle voulait le voir la raccompagner chez elle.

Personnellement, je n'étais pas un très grand fan de Lili. Précisons que je n'avais absolument rien contre Agathe, dont le tempérament ressemblait beaucoup à celui de Jean, mais la flamboyance du personnage qu'elle jouait sur scène comme à la ville me donnait constamment l'impression, les quelques fois où je l'ai rencontrée chez Jean, d'être en présence d'un camion de pompiers dont les lumières d'alarme ne s'éteignaient jamais. À la longue, ça pouvait devenir étourdissant. Jean appréciait beaucoup sa présence, ayant toujours eu un faible pour les femmes flamboyantes, mais je me demandais comment il faisait pour arriver à côtoyer de manière régulière quelqu'un dont le personnage me semblait être un croisé entre Guilda, Jacques Normand et La Bolduc. La réponse officielle se trouvait, bien évidemment, dans l'allure physique de Lili, qui ressemblait à s'y méprendre à une Veronica Lake avant que celle-ci ne devienne une indécrottable alcoolique. Néanmoins, la cause véritable prenait racine dans quelques amitiés communes qui les liaient l'un à l'autre.

«Garde tes vêtements, Jean, lui intima Lili, alors que tous les deux venaient d'arriver à l'appartement de celle-ci. J'ai quelque chose à te dire.

— C'est rien qui peut pas attendre?»

Exiger de Jean de demeurer habillé alors qu'il se trouvait seul en compagnie d'une belle femme relevait autant du réalisme que si je m'étais décidé à affronter Rocky Marciano en ayant la ferme intention de le mettre K.O. dès le premier round. Ou le deuxième... Ou le troisième...

«J'aime mieux te dire ce que j'ai à dire avant. On se fera du *fun* après.»

Il est à supposer que Jean n'eût pas le choix de garder ses vêtements, puisqu'il s'assit sur une chaise tout en s'épongeant le front. J'imagine qu'il avait compris que Lili voulait l'entretenir de leurs relations communes. Cela valait bien quelques minutes d'attente.

«Aurèle Collard veut te rencontrer», annonça Lili en relevant une bretelle de sa robe.

Lorsque Lili prononça le nom d'Aurèle Collard, Jean s'épongea le front de plus belle, mais cela n'avait maintenant plus rien à voir avec ses difficultés chroniques à garder le contrôle sur sa libido. Monsieur Collard était, comme nous, originaire du faubourg à mélasse, né sur la rue Panet où il vécut toute son enfance. Ce fut également dans le voisinage qu'il fit ses premiers pas dans la pègre montréalaise où il était devenu, avec les années, l'un des membres les plus puissants. Âgé de soixante-douze ans et ayant quitté les rues du quartier depuis longtemps, il avait néanmoins conservé un attachement très fort pour le faubourg à mélasse et venait souvent y faire du recrutement, au grand dam de quelques mères qui rêvaient d'un avenir différent pour leurs fils que membres en règle de la pègre montréalaise.

Jean, pour sa part, reçut le message de Lili de la même manière qu'un enfant recevant le cadeau qu'il avait ardemment demandé au père Noël lors des trois dernières années, criant et sautant partout, allant même jusqu'à exécuter maladroitement quelques pas de danse. Sa libido ayant été complètement reléguée à l'arrière-plan – et Dieu sait que ça prenait quelque chose de vraiment exceptionnel pour réussir un tel exploit –, il se demandait quelle forme allait prendre cette promotion qu'il attendait depuis longtemps. Bien évidemment, il sut toujours qu'il aurait à faire ses preuves avant de prendre du galon – surtout dans ce milieu –, mais de représenter des bandits à la petite semaine s'étant fait arrêter pour proxénétisme avait provoqué en lui un enthousiasme qui s'étiola plutôt rapidement. Jean était maintenant impatient de passer à autre chose.

« Quand est-ce qu'il veut me rencontrer ? s'enquit-il, fébrile.

— Il va être au cabaret demain soir.

— Est-ce qu'il t'a dit de quoi il voulait me parler ?

— Non. Pis ben franchement, je voulais pas le savoir. Moins j'en sais, mieux c'est. De toute façon, même si j'avais voulu le savoir, il m'aurait rien dit. Arrange-toi pour être à'Casa Loma. C'est le seul message que j'avais à te faire. »

Jean et Lili s'étaient rencontrés pour la première fois au printemps 1958 alors qu'elle venait à peine d'arriver à Montréal, bien décidée à percer dans le monde du spectacle. Ne voyant rien d'autre en elle qu'une conquête potentielle, Jean flattait Lili, l'encourageait à persévérer, même s'il savait pertinemment qu'elle n'avait aucun talent pour le chant autre que de faire hurler les chiens à la lune. Toutefois, longtemps après que les frissons reliés à la chasse eurent disparus, Lili sut provoquer respect et admiration chez Jean lorsqu'elle réussit, malgré sa voix exécrable, à devenir une vedette énormément populaire sur le circuit des cabarets de Montréal.

Ainsi est née une belle amitié – accompagnée de rapports physiques intermittents lors des deux ou trois premières années – qui ne se démentit jamais. Et même si la présence de Lili m'étourdissait au plus haut point, même si son tour de chant me donnait envie de courir vers l'abri nucléaire le plus proche – le jour où je l'entendis chanter *Guantanamera* demeurera à jamais, selon moi, l'un des moments les plus sombres de toute l'histoire de la musique moderne –, Adrien, Paul-Émile et moi pouvions reconnaître en elle des qualités indéniables expliquant pourquoi Jean recherchait sa compagnie. Il l'admirait pour son intelligence – il en fallait en doses massives pour percer comme chanteuse avec une voix aussi exécrable que la sienne –, pour sa lucidité, pour sa capacité à dire les choses telles qu'elles étaient, pour sa faculté à voir la réalité sans ne jamais rien déformer, et à ne rien attendre de la part de Jean que ce qu'il était capable de donner. Je n'ai jamais osé en parler à Lili, mais je fus toujours persuadé qu'elle savait n'avoir aucun talent pour la musique. Sa flamboyance était trop... flamboyante, justement, pour ne pas cacher son manque total de disposition musicale. Mais, à ce moment précis, alors qu'il recevait la nouvelle de son avancement dans le monde interlope, Jean l'appréciait par-dessus tout pour avoir été le pigeon voyageur lui ayant transmis le message d'Aurèle Collard, la remerciant ensuite d'une manière que je n'ai nullement envie de raconter.

Encore et toujours, Jean avançait là où il voulait aller, sans perdre une seule minute. Ailleurs. Là, surtout, où sa famille ne pourrait jamais se rendre.

9
Jean... à propos de Patrick

Le jour où Patrick annonça à sa mère qu'il partait pour le Cameroun demeurera à jamais inscrit dans les annales de la rue de la Visitation. Marie-Yvette, ce soir-là, donna l'une de ses meilleures performances. Lorsqu'elle se mit à crier, plusieurs voisins, malgré le froid, sortirent sur leur balcon pour savoir ce qui se passait.

« Es-tu fou ?! Jamais, m'entends-tu ?! JAMAIS ! Tu vas me passer sur le corps avant ! »

Lorsque Patrick apprit la nouvelle de son départ, il fut incapable de dire un traître mot pendant plusieurs minutes. La simple idée de partir pour l'Afrique, lui qui ne s'était jamais rendu plus loin que Plattsburgh, l'étourdit, lui donna mal au cœur et le força à s'asseoir pour ne pas s'évanouir. Il avait accepté de devenir prêtre en se disant qu'au fond, sa vie ne changerait pas tellement. Se faire dire quoi faire par Marie-Yvette ou par un curé, quelle différence est-ce que ça pouvait bien faire ? Paul-Émile, Adrien et moi allions toujours être là pour lui, les rues de notre quartier auraient encore le visage de nos souvenirs et sa mère continuerait à crier sa vie gâchée, à hurler son amertume et à mettre au pas tout le reste de la tribu des Flynn.

Alors, qu'est-ce que l'Afrique venait faire dans tout ça ? Le Cameroun n'avait jamais fait partie des plans ébauchés par sa mère. Personne ne lui avait jamais dit qu'il aurait à s'occuper d'une bande de lépreux. Pour ma part, je me serais révolté, j'aurais fait un magnifique doigt d'honneur à Marie-Yvette en lui disant que sa place au Ciel, elle pouvait bien se la mettre où je pensais. L'abbé Lavallée, d'ailleurs, lui proposa de quitter les ordres, chose qu'il aurait dû faire depuis longtemps. Mais notre ami étant le fils à maman que nous aimions tous d'un amour tendre et fraternel...

« Partez, mon fils. Qu'est-ce qui vous en empêche ? Qu'est-ce qui vous retient ?

— Je peux pas faire ça à ma famille. Je peux pas l'humilier comme ça. Mes parents méritent pas ça. »

Patrick, à ce moment-là, ne savait absolument rien du match de lutte ayant opposé sa mère au curé Julien, dont l'issue représentait la véritable raison de son départ pour l'Afrique. Au contraire, il crut longtemps que son incompétence crasse à dire une messe correctement était plutôt à l'origine de cette décision. Alors, si c'était lui le problème, pourquoi devrait-il faire payer sa mère et son père le prix de son échec ?

Ai-je besoin de vous dire que Marie-Yvette ne voyait pas les choses tout à fait de cette manière ?

« Veux-tu ben me dire qu'est-ce qu'un grand innocent comme toi va aller faire là-bas ?

— Je m'en vais aider des lépreux, maman.

— Au fin fond de l'Afrique ?! Pauvre innocent ! Je vais t'emmener un globe terrestre pis je te gage dix piasses que tu seras même pas capable de me dire c'est où, le Cameroun !

— Je m'en vais aider des lépreux, maman, répéta Patrick en soupirant. Vous devriez être fière de moi.

— Fière de quoi ?! Fière que tu partes faire le zouave dans'brousse africaine ? Je t'ai pas forcé à rentrer dans'ordres, moi, pour que monsieur aille se mêler d'affaires qui le regardent même pas !

— Être un homme d'Église, maman, c'est aussi ça. C'est pas juste être prêtre dans une petite paroisse tranquille, avec du monde tranquille, dans notre petit pays où personne manque de rien.

— Qu'est-ce qu'y'a de mal là-dedans ?! Tu sauras, Patrick, que du monde dans le besoin, y'en a pas juste en Afrique ! Y'en a ici aussi, en commençant par ta propre mère ! Pis je le sais que d'écouter des vieilles bonnes femmes se confesser de regarder Michel Louvain un peu trop longtemps, ça doit pas être le côté le plus palpitant de la vie d'un prêtre ! Mais pour l'amour du Ciel, es-tu obligé de revoler à l'autre bout du monde ?! Tu peux pas te contenter d'aller visiter les mourants à l'hôpital Notre-Dame ?! »

Pendant quelques brèves secondes, Patrick eut envie de balancer à Marie-Yvette qu'il serait en mesure de faire tout ce qu'il voulait de sa vie et, surtout, de ne pas partir pour l'Afrique, si seulement elle ne s'était pas acharnée à faire de lui une copie médiocre de ce que devait être un véritable homme d'Église. Évidemment, il demeura plutôt muet comme le dernier des soumis. Comment Patrick préférait-il quitter le faubourg à mélasse plutôt que de tenir tête à Marie-Yvette et ne pas partir pour l'Afrique ? C'était à n'y rien comprendre. Et avec sa réputation déjà solide d'ecclésiastique insignifiant, ce n'est pas comme s'il avait privé les lépreux des talents de guérisseur du frère André !

« Pis si tu reviens malade ? Han ? As-tu pensé à ça ? »

Brusquement, Marie-Yvette s'empara de son vieux manteau et de son chapeau, puis se dirigea en courant vers la sortie sans jeter un coup d'œil pour voir si Patrick la suivait.

« Je vais aller prendre une marche, moi. Si je pars pas d'ici tout de suite, je vais tout casser ! »

Juste avant de sortir, alors qu'elle avait déjà un pied dans la porte et que les voisins sur leur balcon faisaient semblant de s'occuper à autre chose, Marie-Yvette tomba face à face avec son mari, une bouteille de bière à la main, qui la dévisageait avec tout le ressentiment dont il était capable. Les quelques voisins assez proches de la résidence des Flynn observaient, ébahis devant cette confrontation annoncée entre la femme à barbe et le funambule déchu, ahuris de voir que James Martin semblait vouloir tenir tête à son épouse pour la toute première fois depuis le début de leur mariage. Pourtant... Dieu sait qu'après des années d'abus psychologique, personne ne lui en aurait tenu rigueur s'il s'était laissé aller à exprimer autrement que dans l'alcool toute la désillusion qu'il ressentait pour Marie-Yvette! Et alors que tous les voisins étaient debouts sur le balcon à observer ce qui nous semblait être un moment historique en devenir, nous étions clairement majoritaires à espérer que James Martin allait enfin faire un homme de lui. Pendant des années, il n'avait jamais rien dit, se contentant de plier le dos et de roter sa bière, tout en laissant sa délicieuse moitié faire preuve envers leurs enfants de la même hargne qui l'atteignait, lui, depuis trop longtemps.

Mais la situation avait maintenant changé.

James Martin s'était longtemps laissé faire parce qu'il n'avait jamais connu autre chose. Parce que sa douleur se vivait toujours en terrain familier et qu'il n'avait qu'à se diriger vers la taverne la plus proche pour la soulager un peu. Ce n'était plus le cas, désormais. Pour la première fois, le cirque Flynn allait dresser sa tente bien au-delà des frontières du faubourg à mélasse, où la douleur qui allait très certainement toucher Patrick en plein cœur n'en était pas une que James Martin connaissait jusque dans les moindres recoins de sa bouteille de bière. La souffrance des Flynn allait maintenant prendre une dimension que James Martin ne connaissait pas, et il ignorait comment y faire face. Quand il s'agissait de regarder Patrick faire un fou de lui un dimanche matin à l'église Sainte-Bibiane, ou encore de le regarder s'éteindre lentement parce que sa mère ne le laissait jamais être qui il était vraiment, son père demeurait silencieux, familier avec ce type d'humiliation et de douleur, s'imaginant qu'il respectait ainsi la tradition familiale que tous les membres du clan étaient condamnés à répéter. Avec le départ de Patrick pour le Cameroun, les règles du jeu allaient définitivement changer, ce qui ne serait jamais arrivé si Marie-Yvette ne s'était pas entêtée à faire un prêtre du plus jeune de ses fils.

La marâtre, pour sa part, devait connaître à coup sûr la raison véritable du départ de Patrick pour un pays pour lequel elle n'avait manifesté, jusqu'à ce moment, rien d'autre que la plus parfaite indifférence. Qui se souciait du Cameroun ? Certainement pas elle. Comme bien des gens de sa génération – et de la mienne aussi, sans doute –, Marie-Yvette rêvait des États-Unis et du soi-disant idéal qu'ils représentaient : le président Kennedy, les soirées passées au cinéparc, les belles maisons bordées d'une clôture en bois blanc et ses idoles de jeunesse telles Gary Cooper et Robert Powell. Pourquoi donc aurait-elle voulu se soucier des lépreux et de pauvreté ? Cela ne la concernait pas, tout simplement. Tout comme elle ne se laisserait jamais aller à éprouver la moindre trace de remords pour l'échec ambulant que Patrick était en train de devenir. Elle ne se le serait jamais permis. Mais alors que James Martin manifestait pour la toute première fois des envies de se tenir debout, il apparaissait clair que la seule porte de sortie de Patrick résidait là, dans cette toute nouvelle aversion de son père vis-à-vis de Marie-Yvette. Si Patrick et James Martin arrivaient à faire front commun, s'ils pouvaient s'unir afin de devenir les premiers de la famille à lui tenir tête, alors peut-être que la trajectoire pourrait dévier et que le cirque de la rue de la Visitation tirerait enfin sa révérence.

Mais Marie-Yvette ne fut jamais une femme susceptible d'être domptée, tout comme elle fut toujours incapable de reconnaître ses torts dans quoi que ce soit. La rage que provoquait en elle l'échec de sa vie faisait en sorte qu'elle était incapable d'accepter la défaite au quotidien, même lorsque celle-ci se lisait sur les traits tirés de son visage. Elle n'allait certainement pas laisser son époux lui enlever la seule illusion de victoire qui lui restait.

« Aïe, l'ivrogne ! Va roter ta bière ailleurs. Juste à te voir, j'ai le cœur qui lève. »

En cinq secondes, tout fut terminé. Tous les voisins debout sur leur balcon furent témoins de la rancœur disparaissant des yeux de James Martin et de son dos qui courba un peu plus. Le cirque de la tribu des Flynn allait encore loger longtemps sur la rue de la Visitation et Patrick, à la vue de son père, eut tout à coup l'impression d'entendre de manière très claire un bruit de moteur d'avion, le sien, qui se préparait à décoller en direction du Cameroun.

Aujourd'hui, je regarde en arrière et je me rappelle toujours de ce moment en hochant la tête de dépit. Tant de choses auraient pu être évitées si un homme avait enfin su comment être un père pour son fils. L'avenir aurait été transformé et peut-être que, par la force des choses, le passé l'aurait été également. Marie-Yvette aurait fait preuve d'amour et de respect pour sa famille ; James Martin n'aurait pas été un fidèle habitué des tavernes du quartier ; Thomas, le frère aîné, aurait pu être ce prêtre qu'il avait toujours rêvé de devenir et Patrick aurait eu la chance de se connaître vraiment, complètement. Mais, bien ironiquement, la faiblesse d'un homme solidifia la force d'une femme s'étant juré de faire payer tous ceux qu'elle jugeait responsables de l'échec de sa propre vie.

Ce jour-là, j'aurais voulu demander à Patrick comment on se sent lorsque l'on est orphelin alors que nos deux parents sont toujours en vie.

10
Paul-Émile... à propos des quatre

Cela faisait déjà un bon moment que je cherchais à vivre ma vie en solitaire. Enfin... Pas tout à fait en solitaire, mais définitivement en retrait des gens faisant partie de ma vie à cette époque. Et j'y arrivais plutôt bien. Peut-être est-ce pour cette raison que je suis désigné pour raconter le moment où Patrick nous annonça qu'il devait prendre le chemin du Cameroun ? Parce que l'on me croyait en voie d'être immunisé à la douleur qu'allait provoquer son départ ? Parce que je suis le seul en mesure de raconter ce qui suit sans me trouver au bord de l'hystérie ?

Comme le dernier des égoïstes, j'ai longtemps cru que le jour où je décidai de couper les liens avec Patrick, Jean et Adrien pour aller vivre ma vie loin du faubourg à mélasse constitua le moment où notre enfance prit véritablement fin. Dans toute ma supposée grandeur, je me disais que tous les quatre représentions chaque côté d'un carré qui allait s'écrouler à l'instant où j'allais mettre nos souvenirs d'enfance derrière moi.

J'étais trop imbu de moi-même pour me rendre compte à quel point j'avais tort.

Pas que mon départ ne constitua pas un dur coup pour les trois autres. Pas du tout. Au fil des années, j'ai pu apprendre à quel point Jean, Patrick et Adrien m'en ont voulu de les avoir abandonnés. Mais contrairement à moi qui vivais toujours à Montréal et qui demeurais un souvenir à portée de la main, Patrick allait maintenant se retrouver trop loin pour que Jean et Adrien se permettent de revivre les années passées ensemble lorsqu'ils en avaient envie. Mon abandon les avait rendus amers, fâchés, leur laissant ainsi la liberté d'interpréter les souvenirs qui nous unissaient à travers la déception que je leur inspirais. Mais Patrick, contrairement à moi, n'avait pas quitté le faubourg à mélasse de son plein gré, et son départ fut perçu comme un véritable vol.

«Pourriez-vous dire quelque chose, s'il vous plaît?», implora Patrick lorsqu'il nous annonça son départ.

Pour ma part, j'étais demeuré calme, les bras croisés, essayant de tempérer le choc que cette annonce avait provoqué en moi, tout en me disant que je ne voyais plus Patrick très souvent, de toute façon. Ma réaction différa quelque peu de celle d'Adrien, qui essaya péniblement de meubler les quelques secondes de silence suivant l'annonce de Patrick, et de celle de Jean, courant se verser un verre de gin qu'il s'empressa de vider comme s'il arrivait du désert après y avoir passé des jours sans boire une seule goutte d'eau.

«Veux-tu ben me dire pourquoi t'as peinturé ta cuisine en jaune orange?» demanda Adrien, essayant d'éviter ce silence qui le rendait tant mal à l'aise.

La question s'adressait à Jean, et Adrien s'était appliqué à camoufler les tremblements que l'on pouvait percevoir dans sa voix. Jean, pour sa part, se versa un deuxième verre de gin.

«On s'en sacre-tu, de ma cuisine...

— C'est assez dur de la manquer, poursuivit Adrien, toujours mal à l'aise. J'espère que le soir, tu fermes la porte de ta chambre parce qu'avec ça qui te plombe dans'face, tu dois avoir toutes les misères du monde à t'endormir.

— Si t'es pas capable de te taire, Adrien, es-tu au moins capable de dire autre chose que des niaiseries? Patrick nous annonce qu'il part pour l'Afrique, simonac, pis toi, tu trouves rien de mieux à faire que chialer sur mes murs de cuisine!»

Je me souviens avoir observé Jean caler son deuxième

verre de gin. Je me souviens d'Adrien qui désirait parler de tout, sauf du Cameroun, tout comme je me souviens de Patrick qui semblait fixer ses souliers, tout en me disant que ma vie était maintenant ailleurs. Que je n'avais pas affaire à l'endroit où je me trouvais. J'avais hâte de quitter l'appartement de Jean, et je me sentais tout autant concerné par l'annonce de Patrick que si j'avais appris que mon troisième cousin de la fesse gauche partait faire la tournée du désert australien. Je détenais une capacité remarquable à programmer ce que je ressentais et, à ce moment précis, je me programmais afin de ne pas ressentir la douleur de voir s'éloigner une partie de moi-même.

Jean, visiblement, ne possédait pas les mêmes aptitudes que moi pour la retenue et le contrôle de ses émotions.

«Calme-toi, l'enjoignit Patrick. T'es pas obligé de réagir comme ça.

— Tu veux que je réagisse comment? En te parlant des couleurs de ma cuisine? Tu pars pour l'Afrique. L'AFRIQUE! C'est pas comme quand t'es entré au Séminaire, là! Ça te tenterait pas de te faire pousser une colonne vertébrale, par hasard?

— Jean…, avertit Adrien.

— C'est vrai! Je peux pas croire, Patrick, que tu laisses ta mère te faire ça! Je voudrais ben voir ça, moi, si quelqu'un décidait de vivre ma vie comme ta mère vit la tienne! Aie donc le *guts* de lui dire que tu pars pas, pis que tu laisses tout ça là!»

J'avais toujours les bras croisés. Adrien et Jean, quant à eux, semblaient refuser de comprendre la situation. Ils avaient encore toutes les difficultés du monde à saisir pourquoi je ressentais le besoin de quitter le faubourg à mélasse alors que j'avais déjà un pied dans la porte, prêt à m'éloigner d'eux. Comment auraient-ils donc pu comprendre l'incapacité chronique d'un fils à tenir tête à sa mère? Comment auraient-ils pu comprendre que Patrick était prêt à prendre le chemin de Dorval, malgré le cœur qui allait lui sortir de la poitrine? Qu'il préférait mettre le pied dans un avion en tremblant comme une feuille plutôt que de dire à madame Flynn que c'en était fini de la prêtrise? Comment auraient-ils pu comprendre que Patrick était prêt à renoncer à tout ce qu'il avait toujours connu pour aboutir à un endroit dont il n'avait jamais entendu le nom? Autant de questions auxquelles ni Adrien ni Jean n'arrivaient à trouver de réponse.

Je proposai mes services.

«Penses-y trente secondes, Jean. La famille de Patrick a déjà assez mauvaise réputation de même dans le quartier à cause de la bonne femme Flynn; imagine-toi la honte si Patrick abandonne la prêtrise. J'ai pas plus envie de le voir partir que vous autres, mais si son père, ses frères pis sa sœur Maggie sont obligés de boire comme des trous pour être capables d'endurer madame Flynn, penses-tu sérieusement que la famille va être assez forte pour endurer le mépris d'un quartier au grand complet?»

Je ne savais pas encore que je venais de commettre une grave erreur, peut-être inconsciemment, de manière volontaire: avec ma logique et ma franchise, je venais de trouver une justification au départ de Patrick alors qu'il m'apparaissait maintenant clair que ni Jean, ni Adrien et ni le futur missionnaire n'avaient désiré que ce soit le cas. Nous étions au début des années soixante. L'emprise de l'Église catholique sur la population du Québec était encore très forte et, même si tous reconnaissaient que Patrick était un ecclésiastique suintant la médiocrité, quitter les ordres était quelque chose qui ne se faisait tout simplement pas. Et alors que je sentais trois paires d'yeux rivées sur moi, je saisissais que notre rencontre d'aujourd'hui ne relevait pas tant de l'annonce du départ de l'un des nôtres pour le Cameroun, mais plutôt d'un brassage d'idées qui aurait permis à Patrick de se sortir de ce bourbier. Celui-ci savait qu'il ne pourrait pas quitter la prêtrise sans humilier sans famille. Ce fut d'ailleurs pour cette raison, surtout, qu'il ne s'opposa pas à son envoi au Cameroun. Pourquoi alors essayer de trouver une porte de sortie alors qu'il n'y en avait pas ? À l'âge que nous avions – vingt-cinq ans, à l'époque –, je ne pouvais m'imaginer que Patrick, Jean et Adrien croyaient sincèrement être en mesure d'éviter ce qui s'en venait de la même manière que nous avions pu éviter les claques de nos parents lorsque nous commettions quelque insignifiante bêtise, tout en réussissant à faire croire aux autres que nous n'avions rien à y voir. Nous n'avions plus dix ans, et je n'avais envie de faire comme si je les avais encore.

Je n'avais pas fait exprès de leur jeter au visage que les liens nous ayant toujours uni depuis que nous étions en âge de marcher ne pourraient plus être tissés aussi serrés alors que nous nous trouvions confrontés à de nouvelles réalités. Mais je mentirais si j'affirmais que l'irritation provoquée par mes propos ne faisait pas mon affaire. Il n'y avait aucune issue. Et leur incapacité à accepter cette situation me laissait libre d'aller me bâtir un avenir que je voulais différent de ce que j'avais toujours connu, tout en évitant la culpabilité de laisser mes copains d'enfance derrière moi.

Il ne me restait plus qu'à souhaiter bon voyage à Patrick.

11
Paul-Émile... à propos d'Adrien

C'est encore mon tour. Je suis désolé. J'essaie d'être intéressant. Je ne sais si j'y arrive. Mais, bon. Peu importe. Nous sommes rendus à un point de l'histoire où c'est encore à mon tour de me faire aller la mâchoire.

À cette époque – au début des années soixante, pour ceux qui auraient perdu le cours de l'histoire –, Patrick, Jean, Adrien et moi étions rendus à une étape de notre existence où il fallait apprendre à laisser les années de jeunesse derrière nous. Certains franchissent cette étape avec entrain, tandis que d'autres voient arriver cette partie de leur vie en hurlant de panique et en mouillant leur pantalon. Alors que je me trouvais dans la première catégorie, et que Patrick et Jean se trouvaient dans la deuxième, Adrien, pour sa part, ne se trouvait ni dans l'une ni dans l'autre. Lorsque ce moment de sa vie se présenta à lui, je ne crois pas qu'il fût en mesure, sur le coup, de réaliser pleinement son importance et, quand il le fit, il ne put jamais s'en remettre complètement. Loin de moi la volonté d'être vague, mais tout s'éclaircira un peu plus loin dans le récit.

Le moment précis qui obligea Adrien à devenir un adulte à part entière fut loin de déborder d'originalité. Cet événement était arrivé à bien d'autres avant lui, tout comme il est arrivé à bien d'autres après et, si Adrien s'était un jour promis un destin sortant de l'ordinaire, il rata son coup sur le plan personnel de manière plutôt pathétique. Comme je l'ai dit précédemment, les grandes histoires d'amour ne se transposent pas fréquemment dans la vie de tous les jours. Ce qui m'amène ici à parler une fois de plus de Denise Légaré.

Adrien et Denise ne s'étaient pratiquement pas revus depuis leur pétard mouillé chez les Bégin. De toute façon, pourquoi auraient-ils cherché à se revoir ? Cette soirée fut l'un des pires moments dans la vie d'Adrien – quoiqu'il n'avait rien fait, vraiment, pour aider sa cause – et depuis ce temps, lui et Denise ne prenaient même pas la peine de se saluer lorsqu'ils se croisaient dans la cour d'école, ou encore sur la rue, après les classes. En fait, le seul contact qu'ils eurent depuis cette demi-heure que tous deux cherchaient à oublier se déroula lors d'un souper organisé par un professeur de Saint-Jean-de-Brébeuf, où ils s'ignorèrent de superbe manière pendant une bonne partie de la soirée. Le seul moment où ils s'adressèrent la parole fut pendant le repas, entre deux bouchées d'un poulet à la King que je n'aurais pas dédaigné, alors que la conversation prit une tangente politique.

« On a besoin de personne pour nous dire quoi faire, s'exclama Adrien. Pis on n'a surtout pas besoin d'une gang d'Anglais qui comprennent rien au Québec, pis qui se sacrent de nous autres. On n'a pas besoin qu'ils viennent nous dire comment gérer NOS affaires !

— C'est ben beau de gueuler comme un doberman, Adrien, mais j'en vois pas gros, moi, des Québécois qui lèvent pour botter le derrière des Anglais. Pendant que vous autres, vous êtes là à chialer comme la belle gang de braillards que vous êtes, c'est pas vous autres qui vous occupez des vraies affaires. C'est eux autres.

— On gueule parce qu'on veut pouvoir s'occuper de nos affaires sans avoir de comptes à leur rendre. Pis d'avoir à gérer nos affaires comme ça, ça fait en sorte que le Canada est pas un pays économiquement viable. Comment tu veux que ça le soit quand on est pognés pour tout faire en double ?

— La bataille des plaines d'Abraham, Adrien, ça te dit-tu quelque chose ? On l'a eue, notre chance, de s'occuper de nos affaires tout seuls, pis on l'a perdue. Ça fait qu'on est aussi ben de faire avec, pis de s'arranger pour se faire une bonne place dans le Canada. Ce pays-là nous appartient à nous aussi, pis le Québec va être ben plus fort si on reste unis.

— Une chance que c'est pas tout le monde qui pense comme toi, han, Denise ? Ça ferait longtemps qu'on aurait été assimilés.

— ...

— Si y'avait la moindre chance que tout le monde puisse vivre égal dans le Canada, je serais le premier à être d'accord. Mais ça arrivera jamais parce que même après deux cents ans, on se fait encore traiter comme des indigènes. Ils nous voient pas comme des concitoyens. Je peux t'apporter des tonnes pis des tonnes de dossiers qui vont te prouver qu'on n'est pas sur un même pied d'égalité qu'eux autres, pis qu'ils voudront jamais qu'on le soit !

— Pis moi, je peux t'apporter des tonnes pis des tonnes d'exemples qui vont te prouver que de diviser au lieu de s'unir, ça marche jamais. C'est à nous autres de mettre nos culottes, pis de prendre la place qui nous revient.

— Des réflexes de peureux...

— Gang de braillards... »

Politiquement parlant, je logeais à la même enseigne que Denise et, à sa place, j'aurais volontairement balancé mon assiette de poulet à la tête d'Adrien juste pour ne plus avoir à l'entendre radoter à propos de ses fantasmes indépendantistes. J'étais un fédéraliste convaincu – je le suis encore – parfaitement capable d'appuyer mes convictions en utilisant des arguments plus pesants que mon amour pour les Rocheuses, et d'entendre Adrien parler de l'importance vitale pour le Québec de se déclarer souverain provoquait en moi la même impatience que si ma mère avait tenté de me convaincre que le père Noël existait bel et bien. J'avais passé l'âge de croire n'importe quoi. Denise aussi, j'imagine. Celle-ci et Adrien sont d'ailleurs sortis de cette soirée avec un désir renouvelé de s'ignorer l'un l'autre, ce qu'ils arrivaient d'ailleurs à faire sans trop d'effort les quelques fois où ils se croisaient.

Mais la situation changea rapidement deux semaines plus tard. Denise intercepta Adrien à la sortie des classes alors que celui-ci s'apprêtait à quitter l'école. Les mains de Denise tremblaient, son front perlait de sueur, et Adrien se mit à l'observer avec un mélange d'irritation et de curiosité.

Comme je l'ai déjà dit, s'il possédait un certain charme auprès des femmes, Adrien manquait lamentablement de jugement lorsqu'il s'agissait de discerner la nature exacte de leurs émotions. Cette fois-ci, alors que Denise ressemblait à tout sauf à la femme sûre d'elle-même qu'elle était habituellement, ne fit pas exception.

«Denise?... Qu'est-ce que tu fais là?

— Adrien, faudrait qu'on se parle. Pas longtemps. Juste cinq minutes.

— Heu… OK. Viens t'asseoir.»

Quand Adrien la fit entrer dans sa salle de classe, Denise ne chercha pas à s'asseoir sur l'une des petites chaises placées en rang, choisissant plutôt de faire les cent pas comme si elle attendait qu'une toilette se libère en espérant que sa vessie n'explose pas entre-temps. Adrien la regardait, espérant qu'elle quitte rapidement le local. Jean l'attendait: tous les deux devaient prendre le chemin du Forum pour assister à un match du Canadien contre les Maple Leafs de Toronto. Il n'avait donc pas de temps à perdre avec Denise.

« C'est pas que je veux te presser, mais…

— Je prendrai pas beaucoup de ton temps. »

Le manque de galanterie flagrant dont fit preuve Adrien eut pour effet de fouetter Denise, qui arrêta soudainement de faire les cent pas. L'irritation et le mépris qu'elle ressentait pour Adrien ne furent jamais aussi évidents qu'à cet instant précis, mais celui-ci s'en balançait complètement. Le très bref instant où il avait ressenti un quelconque désir pour Denise avait, depuis un bon moment, fait place à l'agacement et à une indifférence si profonde que je ne crois même pas qu'il se soit aperçu du dédain qu'elle éprouvait pour lui.

« C'est pas mon genre, tu sais, de…, commença Denise en essayant de passer outre son mépris. J'en dors même pus la nuit. »

Je le répète, au risque d'en irriter quelques-unes : les grandes sagas romanesques ne se transposent que très rarement dans la réalité. Et l'histoire de Denise et Adrien ne sera jamais ce cliché de l'homme et de la femme qui, incapables de se supporter au début, finissent par tomber amoureux après un bout de temps. Celles qui s'attendent à ça seront très déçus.

« Adrien, je suis enceinte. »

12
Jean... à propos de Patrick

Personnellement, je ne fus jamais particulièrement tenté par le Cameroun. Pas que j'avais quoi que ce soit contre l'Afrique mais, lorsque je me permettais quelques jours de congé, je préférais nettement les plages de Fort Lauderdale ou de Wildwood, profitant de la chaleur, des vagues et de la vue des filles en bikini. Certains vous diront que je suis un homme superficiel, que de visiter l'Afrique aurait aidé à m'ouvrir d'autres horizons que la bière et les femmes, mais l'idée de me retrouver au beau milieu d'une ville comme Yaoundé m'aguichait autant que la perspective d'aller me prélasser sur un radeau en haute mer un soir de tempête.

Le jour où Patrick prit l'avion pour le Cameroun, malgré la peine que son départ provoquait en nous tous, nous nous étions retrouvés tous les quatre à l'aéroport de Dorval, riant de bon cœur lorsqu'Adrien sortit d'un sac à dos son album de *Tintin au Congo* avec une photo de Patrick collée à l'endroit où se trouvait la tête de Milou. Notre manque d'intérêt par rapport à l'Afrique – je n'étais pas le seul à préférer Fort Lauderdale aux dunes du Sahara – avait fait de nous de parfaits ignorants et nous étions convaincus que l'avion transportant Patrick allait débarquer au beau milieu de la brousse africaine, atterrissant entre une girafe et un éléphant! À notre décharge, je me dois de préciser que notre expérience en terrains internationaux se limita longtemps aux soirées passées dans des cinéparcs de Plattsburgh, alors que nous bavions de désir devant Deborah Kerr étendue sur le bord de la mer dans *From Here to Eternity*. Notre ignorance ne connaissait donc aucune frontière. Et quand l'avion de Patrick finit par atterrir à Yaoundé, notre copain fut effectivement étonné de ne pas se retrouver entre deux huttes de paille.

Encore aujourd'hui, Patrick demeure profondément humilié par l'ampleur de son ignorance. Par la nôtre, aussi. Évidemment, Yaoundé n'était pas une ville de l'envergure de Paris ou de New York, mais ce n'était certes pas un village où les habitants se réunissaient, un soir de pleine lune, pour offrir en guise de sacrifice à leur Dieu une jeune vierge que l'on déchiquetait à l'aide d'un couteau mal aiguisé. Patrick nous le répétera, d'ailleurs, jusqu'à ce qu'on le supplie de changer de sujet.

Même si je n'arrivais toujours pas à croire que Patrick avait préféré prendre le chemin du Cameroun plutôt que de tenir tête à sa revêche de mère, une partie de moi ne pouvait s'empêcher d'éprouver une profonde admiration pour lui, alors qu'il se retrouvait fin seul dans un pays où tout ce qu'il était, tout ce qu'il avait vécu jusqu'à maintenant, ne comptait plus pour rien du tout. Nous quatre étions célibataires, sans enfants, libres d'aller où nous le voulions et quand cela nous plaisait. Nous n'avions de comptes à rendre à personne, soucieux de ne jamais quitter cet univers que nous avions bâti et qui nous laissait libres d'afficher cet égocentrisme caractéristique à la jeunesse. Et tout à coup, du jour au lendemain, Patrick se retrouvait au beau milieu d'un centre africain venant en aide aux enfants affligés de maladies dont nous ne connaissions, pour la plupart, absolument rien. Moi qui m'étais imaginé être le summum de la charité chrétienne lorsque j'avais utilisé le dollar subtilisé à mon oncle Gontran, qui cuvait sa bière en ronflant, pour acheter dix petits Chinois à l'école, je n'arrivais tout simplement pas à concevoir comment Patrick allait pouvoir vivre en côtoyant des enfants au quotidien hanté par la mort.

«J'ai besoin de savoir si vous êtes fait fort, mon père»,
demanda Lucien Womé, le directeur du centre.

Le pauvre Patrick fut incapable de répondre à la question
sans un minimum de tergiversation.

«Pourquoi vous me demandez ça ?

— Parce que ça prend beaucoup de force pour vivre ici,
et la première chose que vous y apprendrez, c'est que la
seule bonté ne suffit pas. »

Et comme si Lucien avait voulu mettre Patrick à
l'épreuve, il fit signe à une infirmière promenant une enfant
en chaise roulante de s'approcher de lui. Quelques années
plus tard, Patrick nous raconta avoir essayé pendant plusieurs secondes de deviner l'âge de la fillette assise dans la
chaise roulante, mais il en fut incapable. Selon lui, le corps
maigre à faire dresser les cheveux sur la tête devait être celui
d'une enfant d'environ six ou sept ans – elle en avait huit –,
mais le regard qu'elle lança à Patrick signifiait très clairement qu'elle avait dû endurer la somme de souffrance d'une
vie entière.

La fillette s'appelait Agnès. Elle fut la toute première
enfant que vit Patrick à son arrivée au centre et, d'une certaine manière, je crois aussi qu'elle fût la dernière. Au
moment où il s'approcha d'elle pour lui serrer la main, sa vie
changea de manière irréversible, et il ne fut plus jamais tout
à fait le même. Un regard, un toucher, venaient de tout faire
basculer et, le temps de quelques secondes seulement, un
lien émotif d'une profondeur et d'une solidité absolument
incroyables s'établit entre Patrick et Agnès, comme s'ils
avaient été un père et une fille s'étant retrouvés après plusieurs années de séparation. Tout de suite, mon ami sut
comprendre le désarroi d'une enfant qui savait qu'elle ne
verrait jamais rien de plus que les murs de ce centre, alors

que lui-même y était entré en sachant qu'il aurait dû être ailleurs. Tous deux s'étaient reconnus comme deux âmes perdues, espérant trouver ensemble une issue, un peu de lumière leur permettant de suivre un chemin les guidant n'importe où sauf à l'endroit où ils se trouvaient en ce moment.

En quelques minutes seulement, le faible sourire d'Agnès réchauffa davantage le cœur de Patrick que sa propre mère ne sut le faire en vingt-cinq ans. Et autant cette enfant lui apportera une chaleur et un amour qui le suivront pour le reste de ses jours, autant elle provoqua en lui une haine de Marie-Yvette qui ne s'atténuera jamais complètement; un dédain pour ses lamentations de femme frustrée, décidée à faire payer sa propre famille pour ses échecs.

Serrant la main d'une enfant qui regardait autour d'elle comme si elle était déjà morte, Patrick vit entrer en collision le monde où il se trouvait hier et celui où il se trouvait désormais. Et si la mort et la violence étaient présentes aux deux endroits, une injustice flagrante visait toutefois les quelques enfants qui allaient graviter autour de lui dans les prochains mois. Cette injustice, Patrick ne s'y désensibilisa jamais complètement.

Dans le quartier du faubourg à mélasse, chaque génération d'enfants et d'adolescents s'appliquait à observer le destin de certains de ses aînés, prenant des notes sur ce qu'il ne fallait pas faire si l'on voulait réussir sa vie. Notre propre génération ne fit certainement pas exception. Qui voulait devenir aussi amer que Marie-Yvette? Qui souhaitait arborer la superbe bedaine de bière de James Martin? Quel enfant aurait rêvé, un jour, de mener une existence aussi insignifiante que celle d'Honoré Mousseau? Les enfants de notre voisinage ne grandissaient certainement pas dans un environnement cossu et bourgeois, mais ils avaient tout de même le luxe d'espérer se rendre à l'âge adulte et de devenir autre chose que ce que furent leurs parents. N'est-ce pas là le cours normal de la vie ? Mais, en touchant le mince filet de peau recouvrant à peine les os de l'enfant qui se trouvait devant lui, Patrick prenait conscience que des fillettes et des garçons ayant le tiers de son âge ne pouvaient même pas se permettre de rêver à l'endroit où ils se trouveraient la semaine d'après.

Le centre de Yaoundé où Patrick fut catapulté par le curé Julien regorgeait d'enfants malades ou mourants, et je ne pus jamais tout à fait comprendre pourquoi sa vie se transforma complètement au contact d'une enfant pratiquement déjà morte. Pourquoi Agnès ? Pardonnez-moi mon insensibilité, mais n'aurait-il pas pu s'attacher à un jeune ayant la possibilité de guérir et à qui il aurait pu montrer les rudiments du hockey, par exemple ? À qui il aurait pu montrer à sourire ? À courir ? À vivre, tout simplement ? Mais ce ne fut pas le cas, et Agnès prit rapidement toute la place, comme si la condition irréversible de l'enfant lui renvoyait l'image de sa propre impuissance. Comme s'ils étaient tous les deux des compagnons de guerre. C'est là la seule explication que j'ai jamais pu trouver.

Je comprends que Patrick ait pu être profondément secoué à la vue d'une petite fille si mal en point. Je comprends qu'il ait pu rager devant le manque de ressources flagrant pour la guérir. Je comprends qu'il ait pu s'attacher à elle. Mais n'aurait-il pas pu revenir du Cameroun en laissant derrière lui une enfant qui ne sut rien faire d'autre que de lui arracher le cœur ? N'aurait-il pas pu voir autre chose que ses yeux à elle, chaque fois qu'il assistait un enfant sur le point de mourir ? N'aurait-il pas pu comprendre, une fois rendu là-bas, toute la stupidité de sa présence en Afrique pour finir par revenir en dedans d'une semaine, comme Adrien, Paul-Émile et moi l'avions espéré? N'aurait-il pas pu faire un glorieux doigt d'honneur à Marie-Yvette?

Personne n'a jamais compris. Et personne n'a, surtout, jamais obtenu de réponse.

La seule chose que nous ayons véritablement appris concernant les quelques années que le Patrick de notre enfance passa au Cameroun est qu'il n'en revint pas vivant.

13
Adrien... à propos de Paul-Émile

Pour rien au monde, je n'aurais échangé ma masculinité. Pas que j'avais une dent contre les femmes, bien au contraire, mais lorsque je regardais les quelques-unes que je connaissais, je me considérais plutôt chanceux d'avoir une pomme d'Adam au cou et un pénis entre les deux jambes. Si je peux me permettre, je voudrais énumérer ici quelques exemples expliquant pourquoi j'étais heureux de me prénommer Adrien plutôt qu'Adrienne : je n'avais pas à me raser les jambes ; je n'avais pas à accoucher d'un enfant en hurlant comme un demeuré ; je n'avais pas à me promener partout chaussé de souliers à talons hauts qui m'auraient très certainement donné des problèmes de nerf sciatique avant l'âge de cinquante ans ; je n'avais pas de vagin qui évacuait du sang une fois par mois – ma pauvre mère, aux prises avec des douleurs semblables à des contractions, mordait constamment dans un oreiller afin de ne pas hurler, ce qui aurait bien évidemment indisposé l'homme sans entrailles qu'était mon père – ; et, surtout, j'étais libre d'entrer dans une taverne comme bon me semblait[7].

Au-delà du fait que je ne regrettais absolument pas d'être membre de la gent masculine, je me dois d'admettre que je ne comprenais pas grand-chose aux femmes. J'étais conscient que ma vision d'elles relevait plus souvent qu'autrement du cliché le plus pur, et je m'accommodais plutôt bien de cette idée unidimensionnelle que je me faisais d'elles. À l'époque de mon célibat, j'étais fréquemment intéressé par des femmes

---

7 Dans les années soixante, les Québécoises n'avaient pas encore accès aux tavernes.

à qui je ne suscitais rien d'autre qu'indifférence, alors qu'il m'arrivait souvent de fuir dans la panique la plus totale devant certaines qui m'observaient comme si j'avais été le premier homme qu'elles croisaient sur la rue après trente ans passés au pénitencier. Ce manque de... coordination dans mes rapports avec l'autre sexe provoquait parfois en moi de sérieux élans d'impatience, et je préférais me répéter plusieurs fois par jour que je ne comprenais rien aux femmes, ce qui me donnait l'illusion que notre mésentente mutuelle relevait de notre complexité respective, faisant en sorte que nous ne pourrions jamais être en mesure d'aller au-delà de la simple tolérance. C'était ça, ou admettre que je n'intéressais rien d'autre que les boutonneuses et les obèses, alors...

Mais il y avait cependant un point d'interrogation concernant la gent féminine dont j'aurais bien voulu obtenir une réponse: comment Paul-Émile, avec ses airs de m'as-tu-vu convaincu d'être un cadeau de Dieu envoyé aux femmes, pouvait attirer vers lui deux belles filles comme Mireille Doucet et Suzanne Desrosiers? Paul-Émile n'avait absolument rien d'un Jean Coutu – l'acteur, pas le pharmacien – et, malgré les airs de survenant qu'il voulait bien se donner, je le regardais en me disant de manière un peu méchante qu'il ne ressemblait à rien d'autre qu'à un mélange de Daniel Boone et Daffy Duck.

Je me dois ici de préciser qu'à cette époque, Jean et moi commencions à éprouver un fort ressentiment pour Paul-Émile. Patrick venait de quitter le faubourg à mélasse pour le Cameroun, et nous ressentions tous les deux la forte impression que Paul-Émile utilisait son absence comme prétexte pour couper les ponts. Nous le voyions encore de temps à autre, mais il semblait toujours vouloir être ailleurs, comme s'il se sentait obligé de nous côtoyer; comme si Jean et moi ressemblions de plus en plus, aux yeux de Paul-Émile, à une mauvaise habitude dont il essayait de se débarrasser.

Jean et moi n'avions plus cinq ans. Nous ne serions pas devenus hystériques si Paul-Émile avait été honnête en affirmant tout simplement qu'il voulait aller jouer avec de nouveaux amis. Bien franchement, au nombre de lapins qu'il nous posait depuis quelque temps, nous nous y attendions un peu. Mais Jean et moi n'étions pas le genre d'homme à se faire tasser du revers de la main, et nos rapports avec Paul-Émile se refroidissaient de manière constante depuis quelque temps. Ce fut probablement pour cette raison – relevant plus de la cour d'école que de la pensée logique – que je n'arrivais pas à comprendre pourquoi Paul-Émile parvenait à exciter des filles comme Mireille et Suzanne, alors que je me retrouvais avec des ignorantes qui n'avaient même jamais entendu parler du *Refus global*!

Depuis la soirée organisée par ses parents dans leur grosse cabane de l'avenue Clarke, Mireille papillonnait autour de Paul-Émile avec la bénédiction d'Albert Doucet, qui avait d'ailleurs regardé sa fille et son nouveau copain quitter en direction du cinéma Loews avec le pouce relevé bien haut dans les airs. La soirée se déroula plutôt bien, mais pas assez au goût d'Albert qui sembla presque contrarié de voir que Paul-Émile, ramenant Mireille à une heure plus que raisonnable, ne se trouvait pas au belvédère du Mont-Royal, bien installé sur le siège arrière de la Chevrolet Impala de Jean en compagnie de sa propre fille! Comme approbation paternelle, Paul-Émile aurait difficilement pu espérer mieux!

En très peu de temps, l'engouement de la fille surpassa celui du père, et Mireille avait même poussé le dévouement jusqu'à assister à certains cours donnés par Paul-Émile aux

HEC. C'était plus que ce que j'aurais moi-même été prêt à faire au nom de notre amitié.

« Contrairement à bon nombre de mes collègues, je n'adhère pas à la théorie qui veut que les lois du marché soient réglementées par l'offre et la demande. J'irais même jusqu'à affirmer que c'est plutôt le contraire. Dans cette classe, je tenterai de vous persuader que ce sont les entreprises qui imposent des produits aux consommateurs. Pas l'inverse. Les compagnies se fixent des objectifs à atteindre et font pression sur les consommateurs, à l'aide de publicités, de campagnes de promotion, etc., pour atteindre lesdits objectifs. »

Moi qui bâillais d'ennui à la seule vue de la section des affaires de mon journal, je me serais volontiers tiré une balle si j'avais été à la place de Mireille, mais celle-ci ne bougeait pas, observant Paul-Émile comme s'il n'avait été rien d'autre qu'un eubage répandant la bonne parole.

Je ne comprenais effectivement rien aux femmes. Enfin…

Comme Paul-Émile n'était pas le plus bavard, nous ne savions pratiquement rien de ses rapports avec la fille d'Albert Doucet. Nous ne l'avions rencontrée qu'une fois, lors d'une partie de balle-molle où Paul-Émile avait promis une fois de plus à Jean d'être le lanceur partant de notre équipe en échange de la Chevrolet de Jean pour la journée du lendemain, alors que Mireille s'était pointé le bout du nez sans le dire à personne. J'étais peut-être dans l'erreur, mais Paul-Émile me sembla embarrassé de la voir au beau milieu du parc Iberville, comme s'il cherchait à garder les deux entités de sa vie séparées, et que sa seule présence le poussait à croire qu'il avait échoué. Pourquoi ? La réponse viendra un peu plus loin.

Pour notre part, nous étions tous éblouis par la beauté de Mireille – personnellement, une grande rousse aux yeux bleus réussissait toujours à me faire perdre mes moyens de manière pas toujours élégante, moi qui fus longtemps un fan fini de Rita Hayworth – et nous étions unanimes à ne pas comprendre pourquoi Paul-Émile semblait vouloir la garder cachée. Dans notre vanité toute masculine qui nous poussait à afficher nos conquêtes avec la même subtilité qu'un pêcheur exhibant le plus gros des éperlans au bout de sa ligne, il ne nous passa jamais par la tête que l'attention portée par Paul-Émile à Mireille n'était rien d'autre que purement intéressée, et qu'il n'était pas forcément désireux de discuter de sa toute nouvelle flamme avec une certaine personne de son entourage.

Pourtant, nous aurions dû être en mesure de faire le lien. Si 1 + 1 = 2, Paul-Émile + Suzanne égalait invariablement deux paires de jambes molles comme de la guenille, et mon ami d'enfance se sauvait toujours des HEC au pas de course afin de croiser sa voisine, par un hasard qui n'en était évidemment pas un du tout, qui revenait du travail. Alors pourquoi s'obstinait-il à l'aimer de loin, lui dont le front se remplissait de sueur lorsqu'il la regardait pendant plus de cinq secondes ? Encore une fois, nous aurions dû comprendre pourquoi Paul-Émile demeurait immobile : Suzanne, malgré tout ce qu'elle pouvait inspirer à mon ami, avait été classée dans la même catégorie que nous.

Mais contrairement à Jean et moi qui espérions, malgré tout, que nous n'étions pas sur le point de perdre notre ami d'enfance, Suzanne refusait de se faire la moindre illusion à son sujet depuis le soir où Paul-Émile l'avait laissée en plan pour aller faire le paon dans le salon des Doucet. Suzanne avait du chien, du cran et possédait une estime assez haute d'elle-même, sans toutefois jamais faire preuve d'arrogance. Tout le voisinage savait qu'elle éprouvait pour Paul-Émile les mêmes sentiments qu'il éprouvait pour elle, mais tout le voisinage savait également qu'elle ne se laisserait jamais marcher sur les pieds comme si elle était la citoyenne de deuxième ordre que Paul-Émile, en dépit de l'amour qu'il lui portait manifestement, voyait en elle. En d'autres termes, Suzanne refusait d'être le caniche de Paul-Émile et, si elle avait très certainement voulu l'avoir dans sa vie, elle s'était promis assez rapidement d'avoir quand même une existence s'il refusait d'en faire partie. Paul-Émile en eut d'ailleurs la plus belle preuve par un soir de février, alors qu'il s'était encore une fois de plus sauvé des HEC comme le dernier des voleurs pour s'assurer qu'il allait croiser Suzanne, « par hasard », en revenant du travail.

Un léger désagrément l'attendait cependant à son arrivée, et pendant quelques secondes, Paul-Émile demeura paralysé lorsqu'il s'aperçut que Suzanne n'était pas seule. Quelques instants plus tard, sa mâchoire heurta violemment le béton du versant ouest de la rue Wolfe en prenant conscience de la personne qui l'accompagnait. Aussi bien le dire tout de suite : ce n'était pas Jean. Avec le recul, je crois, par contre, que Paul-Émile aurait probablement espéré que ce fût lui. Le coup de poing au visage aurait été expéditif, sans remords et dépourvu de tout embarras. Mais l'identité de la personne ayant ses bras autour des épaules de Suzanne le pétrifia comme s'il avait été un garçon de deuxième année en culotte courte.

Pour bien comprendre la paralysie temporaire de Paul-Émile, je me dois ici de faire comprendre ce que le hockey – même pour ceux qui ne considèrent les joueurs que comme de vulgaires pousseux de *puck* – pouvait représenter pour une bande de marmots s'imaginant pouvoir jouer dans la Ligue nationale. De nos jours, l'admiration et l'engouement qu'éprouvent les jeunes pour les joueurs sont peut-être les mêmes qu'il y a cinquante ou soixante ans, mais ils prennent néanmoins racine dans des sources bien différentes.

Autrefois, nous n'étions pas transis d'émerveillement pour les joueurs du Canadien – ou des Red Wings, en ce qui concernait Patrick – pour leurs prouesses en dehors de la patinoire. Nous les idolâtrions parce qu'ils représentaient ce que nous cherchions à devenir dans la vie de tous les jours. Leur existence à l'extérieur des matchs de hockey ne nous intéressait absolument pas, et nous prenions nos leçons d'eux à travers une mise en échec bien placée, un combat remporté les deux doigts dans le nez, une mise au jeu gagnée avec pratiquement une main dans le dos, ou encore à travers l'arrêt spectaculaire d'une rondelle lancée par un joueur en échappée. Le jour du mariage d'Émile Butch Bouchard, la moitié du quartier s'était retrouvée à l'ombre de l'église Sainte-Brigide pour l'apercevoir avec sa nouvelle épouse, et nous avions été plusieurs enfants à se regarder étrangement, comme si nous ne comprenions pas ce que le capitaine du Canadien faisait vêtu d'un smoking. Ne portait-il pas constamment son uniforme de joueur ? Pour une joyeuse bande de garçons prépubères, d'adolescents attardés et d'hommes souvent désillusionnés par leur vie, Butch Bouchard, Aurèle Joliat, Punch Imlach, Maurice Richard, Boom Boom Geoffrion et compagnie n'étaient rien d'autre que des joueurs de hockey. Purement et simplement. Aussi bien dire qu'ils étaient la terre entière.

Ce fut pour cette raison, je crois, que Paul-Émile ne broncha pas lorsqu'il aperçut Guy Drouin, ailier gauche jouant pour le Canadien depuis 1951, mettre son bras autour de Suzanne. Le fanatique de hockey que Paul-Émile était depuis l'enfance prit le pas sur tout le reste pendant quelques brèves secondes, ne laissant la place qu'aux souvenirs magnifiques de buts comptés au fil des années. Mais la stupéfaction fit rapidement place à une certaine confusion, mêlée à une jalousie croissante. Que faisait Guy Drouin aux côtés de Suzanne ? Que faisait-il avec son bras autour d'elle ? Devait-il lui faire connaître sa présence ? Lui crier des bêtises ? Lui ordonner de laisser Suzanne tranquille ? Devait-il lui mettre son poing sur la gueule ?

L'adolescent épris d'admiration céda le pas à l'adulte de vingt-cinq ans dont les jambes ramollissaient à la simple vue de l'ombre de sa voisine, et Paul-Émile, sentant sa mâchoire se durcir, éprouva une vive envie d'estropier sérieusement celle de Guy Drouin. Mais bon… J'imagine qu'à six pieds, quatre pouces et deux cent vingt-cinq livres, Drouin n'eut certainement pas à s'inquiéter de l'achat d'un dentier dans les vingt-quatre prochaines heures.

« On se voit demain ? demanda Guy à Suzanne.

— On se voit demain. Je vais réserver au restaurant, et je t'attendrai au bureau à cinq heures. »

Suzanne et Guy n'auraient sans doute pas été du même avis, mais Paul-Émile considéra le long baiser qu'ils échangèrent avant de se quitter comme étant l'un des plus mal exécutés, des plus baveux et des plus dégoûtants qu'il ait jamais vu de sa vie. Paul-Émile grimaçait encore d'écœurement, d'ailleurs, lorsque la voiture de Guy emprunta la rue Dorchester et que Suzanne réalisa en sursautant qu'il se trouvait tout juste derrière elle.

« Maudit que tu m'as fait peur. Fais pus ça, veux-tu ?

— Je peux-tu savoir ce que tu faisais avec Guy Drouin ? »

Depuis qu'elle était en âge de fréquenter les garçons, Suzanne s'était depuis longtemps habituée à subir les interrogatoires serrés de son père. Monsieur Desrosiers s'était un jour d'ailleurs installé au salon avec un prétendant de sa fille, qu'il considérait comme étant particulièrement louche, exigeant un chaperon afin de s'assurer que Suzanne ne serait pas dépucelée dans un buisson du parc Lafontaine – nous étions loin d'Albert Doucet – et celle-ci n'eut d'autre choix que d'accepter la présence de son frère Robert comme cinquième roue d'un carrosse stationné dans une salle de cinéma où les spectateurs arrivaient habituellement deux par deux.

Bien évidemment, Suzanne ne revit jamais le jeune homme en question. Elle lança d'ailleurs un regard sibérien à Paul-Émile lorsque celui-ci lui demanda, en riant, comment s'était déroulée la soirée. Si Paul-Émile pouvait toujours compter sur le zèle de monsieur Desrosiers afin de s'assurer de la chasteté de Suzanne, la situation différa quelque peu lorsque Guy Drouin fit son entrée dans le décor. Fervent partisan du Canadien comme nous l'étions tous à l'époque, monsieur Desrosiers frôla la crise d'apoplexie lorsque Suzanne lui apprit que le récipiendaire du trophée Art-Ross de l'année 1957 avait invité le bébé de la famille Desrosiers à souper au restaurant, accueillant Drouin chez lui avec le même enthousiasme que s'il avait reçu le pape à dîner. Quoique, pour nous, à l'époque, la distinction entre hockey et religion n'était pas très prononcée.

Bref, Paul-Émile venait de perdre un allié de taille en monsieur Desrosiers et, si Suzanne était résignée à tolérer les interrogatoires de son père, il en allait tout autrement de ceux de mon copain.

«Parle-moi sur un autre ton, Paul-Émile. Je suis pas un de tes étudiants sur qui tu peux passer ton complexe de supériorité.

— Tu les aimes vieux. Ce gars-là doit avoir trente ans. Au moins.

— Pas vieux, mais polis et respectueux. Est-ce qu'il faut que je précise que ça t'exclut en partant?

— Si j'étais à ta place, prévint Paul-Émile, je ferais attention. Guy Drouin, y'a pas la réputation d'être ben gentleman avec les femmes. Je pense pas que c'est un gars pour toi.

— Regarde, Paul-Émile... Ton opinion, on s'en fout. Pis en passant, c'est pas que j'ai à me justifier, mais je tiens quand même à dire que Guy, contrairement à toi, a toujours été très respectueux envers moi. J'ai aucun reproche à y faire. Ça fait qu'arrête donc de parler à travers ton chapeau.

— C'est sérieux entre vous deux?

— C'est pas de tes affaires.

— Je le sais que tu te fous de mon opinion, mais je continue à dire que c'est pas un gars pour toi. »

N'ayant jamais eu la chance de vivre un coup de foudre comme celui que Paul-Émile avait connu lorsque Suzanne revint de Québec, je ne savais absolument rien de cette espèce de pas de deux qu'ils dansaient, et de la douleur qui pouvait en découler. À cette époque, j'ignorais tout de l'amour véritable, et j'enviais la possibilité qu'avait Paul-Émile de le vivre avec une fille comme Suzanne, haussant les épaules et soupirant d'impatience en le regardant se priver de quelque chose d'aussi extraordinaire. Visiblement, Suzanne était du même avis que moi.

« Aïe! Je peux-tu savoir c'est quoi, ton problème? Tu t'arranges tout le temps pour arriver de travailler en même temps que moi en pensant que je suis trop cruche pour m'en apercevoir, tu me regardes pareil comme si j'étais un morceau de viande, t'as toujours chialé contre tous les chums que j'ai eus dans ma vie, pis quand tu te décides enfin à me demander de sortir avec toi, tu me laisses végéter chez nous en prenant même pas la peine de t'excuser ! Pis après ça, monsieur a le front de s'offusquer parce que je viens de rencontrer quelqu'un de meilleur que lui. Sacre-moi patience, Paul-Émile ! Pis en passant, tes *mind games,* garde-les donc pour ta poupoune de Westmount. »

Si j'avais pu savoir à l'avance que se tiendrait cette conversation entre Suzanne et Paul-Émile, je me serais arrangé pour être présent, quitte à me cacher au fond d'une poubelle sur le bord de la rue. J'aurais donné cher pour voir l'expression sur le visage de Paul-Émile lorsque Suzanne fit ostensiblement mention de Mireille. Mon copain n'était jamais très à l'aise lorsque ce qu'il était et ce qu'il s'apprêtait à devenir se retrouvaient soudainement face à face.

« Comment t'as su à propos de Mireille ?

— Veux-tu rire de moi ? C'est tout juste si ta mère s'arrange pas pour faire passer ça au *Téléjournal* ! Mireille Doucet par-ci, Albert Doucet par là ! Même ma mère est pus capable de l'entendre radoter sur le *standing* social de la famille Doucet ! Aïe, c'est pas mêlant, Mireille Doucet, je l'ai jamais vue de ma vie, mais j'ai l'impression d'avoir grandi avec. »

Tous les deux demeurèrent plantés là, sans bouger, espérant que l'autre viendrait mettre fin à un silence qui n'en finissait plus de s'éterniser. Et ce fut à ce moment-là que l'ampleur de l'amour que Paul-Émile portait à Suzanne devint, pour moi, aussi claire que la lumière d'une pleine lune. Il l'aimait mal, de manière parfaitement égoïste, mais il était évident – pour moi, en tout cas – qu'il ne pourrait jamais se résoudre à la laisser derrière. Mon copain d'enfance vivait sa vie selon des règles très strictes, selon une froide logique appliquée à la plupart des sphères de son existence. Mais Paul-Émile était tout à fait incapable de marcher en ligne droite lorsque Suzanne se trouvait à moins de cent mètres de lui et, à mes yeux, de le voir immobile, à la merci du moindre mot qui allait sortir de la bouche de Suzanne, représentait une bien plus grande preuve d'amour qu'une invitation à souper au Poulet Doré.

Ce soir-là, Paul-Émile avait rendez-vous avec Mireille au restaurant Chez Pauzé. Prétextant un quelconque service qu'il avait promis de rendre à madame Marchand, il avait fait un long détour afin de ne pas rater Suzanne qui revenait du travail. S'il ne se dépêchait pas, Mireille allait l'attendre seule au restaurant. Mais Paul-Émile ne bougeait pas, les jambes toujours aussi molles devant sa voisine qui se traitait d'imbécile d'avoir, elle aussi, toutes les difficultés du monde à rester debout.

Dans la vie, il y a ceux qui font les bons choix et ceux qui font les mauvais. J'étais impatient de voir dans quelle catégorie Paul-Émile allait se classer. Pas une seule seconde ne m'est-il venu à l'idée qu'il trouverait le moyen de se retrouver dans les deux à la fois.

14
Patrick... à propos de Jean

«Ç'a l'air que t'es bon, toi? Parfait! Sors-moi d'icitte, ça presse!»

Occupé à noircir des feuilles de papier, Jean leva les yeux pendant quelques brèves secondes, offrant à Michel Collard, visiblement désireux de quitter sa cellule, son plus beau sourire de vendeur de voitures usagées. Ce sourire, pour tous ceux connaissant Jean, représentait une magnifique preuve de mépris et de condescendance.

Pour tous ceux ayant un minimum de mémoire, ou qui n'ont pas lu en diagonale dans les chapitres précédents, Michel était évidemment le fils d'Aurèle Collard, membre haut placé de la pègre montréalaise et ambassadeur extraordinaire du faubourg à mélasse. Deux jours avant la rencontre de Jean avec celui-ci, Michel s'était fait prendre par la police pour une bête affaire de vol de camion de cigarettes, et Jean en avait presque déféqué dans son pantalon lorsque monsieur Collard, sirotant un daïquiri à la Casa Loma, lui demanda de représenter son fils en cour.

«Pourquoi moi? avait demandé Jean, essayant de ne pas avoir l'air du garçon intimidé qu'il était très certainement à ce moment-là.

— Parce que l'avocat avec qui je fais affaire est malade. Parce que t'es bon. Parce que tu commences ta carrière, pis que t'as tout à gagner. Et, en plus, t'es un bon petit gars du bas de la ville. Je sais que tu me décevras pas.»

Avec une telle réponse à sa question, Jean s'était presque attendu à recevoir une tape sur la tête assortie d'un suçon de la part de monsieur Collard. Il reçut plutôt une solide poignée de main, accompagnée d'un cigare cubain. Avalant le reste d'un gin-tonic que Lili lui avait fait parvenir, Jean souriait tout en essayant de ne rien laisser transparaître de sa nervosité. Sa carrière allait se jouer sur le sort de Michel Collard, et Jean savait qu'il devait absolument le faire acquitter s'il ne voulait pas se retrouver à représenter des abonnés de l'angle Sainte-Catherine et Saint-Laurent pour le reste de ses jours.

Mais lors de sa toute première rencontre avec Michel, qu'il considérait comme un enfant gâté parce que celui-ci s'attendait à recevoir tout cuit dans le bec en raison de la renommée paternelle, Jean eut soudainement une bonne pensée pour les proxénètes et joueurs clandestins en tous genres qu'il représentait depuis ses débuts comme avocat, et dont il s'était rapidement lassé. Michel Collard, apparemment, n'appréciait pas du tout que son père lui impose un avocat en début de carrière qui allait se faire les dents sur son propre cas. Quand j'y repense, il avait peut-être raison. Ce n'est pas que Jean n'était pas un bon avocat, bien au contraire. Mais comme façon de prouver à son propre fils l'étendue de son affection, il me semble que monsieur Collard aurait pu trouver mieux que ce que Michel percevait comme une expérimentation sur son avenir.

« Mon père a tous les juges et le corps de police de la ville de Montréal dans sa poche. Je devrais même pus être ici, à l'heure qu'il est.

— T'as été arrêté pour le vol à main armée d'un camion de cigarettes, Michel. Pas pour des tickets non payés. Tu vas sortir, mais ça risque de prendre un peu plus de temps.

— Si t'es un incompétent, c'est pas mon problème. Va voir mon père, pis dis-y que je veux être représenté par son avocat à lui. Pas par toi.

— Le conseiller de ton père est en train d'essayer de

survivre à un cancer du pancréas. Pis en passant, mes ordres, je les prends de ton père, pas de toi. Aurèle m'a demandé de te sortir d'ici pis même si ça me fait chier, c'est ça que je vais faire. Ça fait que si tu veux sortir de ta cellule, tu ferais mieux de t'asseoir pis de faire le beau. »

Ainsi commencèrent entre un avocat et son client des rapports houleux qui allaient s'étendre sur plusieurs semaines. Et ainsi prirent fin entre Jean et monsieur Taillon des liens dysfonctionnels dont mon ami n'arriva jamais à se remettre complètement.

Je n'étais plus au Québec depuis un petit moment lorsque monsieur Taillon apprit, en lisant le *Montréal-Matin*, que son fils représentait l'un des membres de la relève les plus en vue de la pègre montréalaise. Je n'ai donc pas vu le père de Jean se pointer en pyjama chez monsieur et madame Mousseau, exigeant de celle-ci qu'elle lui dise si elle et son époux étaient au courant des activités professionnelles de son fils.

« Calmez-vous, Yoland. Vous allez faire une crise cardiaque !

— Laissez-faire la crise cardiaque, Justine, pis répondez à ma question !

— Écoutez... Je sais même pas si Honoré est au courant que les Allemands ont perdu la guerre.

— Justine !...

— Voulez-vous ben vous taire ?! Je vais encore avoir mon mari sur le dos. Oui, on le savait. Pis après ? Jean est quand même mieux de gagner sa vie comme ça plutôt que d'être à place de celui qu'il défend ! »

Je sais que cela peut paraître difficile à comprendre, mais les rapports que les habitants du faubourg à mélasse entretenaient avec la pègre, à l'époque, étaient pour le moins ambivalents. Rien n'était uniquement noir et blanc comme, j'imagine, cela aurait dû l'être dans un monde idéal. Nous craignions ses membres, aucun doute là-dessus, et certains d'entre nous, comme monsieur Taillon, justement, voyaient en eux l'incarnation parfaite du diable et de ses principes les plus tordus. Mais dans un quartier comme le nôtre, où la violence et la pauvreté étaient aussi présentes que le pont Jacques-Cartier, la pègre pouvait représenter, dans bien des cas, un moyen de se protéger et de se nourrir que certaines familles ne pouvaient se permettre de refuser. Encore une fois, je ne cherche aucunement à justifier quoi que ce soit, ou qui que ce soit, mais qu'aurait dû faire une famille de huit enfants dont les parents étaient sans le sou lorsqu'elle recevait un énorme panier de cadeaux, le matin de Noël, gracieuseté de la pègre ? Avec le temps, la notion du bien et du mal était devenue aussi floue dans l'esprit de certains habitants du quartier que dans celui de Jean, et ils furent nombreux à ne pas se formaliser de voir l'un des leurs travailler pour un homme comme Aurèle Collard, et à ne pas comprendre la réaction pour le moins disproportionnée de monsieur Taillon.

Mais ce que personne ne semblait comprendre, à mon humble avis, était que sa colère fut provoquée par autre chose que la vue d'un fils au service d'un membre de la pègre. Selon moi, monsieur Taillon n'était pas tant nerveux que paniqué, terrifié à l'idée de perdre son père pour la deuxième fois à travers cette illusion de Jean qui s'était écroulée à la vue d'une simple photo dans le *Montréal-Matin*. Monsieur Taillon ne sut jamais être en mesure d'accepter la mort de son père et Jean, par ce qu'il était devenu, lui imposait ce qu'il ne voulait toujours pas reconnaître.

Tout de suite après avoir quitté le logis des Mousseau,

monsieur Taillon retourna chez lui, salua au passage l'avis nécrologique au salon, changea son pyjama pour des vêtements propres, refusa de parler à l'une de ses sœurs qui voulait lui raconter être allée au cimetière pour demander pardon à son père – une véritable famille de disjonctés ; c'était à croire qu'il n'y avait que Jean d'équilibré dans le clan des Taillon, ce qui en disait long sur l'état de leur santé mentale – et se dirigea vers l'appartement de son fils, histoire de trouver une justification qui lui permettrait de se raccrocher encore au fantôme de Jean Ier.

À la vue de monsieur Taillon, Jean poussa un très long soupir, sachant instantanément que le moment était venu de faire un choix entre cette liberté, qu'il avait toujours voulu se donner, et sa propre famille. Et s'il s'était longtemps préparé à vivre ce moment, à faire ce choix de manière définitive, son cœur semblait néanmoins sur le point d'éclater.

« Je peux entrer ? »

Jean ne répondit pas, lui faisant plutôt signe de pénétrer à l'intérieur.

« Je pense que tu sais pourquoi je me suis pointé chez vous un samedi matin.

— …

— Ils t'ont forcé ? Ils te font des menaces ?

— Non.

— Ben explique-moi, d'abord. Parce que je suis pas capable de comprendre comment mon propre fils peut travailler pour un rapace comme Aurèle Collard.

— Dans notre code criminel, on est tous innocents jusqu'à preuve du contraire. »

Non, mais !… Quelle réplique d'une stupidité tout à fait remarquable !

« Prends-moi pas pour un cave, OK ? Je suis peut-être pas

avocat, j'ai peut-être pas beaucoup d'éducation, mais je suis capable de lire les journaux! Aurèle Collard est mêlé à des affaires de prostitution, d'intimidation pis de blanchiment d'argent! Je peux pas croire que t'acceptes d'être dans la même pièce que son gars, qui vaut pas mieux que lui! S'il savait ça, ton grand-père se retournerait dans sa tombe!»

Perspicace, Jean avait compris que son père cherchait encore une issue, une sortie de secours lui permettant de continuer à croire qu'il était le fils de quelqu'un, aux dépens de la vie du sien. C'était dans des moments comme ça que j'admirais sans retenue la volonté dont Jean pouvait faire preuve, comparativement à ma propre lâcheté dont je n'arrivais pas à me débarrasser et qui me catapulta au fin fond de l'Afrique. À la mine déconfite de monsieur Taillon, à l'air désespéré qu'il affichait, j'aurais tout simplement cédé. Je lui aurais tout donné. Je lui aurais dit ce qu'il voulait entendre, trouvant une quelconque justification à mes propres actions, lui permettant ainsi de continuer à vivre dans une bulle, menaçant, malgré tout, d'éclater à tout moment. Jamais ma colonne vertébrale n'aurait tenu le coup sous le poids de la menace d'être renié par ma propre famille.

Jean, pour sa part, ne broncha pas, se contentant d'avaler sa salive à plusieurs reprises. Malgré tout, nous le savions tous aimer profondément monsieur Taillon. Mais nous savions également qu'il n'en pouvait plus de jouer les fantômes afin que son propre père se complaise dans un rôle qui lui revenait pourtant de droit. Notre ami n'en pouvait tout simplement plus de ne jamais voir le soleil, caché par l'ombre d'un homme qu'il ne voulait pas devenir.

«Tu peux me le dire, tu sais, avança monsieur Taillon d'une voix presque enfantine, provoquant chez Jean une soudaine envie de pleurer mêlée à un profond besoin de s'enfuir là où personne n'attendrait jamais rien de lui. Je te jure que je dirai rien. Même pas à ta mère. Surtout pas à ta mère. Ils te font des menaces ? Ils t'obligent à travailler pour eux autres ? »

Secouant la tête en signe de dépit devant le ridicule de la situation, Jean, comme c'était malheureusement devenu son habitude depuis un bon moment, chercha à engourdir sa frustration en se versant un verre de Beefeater. À douze, treize ou quatorze ans, Adrien, Paul-Émile, moi et la plupart des autres garçons du quartier étions plutôt admiratifs devant la capacité de Jean à avaler six bouteilles de bière en moins de soixante minutes tout en réussissant à demeurer debout. À vingt-six ans, la vue de Jean avalant d'un trait un verre de gin sans grimacer, alors qu'il n'était même pas encore midi, provoquait maintenant froncement de sourcils et inquiétude. Avec mes antécédents familiaux suintant la bière et la vodka, j'aurais pourtant dû savoir que mon ami se transformait, depuis un bon moment déjà, en un spectaculaire alcoolique. J'aurais dû intervenir. Je ne le fis pas, et je m'en suis longtemps voulu.

« Y'a pas de menace, papa. Ils m'ont fait une proposition, pis j'ai accepté. C'est tout.

— C'est pas vrai. Ça se peut pas. T'es un Taillon, Jean. Comme moi. Comme ton grand-père. Pis t'es pareil comme lui. Je l'ai toujours dit.

— Papa, s'il vous plaît. Arrêtez.

— T'es comme lui. Tu peux bien dire le contraire, mais moi, je sais que c'est vrai. T'es droit comme un chêne. Tu te fendrais en quatre pour ta famille. Tu nous laisserais jamais tomber. Ça fait que si t'as accepté de travailler pour un criminel, c'est parce que tu y as été forcé. C'est la seule façon que mon père aurait fait quelque chose comme ça.

— MAIS JE SUIS PAS VOTRE PÈRE ! SACREZ-MOI PATIENCE AVEC ÇA ! »

Le visage de monsieur Taillon changea de manière frappante, trahissant une douleur qui n'aurait pu être plus vive si son fils lui avait donné un formidable coup de poing au ventre. Et même si Jean refusa toujours de n'être rien d'autre que la figure paternelle de son propre père, les mots qu'il prononça ensuite résonnèrent longtemps dans sa tête. Ils furent les derniers qu'il put jamais adresser à monsieur Taillon.

« Je suis pas votre père. Je suis pas droit comme un chêne, moi ! Je suis pas le parangon de vertus qui vous a servi de père, pis qui est mort le cul botté par un cheval ! Vous voulez savoir ce que je suis ?! Vous l'avez pas encore compris ?! Ben, je vais vous le dire, moi : je suis un pourri, ok ?! Un sale ! Je fais ma job pour le *cash* qui vient avec, pis que cet argent vienne de bordels ou d'ailleurs, je m'en sacre ! Arrêtez de dire que je suis comme le maire Drapeau, comme le pape ou comme le frère André ! Si votre père était parfait, je suis ben content pour vous, mais c'est pas mon cas. Ça fait vingt-six ans que vous m'étouffez en essayant de me faire passer pour ce que je suis pas. Défendre la veuve pis l'orphelin… Aïe ! Donnez-moi de l'argent, mon char, de la boisson pis des femmes, pis je vais être ben content. Le reste, je m'en sacre. Pis ça, ça inclut aussi votre simonac de père ! »

Pas une seule fois mon ami n'a affirmé avoir regretté ses paroles. Pourtant, tous ceux le connaissant savent qu'il les regretta à la seconde où elles sont sorties, bien maladroitement, de sa bouche. Pendant des années, Jean chercha à faire oublier ce qu'il dit à monsieur Taillon. Mais il n'y arriva jamais. Sa liberté, celle qu'il avait tant recherchée depuis qu'il était en âge de se souvenir de Jean Ier, lui était

171

dorénavant acquise. Et sa famille ne la lui pardonna jamais.

«Pauvre minable!» s'exclama monsieur Taillon, exprimant envers Jean un mépris qui n'était pas sans rappeler celui dont tout adolescent normalement constitué éprouve pour ses parents à divers degrés de son existence. Entre le père et le fils, les rôles demeuraient inversés.

«Tous les efforts que t'as faits… Toutes les nuits passées dans tes livres de droit… Toutes les soirées passées à laver le plancher au Poulet Doré pour payer tes études… Dire qu'avec le talent que t'as, t'aurais pu devenir le plus grand avocat que ce pays-là ait jamais connu! T'aurais pu devenir premier ministre!»

Quand même… N'exagérons rien.

«Au lieu de ça, tu te vends au plus offrant, pis que le plus offrant soit un des pires rapaces que la Terre ait porté, toi, ça te dérange pas pantoute! Avec ton gros char, tes meubles en cuir, tes complets vestons pis la robe de chambre en ratine que t'as sur le dos, tu te penses peut-être au-dessus des autres, mais laisse-moi te dire que t'es pas mieux que la vermine pour qui tu travailles. De toute ma vie, jamais j'aurais pensé que je dirais ça un jour, mais je suis content que mon père soit mort. Je suis content qu'il soit pas capable de voir ce que t'es devenu. Ce que t'as choisi de devenir, par-dessus le marché! T'as aucune idée de l'effort que ça me demande de pas te cracher en pleine face. Mon père, je l'ai pas connu longtemps, mais quand même assez pour savoir que c'était le meilleur homme que la Terre a porté. Pis moi, tout ce que je voulais, c'était que tu deviennes comme lui. Mais avoir su plus tôt que ta mère avait mis au monde un tas de fumier, je t'aurais jeté aux poubelles le jour où je suis allé vous chercher à l'hôpital.»

Les hommes de notre génération, à Adrien, Paul-Émile,

Jean et moi, n'ont jamais été très doués pour discuter d'états d'âme avec nos pères, tout comme ceux-ci ne surent pas l'être davantage avec les leurs, faisant ainsi en sorte que Jean ne put jamais se résoudre vraiment à raconter à monsieur Taillon le désarroi qui l'animait à l'égard de ce que sa famille, de manière tout à fait irrationnelle, attendait de lui: être l'équivalent du retour de Jésus Christ sur Terre. Mais Jean n'était pas parfait. Il n'était pas l'homme mort prématurément et idolâtré jusqu'aux limites de la folie par une famille ne s'étant jamais remise de son départ. Jean n'était que lui-même, avec ses forces et ses faiblesses, et nous l'adorions. Le cours des choses aurait peut-être été bien différent s'il avait pu dire à son père, ce jour-là, qu'il n'arrivait à voir rien d'autre que sa propre mort lorsqu'il apercevait l'avis nécrologique au salon. Peut-être pas, non plus. Monsieur Taillon s'attendait à ce que Jean décède à trente-quatre ans, semblait presque l'espérer. Toute la famille ne voyait en mon ami rien d'autre que la réincarnation d'un homme à qui il ne ressemblait pourtant pas du tout, siphonnant en lui le plus de vie possible afin de l'insuffler à un cadavre enterré depuis déjà longtemps. En danger de mort, Jean avait choisi de partir.

J'ai toujours été fasciné par le révisionnisme que provoque inévitablement la perte d'un être cher. Les défauts s'effacent soudainement, semblant n'avoir jamais existé, et la personne disparue accède alors au rang de saint ou de sainte, alors que très peu de choses, comme c'est le cas pour la plupart d'entre nous, justifient une telle reconnaissance. En ce sens, j'avais bien aimé ces quelques mots qu'Adrien avait dits un jour à Jean, et qui résumaient parfaitement ma pensée sur le sujet:

« Au fond, ton grand-père, c'était peut-être le pire trou de cul de toute l'histoire de la province de Québec. Pour ce qu'on en sait, il couchait peut-être à droite pis à gauche ; il battait peut-être ta grand-mère ; il volait peut-être l'argent des petites vieilles de Verchères. Si ça se trouve, y'est peut-être mort parce qu'il était trop saoul pour rester assis sur son cheval. Pis c'est dommage parce que tu le sauras jamais. Tu sais comment ça fonctionne, par chez nous : quelqu'un meurt pis tout à coup, cette personne-là se métamorphose en saint Jean Bosco. »

D'une manière qui provoqua toute mon admiration et qui ne me caractérisait aucunement, Jean fit le pari de faire une croix sur sa famille et de choisir sa propre liberté, ignorant au passage qu'il aurait besoin, à son tour, d'une bonne dose de révisionnisme afin d'assumer le prix à payer pour avoir survécu au fantôme du grand-père Taillon.

15
Paul-Émile... à propos d'Adrien

Ma mère, Florence, chantait souvent. Toujours, en fait. Mes sœurs et moi avons été élevés au son de sa voix qui se rendait jusqu'à nous, peu importe l'endroit où nous nous trouvions à l'intérieur de notre logement de la rue Wolfe. S'il voulait la flatter dans le sens du poil, mon père n'avait qu'à rappeler à ma mère qu'elle avait plus de talent que bien des chanteuses populaires du moment, et qu'elle aurait eu tout ce qu'il fallait pour être la Emma Albani de son temps. Pourtant, je ne me souviens pas l'avoir entendue fréquemment chanter des airs d'opéra. Elle en jouait beaucoup au piano, à l'époque où elle habitait Outremont, mais n'en écouta et n'en chanta jamais pendant toutes ses années passées dans le faubourg à mélasse. Peut-être parce que cela lui rappelait une époque de sa vie dont elle se languissait toujours après tant d'années. Bien franchement, je ne lui ai jamais posé la question, trop craintif à l'idée de la blesser de quelque manière que ce soit.

Les moments où j'entendais ma mère chanter se qualifient facilement comme faisant partie des plus beaux moments de mon enfance. Encore aujourd'hui, il est difficile, pour moi, d'entendre *Always*, d'Irving Berlin, ou encore *L'hymne à l'amour*, d'Édith Piaf, sans avoir le cœur lourd. Ses chansons préférées étaient les miennes. Elles le sont restées.

Mais LA chanson préférée de ma mère – qu'elle fredonna, d'ailleurs, jusqu'à la fin de sa vie, ou presque – s'intitulait *Is that All there Is*, popularisée par Peggy Lee en 1969.

Is that all there is, is that all there is
If that's all there is, my friend, then let's keep dancing
Let's break out the booze and have a ball
If that's all there is

Alors que je dois raconter ce que fût la réaction d'Adrien lorsque Denise lui fit part de sa grossesse, il me semble entendre à nouveau ma mère marmonner le refrain de cette chanson en mettant fortement l'accent sur *Let's break out the booze*, qui pourrait ici se traduire par «Sortons la boisson».

À l'instant même où Adrien appris que Denise était enceinte, il l'avait prise par le bras et entraînée au 24, petit restaurant empestant l'odeur d'huile à patates frites, mais qui, apparemment, servait le meilleur café de Rosemont, et dont Adrien se languissait sérieusement. Celui-ci se contenta cependant de fixer sa tasse pendant un bon moment avant de dire le moindre mot.

«On n'est pas venus ici juste pour boire du café pis faire semblant que l'autre est pas là, déclara Denise. En tout cas, moi, je suis pas venue ici pour ça.

— Je m'excuse. Je... Je sais pas quoi dire.

— Ça prenait ben ça pour te faire taire, ajouta Denise, un sourire en coin.

— Je sais même pas pourquoi on est venus ici. En ce qui me concerne, y'a rien à dire. Je sais ce que j'ai à faire, je sais ce que t'as à faire, pis on va le faire ensemble. C'est tout.

— C'est pas pour ça que je t'ai dit que j'étais enceinte, Adrien. Je te l'ai dit parce que c'est toi le père, pis que t'as le droit de savoir.

— Oui. Pis du moment où tu me mets au courant, j'ai des responsabilités. Je te laisserai pas toute seule avec un enfant. Surtout pas si c'est le mien.

— Qu'est-ce qu'on va faire maintenant?

— On va se marier, on va élever cet enfant-là, on va l'aimer, pis on va essayer de pas s'entretuer, toi pis moi.»

Is that all there is, Is that all there is... Fixant le fond de sa tasse de café, Adrien se posait exactement la même question : est-ce que c'est tout ? Est-ce qu'il ne devait s'attendre à rien de plus ? Après avoir vécu une enfance plus qu'ordinaire, avec un père ayant passé le plus clair de son temps à l'ignorer, était-il sur le point de s'embarquer dans un mariage aussi fade et insignifiant que celui de ses parents ? Est-ce que c'est ce qu'allait être sa vie ? Se lever le matin, s'efforçant d'ignorer cette femme qu'il n'aimait pas et qui dormait néanmoins dans le même lit que lui... Mettre de l'eau dans la bouilloire pour se préparer un café bas de gamme... Réchauffer deux tranches de pain en prenant soin de vérifier qu'elles n'étaient pas moisies... Prendre une douche en sacrant parce que le pain de savon est devenu minuscule et que personne n'a pensé à le changer... Fouiller dans un tiroir pour trouver une paire de bas propres, alors qu'il n'y en avait évidemment plus... Rouler les yeux d'impatience devant sa vieille voiture qui ne voulait plus démarrer... Enseigner à une bande de préados qui ne pensaient qu'à reluquer les filles... Revenir à la maison le soir, souper en silence et faire l'amour les yeux fermés en s'imaginant avoir affaire à Rita Hayworth, pour ensuite s'endormir et tout recommencer le lendemain matin...

Tandis qu'il se retrouvait soudainement pris à envisager l'avenir avec une femme qui ne lui disait rien, Adrien se demandait si c'était effectivement ce que sa vie allait devenir et, pour la première fois de son existence, alors qu'il s'enfermait dans un silence ne le caractérisant pas du tout, il ressentit une nouvelle compréhension à l'égard de ce qu'avait été la vie de son propre père.

Dans les mauvais romans d'amour qu'affectionnaient les femmes de mon entourage, l'arrivée d'un bébé était toujours un événement heureux venant couronner l'amour entre un homme et une femme, ou encore venant réunir pour de bon un couple en difficulté – parce que tout le monde sait que rien ne vient régler des problèmes matrimoniaux mieux qu'un bébé qui hurle ses coliques ou sa couche bien pleine. Mais, dans la réalité d'Adrien, cette annonce provoquait déjà en lui la crainte de devenir comme son père; de n'être rien d'autre, pour son enfant, que la coquille vide que monsieur Mousseau avait su lui offrir. Lui aussi avait vu sa vie changée par un événement hors de son contrôle, et Adrien, buvant son café au 24, se retenait de toutes ses forces pour ne pas hurler sa peur de finir comme lui.

Adrien aurait pu se défiler, partir et laisser Denise en plan, prétextant que rien ne venait prouver que le muffin qu'elle avait au four était véritablement le sien. J'imagine que cela aurait été irresponsable, ce que mon copain n'était pas. Alors Adrien ne bougea pas, essayant d'assimiler en silence, au beau milieu d'un restaurant où la musique se faisait entendre et où les clients bavardaient et faisaient claquer leurs ustensiles, cette idée qu'il allait être père bien plus tôt qu'il ne l'aurait voulu, obligeant la pauvre Denise à voir dans le fond de ses yeux le vide affectif qui l'attendait. Elle qui acceptait de s'unir à quelqu'un lui faisant autant d'effet qu'un verre de bière éventé. À ce moment précis, ironiquement, les haut-parleurs du 24 hurlaient l'air et les paroles de *Where the boys are*, grand succès de Connie Francis que ma mère se plaisait également à chanter de temps à autre, mais qui n'aurait pas plus mal tomber, alors que deux êtres s'apprêtaient à faire le deuil d'une vie affective relativement décente tandis qu'ils faisaient le choix de se lier l'un à l'autre.

Where the boys are, someone waits for me
A smilin' face, a warm embrace, someone to hold me tenderly

Where the boys are, my true love will be
He's walkin' down some street in town, and I know he's
looking there for me

Par une fin d'après-midi d'hiver, à l'intérieur d'un restaurant rempli à pleine capacité, un homme et une femme prenaient la décision de commettre un geste que plusieurs d'entre nous – surtout des femmes, soyons honnêtes – rêvent d'accomplir depuis l'enfance, s'imaginant une vie à deux constituée de soupirs langoureux, de soupers aux chandelles et de ballades au bord d'un lac, main dans la main.

Je ne me souviens pas avoir jamais entendu Adrien parler – et Dieu sait qu'il parlait ! – de ce qu'était pour lui la femme idéale, et à quoi aurait pu ressembler la vie à ses côtés. Ce n'était pas son genre et, bien franchement, nous n'aurions pas été très intéressés par le récit d'une vie hypothétique vécue dans une maison de banlieue quelconque, où l'on aurait retrouvé une épouse souriante, 3,5 enfants et une rutilante Studebaker flambant neuve dans l'entrée de garage. Mais alors qu'ils prenaient conscience de ce qu'ils étaient sur le point de perdre et de ce qu'ils n'avaient pourtant jamais cru vouloir, Adrien et Denise auraient soudainement été prêts à payer très cher pour voir, l'un et l'autre, à quoi ils ressemblaient dans les yeux de quelqu'un qui les aimait.

Is that all there is, is that all there is
If that's all there is, my friend, then let's keep dancing
Let's break out the booze and have a ball
If that's all there is

Alors, allons-y. Sortons la bière, la vodka, le gin et tout le reste. Parce qu'entre Denise et Adrien, il n'y aurait effectivement jamais rien d'autre. Je tenais seulement à le préciser, histoire que les amateures de *happy ending* à la Walt Disney ne se fassent pas trop d'illusions.

16
Jean... à propos de Patrick

Comment dit-on déjà ? « Un seul être vous manque et tout est dépeuplé » ?... Mes intérêts littéraires se limitant à Jacques Beauchamps et Rocky Brisebois, je n'ai jamais été très friand de poésie et, si je n'ai pu réciter cette prose correctement, vous m'en voyez sincèrement désolé. Seulement, cette phrase résume parfaitement cette époque de la vie de Patrick, et j'ai pensé l'inclure ici afin de mettre l'accent sur ce que je m'apprête à raconter.

La mort n'est jamais la même pour personne. On ne meurt pas tous de la même manière, pas plus que personne ne réagit au départ d'un être cher de façon identique. Et au moment où il dut vivre un deuil pour la première fois de sa vie, l'idée de la mort était encore une notion abstraite pour Patrick, en dépit du fait qu'il voyait pourtant mourir des enfants de manière régulière depuis son arrivée à Yaoundé.

Pas que ces décès ne le peinaient pas. Bien au contraire ! Mais, avec le temps, Patrick croyait avoir appris à garder les liens affectifs au minimum, s'obstinant à afficher la même émotion qu'à l'annonce du décès d'une lointaine cousine, ou encore de la mort du chien de son troisième voisin. Il offrait ses sympathies les plus sincères, proposait son aide toujours bienveillante, mais arrivait tout de même à s'imposer une retenue lui permettant, le croyait-il, de ne pas être affecté émotivement par ce qu'il voyait autour de lui. C'était là sa manière de se protéger des horreurs d'un centre accueillant des enfants pour la plupart sérieusement malades, attendant le moment où il pourrait retourner à Montréal, faisant tout en son pouvoir pour revenir d'Afrique le cœur intact.

Agnès, évidemment, fut l'exception à la règle.

Je n'ai jamais compris comment le Cameroun pouvait, pour Patrick, être plus supportable que d'envoyer promener la succulente Marie-Yvette. Tout comme je n'ai jamais compris comment il s'y prenait pour passer au travers de ses journées sans hurler, lui qui ne voyait, essentiellement, rien d'autre que des enfants malades ou à l'agonie. Comment ne pas devenir complètement débile lorsque l'on a la mort sous le nez sur une base quotidienne ? N'ayant jamais été en mesure d'y arriver alors que ma famille m'avait si souvent mis à l'essai, je ne peux évidemment pas répondre à la question. Mais pour Patrick, tout était clair. Il arrivait à tenir le coup en prenant Agnès dans ses bras, en la promenant un peu partout, en la berçant sur ses genoux, en jouant et en riant avec elle. Quelques personnes, au centre, avaient subtilement cherché à faire comprendre à Patrick qu'il risquait gros en s'attachant à une enfant qui, selon l'avis de tous, n'en avait pas pour très longtemps ; qu'il devait afficher avec elle le même détachement qu'avec tous les autres. Peine perdue. Patrick fit avec Agnès ce qu'il fit toujours avec nous pour ne pas être écrasé par sa mère : il choisit de détourner le regard et de se concentrer que sur la vie, les rires, et tout ce qui lui permettrait de garder la tête hors de l'eau, ignorant en tout état de cause que s'il ne courait pas un très grand risque en s'attachant à trois jeunes morveux pétant de santé, il en allait tout autrement d'une fillette de huit ans, sérieusement malade et confinée à un fauteuil roulant. En gros, Agnès devint le port d'attache de Patrick à Yaoundé ; la seule raison lui permettant de se lever le matin sans hurler lorsqu'il s'attardait à constater jusqu'où sa lâcheté envers Marie-Yvette l'avait mené. Cette fillette se voulait le dernier lien l'unissant au jeune homme jovial, rieur, qu'il sentait avoir laissé derrière.

Agnès était devenue la vie de Patrick, purement et simplement.

Des années plus tard, alors que Lili lui demanda à quoi ressemblait Yaoundé, Patrick fut sidéré de constater qu'il ne s'en souvenait pas. Même sa chambre, où il dormit pendant des années, n'était plus qu'une série d'images floues dont il n'arrivait pas à tirer un sens. Mais si, par contre, vous lui demandiez de vous décrire en détail le regard d'Agnès, il pouvait vous emmerder là-dessus pendant des heures. Tout comme il arrivait presque à vous faire entendre son rire lorsqu'elle le voyait s'approcher vers elle, et sa joie à lui de la serrer dans ses bras. Lui qui n'avait jamais manifesté le moindre intérêt pour les enfants ne vivait plus que pour la voir sourire, pour l'entendre prononcer son nom en sachant que sa seule présence apportait à une fillette de huit ans un bien-être et une sérénité qu'elle n'avait encore jamais connus.

Suis-je le seul à être convaincu que Patrick s'était attaché à cette enfant parce qu'il réussissait à la rendre heureuse, alors qu'il n'arriva jamais à le faire avec Marie-Yvette ? Est-ce que le rire d'une fillette, même fragile, parvenait à remplacer celui de sa mère qui, les rares fois où il l'avait entendu, semblait vide, éteint et, surtout, aussi loin de lui que possible ?

Se pouvait-il qu'en regardant Agnès, Patrick croyait avoir huit ans à nouveau, retrouvant auprès d'une enfant pourtant sans avenir l'espoir d'une vie plus vraie, plus belle ? Se pouvait-il que, pour la toute première fois, son rire ne servait pas, avant tout, à camoufler le désarroi propre à chacun des membres du cirque Flynn ?

Était-ce possible qu'il ait trouvé dans les yeux de cette enfant la sérénité l'ayant toujours empêché de considérer le faubourg à mélasse comme son seul et véritable refuge ? Avait-il cherché à rapprocher les deux ? S'était-il mis en tête de ramener cette sérénité sur la rue de la Visitation ?

Tant de fois, Patrick réussissit à soulager son mal du pays en décrivant à Agnès la rue Sainte-Catherine enneigée, les tramways dont les moteurs surchauffaient en essayant de s'y faire un chemin et les vêtements d'hiver que Marie-Yvette sortait des boules à mites au lendemain de l'Action de grâce. En lui racontant les foulards tricotés année après année par sa grand-mère Chénier, les cadeaux déballés la veille de Noël, la messe de minuit où nous hurlions « Minuit Chrétien » comme si nous avions voulu nous assurer qu'il n'y avait que nous que le bon Dieu pouvait entendre. En lui dépeignant le repas de Noël, alors que nos mères se levaient à quatre heures du matin pour faire cuire la dinde avec, en prime, la farce de Marie-Yvette qui avait atteint le statut de légende dans les rues du faubourg à mélasse. En se remémorant le fameux chocolat chaud de ma propre mère, reconnu surtout pour le gin que j'y incorporais à l'insu de mon père. En décrivant les longues soirées d'hiver à regarder les flocons tomber du ciel et à écouter les bruits provenant de la cuisine des Flynn, alors qu'une bonne partie du voisinage venait se faire plumer aux cartes par James Martin, qui n'hésitait pas une seule seconde à tricher afin de collecter des sommes d'argent supplémentaires destinées à entretenir sa prolifique bedaine de bière. En se souvenant des longues parties de hockey jouées au parc Berri, même lorsque le froid nous faisait tous couler du nez comme les insignifiants morveux que nous étions, et où nous faisions semblant d'être Butch Bouchard, Floyd Curry, Maurice Richard, Doug Harvey, Bert Olmstead, Jacques Plante, Boum Boum Geoffrion ou, dans le cas de Patrick, *Terrible* Ted Lindsay.

En racontant les parties de hockey disputées au Forum, beaucoup plus sérieuses celles-là, où une bonne partie du voisinage se retrouvait chez Florence et Gérard Marchand afin de regarder la troisième période à la télé, et de faire comme si le Forum se trouvait entre les murs d'un logement de la rue Wolfe. Et en débitant les statistiques que Paul-Émile tenait méticuleusement sur chacun des joueurs du Canadien, le rêve d'enfance d'Adrien d'en être l'annonceur maison, et mon vieux chandail suant ma propre virilité que je refusais obstinément de laver, faisant du même coup le désespoir de ma mère, parce que Toe Blake l'avait un jour autographié à la hauteur de l'épaule droite.

Mais au-delà d'utiliser Agnès pour soulager son mal du pays, Patrick s'acharnait surtout à transposer le visage de celle-ci dans son monde à lui, où elle ferait autant partie de sa vie que Paul-Émile, Adrien et moi. Où elle l'aiderait à vivre, comme nous l'avions fait jusqu'à son départ pour Yaoundé, mais tout en lui apportant un amour que Marie-Yvette ne sut jamais lui donner, et une sérénité qui, chacun à notre manière, nous faisait tous défaut.

C'était beaucoup demander à une enfant de huit ans, qui adorait cependant Patrick avec une énergie qui la désertait peu à peu.

Et puis soudainement, un an jour pour jour après l'arrivée de Patrick au Cameroun, Agnès mourut dans ses bras, sans qu'il ne la sente partir, alors qu'il lui demandait banalement si elle voulait qu'il lui lise une histoire.

Sur le coup, Patrick n'a pas réagi. Le manque de souffle l'en empêcha totalement. Mais jamais il ne s'est remis de l'extrême douleur ressentie lorsqu'il regarda son visage et comprit qu'Agnès était morte, et de cette certitude qui en découla forcément que le sanctuaire qu'il s'était imaginé, où nous allions tous vivre heureux à ses côtés, ne se matérialise-rait pas. Tout comme il ne s'est jamais remis d'être le seul homme, la seule personne à la pleurer. Sa belle Agnès, répète-t-il encore aujourd'hui, aurait mérité que le monde entier pleure l'injustice de son départ. Mais la pauvre fille n'était qu'une statistique parmi tant d'autres. Une injustice de plus dans un univers qui n'en manquait pas, provoquant ainsi une espèce d'immunité contre la douleur pour les gens qui devaient la subir jour après jour, mais qui n'arrivait plus à atteindre Patrick depuis le moment où celle qu'il s'était mis à considérer comme sa fille mourut dans ses bras. Pour lui, son monde venait de se dépeupler, ne serait plus jamais le même, et chaque décès, chaque enfant qui mourut par la suite, lui fit toujours l'effet d'un grain sel supplémentaire sur une plaie qui n'arrivait pas à se refermer.

« Il faudra vous remettre sur pied, lui avait d'ailleurs dit Lucien, le directeur du centre. Et vite. Des enfants comme Agnès, ce centre en déborde. Nous devons les aider. Ici, ce n'est pas comme dans votre pays. Nous n'avons pas les mêmes moyens et, si nous restons là à pleurer une enfant pour qui nous ne pouvons plus rien, nous risquons de perdre des dizaines de garçons et de filles pour qui nous pouvons faire quelque chose. Je ne vous demande pas d'ou-blier Agnès. Je vous demande tout simplement de la prendre dans votre cœur, de l'emmener avec vous et de faire pour les autres ce que nous n'avons pu faire pour elle. »

Lucien Womé ne saura jamais à quel point ses mots ont pu marquer Patrick au fer rouge, alors que mon ami allait passer les prochaines années à trouver un sens à la mort en faisant comprendre aux vivants ce décès anonyme qu'il n'acceptait pas, et à l'aspect futile de la mort d'Agnès, qui l'enrageait de plus en plus. Patrick saisissait qu'Agnès aurait probablement survécu si elle était née chez nous, même dans les coins les plus mal famés de notre quartier, et n'arrivait pas à accepter que tel ne fût pas le cas. Tout comme il n'arrivait pas à accepter de ne pas avoir eu le temps de la ramener chez nous. Parmi nous.

J'imagine qu'il aurait peut-être été mieux que Patrick raconte lui-même la douleur qu'il ressentit ce jour-là. Lui seul aurait pu être en mesure de communiquer parfaitement la rage et la tristesse que provoqua en lui la mort d'Agnès – de quoi était-elle morte, je ne l'ai jamais su. Après tout, les misères de l'Afrique n'étaient pour moi que des éléments flous d'une vie que je ne voulais pas connaître, et il ne m'était jamais arrivé de croiser le regard d'un enfant et de sentir que mon destin venait de basculer. Mais jusqu'à ce jour, Patrick demeure incapable de parler du décès d'Agnès, se limitant plutôt à essayer de nous faire comprendre pourquoi il s'y était tant attaché et, à travers le vide de son regard lorsqu'il parle d'elle, de nous rappeler à quel point son départ l'a transformé.

Il va sans dire que je n'ai jamais rencontré Agnès. Paul-Émile et Adrien non plus, et il nous fut très difficile de comprendre, chacun de notre côté, pourquoi le décès d'une enfant que Patrick n'avait côtoyée que pendant un an put l'affecter de manière aussi profonde et aussi durable. Et cette incompréhension de notre part, bien que totalement involontaire, le déçut de manière presque aussi douloureuse que le départ d'Agnès lui-même, et pour ça, il nous en a longtemps voulu. Nous, ses amis d'enfance, ses presque jumeaux, n'avons pas été en mesure plus que les autres de partager sa perte et d'aller au-delà de l'anonymat du temps qui passe. Alors que, logiquement, le monde d'une personne commence à se dépeupler avec la perte d'un père ou d'une mère, celui de Patrick avait commencé à se dépeupler en perdant une mourante qui, selon lui, aurait survécu si elle avait habité son même coin de terre. Et nous n'avons pas su le comprendre. Tout comme nous n'avons pu saisir – pas immédiatement, du moins – que ce décès provoqua chez Patrick une toute nouvelle compréhension vis-à-vis du ridicule de sa propre situation, entraînant au passage un fort sentiment de frustration à l'égard de cette impuissance qui le fit atterrir à l'autre bout du monde, dans un univers où la mort fut en mesure de lui faire comprendre l'étendue de sa propre lâcheté.

Si Patrick, pendant toute sa jeunesse, s'était résigné à devoir réécrire ses souvenirs, plus tard, pour être en mesure de ne pas hurler devant l'échec annoncé qu'allait être sa vie, la mort d'Agnès provoqua en lui une douleur si forte, si intense, qu'elle le poussa à accepter maintenant l'inutilité sans appel de son existence pour ne plus avoir à perdre de temps. À partir de ce moment-là, ce ne sont plus ses souvenirs que Patrick se mit en tête de réécrire, mais son avenir. Le mien, celui d'Adrien, celui de sa famille et celui de tous les autres. Même celui d'Agnès, alors que Patrick ne put jamais accepter qu'elle n'en aurait aucun.

17
Paul-Émile... à propos d'Adrien

Tout le monde a appris la nouvelle du mariage d'Adrien comme si l'on avait reçu une invitation en bonne et due forme pour aller à des funérailles. Personne n'était dupe. Avec la vigueur remarquable dont Adrien fit preuve lorsqu'il annonça ses éventuelles épousailles, nous savions tous qu'il allait se marier «obligé», comme le voulait l'expression à l'époque. Aucun d'entre nous n'avait encore entendu parler de Denise, alors nous avions rapidement conclu que notre copain était victime d'une aventure d'un soir ayant mal tourné.

Je ne sais pas ce que j'aurais fait à la place d'Adrien. Ce genre de question hypothétique – qu'est-ce que j'aurais fait, si... – qui ne fait jamais avancer les choses, qui n'arrive jamais à résoudre le moindre problème, m'a toujours tombé sur les nerfs. Je préfère m'en tenir aux choses concrètes, plutôt que de donner dans l'utopie. Et, dans ce cas-ci, une situation comme celle que vivaient Adrien et Denise, à l'époque, voulait que le gars et la fille organisent une noce en quatrième vitesse, histoire de faire croire que l'enfant n'avait pas été conçu dans le péché et, surtout, que la mariée ne se présente pas à l'église avec le bébé pendant au bout du cordon ombilical. Ou encore que la fille se découvre soudainement une tante vivant à Rimouski ou à Mont-Laurier qu'elle devait absolument visiter, ne revenant que quelques mois plus tard, bébé en moins et vergetures en plus.

Je ne saurai jamais ce que j'aurais fait à sa place, mais Adrien, malgré l'envie de fuir dans les bois à la pensée de partager ne serait-ce qu'une tranche de pain sec avec Denise, s'était fait violence en assumant l'entière part de ses responsabilités. Que pouvions-nous faire d'autre qu'exprimer des félicitations plus ou moins sincères ayant, en réalité, toutes les apparences de condoléances ?

La cérémonie elle-même se tint à Saint-Pierre-Apôtre, alors que les sandwichs aux œufs, au jambon et au poulet attendaient sagement au sous-sol, et fut le plus bel hommage à tout ce qu'une cérémonie de mariage ne devrait pas être. Adrien ressemblait en tous points à un lion du Zoo de Granby venant d'être mis en cage alors que le gardien lançait devant ses yeux la clé au bout de ses bras, tandis que Denise entra à l'église avec la même expression qu'une enfant de huit ans se faisant traîner chez le dentiste pour y subir son premier plombage. Madame Mousseau, la mère d'Adrien, s'était mise à pleurer comme une hystérique au beau milieu de la cérémonie, convaincue que son fils unique se dirigeait tout droit vers une vie conjugale aussi insignifiante que la sienne, tandis que monsieur Mousseau ne s'était même pas donné la peine de se déplacer pour soutenir son propre fils. Les collègues de Saint-Jean-de-Brébeuf et de Sainte-Philomène, pour leur part, ne s'étaient pas gênés pour lancer des paris en foulant le perron de l'église, sachant très bien que cette union se dirigeait tout droit vers un échec retentissant, et je pus même apercevoir un collègue d'Adrien échapper deux ou trois jurons lorsque Denise arriva dans la voiture de son père, murmurant à l'oreille de quelques personnes autour de lui qu'il venait tout juste de perdre sa gageure, et qu'il se retrouvait maintenant appauvri de cinq dollars.

Le curé Julien, qui n'en était pourtant pas à son premier mariage forcé, observait Adrien en ayant l'air de vouloir sortir un «Maudit vicieux», mélangé à un «Mon pauvre garçon», alors que Jean et moi étions les témoins officiels dont le rôle véritable était plutôt de garder Adrien en place, usant de la force, si nécessaire, à supposer qu'il eût été tenté de prendre le large et de laisser Denise en plan devant l'autel.

Lorsque Patrick quitta Montréal pour le Cameroun, Adrien n'avait pas été le plus loquace dans sa crainte de voir une grande partie de notre jeunesse prendre fin. À cet égard, Jean fut tout simplement imbattable. Mais l'idée de faire son entrée officielle dans un monde adulte ressemblant un peu trop à celui où son père végétait depuis longtemps le rendait presque malade, et Jean et moi avions reçu ordre, pendant la cérémonie, de bien l'entourer afin qu'il voie le moins possible la porte de sortie, au cas où il se serait senti en cage, au propre comme au figuré. Et lorsque Denise s'était engagée dans l'allée au bras de son père, il était apparu de manière très claire, aux yeux de tous ceux présents, qu'elle et Adrien avaient autant envie de s'épouser que d'aller danser un *french cancan* dans un bar de la rue Saint-Laurent. Ils ne s'aimaient pas. Ne s'aimeraient jamais. Et j'ai profité honteusement du spectacle s'offrant à moi – un couple acceptant de se sacrifier – pour me promettre que je n'aurais moi-même jamais à le faire. En me laissant le regarder réciter ses vœux de mariage avec la même conviction qu'un condamné à mort commandant son dernier repas, Adrien, sans le savoir, m'offrait le plus beau des cadeaux.

« Mes chers amis, commença le curé Julien avec une voix d'enterrement, nous sommes réunis, aujourd'hui, pour célébrer le mariage de Denise et Adrien. »

Quelques minutes plus tard, lorsque mon ami récita ses vœux de mariage, son ton de voix était tellement bas qu'un des invités se leva et lui demanda de parler plus fort. Lorsque ce fut au tour de Denise de réciter ses vœux, la même demande fut répétée par le même abruti qui ne semblait pas avoir la moindre idée du désarroi des futurs époux.

« On entend rien ! s'exclama-t-il.

— Je fais de mon mieux, ok ?! Si t'es pas content, viens donc les réciter à ma place, mes vœux de mariage ! » rétorqua Denise avec une colère qui eut tôt fait de mettre les invités mal à l'aise. Encore plus.

J'avais depuis longtemps fait le choix de vivre ma vie à ma manière. Mais d'observer Adrien et Denise, visiblement misérables, me donna soudainement la volonté de ne jamais rien sacrifier pour mon propre bonheur. Comme le disent si bien les Anglais, *I wanted my cake, and I wanted to eat it too.*

Je sais très bien que mon devoir est de raconter la vie d'Adrien. Personne n'est jamais assez objectif pour raconter honnêtement sa propre existence. Mais le mariage d'Adrien et de Denise eut un effet trop profond sur moi pour que je m'empêche d'en glisser un mot.

Alors, voilà.

18
Adrien... à propos de Paul-Émile

De tous ceux que je connaissais et qui avaient à peu près mon âge, je fus le premier à me marier. Jusqu'à ce jour plus ou moins mémorable, ma mère avait réussi à me traîner dans trois noces de quelconques membres de ma famille que je n'avais jamais rencontrés – et où mon père n'avait évidemment pas fait acte de présence –, et le garçon de huit, treize et dix-sept ans que j'étais s'y était ennuyé de manière tout à fait spectaculaire. Mon propre mariage ne fit malheureusement pas exception à la règle, et je suis resté longtemps sous l'impression que les invités firent de la réception suivant la cérémonie un retentissant carnaval de Rio dans le but non avoué de remonter le moral de Denise et le mien, alors qu'il était évident qu'ils se terraient dans les bas-fonds de notre célibat qui venait de prendre fin. À notre très grand chagrin, d'ailleurs.

Notre situation financière peu reluisante, jumelée à notre enthousiasme pour la vie à deux sérieusement déficient, Denise et moi avions organisé une réception de mariage qui s'annonçait pour être l'une des plus ennuyantes et des plus insignifiantes que la province de Québec ait jamais connues. Bien franchement, la réception représentait le cadet de nos soucis. Pris à s'endurer pour les prochaines années parce que nous avions été trop sans dessein pour nous soulager chacun de notre côté, nous n'avions pas vraiment le cœur à nous embrasser chaque fois qu'un tel allait cogner sur son verre avec un couteau, ou à ce qu'un autre nous demande de danser comme des poules pas de tête sur du Elvis Presley, période préservice militaire.

Pourtant, la réception fut, presque à notre corps défendant, amusante, imprévisible et complètement chaotique. Jean et un collègue de Saint-Jean-de-Brébeuf, incapables de supporter davantage la copie bon marché franchement mauvaise de Paolo Noël louée pour l'occasion, s'étaient portés volontaires pour chanter avec plus ou moins de succès le répertoire de Frank Sinatra et de Charles Trenet. Une copine de Denise, pour sa part, improvisa un monologue sur le mariage qui nous a tous fait crouler de rire, tandis qu'un autre de mes collègues, prétextant refuser de manger les misérables sandwichs qui, selon lui, n'étaient rien d'autre que des restes passés de génération en génération depuis la bataille des plaines d'Abraham, avait demandé à son père, propriétaire d'une pizzéria, de nous offrir en guise de cadeau de mariage une vingtaine d'extra larges toutes garnies, sous les applaudissements nourris de la grande majorité des invités, heureux de laisser les sandwichs mourir de leur belle mort. Même Marie-Yvette Flynn, qui s'était invitée elle-même, prétextant devoir représenter Patrick aux noces d'un de ses meilleurs amis, avait trouvé le tour, à la surprise de tous ceux la connaissant un tant soit peu, de s'amuser réellement. Quoique je ne crois pas qu'elle ait particulièrement apprécié, lors d'un voyage à la salle de bains, de tomber sur Jean en train d'honorer avec enthousiasme une amie rencontrée lors de la grève des réalisateurs de Radio-Canada.

Le seul qui sembla s'ennuyer solidement fut Paul-Émile. Consultant sa montre toutes les trente secondes en espérant que le double s'était écoulé depuis, il demeurait silencieux, la mine presque renfrognée, portant à peine attention à Mireille qui avait envahi le plancher de danse en entraînant tout le monde avec elle. Lorsque je lui demandai pourquoi il affichait un air aussi misérable – après tout, j'étais celui que l'on venait de pendre en me laissant mettre la corde au cou;

pas lui –, il me répondit de manière plutôt évasive qu'il avait beaucoup de travail à venir à bout et qu'il ne pourrait probablement pas rester très longtemps à la réception. Pour ma part, conscient de voir Paul-Émile s'éloigner de nous depuis un bon moment déjà, je me considérais plutôt chanceux qu'il ait fait acte de présence à mon mariage. Je ne lui en demandai donc pas plus.

Ce que je ne savais pas encore – pas plus que madame Marchand, d'ailleurs, parce que tout l'hémisphère Nord en aurait entendu parler –, c'est que la veille, Paul-Émile avait fait la grande demande au père de Mireille, lors d'un souper chez les Doucet. Le père de la future mariée donna bien évidemment son approbation – avec Mireille qui tapait des mains et sautait comme une enfant de cinq ans – et avait appelé à la célébration en donnant une vigoureuse claque dans le dos de Paul-Émile, tout en ordonnant à Siobhan, la bonne irlandaise des Doucet, d'aller chercher le cognac et les cigares cubains. Fiancée depuis quelques heures, j'ignore encore comment Mireille s'y est prise pour ne rien dire à personne. Apparemment que Paul-Émile lui demanda de se taire pour éviter que Denise et moi ne soyions plus le centre d'attention. Franchement! Comme si ça m'aurait dérangé! Enfin!… Tout ce que je sais, quand je pense à quoi Paul-Émile avait l'air le jour de mon mariage, est qu'il ne semblait avoir aucune difficulté à camoufler son enthousiasme débordant concernant son propre mariage à venir.

Après avoir avalé une pointe de pizza toute garnie comme s'il n'avait rien mangé depuis une semaine, et prétextant à Mireille la même charge de travail apparemment herculéenne qui l'attendait, Paul-Émile quitta le sous-sol de l'église presque au galop pour aller reconduire sa promise chez elle, et se dirigea ensuite vers ce qui constituait la cause véritable de sa mine d'enterrement : Guy Drouin. Le joueur du Canadien, gagnant du trophée Art-Ross, que fréquentait Suzanne. Enfin… Il ne se dirigea pas chez Guy Drouin à proprement parler. Qu'est-ce que Paul-Émile aurait été faire là, à part faire un fou de lui en délimitant un territoire – Suzanne – qu'il ne voulait même pas reconnaître, de toute façon ? Paul-Émile se dirigea plutôt vers le domicile des Desrosiers au pas de course, où l'on célébrait en grandes pompes les soixante ans du père de Suzanne, et où Guy Drouin était, bien évidemment, l'attraction numéro un de la fête.

J'éprouve toujours beaucoup de difficultés à raconter la relation entre Paul-Émile et Suzanne en faisant croire qu'il s'agissait d'une histoire d'amour. Pas que cela n'en était pas une, mais pour moi et pour tous ceux les ayant bien connus, cette histoire ne pouvait difficilement être rien d'autre qu'un extraordinaire acte manqué. Une tragédie grecque servie à la sauce canadienne-française. Je n'ai jamais su comprendre comment Paul-Émile put se résoudre à s'engager envers Mireille Doucet, tout en souffrant visiblement le martyre en apercevant Suzanne au bras de celui qui provoquait en lui une envie de devenir tueur à gages. Tout comme je n'ai jamais su comprendre la manière dont il arrivait à se programmer lui-même selon ce qui l'arrangeait le plus.

Mais malgré sa volonté à ne faire comme si de rien n'était, Paul-Émile agonisait véritablement en apercevant Suzanne et Guy Drouin ensemble. Je sais qu'il détesterait cette manière plutôt… roman à l'eau de rose que j'ai de raconter ce qu'il ressentait, mais c'était néanmoins très vrai. Suzanne voulait vivre sa vie – qui pouvait la blâmer ? –, et ne voulait pas comprendre pourquoi Paul-Émile la rejetait, alors qu'il ne se donnait même pas la peine de s'expliquer. Elle n'avait eu besoin de l'aide de personne pour savoir qu'il l'aimait

– un bébé de six mois aurait pu s'en rendre compte – et tout le quartier savait également, à la manière qu'elle avait de le regarder, que c'était réciproque.

À ce jour, je demeure persuadé que le but véritable des fréquentations entre Suzanne et Guy Drouin prenait racine dans une forte volonté de sa part à elle de faire suer Paul-Émile. Dans les premiers temps, du moins. Les choses se sont mises à prendre une tangente différente lorsque Suzanne apprit en même temps que nous que Paul-Émile allait marier Mireille Doucet. À partir de ce moment, je crois que Guy Drouin est devenu un prix de consolation, une bouée de sauvetage, un jeu de dards où Suzanne s'était permis d'afficher une photo de Paul-Émile tout en le trouant avec allégresse.

Mais, pour l'instant, Suzanne n'était encore au courant de rien, et Paul-Émile paniquait devant la place sans cesse grandissante que Guy Drouin semblait prendre dans sa vie, et dans le cœur des membres de la famille Desrosiers. Comment aurait-il pu en être autrement? Beau. Gentil. Drôle. Joueur du Canadien. Un lancer à faire trembler les colonnes du Forum. Gagnant du trophée Art-Ross de l'année 1957. Même moi, j'aurais été prêt à me donner des airs de jouvencelle s'il me l'avait demandé. Mon pauvre ami ne faisait malheureusement pas le poids, et ce, même s'il n'a jamais voulu l'admettre.

«Qu'est-ce que tu fais ici, toi? demanda Simonne à son frère en ouvrant la porte du domicile des Desrosiers. T'es pas aux noces d'Adrien?

— Mireille filait pas. Je suis allé la reconduire chez elle. Pis en plus, je voulais venir voir monsieur Desrosiers pour lui souhaiter bonne fête.

— C'est ben fin de ta part, mais je suis même pas sûre

qu'il va s'apercevoir que t'es là. Il fait juste jaser avec Guy Drouin depuis le début du *party*. En fait, tout le monde veut juste jaser avec Guy Drouin depuis le début du *party*. Pauvre Suzanne! Depuis qu'elle est arrivée, c'est comme si elle avait pus de chum pantoute.

— Pis elle est où, Suzanne?

— Partie s'acheter un paquet de cigarettes chez Deslauriers.

Pas que j'en fais une maladie, mais je ne fus jamais attiré par les femmes fumant la cigarette. Certains diront qu'il n'y a rien de plus sexy que Marlene Dietrich expirant sa dose de nicotine, ou une photographie de Carole Lombard, dans une robe décolletée, avec un porte-cigarette bien plein entre deux doigts. Mais pour moi, une cigarette – et un paquet de cigarettes, surtout lorsque caché sous une manche de t-shirt – me fait toujours penser à un travailleur de la construction prénommé Frank, son casque protecteur sur la tête, ses bottes Kodiak aux pieds et ses tatouages bien en vue. À mes yeux, il n'y a absolument rien de féminin à voir une femme avec une cigarette au bec et je ne fus jamais attiré par Suzanne – malgré sa beauté évidente – pour cette raison bien précise. Elle fumait comme une parfaite candidate à un retentissant cancer des poumons. Enfin… Je m'éloigne du sujet. Comme toujours.

Je vais d'ailleurs arrêter de babiller et y revenir, au sujet.

Sans même saluer Simonne – ou souhaiter un bon anniversaire à monsieur Desrosiers, en passant –, Paul-Émile quitta le domicile de ses voisins pour prendre la direction du petit commerce. Simonne l'avait regardé partir en secouant la tête et en roulant les yeux. Dans la famille de Paul-Émile, il n'y eut que madame Marchand pour se réjouir véritablement de l'arrivée de Mireille Doucet. Pas que les autres ne l'aimaient pas. Au contraire! Mireille était toujours très gentille avec tout le monde. Mais la relation entre Paul-Émile et Mireille sonnait faux. Il manquait quelque chose dans le portrait, et ce quelque chose devenait tout à coup très clair lorsque Suzanne et Paul-Émile se trouvaient à moins de cent mètres l'un de l'autre.

Je ne suis pas très à l'aise à l'idée de raconter ce qui suit – moi qui adore les biographies, je ne crois pas m'être jamais farci un seul roman d'amour de toute ma vie; est-ce que *Madame Bovary* compte pour un roman d'amour? – mais, si l'on réduisait l'histoire de Suzanne et Paul-Émile à son plus simple dénominateur commun, on se retrouve avec deux bozos ayant joué des personnages de *soap opera* pendant la majorité de leur vie. Pourtant, tous affirmeront que Paul-Émile n'avait pas tellement le profil...

«Salut, lança Paul-Émile en s'immobilisant, alors que Suzanne se tenait devant le magasin et s'allumait une cigarette.

— Qu'est-ce que tu fais ici? T'es pas supposé être au mariage d'Adrien?

— Je voulais revenir plus tôt pour souhaiter bonne fête à ton père.»

Mon œil!

«T'aurais pu y souhaiter tantôt, avant de partir. Ç'aurait fait pareil.

— J'ai vu ça, répliqua Paul-Émile, la voix débordant de rancœur. J'aurais tout aussi ben pu le traiter de vieux *schmock* qu'il s'en serait foutu comme de l'an quarante. Y'a juste ton chum qui l'intéresse.»

Suzanne ne dit pas un mot, se contentant de sourire, heureuse de savoir que Paul-Émile rageait à la moindre pensée concernant Guy Drouin. Mais comme je l'ai dit plus tôt, c'était avant qu'elle n'apprenne que son mariage avec

Mireille était imminent. Si elle l'avait su, elle aurait probablement fait passer mon ami tête première à travers la vitrine de Deslauriers.

« Ton père le traite quasiment comme son gendre, poursuivit Paul-Émile, le ton de voix franchement arrogant. Y'a-tu quelque chose que je sais pas ?

— Ben voyons ! Penses-tu pas que si je me mariais, la ville de Montréal au complet serait au courant ? Mon père a failli faire une crise cardiaque quand j'y ai présenté Guy. Si en plus j'y annonce qu'on va se marier, je vais l'achever drette là.

— Ton père est pas obligé de le savoir.

— C'est très mal connaître ma famille que de penser que j'pourrais leur cacher des affaires. Surtout mon propre mariage.

— Tu sais que tu ferais une gaffe si tu mariais ce gars-là, han ? »

Le ton de voix de Paul-Émile baissa soudainement, alors qu'il essayait manifestement de camoufler son angoisse vis-à-vis un éventuel mariage Desrosiers-Drouin.

« Ce que je fais, c'est pas de tes affaires, répondit Suzanne, essayant difficilement de ramener sa cigarette à sa bouche alors que sa main s'était mise à trembler.

— Je suis pas sûr de ça, moi. Penses-tu que je le sais pas que ton *trip* avec Guy Drouin, c'est juste pour me faire chier ? »

C'était dans des moments comme ça que je ne savais pas trop si je devais applaudir l'arrogance de Paul-Émile, ou plutôt lui sauter dessus parce que je lui enviais ce trait de caractère qui me faisait parfois défaut dans des moments où j'en aurais eu besoin. Il fallait être plutôt confiant en ses propres moyens pour se convaincre que l'on valait mieux, à l'échelle des célibataires, que quelqu'un affichant le pedigree d'un Guy Drouin. Pour ma part, je me savais intelligent, cultivé et bien élevé – mon mariage avec une femme que je n'arrivais pas à blairer, mais qui était enceinte de mon enfant, ne venait-il pas témoigner de mes manières impeccables ? –, mais jamais je ne me suis considéré, physiquement, comme le dernier des apollons. Et avec l'allure que j'avais – madame Marchand disait souvent que je ressemblais à... à qui déjà ? Hubert Aquin, il me semble –, jamais je n'aurais osé faire preuve d'autant d'arrogance que Paul-Émile pouvait en balancer au visage de Suzanne. Pas quand elle-même pouvait répliquer en lui jetant au visage qu'elle savait très bien que Mireille Doucet, au fond, n'était rien à côté d'elle.

« Penses-tu que je le sais pas, Paul-Émile Marchand, que t'en perds tes moyens chaque fois que tu me vois ? demanda Suzanne, alors qu'elle essayait de cacher sa main qui tremblait toujours. Depuis le jour où je suis revenue de Québec, c'est écrit en grosses lettres rouges dans ta face que tu penses à moi tout le temps. Mais mon malheur à moi, c'est d'être une fille du bas de la ville. T'as beau être né ici, Paul-Émile, t'as toujours cru dur comme fer que tu méritais mieux que ça. Que tu méritais mieux que moi. Pis comme ta snob de mère, la seule chose qui t'intéresse vraiment, c'est de partir d'ici. Elle, elle a jamais été capable, mais toi, tu vas y arriver. Parce que t'es brillant, pis parce que tu t'es pogné la fille avec la plus grosse dot au Canada. Mais je te connais, Paul-Émile. On a grandi ensemble. Pis je le sais que ta Mireille, elle doit pas te faire le quart de l'effet que moi je te fais. »

Lorsque tu es pris pour ne donner que ce que tu as, ça ne sert à rien de faire miroiter l'autre en le ou la laissant s'imaginer que tu pourras chercher loin en toi quelque chose à donner, mais que tu n'auras pourtant jamais. Mes parents en furent, à mes yeux, le plus bel exemple, alors que ma mère était convaincue qu'elle allait marier un James Dean du bas de la ville et que mon père, de façon bien malhonnête, n'avait rien fait pour lui signifier qu'elle ne serait jamais sa Pier Angeli. Mais Paul-Émile aurait pu en donner tellement plus à Suzanne que l'amour au compte-gouttes auquel il s'efforçait de se limiter. Et moi, aux prises avec une épouse que je connaissais à peine et trop en même temps pour savoir que je ne serais jamais capable de l'aimer, je n'arrivais pas à comprendre pourquoi il se privait de Suzanne pour aller faire le beau avec Albert Doucet, sa fille et ses copains. Cet aspect de la vie de Paul-Émile représente également une autre frustration dans le récit que je dois faire de sa vie : mon copain était un homme intelligent, brillant, qui aurait certes pu faire son chemin sans avoir à lécher le derrière du PDG de Northern Industries, venant ainsi me donner autre chose à raconter que son désir de renier ses racines à travers le désaveu d'un amour qui le consumera toute sa vie : son besoin viscéral, alimenté par madame Marchand, de sortir du faubourg à mélasse, de se croire supérieur à lui, lui imposant au passage des raccourcis qu'il n'était pas obligé de prendre.

Qui, de nous quatre, a déjà dit que la sagesse de l'expérience ne pouvait rien contre l'arrogance de la jeunesse ?

Malgré toute son intelligence, malgré ses airs de grand seigneur, Paul-Émile ne sut jamais comprendre que son besoin pressant de partir du quartier n'arriverait toujours, au bout du compte, qu'à le ramener sur la rue Wolfe ; sur ce qui comptait le plus dans sa vie et qu'il était, bien malgré lui, incapable d'ignorer. Sur ce qu'Outremont ne serait jamais capable de lui donner : Suzanne Desrosiers.

«Trembles-tu comme ça, Paul-Émile, quand Mireille te touche? Est-ce que tu la regardes comme tu me regardes, moi?»

Suzanne rompit le silence en s'approchant doucement de Paul-Émile, continuant de cacher, derrière son dos, sa main qui ne cessait de trembler. La voix était douce. Le ton n'appelait plus au combat.

Qu'est-ce que Paul-Émile aurait pu répondre à une question pareille, alors que Suzanne se tenait à moins de deux pouces de son visage? Rien. Absolument rien. Il n'y avait rien à dire parce que tous les deux connaissaient la réponse. Tous les deux savaient que ni Guy ni Mireille n'avaient véritablement leur place dans l'histoire. Comme tous les deux savaient que, malgré le sarcasme et les répliques assassines, ils allaient être pris pour vivre avec des sentiments dont ni l'un ni l'autre n'arriverait à se relever.

Pourtant, je crois que Suzanne aurait quand même voulu que Paul-Émile dise quelque chose. N'importe quoi. Une parole quelconque lui permettant de croire qu'elle et lui allaient se payer le luxe d'un *happy ending* comme dans les romans d'amour que Paul-Émile détestait à s'en confesser. Une parole insignifiante lui permettant de croire qu'elle comptait plus à ses yeux que le carnet de chèques de la famille Doucet. Mais Paul-Émile ne disait rien, demeurait silencieux, tremblant comme le dernier des puceaux alors qu'il se demandait si Suzanne allait l'embrasser. Là. En pleine rue Sainte-Catherine.

Évidemment, Suzanne fut profondément blessée par le silence de Paul-Émile. Évidemment, elle ne le montra pas du tout, choisissant de se réfugier dans les insultes comme elle et mon ami le faisaient si bien depuis l'enfance.

«Pendant longtemps, j'aurais donné gros pour essayer de

te comprendre. Pis un jour, j'me suis dit que si t'étais assez sans dessein pour choisir un carnet de chèques au lieu de moi, y'avait pas grand-chose que je pouvais faire pour toi. Un gros compte en banque, Paul-Émile, ça garde pas ben chaud la nuit. Même si le compte en banque s'appelle Mireille Doucet. »

Suzanne est partie, laissant Paul-Émile en plan. Celui-ci demeura figé devant le magasin pendant de longues secondes avant de pouvoir bouger.

Une demi-heure plus tard, Suzanne finit par revenir chez elle, les yeux rouges et boursouflés.

« T'as pleuré ?... lui demanda sa mère.

— Non. Je pense que je suis restée un peu trop longtemps à jaser chez Deslauriers. Y'en avait qui fumaient le cigare. Ça doit pas me faire. »

Madame Desrosiers n'avait rien dit, détournant les yeux pour mieux voir Paul-Émile qui montait chez lui, le teint pâle et les yeux vides. Pour ceux que ça pourrait intéresser, il ne souhaita jamais un joyeux anniversaire à monsieur Desrosiers.

19
Patrick... à propos de Jean

Jean a maintes fois fait mention, dans ces pages, de mon incapacité chronique à me tenir debout devant ma mère, mais j'étais loin d'être le seul à m'incliner bien bas devant les forces prodigieuses du matriarcat local. Si l'adage veut que derrière chaque grand homme se cache une femme, tout le quartier savait que madame Marchand nourrissait à satiété la formidable volonté de Paul-Émile à devenir quelqu'un. L'influence qu'elle exerçait sur lui était si grande que je ne crois pas être le seul à n'avoir pu être en mesure de me connaître réellement. Et Paul-Émile aurait été prêt aux pires bassesses afin de s'assurer de ne jamais décevoir sa mère.

La même chose pouvait certainement être dite à propos d'Adrien. Les difficultés qu'il avait eues à grandir aux côtés d'un père qui ne voulait rien d'autre que de traire des vaches qui n'existaient même plus le rendaient solidaire des souffrances de madame Mousseau et, chaque fois qu'il entendait le murmure de sa mère, alors qu'il la savait vouloir hurler, son cœur se brisait en mille morceaux. Plusieurs des décisions qu'il prit, je crois, le furent parce qu'il voulait éviter de rappeler à sa mère ce que son existence à elle était devenue. Plusieurs des décisions qu'il prit le furent parce qu'il voulait éviter que madame Mousseau ne soit encore plus malheureuse: se tenir loin des mauvaises influences; pratiquer un métier honorable; la poursuite d'un idéal; se marier en vitesse pour ne pas que le petit-fils de sa mère ne soit un bâtard...

Le cas de Jean, toutefois, différait sensiblement de notre situation. À son grand chagrin, d'ailleurs. Sa mère, diplômée *summa cum laude* de l'école de pensée Yoland-Taillon, en était venue, elle aussi, à se convaincre que son fils était la réincarnation du grand-père de Verchères – venant de la part d'une famille qui se faisait un devoir de toujours se pointer à l'église le dimanche, j'y avais perçu une contradiction qui me semblait pour le moins curieuse –, et donc, par conséquent, totalement immunisé contre les erreurs pouvant occasionnellement être commises par la race humaine. Peu importe ce que Jean disait, peu importe ce qu'il faisait, peu importe où il se trouvait, tout était toujours parfait, même lorsqu'il s'arrangeait pour faire une solide démonstration du contraire. Fortement encouragée par son époux, madame Taillon avait élevé Jean dans un semblant de liberté totale, alors que le reste de la famille s'acharnait à l'enfermer dans un moule où il se trouvait manifestement à l'étroit. Jean a souvent parlé contre ma mère – allant même jusqu'à l'appeler, de manière plutôt juvénile, «Marie-Cuvette» pendant plusieurs années –, mais je serais prêt à parier gros qu'il aurait préféré le genre de relation que Paul-Émile, Adrien ou même moi avions avec notre mère plutôt que de se faire traiter en héritier par une madame Taillon qui passait son temps à épousseter son piédestal jour après jour après jour.

La suite, tous la connaissent autant que moi: Jean devint avocat pour la pègre, son père le raya de sa carte et madame Taillon fit changer la serrure de la porte d'entrée. Quoique j'ignore si tous étaient au courant de ce léger détail. Mais, bon… Passons.

La seule véritable figure maternelle que Jean eut le bonheur d'avoir dans sa vie fit son entrée le jour où il se fit assigner une secrétaire au cabinet d'avocats où il travaillait. Madame Bouchard – Muriel, de son prénom, mais je ne réussis jamais à exaucer son vœu de me comporter plus familièrement avec elle – était âgée de cinquante-neuf ans, secrétaire depuis quarante ans et fière de dire qu'elle travaillait pour Camilien Houde à l'époque de son emprisonnement pour opposition à la conscription pendant la Deuxième Guerre mondiale. Jean avait tout de suite adoré son côté « *boss* des bécosses », alors que madame Bouchard sut immédiatement déceler chez lui, comment pourrais-je dire, son manque de structures parentales lui faisant encore cruellement défaut à vingt-sept ans. Les liens entre eux se tissèrent d'ailleurs rapidement, et le plus naturellement du monde. Mère sans enfant et orphelin avec parents, madame Bouchard et Jean s'étaient tout de suite reconnus.

« Jésus Marie, maître Taillon ! Voulez-vous ben me dire ce qui vous arrive ? ! Vous êtes tout en sueur. Assoyez-vous un peu. Je vais aller vous chercher d'l'eau.

— Merci, madame Bouchard.

— Vous ressemblez comme deux gouttes d'eau à mon mari quand y'a fait sa crise cardiaque. Dites-moi pas que vous allez en faire une vous aussi ? !

— Non, non. Arrêtez de vous inquiéter. Je suis pétant de santé.

— Ouin… Si vous pétez, laissez-moi vous dire que c'est pas de santé. Quand Gaston est tombé malade, c'était pas drôle pantoute. Ni pour lui ni pour moi. Pis ce qu'on a vécu, laissez-moi vous dire que je souhaiterais pas ça à mon pire ennemi. Et Dieu sait que je suis rancunière !… »

À cet instant précis, Jean prit le linge humide que madame Bouchard était allée chercher pour lui rafraîchir le front afin de bien s'essuyer les aisselles. Malgré l'embarras évident de madame Bouchard, je soupçonne fortement Jean de l'avoir fait exprès, sachant qu'elle lui passerait un commentaire désapprobateur qui le ferait sentir, avec bonheur, comme un gamin de huit ans pour la toute première fois de sa vie.

« Vous m'excuserez mais, si je fais pas ça, dans deux

minutes, vous allez avoir l'impression qu'une bête puante est entrée dans le bureau.

— Parce que ça, c'est mieux ? Franchement, maître Taillon ! Ça se fait pas ! Vous saurez qu'un peu de classe a jamais fait de mal à personne. Pis une chance qu'on est tout seuls ! Ce serait beau, ça: les clients qui attendent dans le bureau, pis vous qui vous essuyez les dessous de bras comme le dernier des crottés. »

Jean éclata de rire, heureux d'avoir obtenu exactement ce qu'il cherchait.

Je n'ai jamais osé lui dire – comment aurais-je pu ; ma mère m'avait appris depuis longtemps qu'il valait mieux se taire plutôt que de provoquer des batailles perdues d'avance –, mais Jean, avec son profond besoin d'être le fils de quelqu'un, me faisait pitié, quelquefois. Et je fais cette affirmation sans la moindre trace de mépris ou de condescendance. Je l'aimais beaucoup trop pour cela.

« Est-ce que je vous ai déjà dit, madame Bouchard, que je vous aimais tendrement ?

— Ouin, ouin. Si vous m'aimez tant que ça, demandez donc à votre *boss* de me donner une augmentation de salaire. Gaston voudrait ben un nouveau char pour remplacer notre vieille minoune.

— Madame Bouchard, franchement ! Parler d'argent pendant que je suis à l'article de la mort… Tst ! Tst ! Tst ! Vous me décevez.

— À vous voir, je pense que je me suis fait des peurs pour rien. Mais est-ce que j'pourrais au moins savoir pourquoi vous suez comme un cochon ?

— C'est pas compliqué: étant donné qu'aujourd'hui, c'était la première vraie belle journée de soleil depuis long-temps, j'ai eu la riche idée de me rendre au bureau à pied.

— Pis marcher vous met dans cet état-là ? !

— Vous essaierez ça, vous, marcher de la rue Sherbrooke jusqu'à la rue de La Gauchetière !

— Faites-moi pas mourir, voulez-vous ? Vous étiez en pente descendante tout le long ! Mon frère Hector monte le Mont-Royal à pied tous les jours, été comme hiver.

— Ben, vous direz à Hector que j'y lève mon chapeau, mais on peut pas tous être dans une forme gaillarde comme votre frère.

— Hector a soixante-quatre ans. Vous trouvez ça normal, vous, qu'un petit vieux de soixante-quatre ans est en meilleure forme que quelqu'un de votre âge ? »

Jean répliqua à madame Bouchard en esquissant un léger sourire en coin, avec cette même insolence d'un enfant qui teste les limites de sa mère afin de savoir jusqu'où il peut aller.

« Muriel Bouchard ! Voudriez-vous, s'il vous plaît, me parler sur un autre ton ? Est-ce qu'il faut que je vous rappelle que c'est moi, le *boss* ? »

Bouche bée, madame Bouchard avait tout d'abord regardé Jean en silence pendant quelques secondes, avant de se rasseoir à son bureau en pinçant les lèvres et en allongeant le menton. Presque ému devant ce semblant de réprimande que sa propre mère ne voulut jamais lui accorder, Jean laissa éclater un immense fou rire.

« C'est une blague ! C'est une blague ! Vous le savez que j'aime ça, madame Bouchard, quand vous me brassez la tomate.

— Chaque blague trouve toujours son fond de vérité, maître Taillon.

— Je vous jure que c'était une blague. Pis de toute façon, c'est vous qui avez raison. C'est pas normal qu'un homme de soixante-quatre ans soit en meilleure forme physique qu'un gars de mon âge.

— Ouin… C'est ben parce que c'est vous. »

L'affection que tous deux se portaient étant évidente, palpable, madame Bouchard regarda Jean d'un air attendri, alors que celui-ci l'embrassa doucement sur la joue.

« Oh ! Pendant que j'y pense, s'exclama madame Bouchard. Le juge Cantin a appelé, juste avant que vous arriviez. »

N'étant pas particulièrement féru dans les affaires juridiques, je ne savais absolument pas qui était le juge Cantin, et pourquoi Jean ouvrit grand la bouche comme s'il venait tout juste de gagner le gros lot à la seule mention de son nom.

« Si le juge Cantin va me dire ce que je pense qu'il va me dire, appelez Hector, madame Bouchard ! Je m'en vais grimper le Mont-Royal avec lui demain matin ! »

À ce moment précis de ma vie, j'habitais le Cameroun, passant mes journées à essayer d'apporter un peu de réconfort à des enfants mourants, alors que je n'étais même pas foutu de me réconforter moi-même de la mort de ma belle Agnès. Et je crois sincèrement qu'à cette époque, si Jean était venu me raconter en riant, comme il le fit bien des années plus tard, ses jeux de coulisses pour faire libérer un criminel dont la culpabilité ne faisait aucun doute en marchandant l'intégrité d'un juge, je lui aurais très certainement craché au visage. J'adorais Jean et, en regardant tout ce que nous avons pu vivre ensemble depuis l'enfance, je ne crois pas avoir à prouver quoi que ce soit concernant mon attachement à lui. Mais alors que je voyais des enfants mourir sur une base régulière, j'aurais été bien incapable de comprendre ses agissements en les justifiant à l'aune de la folie de ses parents. Il avait réussi à se détacher de monsieur et madame Taillon. Il gagnait bien sa vie en ne leur devant rien du tout. N'était-ce pas suffisant? Apparemment pas. Jean s'enfonçait toujours un peu plus dans le monde de la pègre où régnait Aurèle Collard, et, à la très grande satisfaction de celui-ci, réussit à faire libérer son fils Michel sans même le début de l'ombre d'un procès. Des années plus tard, alors qu'il se rappelait devant Adrien, Paul-Émile et moi le fil des événements, Jean fit d'ailleurs mention de la totale nonchalance du juge Cantin vis-à-vis la mise en accusation du fils Collard.

« Que ce soit Michel Collard ou Joe Bleau, moi, je m'en sacre comme de l'an quarante, maître Taillon. Tout ce que je veux, c'est une condamnation pour le vol du camion de cigarettes.

— Je peux faire condamner mon voisin, si vous voulez.

— Écoutez, maître… Vous êtes au courant… J'ai l'intention de me présenter aux prochaines élections provinciales… »

À ce moment très précis, Jean sut que sa carrière professionnelle était assurée. Plus tard, il se rappela, avec le même entrain qu'un préadolescent racontant sa toute première blague salace, qu'il savait qu'un homme comme le juge Cantin, si lui-même et son parti étaient portés au pouvoir, ne viserait rien de moins que le poste de ministre de la Justice. Et plutôt que de risquer l'acquittement probable du fils d'un membre réputé de la pègre montréalaise, le candidat préférerait un plaidoyer de culpabilité lui permettant d'envoyer le coupable en prison à grands coups de pied au derrière, s'assurant, au demeurant, de brandir une réputation de justicier sans peur et sans reproche à la grandeur du comté convoité. Seul petit problème à ce plan: jamais Michel Collard, convaincu que son père ne le laisserait pas moisir au pénitencier, n'accepterait de plaider coupable aux accusations qui pesaient sur lui. Le juge était conscient de ce pépin. Tout comme Jean, d'ailleurs.

« Maître Taillon, je veux avoir une condamnation, je veux avoir un aveu de culpabilité et je veux que les gens ne puissent pas en douter une seule seconde. Que ce soit le fils Collard ou quelqu'un d'autre, c'est pas de mes affaires. »

Cet aveu de culpabilité venu de nulle part, Jean s'arrangea pour le donner au juge Cantin de manière expéditive, et j'aurais été prêt à donner beaucoup pour savoir si mon copain fut jamais conscient du prix qu'il paya de sa poche pour la remise en liberté de Michel Collard. S'il savait à quel point sa vie aurait été différente s'il avait laissé moisir en prison un homme qui, contrairement à lui, était prêt à commettre les pires stupidités pour s'assurer l'affection de son père. Probablement pas. En opposition à ce que toute sa famille chercha à lui enseigner, Jean ne fut jamais particulièrement doué pour les retours en arrière et pour l'analyse de soi. Il ne voulait qu'avancer, fuir, se retrouver ailleurs que là où tout le monde l'attendait, même si cela signifiait devenir quelqu'un ou quelque chose qu'il ne voulait pas toujours reconnaître.

« Viens pas me dire que je fais partie de la pègre, OK ? s'était d'ailleurs exclamé Jean lorsqu'Adrien, peu après la remise en liberté de Michel Collard, avait mis celui-ci et Jean dans le même panier. C'est pas moi qui s'occupe de prostitution, pas plus que c'est moi qui blanchis de l'argent, ou qui...

— Qui quoi ?

— Rien. Moi, je suis payé pour mes services, point final.

— Aïe ! Jean Taillon ! Lâche-moi avec ta sémantique d'avocat, veux-tu ? Tes services, tu pourrais les offrir à d'autres. Ça paye tant que ça, être avocat pour Aurèle Collard ?

— J'essaie d'en savoir le moins possible.

— Franchement, Jean !… C'est pas en disant des niaiseries comme ça que t'as réussi à faire libérer Michel Collard. Toute la ville de Montréal sait c'est qui, son père, pis qu'il travaille avec des gens qui règlent leurs problèmes à coups de balle entre les deux yeux. Ça fait que si nous autres, on sait ça, j'ose à peine imaginer ce que toi, tu sais. »

Jean s'était alors contenté de tourner le dos à Adrien et de changer de sujet, refusant l'introspection qui lui aurait permis de comprendre pourquoi il accepta de balancer ses principes par la fenêtre en échange d'une garantie qu'il n'allait pas mourir à trente-quatre ans. Mais il savait déjà tout ce qu'il y avait à savoir. Comme nous le savions tous. Jean cherchait à vivre sa vie en fuyant ce qui le suivait pourtant partout. Dans ce qu'il faisait et ce qu'il était. Comment aurions-nous pu être convaincus du contraire alors qu'il demandait toujours à madame Bouchard, lorsqu'il arrivait au bureau le matin, si quelqu'un d'autre que juges, avocats et clients avait cherché à le joindre ?

« Non, maître Taillon. »

Jour après jour, la réponse était toujours la même, et madame Bouchard la disait en souriant tristement. Non, personne n'avait téléphoné. Non, les Taillon n'avaient toujours pas compris. Oui, le grand-père était encore mort. Et non, Jean n'acceptait toujours pas d'être le patriarche de ses aînés, toujours orphelin d'une famille qu'il gardait lui-même au loin afin de ne pas mourir avec eux.

« Gang d'écœurants », se disait toujours madame Bouchard, incapable de comprendre, comme la plupart d'entre nous, comment un père et une mère pouvaient en arriver à renier leur propre fils parce que celui-ci ne correspondait pas au moule qu'ils avaient expressément créé pour lui. Elle-même ne serait jamais capable de déserter maître Taillon. Ou Jean, « son » Jean, comme il allait le devenir, tout simplement, au fil des années. Le nôtre. Celui de Lili. Mais jamais plus celui des Taillon.

Aussi bien le dire tout de suite : Jean n'est pas mort à trente-quatre ans.

Je ne sais pas s'il s'en est jamais remis.

20
Paul-Émile... à propos d'Adrien

Bonjour maman,

Il fait très beau à New York et la ville est absolument superbe. Denise ne veut plus partir et, bien franchement, moi non plus. On se voit bientôt.

Adrien

P.S. Tu vas m'aimer. Je vais te rapporter des tonnes de Baby Ruth dans mes bagages.

La carte postale qu'Adrien envoya à sa mère avait comme image Time Square *circa* 1960, alors qu'une bonne partie de la ville avait encore ses airs des années quarante et cinquante. C'était avant que New York ne devienne le zoo qu'il est devenu quelques années plus tard, ce qu'il est resté jusqu'à encore tout récemment. Quoique... La dernière fois que je suis allé à New York, je me suis fait accueillir par un joueur de guitare vêtu d'un chapeau, de bottes de cowboy et de bobettes défraîchies. Au risque d'en choquer plusieurs, je ne suis pas un très grand fan de la Grosse Pomme.

Jean et moi avions, nous aussi, chacun reçu une carte postale d'Adrien et le message qui y était écrit à l'endos variait sensiblement de celui envoyé à madame Mousseau. Premièrement, il n'y faisait aucune mention de Denise ; deuxièmement, il nous avait principalement entretenus de sa rencontre avec Mickey Mantle, tout près de Washington Square, prenant bien soin d'enfoncer le couteau dans la plaie en affirmant qu'il lui avait serré la main et que Mantle lui fit la conversation pendant une demi-heure. Jamais il ne mentionna la température à New York, pas plus qu'il ne dit un mot sur les états d'âme de Denise qui, *dixit* la carte postale qu'Adrien envoya à sa mère, filait apparemment le parfait bonheur en trottant sur la 5e Avenue.

La pauvre madame Mousseau, aussitôt après avoir reçu sa carte postale, fit l'erreur de s'imaginer qu'un autre miracle s'était produit sur la 34e Rue et que son fils n'allait pas vivre une vie conjugale aussi déprimante que la sienne. Toutefois, elle reçut une dose de réalisme plutôt brutale lorsqu'elle fut invitée à souper chez son fils et sa bru pour regarder les cent quarante-quatre (!) photos prises pendant le voyage de noces. C'est long à regarder, cent quarante-quatre photos. Surtout lorsque New York vous est racontée en des mots décrivant plutôt un divorce se pointant dans un horizon plus ou moins éloigné.

« Quand j'ai mis le pied au Yankee Stadium, dit Adrien, j'ai tout de suite pensé à grand-papa Mousseau. Vous souvenez-vous comment y'aimait Phil Rizzuto ? Je le sais que c'est niaiseux mais, quand je suis revenu de voyage, je suis allé au cimetière y porter cette photo-là du Yankee Stadium. »

Émue, madame Mousseau hocha la tête en regardant les différentes photos du Yankee Stadium.

« Vous devriez voir à quel point c'est beau, Central Park, ajouta Denise, laissant tomber sa propre pile de photos sur la table de cuisine où Adrien et sa mère étaient assis. J'aurais pu passer mes journées là. Le premier mercredi du voyage, j'ai acheté *Breakfast At Tiffany's* dans un magasin de livres usagés, pis j'ai passé mon après-midi à lire, assise sur un banc du Mall. Ça m'a tout pris pour que je parte de là. Pis c'est ben parce que j'avais faim ! »

Jetant à Denyse un coup d'œil aussi chaleureux que si elle avait été une vendeuse itinérante voulant lui faire acheter un aspirateur et une enclopédie *Britannica*, Adrien prit sa propre pile de photos et la mit directement sous le nez de sa mère.

« J'ai découvert Port Arthur Restaurant, dans Chinatown, renchérit-il. Le meilleur restaurant chinois où j'ai mis les pieds de ma vie ! Je suis tombé dessus complètement par hasard mais, si je retourne un jour à New York, je vous jure que c'est la première place où je vais aller. J'ai jamais mangé des fruits de mer bons comme ça. Ça a pris quarante-cinq minutes avant que je reçoive un bol de soupe, mais ça valait la peine d'attendre. »

Regardant Adrien avec un air semblant vouloir lui dire « Non, mais qu'est-ce qu'on s'en fout de ton restaurant chinois », Denise contre-attaqua en mentionnant sa soirée passée à Broadway.

« Je suis allée voir *My Fair Lady* au Mark Hellinger Theatre, annonça-t-elle, le menton en l'air. Je suis allée voir une comédie musicale sur Broadway ! Moi ! J'en reviens pas encore ! Ça m'a coûté un bras, j'ai pas pu faire grand-chose après ça, mais c'est pas grave ! J'ai jamais autant aimé quelque chose de toute ma vie ! »

Madame Mousseau, prenant conscience du combat juvénile que se livraient son fils et sa bru, prétexta soudainement un besoin d'aller à la salle de bains, mais Adrien fit comme s'il n'avait rien entendu ; comme s'il voulait prouver à sa mère qu'il avait eu un meilleur voyage de noces que Denise, lui qui aurait pourtant préféré se rendre en Sibérie plutôt que de la marier. Malheureusement, l'ironie de la situation lui échappa complètement.

« J'ai passé tout un après-midi à Jones Beach, déclara-t-il. Tout un après-midi à regarder la mer, pis à écouter les vagues… Ça fait du bien. »

L'ironie de la situation échappa également à Denise.

« J'ai passé tout un avant-midi à magasiner sur la 5ᵉ Avenue, dans les magasins chics, révéla-t-elle. J'ai peut-être pas une cenne, mais eux autres, ils sont pas obligés de le savoir! Je vous dis que ça rapporte, avoir l'air chiante au naturel. Attendez de voir tous les échantillons de produits de beauté pis de savons que j'ai réussi à avoir! J'en ai pour cinq ans, au moins, à me pomponner!»

Déprimée – et se sentant aussi probablement stupide d'avoir cru que Denise et Adrien s'étaient tout à coup transformés en Jean et Jeanette pendant le voyage de noces –, madame Mousseau oublia son envie d'uriner et prétexta plutôt un mal de tête aussi soudain que suspect pour fausser compagnie aux nouveaux mariés, leur laissant sur les bras un rôti de bœuf trop cuit qui lui aurait occasionné des brûlements d'estomac. Alors, voyons les choses du bon côté…

Mais madame Mousseau pouvait se consoler. Elle ne fut pas la seule à croire au père Noël en espérant que Denise et Adrien, pendant leur voyage de noces, arriveraient à se découvrir des atomes crochus. Quelques jours seulement après ce souper raté, le père de Denise, Romain Légaré, vint sonner à la porte du 5831 de la 6e Avenue à une heure où les coqs n'avaient même pas encore chanté.

«Monsieur Légaré? s'exclama Adrien. Voulez-vous ben me dire…

— Qu'est-ce que vous faites, encore couché? Vous êtes ben paresseux, pour l'amour! L'avenir appartient à ceux qui se lèvent tôt! En tout cas, va réveiller Denise pis habillez-vous, j'ai une surprise pour vous autres.»

Bâillant allègrement et grattant un ventre en manque cruel de viande, Adrien demeura figé pendant de longues secondes, ne sachant pas trop s'il dormait toujours ou si son beau-père se trouvait véritablement devant lui.

«Profites-en donc pour te rincer la bouche, en même

temps, Adrien. C'est pas que je veux être malpoli, mais si tu réveilles ma fille avec cette haleine-là tous les matins, Denise va finir par faire une fausse couche. »

Malgré les circonstances lubriques où Denise et Adrien firent plus ample connaissance – et qui ne sonnent jamais comme de la musique lorsqu'elles viennent aux oreilles d'un père –, je crois que monsieur Légaré aimait sincèrement son nouveau gendre – tous deux partageaient les mêmes convictions séparatistes, au grand désespoir de Denise – et qu'il aurait bien voulu que le mariage de sa fille soit une réussite. Ce qui viendrait expliquer, à mon avis, ce que je qualifie d'aliénation mentale temporaire lorsque monsieur Légaré annonça à Denise et Adrien qu'il venait de faire l'achat d'un bungalow sur la rue Robert, à Saint-Léonard, et qu'il le leur offrait en cadeau. En ce qui me concerne, c'est plutôt un certificat-cadeau pour un cabinet d'avocats spécialisé en divorce que je leur aurais offert.

« Êtes-vous fou ?! avait d'ailleurs demandé Denise à son père.

— Denise… Un peu de respect pour ton père.

— Mais oui, mais avez-vous idée de combien coûte une maison ?

— Depuis que j'ai l'âge de seize ans que ma mère me casse les oreilles pour que je mette quinze pour cent de mon salaire de côté, au cas où je me retrouverais sans travail. J'ai cinquante-sept ans, pis c'est jamais arrivé.

— Pis si vous voulez arrêter, vous allez faire quoi ?

— Allez pas penser que je vous ai donné tout l'argent que j'avais ! Il m'en reste encore un bon motton ! Pis de toute façon, c'est pas comme si j'avais l'intention d'arrêter de travailler demain matin, han ? »

Le voyage entre la 6e Avenue et la rue Robert, là où la

maison se trouvait, se fit dans un silence quasi-total. Encore sous le choc de se découvrir propriétaires de leur nouvelle prison au revêtement en briques rouges et à la toiture fraîchement refaite, Denise et Adrien demeuraient muets, incapables d'expliquer à monsieur Légaré que cette maison représentait un rappel beaucoup trop tangible d'un engagement à long terme dont ni l'un ni l'autre n'avait voulu.

« Pour mon petit-fils ou ma petite-fille, je voulais une grande cour, une belle chambre tout éclairée pis un sous-sol fini où vous allez pouvoir ranger ses jouets. Venez, on va entrer ! Je vais vous faire visiter. C'est chez vous, maintenant, ici. »

Monsieur Légaré entra dans la maison au pas de course, tandis que Denise et Adrien ne furent même pas capables de franchir la ligne de départ. À mon avis, l'achat de cette maison était une véritable folie qu'aucun d'eux n'avait envie d'endosser. Comment aurait-il pu en être autrement alors qu'il était clair – pour eux et pour tout le monde – que leur mariage, malgré les efforts pour apprendre à se tolérer sur une base quotidienne pour le bien de leur enfant, n'était rien d'autre qu'un sursis avant le divorce ? Unis dans leur différence, Denise et Adrien regardaient la maison en se disant qu'un cube en briques, gisant sur une pelouse tondue depuis peu, venait de s'ajouter à la liste pour la séparation des biens le jour où tous les deux décideraient de divorcer, que ce soit dans un an ou dans dix. Comment une vulgaire aventure d'un soir – ratée, de surcroît – avait pu se compliquer à ce point ?

Le jour de leur déménagement, je me suis essayé, sans trop de conviction, à remonter le moral d'Adrien au meilleur de mes capacités.

« Tu sais, t'emménages dans une nouvelle maison, ta

première, qui te coûtera pas une maudite cenne parce que ton beau-père te l'a payée. C'est pas comme si tu déménageais dans une cabane à jardin. Y'est où, le problème ? »

Alors qu'Adrien ne disait rien – ce qui, dans son cas, était inquiétant –, Jean se tourna vers moi en arborant un sourire moqueur, me signifiant de manière très claire le côté pathétique de mes propos. Pour une fois que j'éprouvais un minimum de sympathie et n'énonçais pas sans filtre tout ce qui me passait par la tête…

« Je vais te dire y'est où le problème, moi, annonça Jean. Adrien, quand il regarde cette maison-là, c'est pas un compte d'hypothèque avec un gros « 0 » qu'il voit.

— Et il voit quoi, au juste ?

— Il voit les autres enfants qui vont suivre, Denise qui va prendre trente livres entre chaque grossesse, le barbecue, la tondeuse à gazon, les voisins qui vont chialer parce que la cour d'Adrien sera pas entretenue à leur goût, pis le beaupère qui va venir s'effouarer dans le salon tous les dimanches. C'est ça qu'il voit, Adrien. »

Je n'aurais pas pu mieux dire. Adrien non plus, d'ailleurs, tandis que Jean et moi étions étonnés de le voir silencieux alors qu'il devait, de toute évidence, paniquer devant la tournure que prenait sa vie. Depuis qu'il était tout petit, Adrien avait toujours répliqué à sa peur du silence en l'endormant avec des exposés oraux interminables sur tous les sujets – les poissons de Ted Williams ; le beurre d'arachide croquant versus le beurre d'arachide crémeux…—, et de le voir plonger volontairement dans le silence devant la tournure que prenait son existence inquiétait considérablement son entourage. Six mois plus tôt, Adrien faisait ce qu'il voulait, n'avait de comptes à rendre à personne, radotait sur tout et sur rien – surtout sur le mouvement indépendantiste qui venait combler, j'imagine, le vide de sa vie affective – et s'acharnait à se bâtir une existence complètement différente de celle de son père. Pourtant, devant l'échec, il commençait à réagir d'une façon qui n'était pas étrangère à celle de monsieur Mousseau. Il s'isolait. Il ne parlait pas, perdant des soirées entières, assis dans son salon, à regarder les aiguilles de sa montre tourner en rond. Comme s'il allait pouvoir remonter le temps par la seule force de l'attente.

« Prends ça du bon côté, rassura Jean, inconfortable à son tour dans le silence. Pense à toutes les parties de poker qu'on va pouvoir organiser dans ton sous-sol ; aux guidounes qu'on va inviter quand Denise sera pas là. Je serai pus toujours obligé de vous recevoir, on va pouvoir aller chez vous, astheure, Adrien. Quoique Paul-Émile est supposé se marier bientôt. Avec la cabane de millionaire que le beau-père va offrir en cadeau de mariage, on va pouvoir emménager chez lui pis il s'en rendra même pas compte. »

Ce n'était pas la première remarque que Jean faisait à propos de l'argent de mon futur beau-père. Ça commençait à m'énerver.

« Déprime pas, Adrien, poursuivit Jean. Ça prendra pas de temps que ça va devenir chez vous, ici. Tu vas te faire des souvenirs, tu vas t'enraciner. C'est ta maison, pis ça va être celle de tes enfants. Pas celle de ton imbécile de père qui vous forçait, ta mère pis toi, à marcher sur les mains pour pas faire de bruit. Tous les trois – ou quatre, ou cinq, ou six –, vous allez être bien, ici. »

Adrien tourna lentement la tête et se mit à regarder Jean comme s'il était le dernier des imbéciles. Ou des menteurs, c'est selon. Et je me surpris à faire la même chose. Comment pouvions-nous prendre au sérieux des propos prononcés par un homme qui ne croyait absolument pas ce qu'il disait et qui mourrait probablement étouffé entre les quatre murs d'une maison située dans n'importe quelle banlieue ?

Adrien aurait voulu oublier Saint-Léonard, Denise, l'enfant à venir et l'année 1961 dans son ensemble. Mais, par-dessus tout, il aurait voulu retourner sur la rue Montcalm, avec Jean, Patrick et moi, remonter le cours des années pour qu'il puisse faire semblant d'ignorer encore ce que sa vie allait devenir. Je ne sais pas s'il était conscient de l'impossibilité de ce qu'il désirait. Mais ce n'était pas à nous de le lui faire comprendre. Je ne crois pas qu'il aurait voulu comprendre, de toute façon. Comment reconnaître, à vingt-six ans, que la vie n'est déjà pas ce que l'on aurait voulu qu'elle soit ?

Assis sur le gazon, silencieux, alors que Jean et moi baissions les yeux pour ne pas reconnaître en lui le silence morbide de monsieur Mousseau, Adrien observait, les yeux vides, la maison où lui et Denise allaient être pris pour s'endurer pendant les années à venir.

Une semaine plus tard, une des sœurs de son père apprit à Adrien qu'à l'emplacement précis de sa nouvelle maison se trouvait autrefois la ferme de la famille Mousseau.

Son père avait souri.

Adrien s'était tu.

21
Jean... à propos de Patrick

Les introspections sans fin m'énervent au plus haut point. Rien ne m'ennuie davantage que quelqu'un essayant de me faire comprendre pourquoi j'aime le bleu, pourquoi le Cheez Whiz me lève le cœur ou pourquoi je me sens bien au coin de Saint-Denis et Sherbrooke à l'heure de pointe. Ajoutez ça aux articles de magazine de style «Gisèle F., trente-quatre ans, a tout pour elle mais est malheureuse comme les pierres» et autres courriers du cœur de tout acabit, et vous aurez ainsi d'excellentes chances de me catapulter à l'asile le plus proche. J'ai toujours été le genre d'homme préférant vivre sa vie plutôt que de la psychanalyser à outrance et, malgré quelques très rares exceptions, je me suis toujours efforcé de vivre dans le présent, sans trop regarder en arrière pour me demander ce que j'aurais fait différemment si j'avais été l'heureux propriétaire d'une machine à remonter le temps. Ou encore à angoisser sur un avenir que je ne connais pas. Ça donne quoi, de toute façon ?

Mais même un hédoniste convaincu comme moi est capable de reconnaître les moments décisifs dans une vie entière, et de comprendre leur portée, leur importance. Étant conséquent avec moi-même, je n'ai jamais été féru d'histoire – surtout lorsque enseignée par un frère au ton de voix monocorde –, mais je peux saisir pourquoi on parle, encore aujourd'hui, de la bataille des plaines d'Abraham, de la Révolution tranquille ou de l'élection du PQ en 76. Tout comme je sais reconnaître, chez ceux qui me sont chers, les moments marquants plus personnels qui n'affecteront pas forcément quelqu'un autre que l'homme ou la femme qui les vit. En ce qui me concerne, les gens qui me connaissent vous

223

diront probablement que ma rencontre avec Aurèle Collard aura fait de moi ce que je suis devenu. Peut-être. Peut-être pas. Pour être bien franc, je m'en fous un peu. Monsieur Collard est mort depuis si longtemps, maintenant. Ça servirait à quoi de tergiverser sur ce que serait devenue ma vie si j'avais pris la décision de défendre la veuve et l'orphelin – la veuve, surtout ; soyons honnêtes – plutôt que d'avoir un membre de la pègre comme client ? Ça ne servirait à rien et, honnêtement, ça ne m'intéresse pas du tout. Je ne suis pas ici pour raconter ma vie.

Par contre, je dois admettre que je n'ai pas toujours été un modèle de compassion et de compréhension. Des années plus tard, dans un élan d'insensibilité qui me fait encore honte aujourd'hui – avant de m'accuser d'inconsistance dans mes propos, rappelez-vous que j'ai déjà affirmé qu'il m'arrivait, en de très rares occasions, d'avoir des regrets –, j'avais dit les mots suivants à Adrien : « Avoir su que la nécrologie lui faisait tellement d'effet, j'aurais demandé à Aurèle Collard de me référer à un tueur à gages, pis j'aurais fait tuer la bonne femme Flynn. On se serait épargnés du temps, tout le monde aurait eu la sainte paix pis on se serait pas fait chier à entendre Patrick radoter sur Annette pendant tout ce temps-là !

— Agnès.

— *Whatever.* »

Je n'avais pas encore compris, à l'époque, que Patrick n'aurait probablement jamais eu le courage d'envoyer promener sa mère sans le choc que fût pour lui le Cameroun. Sans la solitude que cela lui apporta, aussi. Dans le pire temps de la dictature de Marie-Yvette, Patrick savait que nous étions toujours là, même Paul-Émile, prêts à lui camoufler sa propre réalité ; prêts à lui faire croire que rien ne clochait dans sa vie. Que nous allions toujours être ensemble pour faire comme s'il n'y avait rien d'autre que le Forum, nos propres joutes de hockey et les souvenirs qui nous rattachaient les uns aux autres depuis l'âge de six ans. Mais le Cameroun le confronta à lui-même pour la toute première fois de sa vie. L'arrivée d'Agnès, son coup de cœur pour elle et son décès peu de temps après l'obligea à reconnaître la futilité de sa propre existence et l'intolérance des actions de sa mère, non seulement vis-à-vis lui, mais vis-à-vis d'elle-même aussi. Il est vrai que d'entendre les plaintes constantes de Marie-Yvette – qui se rendaient jusqu'à lui dans les lettres qu'elle lui écrivait –, alors qu'il se trouvait entouré d'enfants malades trouvant quand même le tour de sourire, devait exaspérer Patrick au point de vouloir passer sa mère à travers un mur de béton. Chose que, personnellement, j'aurais faite bien avant.

Si l'arrivée de Patrick à Yaoundé l'obligea à reconnaître le ridicule de sa situation vis-à-vis de Marie-Yvette, la mort d'Agnès provoqua en lui son premier vrai désir de briser ses liens avec sa vie d'autrefois. Même avec nous, je crois. Personne n'avait plus sa place dans cette refonte de qui il était et en quoi il croyait, transformation devenue vitale pour lui afin de lui donner la force nécessaire pour survivre à ce qu'il côtoyait jour après jour. Et Marie-Yvette représentait le symbole parfait à sacrifier pour que Patrick arrive à se faire croire qu'il pourrait devenir quelqu'un d'autre. À l'exception d'une très brève missive d'Adrien lui annonçant que les Red Wings avaient perdu contre les Black Hawks de Chicago en finale de la Coupe Stanley – et où il n'avait pas glissé un seul mot à propos de son mariage –, les seules lettres que Patrick recevait étaient celles envoyées par Marie-Yvette qui le suppliait de retourner à la paroisse

Sainte-Bibiane pour faire semblant d'être un prêtre minimalement qualifié. Ayant maintenant les yeux ouverts sur des malheurs bien plus grands que ceux d'un père saoul à longueur de journée et ceux d'une mère considérant avoir souffert autant que des survivants de camps de concentration nazis parce qu'elle ne fut jamais la Lucille Ball du Québec, Patrick prit la décision, alors qu'il venait de recevoir une lettre de Marie-Yvette qu'il avait aussitôt balancée à la poubelle sans même l'ouvrir, de ne plus appartenir aux Flynn. De ne plus appartenir à la rue de la Visitation. De ne plus nous appartenir.

À ce moment-là – nous étions en 1961, pour ceux que ça intéresse –, le visage de Marie-Yvette commença à s'estomper dans la mémoire de Patrick. Comme si c'était elle et pas Agnès qui était morte. Et Patrick hésitait encore entre la détester pour avoir été la cause des souffrances dont il fut témoin au Cameroun, et la remercier de lui avoir imposé des frontières plus larges que celles du faubourg à mélasse. Et, invariablement, chaque lettre que Patrick recevait de sa mère prenait directement le chemin de la poubelle sans même avoir jamais été ouverte.

Il se passerait encore plusieurs années avant que Patrick ne revienne à Montréal. Et encore, celui qui allait débarquer de l'avion n'avait plus grand-chose à voir avec le copain que Paul-Émile, Adrien et moi considérions comme notre frère.

La mort d'Agnès fit découvrir à Patrick qu'il avait besoin de se sentir vivant. Et il n'arrivait à se sentir vivant qu'à travers le souvenir qu'il se faisait d'elle. Sa famille ne comptait plus. Paul-Émile, Adrien et moi ne comptions plus. Seulement un besoin qui allait le consumer pour des années à venir d'enfoncer à tous dans le fond de la gorge la misère d'une enfant, et d'essayer de réécrire sa vie comme s'il ne l'avait vécue qu'avec elle à ses côtés. Comme si le faubourg à mélasse n'avait existé qu'à travers ce rire d'enfant que Marie-Yvette ne sut jamais provoquer en lui.

Vous ai-je déjà dit que les introspections sans fin m'énervent au plus haut point ?

Celle de Patrick ne faisait que commencer.

22
Adrien... à propos de Paul-Émile

Quand j'étais enfant et que j'accompagnais ma mère chez Steinberg, à la pharmacie Montréal ou à l'église Saint-Pierre-Apôtre, elle avait l'habitude de soupirer et de rouler les yeux – de manière pas très subtile, d'ailleurs ; j'en étais souvent gêné – lorsqu'elle croisait un couple se tenant par la main ou par la taille.

« Aïe ! Eux autres, c'est clair, ça fait pas longtemps qu'ils sont mariés ! »

Et lorsque le couple se trouvant dans sa ligne de tir était plus âgé, ma mère modifiait son commentaire pour plutôt dire ceci :

« Aïe ! Lui, sa femme est pas au courant certain ! As-tu déjà vu ça, toi, des maris qui tiennent leur femme par la main à cet âge-là ? ! »

J'ai toujours cru que c'était sa façon à elle de relativiser son union désastreuse avec mon père ; qu'elle allait se croire moins isolée si elle arrivait à faire comme si c'était le destin normal d'une femme de souffrir pendant son mariage, tout comme c'était la norme, chez un homme, de sauter la clôture. Pourtant, j'imaginais très mal mon père conter fleurette à une célibataire fringante, croyant qu'il allait laisser femme et enfant pour elle. Qu'est-ce que ma mère a bien pu lui trouver, je ne l'ai jamais su.

Mais même la cynique sentimentale que ma mère avait dû devenir pas plus tard que cinq minutes après son mariage ne pouvait que s'incliner devant le dévouement et l'affection que s'étaient toujours portés monsieur et madame Marchand, les parents de Paul-Émile. Ayant grandi avec un père et une mère qui n'avaient probablement pas dû se dire plus de dix mots en dix ans, j'avais toujours l'impression d'assister à une scène d'un film de Lauren Bacall et d'Humphrey Bogart lorsque je me pointais à leur logement de la rue Wolfe. Monsieur Marchand regardait constamment sa femme comme si elle avait été une déesse – ce que j'avais longtemps fait, moi aussi, mais ça m'avait passé depuis un bon moment –, et celle-ci dévisageait son époux comme s'il était... Humphrey Bogart, justement. J'ai toujours trouvé très touchant de les voir s'embrasser presque en cachette et de rire ensemble de tout et de rien, arrivant à oublier la tuile monumentale qui leur était tombée sur la tête lorsque la crise économique de 1929 les laissa sans le sou. Tout comme je trouvais charmant de les voir agir comme s'ils étaient encore deux adolescents de quinze ans, sortant ensemble pour la première fois, partis s'acheter un cornet de crème glacée au Dairy Queen du coin sous l'œil menaçant du père de la promise, qui jure d'appeler la police si sa fille n'est pas revenue avant onze heures.

Paul-Émile grognait toujours devant nous lorsqu'il voyait ses parents se témoigner de l'affection et, à l'époque, je ne comprenais pas trop pourquoi. N'arrivant jamais à oublier les rapports plutôt antarctiques qui liaient mon père à ma mère, je refusais de m'identifier à l'embarras d'un enfant à la vue de ses parents qui se permettaient encore d'agir comme s'ils n'étaient pas que ça. À la base, un enfant espère toujours voir ses parents heureux ensemble, et j'avais depuis longtemps fait le deuil de voir les miens se découvrir tout à coup un amour et une complicité perdus dans les craques d'un quotidien qu'ils regrettaient amèrement d'avoir choisi. Ultérieurement, ce fut l'échec du mariage de mes parents qui me permit de comprendre que Paul-Émile prenait scandaleusement pour acquise la réussite de celui des siens. La rareté provoque toujours, c'est bien connu, plus d'engouement que l'abondance, et Paul-Émile baignait dans le bonheur familial. Ce fut pour cette raison, je crois, qu'il ne sut jamais comprendre comment ses choix, ses décisions, ont pu faire mal à l'union de monsieur et madame Marchand. Qu'il ne crût pas nécessaire de remettre quoi que ce soit en question. Pourquoi l'aurait-il fait? Le mariage de ses parents, réussite exemplaire aux yeux de cyniques endurcis comme ma mère, avait su résister à la crise de 1929, à une faillite personnelle et au départ d'Outremont pour le faubourg à mélasse. Si un amour comme celui-là avait pu survivre à toute une série d'Hiroshimas personnels, rien ne saurait probablement en venir à bout. Rien sauf le passé, que tous deux voyaient d'un œil différent. Rien sauf l'histoire que tous deux n'auraient pas voulu écrire de la même façon, et qui refaisait surface de manière trop sournoise, et de plus en plus souvent, pour que monsieur et madame Marchand ne puissent jamais s'apercevoir de quoi que ce soit. Et cette histoire refit surface, aussi, à travers Paul-Émile. Par un jour du mois de septembre. Peu avant son mariage.

«Je n'ai jamais aimé les surprises, Paul-Émile, avait prévenu madame Marchand, assise sur la banquette arrière de la Chevrolet Bel Air usagée de son fils. Si tu ne nous dis pas tout de suite où tu nous emmènes, j'enlève le bandeau et j'ouvre les yeux. Un... Deux...

— Veux-tu arrêter, Florence? s'exclama monsieur Marchand, assis aux côtés de Paul-Émile, les yeux bandés lui aussi. T'arrêtes pas de chialer depuis qu'on est partis! Paul-Émile a dit qu'il voulait nous faire une surprise, baptême! C'est notre fils. Qu'est-ce que tu penses que ça va être, sa surprise? Nous balancer en bas du pont Jacques-Cartier?

— Je n'aime pas du tout cette sensation d'être en voiture

et de ne pas savoir où je m'en vais. C'est très désagréable.

— On est presque arrivés, de toute façon, intervint Paul-Émile. Mais enlevez pas votre bandeau tant que je vous donnerai pas la permission, OK ? »

Ce jour-là, Paul-Émile avait emmené ses parents sur la rue Pratt, à Outremont. Là où il nous avait si souvent traînés, Patrick, Jean et moi, et où le chant des oiseaux et le bruit des feuilles dans le vent provoquaient presque des crises de panique chez les citadins amateurs de béton que nous étions. Pour donner une idée, la seule verdure que j'arrivais à supporter était celle du parc Lafontaine.

« On est arrivés, annonça Paul-Émile en coupant le moteur de sa Bel Air. Mais enlevez pas tout de suite votre bandeau, par exemple.

— Mais là, Paul-Émile ! Tu ne trouves pas que ça fait assez longtemps que tu nous fais jouer à l'aveugle, ton père et moi ? », s'indigna une fois de plus madame Marchand.

Souriant, Paul-Émile ouvrit la porte de sa voiture et aida ses parents à en sortir.

« Pourrais-tu au moins me dire s'il faut que j'aille à droite ou à gauche ? lui demanda monsieur Marchand. Histoire de pas me faire écraser par une auto…

— Paul-Émile, je t'avertis, habillée comme je suis, il serait préférable pour toi qu'il n'y ait personne. »

Ne perdant rien de sa superbe – et je dis ça sans la moindre trace de sarcasme ; j'admirais la capacité de Paul-Émile à faire abstraction de tout ce qui ne l'intéressait pas –, Paul-Émile prit les mains de ses parents et dirigea ceux-ci à gauche de la voiture.

« OK. Êtes-vous prêts ? Vous pouvez enlever votre bandeau, maintenant. »

La rue Pratt m'ennuyait profondément, je le dis honnêtement, mais j'aurais donné gros pour voir le visage de madame Marchand lorsqu'elle enleva son bandeau et réalisa qu'elle se trouvait au pied de son ancienne résidence.

« C'est ma maison, déclara Paul-Émile, les deux mains dans les poches en se balançant sur ses pieds. Après le mariage, c'est ici que Mireille pis moi, on va vivre. »

Les souvenirs embellissent souvent ce que fût la réalité dans ses fondements les plus sincères et, lorsque passé et présent se côtoient, nous nous retrouvons fréquemment déçus. Une friandise ne goûte plus jamais aussi bon que lorsqu'on la dévore avec la gourmandise de notre enfance; un amour perdu ne sera jamais aussi beau qu'à travers le portrait déformé qu'en fera notre propre nostalgie. Mais madame Marchand avait passé tant d'années à emmagasiner ses souvenirs et à idéaliser sa vie passée qu'elle ne se serait jamais permis de vivre pareille déception. Malgré monsieur Marchand, Simonne et Marie-Louise, jamais la mère de Paul-Émile n'avait voulu aimer le faubourg à mélasse. Jamais, à l'exception des Desrosiers, n'avait-elle voulu s'attacher à ses habitants. Son air était demeuré hautain, les gestes, distants, l'accent français, à des années-lumière du joual que l'on entendait à tous les coins de rue, comme si de nous aimer eut été une trahison envers son passé qu'elle n'avait jamais pu laisser derrière. Comme si elle avait eu à renier la personne qu'elle n'était plus depuis octobre 1929.

Je n'ai jamais pu mettre les pieds à l'intérieur de la maison de la rue Pratt. Je n'ai jamais pu constater par moi-même si elle était véritablement le manoir cinq étoiles que Paul-Émile nous décrivait lorsqu'il nous promettait des images de filles en petites tenues en échange d'un après-midi passé à bâiller dans les rues d'Outremont. Mais j'arrivais facilement à imaginer les yeux de madame Marchand lorsqu'elle se trouva catapultée plus de trente ans en arrière, revisitant ses racines dans un présent qu'elle n'avait jamais voulu quitter. Ce fut à ce moment, je crois, que les choses commencèrent à se gâter avec monsieur Marchand.

Lorsque le père de Paul-Émile s'était avancé pour entrer dans son ancienne demeure, il n'avait absolument rien dit, enfermé dans un mutisme contrastant grandement avec l'effervescence de son épouse, qui s'était presque évanouie lorsque la porte d'entrée s'ouvrit devant elle. Et le voyage de retour se déroula sensiblement de la même manière, monsieur Marchand prétextant un élan tardif de galanterie pour s'installer sur la banquette arrière, laissant ainsi sa femme et son fils placoter sur les merveilles d'Outremont, alors qu'il espérait seulement que les feux rouges ne retarderaient pas trop son retour sur la rue Wolfe.

Heureux de voir sa mère s'extasier devant l'ancienne résidence familiale, Paul-Émile ne se donna pas la peine de décoder le silence de son père. Pourtant, il était clair – et Paul-Émile l'a reconnu lui-même, des années plus tard – que monsieur Marchand, au-delà de la joie manifeste de son fils à retrouver des racines à un endroit ne l'ayant jamais vu grandir, rebutait de le voir rejeter ses origines et, par-dessus tout, ce que lui-même était devenu. Cette amertume marqua le début de la fin d'une union qui avait su résister au présent et à l'avenir, mais qui ne saurait jamais comment se remettre de son passé. L'avenir, en 1929, avait donné à monsieur Marchand un bonheur qu'il n'avait jamais vraiment connu en grandissant dans un univers où il n'arrivait pas à être lui-même. Le passé, en 1961, s'apprêtait à briser sa famille.

« On pourrait inviter Roger et Mirande à souper, lui avait proposé madame Marchand, au retour, pendant qu'elle s'affairait à préparer le souper. Qu'est-ce que tu en penses ?

— Non. J'ai pas envie de voir du monde. Pis en passant, de la morue, fais-en pas beaucoup. J'ai pas ben faim. Je pense pas que je vais manger ben gros, au souper.

— Mais, Gérard !… Je te prépare ton plat préféré. Avec des pommes de terre au gratin…

— Je le sais, Florence. T'es ben fine. Mais j'ai pas envie de manger, c'est tout. »

Détournant le regard de celui de son épouse, monsieur Marchand prit son journal et se dirigea au salon, préférant lire sur le match de boxe Kennedy-Khrutchev plutôt que de se remettre en mémoire un passé qui lui puait au nez. Comme quoi on se distrait comme on peut.

« Est-ce que c'est à cause de la maison ? Je comprends que c'est difficile pour toi, mais essaie un peu d'être heureux pour Paul-Émile. Que ce ne soit pas toi qui l'aies rachetée, Gérard, ne fait pas de toi un moins bon père. Ou un moins bon mari. »

Franchement ! C'est une bonne chose que madame Marchand ait marié un saint homme comme le père de Paul-Émile parce qu'avec des propos pareils, si elle l'avait laissé filer, elle se serait probablement retrouvée à fêter la Sainte-Catherine pour le reste de ses jours !

« Me connais-tu si mal que ça, Florence ? s'exclama d'ailleurs un monsieur Marchand quelque peu irrité. Tu penses vraiment que j'ai cet air-là parce que c'est pas moi qui ai signé le chèque pour racheter cette maison-là ?

— Bien… Ce serait normal, tu sais, Gérard. Tu n'as pas à avoir honte. Ce ne fut pas toujours facile, pendant toutes ces années, mais nous n'avons jamais manqué de rien. Tu as toujours su répondre aux besoins de ta famille. »

Irrité de constater que sa propre épouse ne le connaissait que si peu malgré leurs trente-six années passées ensemble, monsieur Marchand délaissa la crise des missiles pour se concentrer davantage sur celle qui débutait dans son salon.

« Merci, Florence. Ça me touche vraiment, ce que tu me dis. Surtout qu'à t'entendre parler, depuis trente ans, c'était pas toujours clair qu'on manquait de rien.

— Ce n'est pas ce que je voulais dire…

— Pense pas une seule seconde que…

— Gérard Marchand, ne me coupe pas la parole !

— Je vais ben faire ce que je veux, je suis chez nous, ici ! CHEZ NOUS, comprends-tu ?! Je vais te dire une affaire, Florence : si tu penses que j'ai un problème avec le fait que je suis pas celui qui a racheté la cabane à Outremont, enlève-toi ça de la tête, ça presse !

— Mais qu'est-ce qui ne va pas ?! Dis-le, à la fin !

— Qu'est-ce qui va pas ? Tu veux savoir qu'est-ce qui va pas ? Il y a que je suis pus capable de voir Paul-Émile faire la pute comme il le fait !

— GÉRARD !

— Tu voulais que je parle, Florence ? Ben je vais parler ! On est arrivés ici ça fait trente ans. Au début, c'est vrai, on a eu de la misère. Mais par après, ça s'est placé ! Ça fait vingt-cinq ans que je travaille au port, Florence ! OK, on mène pas la vie qu'on menait à Outremont. On n'a pus de bonnes à tout faire, on va pus passer nos vacances dans Charlevoix pis on n'habite pus une maison qui était ben trop grande pour nous autres, de toute façon ! Mais moi, je suis bien, ici. Simonne est bien ici, pis Marie-Louise est bien ici ! Notre vie est ici. Y'a juste toi qui as toujours continué à brailler comme une perdue parce que ta table de cuisine était pus en acajou !

— Gérard Marchand, comment oses-tu ? J'en ai assez enduré depuis…

— Oui, je le sais, Florence. T'as enduré les pires souf-
frances depuis qu'on est arrivés ici. Ça, t'as toujours été ben
claire là-dessus. Tout était trop petit! Tout était trop laid!
Tout était trop humide! Trop poussiéreux! Trop sale! Le
frigidaire était jamais assez plein, la dépense était jamais assez
remplie! Le monde autour était jamais assez bon pour toi!

— Ça, ce n'est pas vrai! Mirande…

— Y'a fallu que Mimi nous aide à mettre Paul-Émile au
monde pour que t'arrêtes de la regarder le pif en l'air! Pis
Paul-Émile, c'est le seul de nos enfants qui est pas né à
Outremont, mais à le regarder aller, il est devenu aussi snob
que toi, Florence! Y'est né ici, y'a grandi ici, mais à force de
t'entendre pis de te regarder aller, la seule chose qu'il veut,
c'est de partir d'ici.

— Paul-Émile est pas bien, ici, Gérard. Qu'est-ce que tu
veux faire? L'empêcher de partir? L'attacher à une chaise?

— Que Paul-Émile soit pas bien ici, ça, je peux le comprendre. Mais ce que j'accepterai jamais, par exemple, c'est
qu'il soit prêt à marier une fille qu'il aime pas, à coucher
avec une fille qu'il aime pas, à passer les trente prochaines
années de sa vie avec une fille qu'il aime pas, juste pour
pouvoir partir d'ici pis avoir les poches pleines!

— Mais qu'est-ce que tu racontes? Paul-Émile adore
Mireille.

— Paul-Émile est pas plus en amour avec Mireille que
moi je le suis avec Juliette Béliveau, Florence! Il l'aime pas,
tu le sais autant que moi.

— Franchement, Gérard…

— T'es-tu déjà arrêtée cinq minutes pour les regarder les
deux ensemble?

— Mireille et Paul-Émile s'aiment, et…

— Non, non, non. Correction: Mireille aime Paul-Émile.

Ça, je suis ben d'accord avec toi, pis je plains la pauvre fille parce qu'elle sait pas dans quoi elle s'embarque. Mais Paul-Émile aime pas Mireille. Pis tu me feras jamais croire le contraire. Paul-Émile est en amour avec quelqu'un, oui, mais c'est pas Mireille. »

Madame Marchand ne dit rien, se contentant de soupirer et de croiser ses bras. Le père de Paul-Émile, c'était clair, voulait la forcer à reconnaître le présent de son fils plutôt que son propre passé à elle, qu'elle voulait imposer. Elle n'allait pas se laisser faire.

« Pis viens pas me dire que t'as jamais rien remarqué, Florence. Même un aveugle dans une chambre noire le verrait.

— Et tu bases tes affirmations sur quoi, Gérard ?

— Paul-Émile regarde Suzanne comme moi je t'ai toujours regardée, Florence. Il s'allume quand elle entre dans une pièce, pis il s'éteint quand elle sort. »

Émue, madame Marchand demeura silencieuse pendant quelques secondes, souriant doucement à son époux.

« Il la regardait peut-être comme ça, un peu, quand Suzanne est revenue de Québec. Mais c'est fini, maintenant. J'ai vu Paul-Émile avec Mireille, et il a l'air…

— Y'a l'air de quelqu'un qui s'emmerde profondément. Y'a l'air de quelqu'un qui regarde tout le temps sa montre, pis qui se demande à quelle heure il va pouvoir aller la reconduire chez elle sans qu'elle se doute de quelque chose. Il met un peu plus de cœur à l'ouvrage quand le beau-père est dans le coin, mais c'est quand même clair comme de l'eau de roche que Paul-Émile est sur le point de marier une fille qu'il aime pas. Paul-Émile est en amour avec Suzanne, Florence. La fille de ta supposée meilleure amie. Pis c'est pas parce que Suzanne est une fille du bas de la ville qu'elle est moins bonne que Mireille Doucet qui vient de Westmount ! Mais t'es tellement snob, Florence, t'es tellement pressée de voir Paul-Émile continuer là où moi j'ai arrêté, que tu vois même pas qu'il est en train de commettre la gaffe de sa vie ! »

Immobile, madame Marchand demeura silencieuse pendant quelques secondes, soutenant le regard de monsieur Marchand, refusant d'accorder aux propos de son époux une once de crédibilité.

« Paul-Émile est... Paul-Émile est avenant avec Mireille. Il est poli, il est attentionné, galant...

— Mais pas en amour. Paul-Émile traite Mireille comme il traite une petite vieille qui descend d'un autobus.

— Non, c'est impossible. Je les ai vus, tous les deux.

— Es-tu si désespérée que ça, Florence, de retourner trente ans en arrière ? As-tu été misérable au point d'approuver que notre fils soit prêt à rendre une femme malheureuse juste pour une question d'argent ?

— GÉRARD MARCHAND !...

— Pis je t'avertis, Florence : compte pas sur moi pour aller jouer au pensionnaire avec les nouveaux mariés dans la nouvelle cabane payée par le beau-père. Je suis parti de cette maison-là y'a trente ans, pis j'ai aucune intention d'y retourner. Rentre-toi ben ça dans la tête. »

Reprenant son journal, monsieur Marchand, toujours furieux, se rassit dans son fauteuil, laissant en plan son épouse consternée par le ton qu'avait pris cette rare dispute les opposant, médusée par sa propre volonté de ne pas voir la vérité en face.

À sa décharge, je ne suis pas de ceux qui croient que madame Marchand a agi de façon égoïste avec Paul-Émile. Elle croyait sincèrement son fils au-dessus des autres, doté d'une intelligence supérieure et d'une capacité extraordinaire à laisser sa marque. Et si l'on analyse ce que Paul-Émile fut appelé à devenir au plan professionnel, tous se devront d'admettre que sa mère eût raison de le pousser au-delà des frontières du faubourg à mélasse. Paul-Émile était un pur-sang, un bolide de course qui aurait assurément crevé d'ennui en exerçant un métier de style neuf à cinq pendant quarante ans, recevant déjà ses papiers de préretraite après dix ans de bons et loyaux services.

Cependant, ce qui me fait davantage sourciller est le complexe de supériorité que madame Marchand inculqua chez Paul-Émile, et qui marqua de manière indélébile ses relations avec tout le quartier, et nous en particulier. L'ambition n'est pas une plaie. Vouloir une vie meilleure n'est pas un crime. Ce qui l'est, par contre, est de se considérer supérieur. Ce que fit Paul-Émile, fortement encouragé par sa mère.

Je me suis quelquefois demandé quelle aurait été la réaction de madame Marchand si elle avait su, au moment de sa dispute l'opposant à son époux, que Suzanne, envoyée par madame Desrosiers pour y chercher du lait, se terrait derrière la porte, ayant tout entendu de l'obstination de madame Marchand à ne pas la voir à la place de Mireille Doucet aux côtés de Paul-Émile. Une fois de plus, Suzanne était retournée chez elle en pleurant, s'envoyant les pires injures pour se laisser atteindre par un homme qui la considérait inférieure à lui. Mais madame Marchand, même si elle avait su, n'aurait probablement pas bronché. N'aurait rien dit. N'aurait pas cherché à s'excuser auprès de Suzanne. Pas par méchanceté, mais parce qu'à travers la réussite de Paul-Émile, madame Marchand était retournée en 1929, dans sa vie de bourgeoise fortunée n'ayant aucun lien avec des gens comme nous. Et Suzanne n'existait pas.

23
Patrick... à propos de Jean

À ce stade-ci de l'histoire, j'ai mis du temps, longtemps, à réfléchir à ce que j'allais dire. Pendant plusieurs jours, j'ai ressassé dans ma tête ce que je m'apprête à raconter en l'analysant sous toutes les formes possibles et imaginables. J'ai comparé la véracité de mes souvenirs avec ceux des autres. Je me suis joué une centaine de fois le cours des événements comme un film que l'on a adoré pendant les quatre-vingt-cinq premières minutes, mais dont la fin provoque en nous une envie de hurler. Pourquoi ? Sans doute parce que je cherchais une justification au comportement de Jean. N'importe laquelle. Et, à mon très grand chagrin, je n'en ai pas trouvé une qui me satisfaisait réellement.

La raison expliquant pourquoi je raconte l'histoire de Jean et non la mienne – et que Paul-Émile raconte celle d'Adrien, et ainsi de suite – est qu'aucun d'entre nous ne se croit suffisamment objectif pour raconter sa propre histoire. Comme tout le monde, nous aurions sans aucun doute cherché à mettre nos bons coups en évidence, tout comme nous aurions fort probablement tenté d'excuser nos moments de faiblesse. À ma très grande frustration, je réalise qu'il m'est tout aussi difficile de faire preuve d'objectivité envers Jean que cela l'aurait été d'en faire preuve vis-à-vis de moi-même. Les liens sont trop fort, l'amitié, trop fraternelle, et d'avoir à décrire cet épisode pas très glorieux de la vie de mon copain m'embarrasse tout autant que si j'avais eu à raconter que je me suis sauvé des lieux d'un accident après avoir frappé une dame âgée avec ma voiture.

Au fil des années, Adrien et Lili – Paul-Émile n'étant plus

assez présent pour avoir été mis au courant de la situation – essayèrent de manière plus ou moins convaincante de justifier le comportement de Jean en présentant mille et un arguments qui se valaient tous les uns les autres. Jamais ne réussirent-ils à me convaincre complètement.

Pourtant, Jean ne fut pas le premier à agir comme il l'a fait à l'intérieur des limites d'une situation qui, somme toute, ne se voulait aucunement exceptionnelle. D'ailleurs, pendant un bon moment, Adrien aurait bien voulu avoir la capacité – le courage ? – d'agir comme Jean l'a fait, et je lui ai longtemps manifesté toute mon admiration de ne jamais avoir entretenu de ressentiment à l'égard de notre ami commun. Ce ne fut pas mon cas. Ce que je vivais, ce que je voyais à l'époque où j'habitais le Cameroun m'immunisa complètement contre toute tentative d'explication, si convaincante fut-elle, du comportement de Jean. Pourtant... Il s'était bâti une carrière d'avocat en défendant des membres plus ou moins honorables de la pègre, et cela ne m'indigna pas le moins du monde. Mais entre-temps, j'avais vu vivre et mourir Agnès. Ma belle Agnès... Bien des choses avaient alors changé. Moi le premier.

Mais revenons plutôt à l'histoire que j'aurais voulu ne pas avoir à raconter : la jeune femme que Jean honora de façon apparemment grandiose lors de la réception du mariage d'Adrien et Denise – mentionnée un peu plus tôt dans le récit, alors que ma mère les avait surpris en pleine action – n'était pas la dernière venue. Elle s'appelait Christine Robert, et les plus de cinquante ans se souviendront d'elle comme l'une des comédiennes les plus populaires de sa génération. *La Famille Plouffe, En haut de la pente douce, Music Hall...* Elle était partout, lors des premières années de la télévision, après s'être fait un nom au théâtre en interprétant des petits rôles dans des pièces au TNM. Adrien fit sa connaissance lors de la grève des réalisateurs de Radio-Canada et l'intérêt commun que tous deux portaient à la cause indépendantiste en fit rapidement des amis. Mademoiselle Robert se pointa donc aux noces de son copain Adrien après avoir reçu une invitation qu'elle s'était empressée de retourner le jour même.

Mais mademoiselle Robert ne s'était pas pointée seule à l'église Saint-Pierre-Apôtre. La plupart des femmes présentes aux noces d'Adrien passèrent proche de s'évanouir lorsqu'elle fit son entrée à l'église au bras de Paul Véronneau, véritable Rudolph Valentino québécois capable d'emmener n'importe quelle femme au bord de l'hystérie en lui demandant quelque chose d'aussi banal que la marque de papier hygiénique en spécial dans les circulaires de la semaine. L'une de mes sœurs, après avoir vu Véronneau à l'œuvre dans un film particulièrement mauvais où il jouait le rôle d'un poète veuf cherchant à la fois le grand amour et une mère pour ses enfants, lui avait d'ailleurs fait parvenir un poème où elle trouva le tour de faire rimer « Ma vie sans toi est vide » avec « Je t'aimerai jusqu'à Laval-Des-Rapides ». Elle signa son chef-d'œuvre du nom de Mary Véronneau. Ma mère, qui ne donna jamais dans la subtilité, se moqua d'elle pendant des semaines.

Jean, pour sa part, ne se formalisa aucunement de Paul Véronneau lorsque l'envie lui prit d'ajouter mademoiselle Robert à son tableau de chasse. Il s'imposait des limites lorsqu'il s'agissait de séduire la copine ou l'épouse d'un ami – quoique Adrien n'aurait pas probablement pas été froissé si Jean lui avait chipé Denise –, mais toutes les autres étaient permises. Et en un temps record, Jean s'était retrouvé à faire le beau devant Christine Robert, après s'être chargé de sortir

Paul Véronneau du sous-sol de l'église en lui disant que Michelle Tisseyre venait de téléphoner au presbytère parce qu'elle voulait absolument l'interviewer dans le cadre de son émission hebdomadaire. Le pauvre idiot accourut alors aux studios de Radio-Canada, et Jean se retrouva libre d'étaler ses charmes à une vitesse assourdissante. Je ne serais pas surpris de savoir que mademoiselle Robert ne se rendit aucunement compte de ce qui s'était passé. Bien que ce ne serait pas très flatteur pour mon copain…

Seul petit problème au tableau: si la belle actrice accepta de suivre Jean aux toilettes, elle refusa, ensuite, de devenir une simple statistique dans la vie d'un homme profondément ennuyé par les complexités de la vie amoureuse au quotidien. Pour mon ami, mademoiselle Robert ne fut rien d'autre qu'une prise – plutôt prestigieuse, mais une prise quand même –, un poisson qu'il voulût redonner au lac après l'avoir accroché avec son hameçon, alors que le poisson ne cherchait qu'à se raccrocher à la ligne. Je tiens sincèrement à m'excuser pour le parallèle entre Christine Robert et un quelconque poisson pêché dans les eaux du fleuve Saint-Laurent mais, à l'époque, à l'exception de Lili et de madame Bouchard, Jean ne se gênait absolument pas pour mettre une femme sur un même pied d'égalité qu'un vulgaire brochet. Et le dernier brochet en lice rappliquait maintenant sans relâche, téléphonait à toute heure du jour comme de la nuit et se pointait à l'improviste, au bureau comme à son appartement de la rue Sherbrooke. Madame Bouchard, de plus en plus la figure maternelle dans la vie de Jean, eut d'ailleurs un jour à appeler la police pour sortir mademoiselle Robert, qui avait décidé d'attendre Jean dans son bureau nue comme un ver, alors que Jean se cachait dans le bureau voisin, attendant que les policiers viennent la chercher.

Cet instinct de chasse, chez Jean, je ne l'ai jamais compris. Mais dans le cas de mademoiselle Robert, le chasseur se trouvait maintenant chassé, et ce fut avec un immense déplaisir que Jean, croyant s'être définitivement débarrassé d'elle depuis l'incident avec les policiers, se retrouva face à face avec elle à sa sortie du palais de justice où il était allé défendre l'un des sbires d'Aurèle Collard. Mademoiselle Robert l'attendait, cette fois-ci tout habillée, et Jean se surprit à la trouver laide, ordinaire. Rien à voir avec la star de télévision conquise dans les toilettes d'une salle de sous-sol d'église entre deux chansons des Platters interprétées par le ménestrel engagé par Adrien. Lorsque l'intérêt disparaissait, Jean ne savait plus regarder avec les mêmes yeux.

« Moi qui pensais avoir enfin la paix, soupira-t-il en roulant les yeux. J'imagine que c'était trop te demander.

— J'ai à te parler. »

Il nous est arrivé tant de fois, à Adrien, Paul-Émile et moi, de voir Jean rejeter une conquête de manière plutôt cavalière – à dix-sept ans, il se fit d'ailleurs attaquer par une femme de quarante ans lorsque celle-ci se rendit compte que Jean couchait à la fois avec elle et sa fille aînée ; je jure que c'est une histoire vraie – tout en affichant une attitude aussi arrogante et insensible, et nous avons souvent ri à la vue de certaines de ces filles qui pleuraient, suppliant Jean de ne pas les laisser tomber. Mais Jean ne riait plus, regrettant les quinze minutes passées avec Christine Robert en se disant qu'elles ne valèrent certes pas la filature qu'il vivait en ce moment. Exaspéré, sur le point de perdre patience, il entraîna mademoiselle Robert par le bras vers une rue plus tranquille, fermement décidé à en finir une fois pour toutes, et ensuite se diriger vers un bar de la place Jacques-Cartier et avaler un verre de gin. Peut-être deux. Au moins trois.

« Christine, c'est la dernière fois que je t'avertis. La prochaine fois que je te trouve sur mon chemin, même si c'est parce que t'es en train d'acheter des tomates au magasin, je te fais enfermer. C'est-tu clair ? »

Autre chose que je n'ai jamais su comprendre : comment une personne, homme ou femme, peut se raccrocher désespérément à une autre, croyant que, si l'effort est suffisant, l'autre personne finira par céder et l'aimer à son tour. Comme un enfant qui demande constamment la même chose à ses parents en espérant que l'exaspération les poussera à lui donner tout ce qu'il veut.

« Jean, je suis enceinte. »

C'est à partir de là que l'histoire de Jean devient, pour moi, plus pénible à raconter. Quoique je ne veux pas me permettre de juger. Après tout, Adrien se retrouva, plus ou moins à la même époque, dans une situation identique et sa réaction, complètement différente de celle de Jean, n'eut pas forcément les meilleures conséquences pour lui, Denise et les autres personnes concernées, comme le racontera Paul-Émile un peu plus loin. Et c'est ce qui motiva Jean, justement, à réagir comme il l'a fait. Pour lui, qui s'était juré de vivre sa vie avec une totale liberté, il était hors de question de se retrouver piégé comme Adrien et Denise l'étaient et, comme s'il avait voulu justifier le traitement dur qu'il gardait en réserve pour elle, Jean prit immédiatement le parti de faire comme si mademoiselle Robert mentait. Mais pour moi, qui venais de perdre une enfant que j'aimais comme si elle avait été la mienne, et qui côtoyais la maladie et la misère sur une base régulière, l'égoïsme dont Jean fit preuve à ce moment-là me le révéla sous un jour qui me le rendait insupportable. Moi qui l'avais toujours aimé comme un frère, je découvrais que mon attachement avait ses limites et je ne sus longtemps que faire d'Adrien et de Lili, qui le défendaient bec et ongles. Comment défendre de tels agissements ? Comment justifier une telle indifférence ?

« Tu ne dis rien ? », lui demanda d'ailleurs mademoiselle Robert, inquiétée par son silence, s'imaginant, comme le veut le cliché, que Jean allait céder à l'annonce de sa grossesse.

Jean, effectivement, ne dit rien du tout, voyant à travers les yeux de mademoiselle Robert le bungalow de Saint-Léonard où Adrien, malheureux, venait d'emménager comme s'il était entré dans un tombeau, accompagné d'une femme qu'il n'aimait pas, forcés tous deux de s'occuper d'un enfant dont ils n'avaient pas voulu. Jamais Jean ne pourrait se soumettre à pareille existence. Il étoufferait. Tuerait quelqu'un. Lui-même, peut-être. Qui voulait savoir ? Pas lui. Surtout pas lui. Si Jean fut assez malchanceux pour se retrouver dans la même situation qu'Adrien, il allait se sortir rapidement de ce mauvais pas. Et s'il était doué pour apprendre de ses erreurs, Jean l'était encore plus pour apprendre de celles des autres. Jamais la vie d'Adrien ne deviendrait la sienne. Il ne saurait pas l'accepter.

Sans dire un mot, Jean abandonna sur la rue une Christine Robert qui s'était mise à pleurer de manière hystérique pour retourner au palais de justice et demander une interdiction de l'approcher contre celle qu'il accusait de harcèlement psychologique et de problèmes mentaux susceptibles de nuire à son intégrité physique. Cette interdiction, mademoiselle Robert la reçut le lendemain matin à la première heure. Pour Jean, elle n'existait plus. L'enfant non plus, forcément. Et immédiatement après sa sortie du palais de justice, Jean se dirigea chez Lili au pas de course, pressé d'engloutir ses trois verres de gin. Peut-être quatre. Au moins cinq.

Pour lui, le problème était définitivement réglé.

Je ne m'attarderai pas davantage sur cette partie de la vie de Jean, et je tiens à m'excuser sincèrement si je n'ai pas su rapporter cette histoire avec toute l'objectivité dont j'aurais dû faire preuve. Au fond, après avoir raconté ce qui m'apparaît comme la principale faille dans la personnalité de Jean, il n'y a qu'une chose dont je suis maintenant persuadé de manière irréversible.

L'objectivité n'est qu'un leurre nous donnant la force illusoire d'ignorer ce que nous ne voulons pas savoir.

24
Paul-Émile... à propos d'Adrien

Existe-t-il quelque chose de plus beau qu'une femme enceinte ? Je suis de ceux qui croient qu'il n'y a rien de plus magnifique qu'une future maman se promenant avec le ventre bien rond et le teint éclatant. Une femme enceinte a quelque chose dans les yeux, le sourire, la posture, les gestes faisant en sorte qu'on ne peut faire autrement que de la regarder. Même Denise, qui était déjà jolie au départ, mais qui n'attendait pas vraiment la venue de son enfant dans la joie, rayonnait toujours plus, malgré tout, à mesure que sa grossesse avançait.

Mais si j'ai toujours eu un faible pour les femmes enceintes, je n'ai jamais été assez gaga pour ne pas savoir que venait un temps où il valait mieux ne jamais les flatter dans le sens contraire du poil. Maintenant que je suis l'heureux père de trois enfants, j'ai appris que lorsqu'arrivait le huitième mois de grossesse de leur mère, celle-ci passait par toute la gamme des émotions, et je m'arrangeais toujours pour être ailleurs et avoir quelque chose à faire. Tout la mettait en colère. Tout la faisait pleurer, de joie ou de chagrin. Denise aussi fut comme ça avec, en plus, une incapacité chronique à supporter le moindre bruit. Adrien me raconta d'ailleurs, peu avant la naissance de son enfant, qu'il avait choisi de dormir sur le divan du salon parce que Denise passait son temps à lui donner des coups de pied, prétextant que sa respiration l'empêchait de dormir.

Mais les petits caprices de Denise n'étaient rien en comparaison de la scène qu'elle fit à monsieur Mousseau lorsque celui-ci se pointa, à la surprise générale, au bungalow de la rue Robert après avoir appris que la maison d'Adrien avait été bâtie là où se trouvait autrefois l'ancienne ferme des Mousseau. Évidemment déçu par le paysage de Saint-Léonard, qui avait presque entièrement tout perdu du Port-Maurice, monsieur Mousseau annonça, dix minutes seulement après son arrivée, qu'il désirait retourner chez lui. Denise, déjà irritable en raison d'une nuit passée à se retourner dans son lit parce que le bébé lui donnait des coups de pied, utilisa ce prétexte pour exploser et envoyer paître son beau-père de façon mémorable.

« Est-ce que je peux savoir pourquoi vous êtes venu ici, monsieur Mousseau ? Pensiez-vous sincèrement qu'en venant ici, aujourd'hui, vous alliez trouver Fleurette, dans l'étable, qui attend de se faire traire ?! Vous avez même pas été foutu d'assister au mariage de votre fils unique, mais vous seriez prêt à faire cent milles à pied pour vous retrouver les deux pieds dans la bouse de vache ! Savez-vous, monsieur Mousseau, c'est une bonne affaire que vous ayez décidé de partir par vous-même parce que sinon, c'est moi qui vous aurais mis dehors ! Cul par-dessus tête ! À l'avenir, faites comme d'habitude pis restez donc chez vous ! »

À partir de ce moment, une belle complicité prit naissance entre Denise et sa belle-mère. Madame Mousseau souriait à pleines dents devant l'aplomb et l'audace de sa bru envers son mari, qu'elle peinait de plus en plus à supporter, et ce fut avec joie qu'elle accepta l'invitation de Denise à venir l'aider dans les derniers préparatifs précédant l'arrivée du bébé, soulagée de ne plus avoir à subir les règles dignes des carmélites de monsieur Mousseau.

En vivant chez son fils et sa belle-fille, madame Mousseau était encore à même de ne se faire aucune illusion sur le statut conjugal d'Adrien et de Denise: ceux-ci ne s'aimaient pas et ne s'aimeraient jamais. Mais elle se consolait en s'apercevant qu'Adrien, malgré son manque d'affinités avec Denise, n'agissait pas avec elle comme monsieur Mousseau l'avait fait pendant tant d'années. Il est toujours bon pour une mère, j'imagine, de réaliser que son enfant n'est pas un sans-cœur. Mais lorsque Denise perdit ses eaux, Adrien était à l'école et, donc, dans l'impossibilité de faire preuve une fois de plus de son amabilité devenue quasi légendaire. La tâche revint donc à une madame Mousseau au bord de la crise de nerfs d'emmener sa bru à l'hôpital.

« Oh! Mon Dieu! Tes eaux ont crevé! TES EAUX ONT CREVÉ! Vite! Faut s'en aller à l'hôpital au plus sacrant!

— Quoi?! Ben voyons donc! Je suis pas due pour entrer à l'hôpital avant la semaine prochaine! Qu'est-ce qu'on va faire? Adrien est à l'école!

— Il reviendra nous rejoindre à l'hôpital! Il faut s'en aller, y'a pus une minute à perdre! On peut pas se permettre d'attendre Adrien; tu risques de pondre le petit d'une minute à l'autre!

— Allez-vous pouvoir me reconduire à l'hôpital?

— Es-tu folle?! Nerveuse comme je suis, je vais t'emboutir l'auto dans un arbre, ça sera pas long!

— Ben là, faites quelque chose! L'eau arrête pas de couler! Vous pouvez pas demander à monsieur Mousseau de venir nous chercher?

— Avant qu'il s'enlève les doigts du nez, lui, tu vas avoir le temps de retomber enceinte pis d'accoucher une autre fois! Mon Dieu! Mon Dieu! Mon Dieu! Qu'est-ce qu'on fait? »

Au bout du compte, seule Denise eut suffisamment de présence d'esprit pour alerter un voisin, mais celui-ci tenta de lui faire comprendre, de manière diplomatique, qu'il n'avait pas du tout l'intention de ruiner les sièges de sa toute nouvelle Ford Thunderbird par l'expulsion d'un placenta tout frais. Les grimaces de Denise, jumelées à la nervosité sans cesse grandissante de madame Mousseau, firent rapidement comprendre audit voisin qu'il était malgré tout dans son meilleur intérêt de reconduire en quatrième vitesse la future maman à l'hôpital le plus près.

Une heure plus tard, Adrien arriva à l'hôpital, à bout de souffle, et demanda à sa mère si le bébé était arrivé. Madame Mousseau, encore occupée à calmer sa crise de panique, lui répondit qu'elle n'en avait pas la moindre idée.

Les hommes – ceux de ma génération, en tout cas, et tous ceux nous ayant précédés – ont souvent eu la réputation, à tort ou à raison, de ne pas porter trop d'intérêt aux grossesses de leurs épouses; de faire comme si l'enfant à venir n'était rien d'autre qu'un truc abstrait jusqu'au moment de sa venue au monde en hurlant et en urinant sur le ventre de sa mère, qui peut enfin tenir son petit dans ses bras. Mais Adrien, pour arriver à survivre à son mariage avec Denise, n'avait eu d'autre choix que de reporter toute son attention sur quelqu'un qui, pour lui, n'existait pas encore. Oui, c'est vrai, il n'arrivait pas à s'émouvoir devant le ventre de sa femme – qui prenait des proportions de presqu'île à mesure qu'approchait la date de l'accouchement. Mais contrairement à la plupart des hommes – j'en suis – qui tombent à la renverse devant cet amour aussi soudain que bouleversant lorsqu'ils se retrouvent en présence de leur enfant pour la première fois, Adrien anticipait cet amour, l'espérait afin qu'il puisse le soutenir et lui donner la force de devenir autre chose que son père. Et quand le médecin vint le rejoindre pour lui annoncer qu'il était maintenant père d'un garçon en pleine santé, c'est à monsieur Mousseau qu'Adrien avait songé; à cet amour paternel que lui-même n'avait pu lui inspirer et qui n'avait pas su soutenir son père dans les moments les plus pénibles de sa vie.

Adrien avait passé les neuf derniers mois à essayer de s'attacher à quelque chose, à quelqu'un qu'il n'avait encore jamais vu, et à espérer ne pas avoir le cœur aussi sec que son père pour permettre à son fils de rendre sa vie affective un peu moins vide. C'était beaucoup de pression sur les épaules d'un nouveau-né ; à mon avis, ce n'était pas au petit de faire en sorte que ses parents arrivent à s'endurer. Mais on fait avec ce que l'on a, et Denise et Adrien n'avaient rien d'autre que leur enfant. D'ailleurs, lorsqu'Adrien a ouvert la porte de la chambre de Denise, celle-ci ne s'est même pas retournée. Elle n'avait d'yeux que pour son fils. Au fond, elle et Adrien n'avaient pas à se regarder. Qu'est-ce que cela aurait donné ? Ils ne pouvaient retourner en arrière, ne pouvaient plus rien changer et, regardant le visage de Daniel – c'est son nom –, réalisaient que l'amour déjà très fort qu'ils ressentaient pour lui les empêchait de se questionner sur ce qu'aurait été leur vie s'il n'était jamais venu au monde. Pour lui, Adrien et Denise allaient devoir apprendre à cultiver un sol quasi désertique. Mais comment faire ? Comment arrive-t-on à faire pousser une fleur en plein désert ?

Pour faire plus spectaculaire, j'aurais pu raconter que l'accouchement de Denise fût monstrueux ; qu'elle hurla de douleur pendant dix-huit heures avant de sortir un bébé inconscient, sauvé de justesse par un médecin refusant de perdre un patient – un enfant, par surcroît – pendant son quart de travail. Mais cela ne s'est pas passé comme ça. Ceux qui me connaissent savent je ne me mettrai pas à jouer les sensationnalistes pour leur bon plaisir. Et pour ceux que ça intéresse, l'accouchement se déroula sans problème. Daniel est venu au monde en parfaite santé, béni de parents qui se raccrochaient déjà à lui comme deux naufragés, lui jurant un amour inconditionnel s'il leur donnait la capacité de rendre supportable cette vie qui leur fût imposée à cause de lui.

Je l'ai déjà dit, et je le redis encore, au risque de passer pour un vieux radoteux: ceux qui s'attendent à une belle fin risquent d'être amèrement déçus. Denise et Adrien ne finiront pas leurs jours ensemble. Et à tous ceux insatisfaits de cette situation, je tiens à rappeler que je ne fais que raconter une histoire ayant déjà été vécue. Il n'y a rien d'autre à faire que de la raconter… et de dire que j'aurais vécu la vie d'Adrien de manière très différente si j'avais été à sa place.

25
Adrien... à propos de Paul-Émile

Je serais curieux de connaître l'origine de cette tradition qui consiste à mettre un chapelet sur la corde à linge, la veille d'un mariage, afin de s'assurer une belle météo le lendemain. Tout comme je voudrais bien savoir le nom de celui ou celle qui a dit, un jour, qu'un mariage pluvieux était synonyme de mariage heureux. Probablement quelqu'un ayant une peur bleue du divorce. Mais qui ou quoi croire, au juste ? Le jour du mariage de mes parents, le ciel avait été d'un bleu spectaculaire, alors que, lorsque James Martin et Marie-Yvette Flynn s'unirent devant Dieu pour le meilleur et pour le pire – surtout pour le pire –, la pluie fut tellement forte qu'une inondation avait forcé l'évacuation de plusieurs résidents du faubourg à mélasse et des environs.

Je suppose que le jour du mariage de Paul-Émile, madame Marchand choisit de croire dans les vertus du soleil sur la réussite conjugale, puisque plusieurs voisins l'aperçurent en train de décrocher pas un, mais TROIS chapelets de sa corde à linge.

Monsieur Marchand avait également choisi de respecter la tradition en emmenant Paul-Émile prendre une marche le matin de ses noces, histoire de lui faire les habituelles recommandations paternelles. J'imaginais plutôt mal le père de Paul-Émile désirant instruire son fils sur les vertus bienfaisantes d'une nuit de noces occupée, afin d'arriver à se doter d'une vie conjugale satisfaisante. Monsieur Marchand n'était pas naïf et savait fort bien que Paul-Émile ne s'engageait pas envers Mireille Doucet en jouissant – surtout à son âge – du statut peu enviable de puceau. Paul-Émile lui aurait d'ailleurs probablement ri au nez si tel avait été le cas.

Puceau, Paul-Émile ne l'était plus depuis longtemps, alors que Patrick, Jean, lui et moi avions pris la décision, à quinze ans, de rassembler le peu d'argent dont nous disposions pour mettre à notre service pendant une heure la rutilante Greta, alias Paulette Piché de Napierville, l'une des toutes dernières recrues à arpenter les rues du Red Light. Alors, pour le discours portant sur les oiseaux et les abeilles, monsieur Marchand pouvait repasser.

Mais madame Marchand, qui s'obstinait toujours à croire que Paul-Émile mariait Mireille par amour et que les liens entre lui et Suzanne n'étaient même pas dignes d'une amourette de cour d'école, aurait probablement accroché un quatrième chapelet sur sa corde à linge si elle avait été mise au courant du principal sujet du discours paternel prononcé par son époux, ce matin-là. Elle ne pouvait pas le savoir, puisqu'elle et monsieur Marchand ne s'adressaient presque pas la parole depuis leur retour de la rue Pratt. Les regards qu'ils s'échangeaient étaient sombres, le ton de voix, glacial, faisant ainsi passer les huit mois de silence ayant précédé la naissance de Paul-Émile pour une fête foraine digne du Parc Belmont. Mais si madame Marchand avait su que son époux manœuvrait encore, quelques heures seulement avant la cérémonie, pour faire entendre raison à Paul-Émile, elle aurait probablement fait une de ces scènes dignes de madame Flynn, dont tout le quartier se serait rappelé pendant des décennies.

Malgré ses airs de grande fendante, je me dois tout de même de donner ceci à madame Marchand : aussi pénible la crise de 1929 fut-elle pour elle, jamais elle ne s'était laissée aller à mettre un quelconque blâme sur le dos du père de Paul-Émile. Rien n'était de sa faute, et pas une seule fois ne s'était-elle permis de l'oublier. Mais, alors qu'elle était enfin sur le point de retourner à Outremont autrement qu'en autobus et pour aller y faire autre chose que de se lamenter sur le temps perdu, elle s'impatientait contre monsieur Marchand qui cherchait à empêcher son retour en arrière. Et de manière pas très subtile, pour être bien honnête.

«Tu sais, Paul-Émile, commença monsieur Marchand, y'est encore temps de tout annuler. C'est pas comme si on était devant l'autel, à l'heure où on se parle.»

Paul-Émile demeura bouche bée pendant de longues secondes. Même moi, je l'aurais été si j'avais entendu mon père me conseiller d'annuler mon mariage... le jour même de mon mariage.

«Pourquoi vous me dites ça? Vous me faites une blague?

— ...

— Êtes-vous sérieux? Moi qui pensais que vous vouliez me donner des trucs sur comment endurer ma femme vingt-quatre heures sur vingt-quatre, sept jours sur sept.

— Je... Je m'excuse. J'aurais dû t'en parler avant.

— Me parler de quoi?

— Je suis pas né ici, tu le sais. Je suis pas un gars du bas de la ville. Mais quand ta mère pis moi, on est arrivés ici, c'est comme si j'étais enfin arrivé chez nous.

— Je vous comprends pas.

— Laisse-moi finir, s'il te plaît. Je suis né dans une famille de la haute. J'ai grandi parmi des ministres, des avocats pis des médecins. Mais j'étais jamais bien, je le sais pas pourquoi. Quand je suis arrivé ici, c'est comme si je me retrouvais parmi les miens. Je me suis enraciné ben vite, pis ç'a été la même chose pour tes sœurs. Mais ta mère, elle, elle a jamais vu la rue Wolfe comme sa maison. Pis c'est correct. Je peux comprendre ça. Comme je peux comprendre que tu te sentes pas à ta place ici. C'est comme ça que je me suis senti pendant les vingt-cinq premières années de ma vie. Mais ce que je comprends pas, par exemple, c'est que tu sois prêt à faire ce que tu vas faire juste pour pouvoir retourner chez vous. »

Observant l'attitude de monsieur Marchand en réaction aux choix que faisait son fils, j'ai longtemps pensé que le père de Paul-Émile n'avait été rien d'autre qu'un petit pain perdu dans un panier de croissants pendant les vingt-cinq premières années de sa vie et ce comportement, ce défaitisme, me frustrait énormément. Pas parce que je craignais qu'il ne cherche à imposer à Paul-Émile un univers dont celui-ci ne voulait pas, mais plutôt parce que je croyais qu'il nous percevait comme cette bande de perdants pathétiques auxquels il avait cherché à s'identifier toute sa vie, parce qu'il ne se pensait pas suffisamment digne d'Outremont. J'ai toujours considéré les habitants de mon quartier comme des battants, des volontaires, des forts. Nous étions beaux à voir – en dépit de quelques cas lamentables comme mon père ou les Flynn; mais quelle classe sociale ne possède pas son lot de perdants? –, et je refusais de voir le père de Paul-Émile abuser de nous afin d'assouvir un quelconque désir de vivre au sein de la populace, avec le monde ordinaire. Dieu que j'ai toujours détesté cette expression! Nous étions tout sauf ordinaires.

Mais, avec le recul, j'ai fini par comprendre que je faisais complètement fausse route. Du moins, en ce qui concernait le père de Paul-Émile. Monsieur Marchand ne chercha jamais à imposer à son fils le complexe du petit pain – il ne l'avait pas lui-même, et il était sincèrement heureux parmi nous –, essayant plutôt de lui faire comprendre l'importance de ses racines. De son passé. De ce qu'il était devenu grâce à son père et à ses sœurs, mais aussi grâce à nous, grâce à

Suzanne, grâce à ces rues où il avait grandi et où il avait laissé sa trace, même malgré lui.

Cela étant dit, monsieur Marchand aurait tout de même pu choisir un moment plus opportun pour exprimer ses états d'âme à un Paul-Émile qui, lui, ne sut quoi en faire.

«Vous me dites ça là? Je me marie dans deux heures. Pourquoi vous me dites ça maintenant? Je suis censé faire quoi? Annuler mon mariage avec la fille d'Albert Doucet à deux heures d'avis? Signez donc mon arrêt de mort, un coup parti. Vous avez grandi dans ce milieu-là, ça fait que vous savez très bien que si j'annule tout, j'suis aussi ben de m'pogner une job à la *factrie* la plus proche pis de me faire tout petit, parce que Doucet me permettra jamais de devenir quelqu'un. Pis là, si ça vous dérange pas, je vais retourner à la maison. Je me marie dans deux heures.»

Monsieur Marchand demeura longtemps troublé par la réplique de Paul-Émile. Comment ne pas l'être? Pas une seule fois le nom de Mireille ne fut mentionné. Pas une seule fois n'avait-il parlé du tort et du chagrin qu'il lui causerait s'il l'abandonnait le jour de son mariage. Paul-Émile n'avait parlé que d'Albert Doucet et du tort qui serait fait à sa propre carrière. L'amour n'avait aucune place dans son raisonnement.

Mais en m'appliquant à suivre sa logique, même moi j'arrivais à comprendre Paul-Émile. Surtout lorsque je me rappelle le cirque tout à fait aberrant que fût la réception suivant la cérémonie. Avec ce que cela a coûté à son beau-père, Paul-Émile se serait sans doute fait lyncher publiquement s'il avait écouté monsieur Marchand et tout annulé à la dernière minute. Ce jour-là, le jardin des Doucet avait été réaménagé pour ressembler à une version miniature des Alpes françaises, où des chutes de champagne coulaient aux quatre coins de l'immense cour surplombant le centre-ville de Montréal. Deux figurants avaient été embauchés pour jeter des pétales de rose partout où les nouveaux mariés posaient les pieds, ce qui tomba de façon royale sur les nerfs de Paul-Émile, qui ordonna au figurant chargé de le suivre partout d'aller se faire voir ailleurs. Un groupe de musique spécialisé dans les mélodies de style Gene Krupa, Artie Shaw et Glenn Miller fut grassement payé pour ses services, et avait reçu l'ordre de jouer un air ressemblant un peu trop à *Hail to the Chief* lorsqu'Albert Doucet faisait son apparition, même après s'être absenté que pour quelques minutes. Et dernier exemple, mais non le moindre, le buffet était constamment renouvelé afin d'offrir en alternance aux invités des mets caractéristiques de la France, de l'Italie, du Brésil, de la Chine et du Japon.

Jean et moi aurions ri de bon cœur devant un tel étalage de richesse si nous avions été en mesure de croire, ne serait-ce que pendant cinq minutes, que nous y avions notre place. Comme témoin pendant la cérémonie, Paul-Émile avait porté son choix sur un certain Raymond Desrochers, dont ni Jean ni moi n'avions jamais entendu parler et qui, comme je devais l'apprendre plus tard, était le fils d'un des plus gros bailleurs de fonds du PLC, dont la quasi-totalité des membres se trouvait sur l'avenue Clarke, ce jour-là.

Jean, tenant pour acquis cette amitié qui nous unissait depuis l'enfance, fut réellement insulté – il en était presque drôle à voir; une vraie fille! – de constater que Paul-Émile ne nous avait confié aucun rôle d'importance – aucun rôle, en fait – pour son mariage. En ce qui me concerne, je ne fus pas aussi surpris et scandalisé, nos rencontres avec Paul-Émile se trouvant de plus en plus espacées depuis un bon bout de temps, et je fus davantage froissé par le fait qu'il nous adressa à peine la parole avant, pendant et après la réception. Comme s'il avait cherché à nous éviter.

«Coudonc! s'était d'ailleurs exclamé Denise qui avait accepté, à contrecœur, de s'éloigner de Daniel pour assister à ce qu'elle qualifiait de parade lamentable de nouveaux riches. Es-tu certain que le faire-part était pas adressé aux voisins? Paul-Émile vous regarde quasiment, toi pis Jean, comme s'il vous connaissait pas pantoute!»

En fait, il n'y avait pas que Jean et moi que Paul-Émile ignorait de façon systématique. Les pauvres Roger et Mirande Desrosiers, accompagnés de leurs enfants, semblaient autant à leur place que deux danseurs de swing sur la scène des Grands Ballets Canadiens, et passèrent l'après-midi dans un coin, complètement isolés, regardant constamment leur montre en priant pour que le cirque Doucet-Marchand n'offre pas de rappel. Peu de temps après, j'ai su que ni les Desrosiers ni Jean ni moi ne devions nous trouver sur la liste des invités. Notre présence, nous la devions à monsieur Marchand, qui avait fortement insisté pour que nous assistions au mariage, comme s'il n'avait pas voulu être le seul de sa race. Et comme s'il avait voulu nous honorer une dernière fois, alors qu'il savait très bien que Paul-Émile avait choisi de couper les ponts avec nous tous de manière définitive. Personnellement, je crois que Paul-Émile ne voulait pas nous voir là parce qu'il savait que nous savions. Que nous étions les seuls à savoir. Que nous étions les seuls à reconnaître dans ce mariage la grotesque mascarade qu'il était en réalité. Notre présence le troublait, le déstabilisait, mais ce ne fut rien, absolument rien, en comparaison du moment où il aperçut Suzanne et Guy Drouin danser au son de *Begin the beguine*. Jean me demanda, sourire en coin, si Paul-Émile était sur le point de se mettre à pleurer.

Il était facile, pour Paul-Émile, de nous ignorer, Jean et

moi. Nous étions la partie de lui-même qu'il cherchait à renier; nous étions l'accident qui n'aurait jamais dû se produire, si seulement son père avait pu trouver le moyen de ne pas quitter Outremont. Mais cela s'avéra beaucoup plus difficile, pour lui, de faire comme si Suzanne n'existait pas. Elle était la part de ses racines qu'il n'arrivait pas à oublier et qui repoussaient avec toujours plus de force et de vigueur à mesure qu'il les coupait pour les faire mourir. Elle était l'exception qui venait confirmer sa propre règle de toujours vivre sa vie en fonction de ce plan qu'il s'était dressé. De la voir présente à son mariage, symbole par excellence de cette règle qu'il s'acharnait à appliquer à toutes les sphères de sa vie, ne faisait que lui rappeler qu'il y aurait toujours du sable dans l'engrenage tant que Suzanne rôderait dans les parages.

Je ne sais pas pourquoi Suzanne a accepté d'être présente au mariage de Paul-Émile. Peut-être a-t-elle espéré jusqu'à la toute dernière minute que Paul-Émile se réveille enfin et la reconnaisse pour ce qu'elle était vraiment: le seul et unique amour de sa vie. Mais alors pourquoi avoir traîné Guy Drouin avec elle? Pour narguer Paul-Émile encore et toujours, j'imagine. Mais la pauvre Suzanne se retrouva pratiquement laissée à elle-même lorsque la grande majorité des invités se ruèrent autour de Drouin comme s'il avait été Dieu le père, et Paul-Émile, n'arrivant pas à résister à l'idée de se retrouver seule avec elle, avait suivi Suzanne lorsqu'elle décida d'aller à la salle de bains.

« Cherches-tu quelque chose? lui avait-il demandé.

— Oui, répondit Suzanne d'un ton cassant. La sortie. C'est pas une maison, ça. C'est un labyrinthe. Ça m'a pris vingt minutes pour trouver les toilettes pis là, maudite marde, ça va m'en prendre le double juste pour retrouver mon chemin!

— T'as l'air pressée.

— Oui. Je veux m'en aller.

— Déjà ? », s'étonna Paul-Émile, surpris et triste.

Suzanne demeura silencieuse pendant quelques secondes, s'appliquant à regarder Paul-Émile avec mépris, alors que ses yeux n'arrivaient seulement qu'à exprimer l'ampleur de sa douleur.

« Je suis pas habituée, moi, au foie gras, au saumon fumé pis au champagne. Tu me connais, Paul-Émile : j'aime mieux mes hot-dogs, mes chips pis mes bouteilles de Coke.

— T'es pas obligée d'être bête. Tu te sens pas à l'aise. Je comprends ça.

— Ta mère, par exemple… Un vrai poisson dans l'eau.

— C'est quoi, ton problème avec ma mère, depuis quelque temps ?

— Laisse faire. Peux-tu juste me dire par où je dois passer pour que je puisse enfin sacrer mon camp d'ici ?

— Je t'ai posé une question. Peux-tu me répondre ? »

J'ignore si Paul-Émile et Suzanne ont jamais pris conscience que la dispute était leur seule véritable façon de communiquer. Lorsqu'ils étaient enfants, ils s'envoyaient constamment promener parce qu'ils étaient tout simplement incapables de se supporter, comme c'est souvent le cas entre garçons et filles de cet âge. Mais, en vieillissant, les disputes sont vite devenues nécessaires à leurs rapports, vitales, venant ainsi les protéger et, du même coup, camoufler leur peur de ne jamais être en mesure d'endurer cette certitude qu'ils avaient de ne pouvoir être ensemble.

« J'ai entendu, l'autre jour, ta mère pis ton père s'obstiner. Si je me fie à ce que ton père a dit, ta mère trouve que je suis pas assez bien pour son beau Paul-Émile. En ce qui te concerne, je le savais déjà que tu pensais que j'étais pas assez bonne pour toi. Mais de savoir que ta mère pense la même chose, ça me fait un peu suer.

— Qu'est-ce que ça peut ben faire, ce que ma mère pense de toi ? Tu sors avec monsieur Trophée Art-Ross, là-bas. Y'est ben meilleur que moi, lui. »

Le regard dur que Suzanne affichait presque toujours en présence de Paul-Émile disparut complètement. Sa jalousie à lui était trop évidente, trop vive, pour qu'elle puisse voir autre chose que cet amour teinté de mépris qu'il ressentait pour elle. Et je ne sais pas si ce fut la peur de ne plus jamais le revoir, la crainte de le perdre définitivement, ou si la douleur de le voir marié à une autre l'avait tout simplement rendue plus vulnérable, mais Suzanne, après de longues secondes passées à faire des efforts pour ne pas dire les pires stupidités, prit tout simplement la main de Paul-Émile et l'attira vers elle. Et Paul-Émile se laissa faire, n'opposa pas la moindre résistance. Jamais il n'arrivait à rationaliser l'amour qu'il ressentait pour Suzanne lorsqu'elle se trouvait près de lui.

Trop occupés à se regarder en silence, ils ne se sont jamais aperçus que je les observais. J'aurais bien voulu, pourtant. Ne serait-ce seulement pour que Paul-Émile puisse m'expliquer comment il se permettait de lever le nez sur un amour aussi extraordinaire, alors que je moisissais d'ennui aux côtés d'une femme que je n'arrivais même pas à faire semblant d'aimer. En les regardant se tenir la main, je savais que Mireille et Guy Drouin appartenaient à un autre univers, un monde parallèle où Suzanne et Paul-Émile seraient incapables de vivre l'un sans l'autre, et j'en crevais de jalousie. Je rageais de constater que je ne vivrais probablement jamais quelque chose d'aussi fort avec qui que ce soit ; je rageais en voyant Paul-Émile se payer le luxe d'une union comme la mienne, alors que mon mariage m'avait été imposé par l'arrivée d'un bébé que j'adorais mais dont je n'avais tout de même pas voulu; je rageais en écoutant les disputes de Paul-Émile et Suzanne, qui n'étaient rien d'autre que du langage codé, signifiant l'importance que chacun avait dans la vie de l'autre, alors qu'il n'y aurait jamais de deuxième degré aux insultes que Denise et moi nous balancions au visage de manière toujours plus régulière, à mesure que le temps passait.

Je n'ai jamais été un amateur d'histoires d'amour. Au risque de me mettre à dos tous les critiques de cinéma de la terre, *Casablanca* m'avait profondément ennuyé et je ronflais depuis déjà un bon moment lorsqu'arriva la scène des adieux entre Rick Blaine et Ilsa Lund. Mais à ce moment précis, l'envie de dormir ne me tenaillait aucunement, alors que je me demandais si cette rare marque d'amour évidente entre Suzanne et Paul-Émile, que n'importe qui en route vers une des salles de bains de la résidence Doucet aurait pu apercevoir, allait aller plus loin. J'obtenus ma réponse assez rapidement lorsque je vis Paul-Émile prendre le visage de Suzanne entre ses mains, pour ensuite l'embrasser douce-ment, véritablement, longuement, pour la toute première fois.

«Franchement! murmura Jean, qui se tenait derrière moi. En d'autres circonstances, tu me connais, je sortirais mes crécelles pour l'encourager, mais là! Le jour de son mariage! Il pourrait se retenir!»

Jean assistait, lui aussi, au spectacle que nous offraient Paul-Émile et Suzanne à leur insu, ignorant la source véri-table de mon indignation à voir Paul-Émile enfin recon-naître ce qui lui sautait au visage depuis si longtemps le jour de ses noces avec Mireille Doucet. En l'observant embrasser Suzanne, je respirais profondément, essayant de contenir ma rage, alors que je n'arrivais pas à me débarrasser de cette image de Denise et moi, vieillis de cinquante ans, le cœur et la libido asséchés par toute une vie passée à ne rien faire d'autre que de se tolérer. Serrant Suzanne dans ses bras, Paul-Émile se donnait la force de ne se priver de rien. Alors pourquoi en étais-je incapable ?

« Penses-tu que ça fait longtemps que ça dure ? me demanda Jean.

— Aucune idée, mais ils feraient mieux de calmer leurs ardeurs avant que quelqu'un d'autre que nous les voie. La famille de Mireille risque d'être pas mal moins compréhensive. »

Jean avait souri, et je commençai à créer une diversion, laissant ainsi Paul-Émile et Suzanne croire que Jean et moi, ignorant ce qui se passait entre eux, discutions des prouesses de Sandy Koufax, en route vers les toilettes, les mains dans les poches, faisant comme si de rien n'était.

Jean, je crois, ne s'est jamais douté des raisons véritables de ma mise en scène, croyant simplement que j'avais agi ainsi pour chercher à protéger Paul-Émile avant que quelqu'un d'autre l'aperçoive dans les bras de Suzanne. Ce ne fut jamais le cas. En m'approchant de Paul-Émile, arborant mon plus beau sourire fallacieux, je ne désirais rien d'autre que de lui faire connaître ce même sentiment de manque, de vide et de frustration que je vivais depuis les premières minutes de mon mariage, même si je savais que sa frustration à lui ne serait que limitée dans le temps. Le jour de son mariage avec Mireille Doucet, Paul-Émile s'était enfin permis le luxe de reconnaître qu'il ne pourrait jamais couper les ponts avec Suzanne comme il s'apprêtait à le faire avec nous. Son mariage lui en donnait maintenant les moyens.

Mais les états d'âme de Paul-Émile ne m'intéressaient pas le moins du monde, au contraire, alors que je n'arrivais qu'à porter mon attention sur tous mes matins passés avec Denise, qui comportaient déjà les pires aspects de la routine matrimoniale et qui me poussaient, par pure jalousie, à faire subir la même chose à Paul-Émile en lui remettant sous le nez qu'il n'avait pas été assez brillant pour choisir Suzanne au quotidien.

« Ta femme te cherche. »

Paul-Émile nous regarda, Jean et moi, sans dire un mot. Une fois de plus, il savait très bien que nous savions. Que nous étions les seuls à savoir. Cherchant à donner l'illusion d'un rapport platonique, il fit quelques pas pour s'éloigner de Suzanne, mais les sourires d'imbéciles heureux que nous affichions, Jean et moi, annonçaient clairement que nous avions tout vu. Par rapport à nous, Paul-Émile était maintenant en position de faiblesse, venant ainsi lui donner un prétexte supplémentaire pour couper les ponts.

À ce stade-ci, je m'en fichais éperdument. J'étais malheureux et, comme le bon ami que je m'efforçais d'être, je voulais tout partager avec lui. Partager ma colère, surtout, de le voir s'approprier quelque chose auquel j'avais sciemment renoncé, par principe ou par lâcheté.

« Ta femme te cherche » furent les derniers mots que j'ai dits à Paul-Émile avant plusieurs années.

Et la rue Wolfe n'existait plus.

Chapitre III
1968

1
Jean... à propos de Patrick

Lundi, le 1er juin 1968

> *Patrick,*
>
> *Toute la famille espère qu'en lisant mon écriture sur l'enveloppe, tu te forceras un peu pour l'ouvrir, lire ce qu'il y a dedans, et au moins nous répondre. Une fois n'est pas coutume.*
>
> *En gros, je t'écris pour t'annoncer que maman est morte la semaine passée des suites de son cancer des intestins. Je sais que tu ne seras pas revenu à temps pour les funérailles, mais sache qu'une visite de ta part au cimetière serait appréciée. Surtout après la manière dont tu as traité maman depuis que tu es en Afrique.*
>
> *Teresa*

La manière ?! Quelle manière ?! Ça faisait presque huit ans que Patrick perdait son temps au Cameroun parce qu'il n'avait pas assez de colonne vertébrale pour tenir tête à sa mère ! Ça faisait presque huit ans qu'il côtoyait des enfants malades, mourants, parce que Marie-Yvette s'était abrogé le droit de se réserver une place au ciel comme on se réserve une table chez St-Hubert, choisissant de sacrifier la vie de son fils comme celle d'un vulgaire poulet ! En ce qui me concerne, Teresa pouvait bien bénir le silence de Patrick parce que si Marie-Yvette avait été ma mère, elle aurait levé

267

les pattes bien avant 1968, et pas forcément d'un cancer des intestins, si vous comprenez ce que je veux dire.

Excusez-moi. Je suis allé trop loin, je sais. Mais Teresa, la sœur aînée de Patrick, possédait un don presque aussi extraordinaire que celui de sa mère pour me faire totalement perdre les pédales. Grande, maigrelette, l'air fâché et les lèvres plissées comme si elle mordait perpétuellement dans une pomme surette, Teresa ne me vouait qu'une affection très limitée, considérant que j'exerçais une influence néfaste sur son frère.

Quand Patrick reçut la lettre de sa sœur, il venait tout juste de donner la communion à Lucien, le directeur du centre de Yaoundé, qui lui avait appris quelques minutes plus tôt que si rien n'était fait, le manque d'argent allait, une fois de plus, se répercuter sur les soins de santé à donner aux enfants malades. N'ayant jamais totalement fait le deuil d'Agnès, dont la mort remontait pourtant à six ou sept ans, je ne me souviens plus trop, Patrick avait presque réagi à la mort de sa mère comme il l'aurait fait en écoutant un potin qui ne l'intéressait pas vraiment.

« La mort d'une mère…, avait commenté Lucien. Voilà bien la seule à laquelle je n'ai jamais pu m'habituer. La mienne n'était rien de moins qu'une sainte. »

Patrick se contenta de ne pas répondre, refusant de pousser l'hypocrisie jusqu'à feindre un sentiment de perte qu'il ne ressentait pas du tout. Il était maintenant libre, après tout ; libéré de sa lâcheté de n'avoir jamais pu se tenir debout devant sa mère.

Mes sentiments envers Marie-Yvette Flynn ont toujours été on ne peut plus clairs. J'aimais la détester, je ne m'en suis jamais caché. À travers elle, souhaiter la disparition de quelqu'un était permis, accepté et même souhaité et, pour ça, je l'en remercie tendrement. Sur le coup, j'aurais été enclin à croire que James Martin et compagnie allaient organiser une fête immense, un carnaval aux proportions gargantuesques afin de souligner leur remise en liberté. À mon très grand regret – je n'ai jamais dit non à une fête bien arrosée –, il n'en fut rien. La mainmise de Marie-Yvette sur l'ensemble de sa famille allait se poursuivre jusque dans la mort.

Patrick, évidemment, ne fut pas en mesure de revenir à temps pour les funérailles de sa mère. Le Cameroun n'était pas la paroisse Sainte-Bibiane, après tout, et plusieurs jours s'écoulèrent avant qu'il puisse se libérer de ses occupations au centre, et ainsi prendre le premier avion pour Montréal. Parce que Patrick est revenu. Vous en doutiez ? Vous croyiez qu'il allait nous tourner le dos pour passer le reste de sa vie à Yaoundé ? Eh bien… Laissez-moi seulement vous dire que les choses ne se sont pas exactement déroulées comme ça. Oh ! il a fini par nous tourner le dos. Et son cœur n'est effectivement jamais complètement revenu du Cameroun. Mais il y eut très certainement quelques joyeuses distractions entre les deux, la première étant pourquoi il se décida à revenir sur la rue de la Visitation.

Tout de suite après avoir reçu la nouvelle du décès de Marie-Yvette, Patrick était allé voir Lucien pour le prévenir qu'il voulait retourner quelque temps à Montréal, histoire de voir si son père allait bien. Souriant doucement, le bon Lucien l'avait regardé longtemps avant de lui dire de ne pas s'inquiéter ; qu'il pouvait prendre tout le temps désiré. Mais Lucien n'était pas le dernier des imbéciles. Il savait que le père Flynn partait pour ne jamais revenir. James Martin n'était rien d'autre qu'un prétexte et, après huit ans, il connaissait l'histoire de Patrick trop bien – un membre du clergé qui a de la difficulté à croire en la résurrection ; il faut le faire! – pour savoir que la mort de sa mère marquait l'heure de sa délivrance. Marie-Yvette venait de mourir et, pourtant, c'est le père Flynn qui n'existait plus.

Sans qu'il n'ait averti personne de son arrivée, Patrick atterrit à l'aéroport de Dorval, pour ensuite se diriger vers l'endroit où il avait grandi, y entrant presque sur la pointe des pieds, comme s'il craignait encore la présence de Marie-Yvette. Comme s'il comprenait enfin qu'Agnès n'y mettrait jamais les pieds. Patrick était parti depuis presque huit ans, mais rien n'avait changé. Le décor laid et défraîchi de la résidence des Flynn était toujours le même – ne s'était jamais modifié, en fait, depuis les trente dernières années –, les mêmes odeurs longeaient encore les murs, et Patrick dût presque tout de suite se remettre en mémoire que Marie-Yvette n'était plus là. Mais d'autres, par contre, y étaient, et Patrick sursauta lorsqu'il entendit une voix qu'il ne reconnût pas tout de suite l'interpeller au fond de la cuisine.

«Ah ben! Si c'est pas le beau Patrick qui revient d'Afrique! Viens donner un gros bec à ta grande sœur!»

Celle-là, c'était Maggie, la sœur alcoolique de Patrick dont j'ai déjà fait mention, et qui avait des airs de cendrier ambulant. Dans une autre vie, Maggie fut déjà considérée comme l'une des belles filles du faubourg à mélasse, à condition de faire abstraction de son éternelle cigarette lui pendant constamment au bout des lèvres et qui venait lui donner des airs de joueuse de bingo compulsive. Mais c'était avant sa cure à la vodka, cure qui trouva le tour de lui faire prendre quarante ans alors qu'elle n'en avait même pas trente-cinq. Patrick, d'ailleurs, ne put s'empêcher de grimacer en voyant Maggie s'approcher, manifestement en état d'ivresse avancée, les dents jaunies par une série incalculable de cigarettes grillées. Arborant un air faussement scandalisé,

Maggie mit les poings sur ses hanches, essayant du mieux qu'elle le pouvait de ne pas tomber. Un bel exemple pour la jeunesse, cette Margaret Flynn. Je vous le dis.

« Aïe ! Franchement, le curé ! Tu vas venir donner un bec à ta sœur, ça presse ! T'es pus capable d'embrasser, astheure ? Qu'est-ce qu'ils vous montrent à faire, en Afrique, coudonc, à part de torcher les enfants à grosses bedaines ? »

Patrick, l'air évidemment méprisant, choisit de ne rien dire. Qu'aurait-il pu répliquer, de toute façon, à de pareilles énormités ?

De son vivant, Marie-Yvette intervenait toujours pour calmer et nourrir à la fois les pires excès de ses enfants – n'oublions pas que Thomas et Gavin, les deux frères de Patrick, étaient eux aussi de sérieux aspirants à une extraordinaire cirrhose du foie. Elle coupait court à ce spectacle où le reste des Flynn se mettaient eux-mêmes en scène en soulignant qu'ils n'intéressaient personne et qu'ils n'étaient rien d'autre que de vulgaires loques humaines. Alors, James Martin, Maggie, Thomas et Gavin buvaient, encore et toujours plus, pour oublier qu'ils étaient de gros zéros, fortement encouragés par Marie-Yvette à ne jamais devenir autre chose. Ce rôle avait maintenant échoué à Teresa, l'aînée des Flynn qui, semblant sortie de nulle part, éloigna Maggie de Patrick pour la diriger vers sa chambre à coucher. Elle non plus n'avait pas vu Patrick depuis huit ans. Pourtant, cela lui prit un bon cinq minutes avant de reconnaître la présence de son frère dans la cuisine.

« *Come on*, Maggie. Va donc te coucher un peu, là. C'est l'heure de cuver ta boisson.

— Je veux pas aller me coucher ! Pa... Patrick vient d'arriver ! Ça fait combien de temps qu'on l'a pas vu ? Quinze jours ?...

271

— Tu verras Patrick quand tu seras capable de te tenir deboutte. Pis tant qu'à y être, tu le verras quand t'auras pris un bon bain. On reçoit pas la visite quand on sent le fond de tonneau. Pis donne-moi donc ta cigarette. Ça serait ben le boutte du boutte si tu finissais par mettre le feu à la maison. »

Observant Maggie qui s'enlisait davantage, et Teresa qui reprenait le flambeau des bras morts de Marie-Yvette, Patrick se sentait de plus en plus à l'aise avec sa décision de tirer un trait définitif sur le faubourg à mélasse, de la même manière que Paul-Émile l'avait fait avant lui. Mais est-ce qu'il était obligé de nous mettre, Adrien et moi, dans le même panier que le reste de sa famille ? Si Marie-Yvette s'était acharnée toute sa vie à lui couper les ailes, son retour à la maison, ironiquement, lui donnait la force nécessaire de s'affranchir et de laisser toute la place à ce que le Cameroun et Agnès avaient fait de lui. Mais contrairement à ses frères et sœurs qui n'avaient totalement rien à foutre de ce qu'il était devenu, Adrien et moi lui avons tendu la main. Et Patrick nous ignora de superbe manière.

En 1968, lorsqu'il est enfin revenu à Montréal, Patrick avait besoin de croire que la mort de Marie-Yvette, jumelée à celle d'Agnès, avait fait de lui un être différent, meilleur, supérieur, avec une compréhension éclairée de tout ce qui se passait autour de lui. Cherchant des confirmations qui viendraient valider sa métamorphose, Patrick en obtint une de Teresa qui, sans le savoir, la lui servit sur un plateau d'argent.

« Veux-tu du café ? demanda-t-elle à Patrick comme s'il n'était jamais parti.

— Non merci.

— T'es sûr ? Après tout le temps passé dans l'avion, tu dois être fatigué. Je vais m'en faire une tasse, moi, de toute façon.

— Je prendrais une tasse d'eau chaude, si ça te dérange pas.

— Une tasse d'eau chaude pour le père Flynn. *Coming right up !* »

Les mots furent dits avec un tel sarcasme et un tel mépris que Patrick en avait presque souri. La confrontation se pointait à l'horizon et il se frottait les mains d'impatience à la pensée du tout premier pont qu'il s'apprêtait à brûler. Le courage qu'il n'avait pas eu du vivant de Marie-Yvette, il l'aurait maintenant. Tous devaient savoir qu'il n'était plus le peureux qu'il avait longtemps été.

« Mary est pas là ? demanda Patrick d'un ton nonchalant, cherchant à ne pas s'essouffler trop vite en vue du combat qui s'annonçait.

— Mary est mariée, répondit Teresa. Depuis quasiment trois ans. Dans un mois, ça va être mon tour.

— Félicitations, répondit Patrick, sans grande conviction.

— Si t'avais lu les lettres de maman, tu saurais tout ça.

— Quelqu'un que je connais ?

— Mary a marié Luc Desrosiers, le voisin de ton chum Paul-Émile. Moi, tu le connais pas. Il s'appelle Joe Healy.

— Un Irlandais… Maman devait l'aimer.

— Oui, beaucoup. Surtout qu'il parle pas un maudit mot de français. Mais fie-toi sur moi, ça va changer. »

À ce stade-ci, Patrick et Teresa ressemblaient à deux pays adverses lors de la Deuxième Guerre mondiale pendant les premiers mois de 1940: le conflit était déclaré; tout le monde savait que le sang allait couler, mais tout le monde se regardait sans bouger.

Le premier coup, cependant, fut asséné par Teresa.

« Pour être ben franche avec toi, je suis surprise de voir que t'es revenu. À la vitesse à laquelle tu répondais aux lettres de maman, on se demandait si on était assez bons pour toi.

— C'était ma mère. Qu'est-ce que tu voulais que je fasse d'autre que revenir ? »

L'ancien Patrick aurait cherché à se justifier. L'ancien Patrick aurait offert une avalanche d'excuses, toutes plus nulles les unes que les autres. L'ancien Patrick aurait fui pour venir nous retrouver et se changer les idées, cherchant à se convaincre que nous étions sa seule et unique famille.

Mais le Patrick nouveau et amélioré ne voulait plus avoir besoin de nous. Le Patrick nouveau et amélioré voulait se battre, se venger, et avait pris la décision de partir en mission.

« Qu'est-ce que tu voulais que je fasse d'autre que revenir ? répéta Teresa. Peut-être que t'aurais pu écrire à maman. Lui faire savoir que t'étais encore vivant.

— Aimerais-tu ça que je te parle du Cameroun, Teresa ?

— Aimerais-tu ça que je te parle des derniers jours de maman, Patrick ?

— Veux-tu que je te parle de toutes les misères que j'ai vues à cause d'elle ?

— Veux-tu que je te dise que ce que tu y as fait vivre, jamais, au grand jamais je vais souhaiter ça à mon pire ennemi ?

— L'enfant est morte dans mes bras, Teresa. Dans mes bras !

— Maman passait son temps à brailler comme une Madeleine en regardant ta photo, Patrick.

— J'aimais cet enfant-là comme ma fille ! Pis chaque fois que j'en voyais mourir un autre, c'est comme si je la revoyais mourir une autre fois.

— Maman est morte sans recevoir les derniers sacrements parce qu'elle voulait qu'ils viennent de toi ! T'as même pas voulu lui donner ça !

— Elle m'a achevé !

— Tu l'as achevée ! »

Le conflit se termina par un verdict nul, les deux partis croyant toutefois fermement en leur victoire respective, incapables de s'écouter l'un et l'autre. Mais même après la signature du traité de paix, Teresa continua de s'essayer pour le K.O.

« Je vais te dire une dernière affaire pis après ça, tu feras ce que tu voudras : maman a toujours dit que de ses trois fils, t'étais le meilleur parce que t'étais le seul qui buvait pas. Ben je vais te dire quelque chose, mon Patrick : avoir à choisir entre toi pis Tom et Gavin, je les choisis eux autres ! N'importe quand ! Parce que j'aime mieux deux gars qui boivent comme des trous mais qui sont là pour leur mère que quelqu'un comme toi, supposément un modèle de vertu, mais même pas capable de donner signe de vie une fois à sa propre mère en huit ans ! Tu t'attendais peut-être pas à ça comme comité de bienvenue, mais je m'en sacre comme de l'an quarante ! Tu sauras jamais à quel point je me suis mise à t'haïr ! »

En fait, comme comité de bienvenue, Patrick aurait difficilement pu espérer mieux. Remettant les pieds au Québec pour la première fois en huit ans, il avait craint de ne pas avoir la force d'écraser loin en lui le garçon que nous avions connu et aimé. Mais se battre contre Teresa fut presque la même chose que de se battre contre Marie-Yvette, et Patrick ressortit de ce combat frais comme une rose, prêt pour la bataille qu'il se promettait de livrer et, surtout, prêt à brûler les trois derniers ponts qui, selon lui, l'empêcheraient pleinement d'assumer cet homme qu'il était devenu : son père, Adrien et moi.

2
Paul-Émile... à propos d'Adrien

« C'est pas vrai ! Tu feras pas ça ?!

— Je peux pas passer à côté de ça, Denise.

— Pis mon opinion à moi, ça compte pas ?!

— Heu... Je m'excuse de te dire ça de même, mais non, ça compte pas. Je vais faire le même salaire comme consultant que celui que je faisais quand j'étais prof. Le budget de la maison va rester le même. Pis depuis le temps que je milite en politique, de toute façon, t'aurais dû t'y attendre. Je comprends pas pourquoi tu t'énerves comme ça.

— Consultant au MSA[8], y as-tu pensé ? J'ai pas envie que le monde pense que je suis souverainiste juste parce que toi, tu l'es, Adrien.

— Consultant au Parti Québécois. C'est comme ça que ça s'appelle, maintenant.

— MSA, Parti Québécois, Mouvement des tout-nus de la province de Québec, appelle ça comme tu veux mais moi, je refuse d'être associée à ta gang de poètes pis de petits intellectuels de gauche.

— Et est-ce que quelqu'un t'a demandé de prendre ta carte de membre du PQ ?

— Tu l'aurais signée à ma place que ça m'étonnerait même pas.

— Tu sais, Denise, le PQ va survivre même si tu prends pas ta carte de membre.

— Change pas de sujet, Adrien. Au bout du compte, tu le sais, tu peux faire ce que tu veux de ton temps, ça m'intéresse pas. Mais ce que j'accepte pas, par exemple, c'est de te voir

---

8   MSA : Mouvement Souveraineté Association

entrer ici avec toute ta propagande pour mieux bourrer le crâne des enfants. Un peu de décence, tu sais, ç'a jamais tué personne.

— Quand est-ce que j'ai fait ça ?! Pousse, mais pousse égale, han, Denise ?

— Quand est-ce que t'as fait ça ?! S'il te plaît, Adrien ! Prends-moi pas pour une épaisse ! Tu leur lis pas des dépliants le soir, avant de les coucher, pis c'est tout juste ! Mais si j'ai le malheur de dire, par exemple, que je suis pas d'accord avec sa sainteté souverainiste, tu roules les yeux, pis tu dis aux petits de pas écouter maman. Que maman sait pas de quoi elle parle. J'ai l'air de quoi, moi, devant les enfants ?

— Écoute, Denise… Si tu t'emmerdes, si tu trouves tes journées plates, c'est ton problème. Prends des cours de claquette. Prends des cours de cuisine. Prends-toi même un amant, si ça te tente, mais essaie pas de te désennuyer en essayant de me rendre la vie encore plus moche que la tienne. C'est-tu assez clair ? »

Je n'ai jamais pu résister à un bon match de lutte, et qu'il soit d'ordre physique ou mental m'importait peu. J'aimais voir deux personnes s'affronter, prêtes aux pires vacheries dans le but avoué d'éviter l'humiliation de la défaite. Et, contrairement à la plupart de mes voisins du faubourg à mélasse, j'avais un plaisir fou à observer madame Flynn, la mère de Patrick, effectuer un spectaculaire marteau-pilon à son époux, ou encore lui infliger une prise du sommeil bien après que l'arbitre ait marqué la fin du combat par un coup de sifflet. J'ai toujours eu un faible pour les battants, les durs, ceux qui poussent deux fois plus fort après avoir été attaqués. Sans doute parce qu'après de fortes doses d'adrénaline, je pouvais tranquillement retourner chez mes parents qui, eux, ne se disputaient jamais, afin de reprendre mes forces en vue du prochain combat. Comme participant ou comme spectateur. Les deux me satisfaisaient pleinement.

Dans le cas des matchs opposant régulièrement Denise à Adrien, tous les ingrédients étaient réunis pour offrir des joutes toujours plus mémorables les unes que les autres : une irritation réciproque, un franc désir de blesser l'autre, une mauvaise foi évidente et deux personnalités suffisamment semblables et différentes à la fois pour provoquer des affrontements dignes des champs de batailles de Verdun. Mais comme tout le monde le sait, rien n'est jamais parfait. Et lorsque ça l'est, ce ne l'est jamais pendant très longtemps.

« Pourquoi vous vous chicanez encore ? demanda le fils d'Adrien, en pyjama, les yeux rouges. Vous parlez trop fort. J'arrive pas à dormir. »

À sept ans, il revenait déjà à Daniel de jouer à l'arbitre avec ses parents – jouer, ici, étant un bien grand mot – chaque fois que ceux-ci se disputaient. Et Denise et Adrien se disputaient souvent. Continuellement, en fait. Mais comment aurait-il pu en être autrement ? Arrivant à peine à se blairer au début de leur vie commune, tous les deux avaient fait de gros efforts pour essayer de se tolérer et, sait-on jamais, de se découvrir des points communs. Peine perdue. Comment arriver à s'endurer vingt-quatre heures sur vingt-quatre tout en sachant qu'il n'y aurait jamais rien de mieux ? C'est impossible. Et, donc, les matchs de lutte étaient devenus plus fréquents. Plus réguliers. Ils étaient surtout devenus, pour Adrien et Denise, le seul moyen de se garder en vie.

Quatre ans plus tôt, Denise accoucha d'un deuxième enfant, Claire. À cette époque, je ne voyais plus du tout Adrien et, lorsque mon père m'apprit la naissance de sa fille, je demeurai plutôt perplexe. Comment pouvaient-ils encore se toucher ? Comment pouvaient-ils avoir une vie sexuelle ? Ensemble ? À ce stade-ci de l'histoire, je ne crois pas dévoiler un quelconque secret d'État en affirmant que je n'étais pas amoureux fou de la femme que j'ai mariée. Tout le monde sait maintenant ce que je ressentais pour elle. Ou, plutôt, ce que je ne ressentais pas. Mais il y avait tout de même, de mon côté, un minimum d'attirance physique faisant en sorte que le contact de sa peau ne provoquait pas en moi une envie de me faire castrer. Pour sa part, Adrien avait vu disparaître l'attirance physique qu'il ressentait pour Denise au moment même où ils s'étaient touchés. Et vice versa. Le manque sexuel peut-il être à ce point intense au point de risquer la vie de l'autre en appuyant un oreiller sur son visage pour oublier à qui on a affaire ? Heureusement, je n'ai jamais eu à le savoir.

Pour compenser sa vie affective on ne peut plus déficiente, Adrien s'était jeté à corps perdu dans ses activités au PQ. Et il peut bien raconter ce qu'il veut, ses positions souverainistes furent pour beaucoup dans ma décision de couper contact avec lui. Il ne parlait que de ça, ne s'intéressait qu'à ça et digérait plutôt mal le fait que j'étais un ardent fédéraliste ayant ses entrées au Parti libéral du Canada. Adrien n'était pas le seul homme malheureux en ménage mais, alors que d'autres trouvent refuge dans le sport, les femmes ou la boisson, lui se gardait vivant en se mettant au service de René Lévesque, que Denise, aussi rouge brique qu'Adrien était bleu ciel, détestait à s'en confesser depuis son départ du PLQ.

Le seul lien unissant désormais Denise et Adrien était, bien sûr, leurs deux enfants. Mais Claire et Daniel étaient également, de manière ironique, leur principale source de dispute. Pas tant en raison de la manière de les élever, mais plutôt parce que cela exigeait d'eux de passer du temps ensemble. Tous les soirs, Adrien revenait de l'école, jouait avec ses enfants jusqu'à ce que le souper soit prêt, mangeait avec eux, les embrassait pendant que Denise les préparait pour le bain, pour ensuite quitter la maison de la rue Robert et se diriger aux différentes réunions du PQ. Jusque-là, pas de problème. Les choses se gâtaient, toutefois, lorsque tous les deux se retrouvaient à la maison au même moment, avec rien à faire que de se regarder dans le blanc des yeux. Et avec les années, les relations entre eux s'étaient à ce point détériorées que Denise ne souriait que lorsqu'Adrien n'était pas à la maison, ce qui arrivait fréquemment, et que celui-ci n'arrivait à se sentir vivant que dans les locaux de la permanence du PQ. Ce lien, qui les avait unis au départ, en était maintenant rendu à les étouffer. Peut-être aurait-il été temps de songer au divorce, au moins à une séparation, mais tous les deux s'y refusaient en raison des enfants. Les matchs de lutte devenant de plus en plus violents avec les années, Denise et Adrien n'avaient trouvé d'autre manière que de s'ignorer pour être en mesure de donner un peu de paix à Daniel et à Claire. Malheureusement, ils n'y parvenaient pas très bien.

«On s'excuse, mon champion, murmura doucement Denise à son fils. Papa pis moi, on parlait d'un sujet de grande personne, pis on était pas d'accord l'un avec l'autre. C'est tout.

— Mais vous êtes jamais d'accord. Vous vous chicanez tout le temps.»

Franchement, je ne crois pas qu'Adrien se soit jamais remis de ses rapports manqués avec monsieur Mousseau et ce désarroi vint, à mon avis, nourrir le dévouement exemplaire dont il fit preuve envers ses enfants. Mais plus sa relation avec Denise se dégradait, et plus il prenait conscience que Claire et Daniel désespéraient d'un peu de silence ; de ce même silence ayant terrifié Adrien pendant toute son enfance, et qui continuait de le hanter. Avec le temps, son travail au PQ allait devenir une bouée de sauvetage dont il dépendrait de plus en plus, venant ainsi, par le fait même, envenimer davantage sa relation avec Denise. Le cercle vicieux était parfait.

Ce soir-là, peu après avoir reconduit Daniel à son lit, Denise passa tout près d'Adrien et celui-ci se mit à frissonner en constatant qu'il aurait préféré qu'elle continue son chemin ; qu'elle le laisse au silence qui risquait toujours plus de lui donner des airs de monsieur Mousseau. Mais Denise finit par s'arrêter, regardant par terre, parlant d'un ton de voix qui se voulait beaucoup trop familier au goût d'Adrien.

« Je veux pas recommencer à me chicaner, dit-elle en murmurant. Les mots de Daniel, ça m'a brisé le cœur. Nos enfants grandissent pas dans un foyer heureux, Adrien, pis tu pourras jamais savoir la peine que ça me fait. Mais je veux que tu saches une chose : toi pis moi, Dieu sait qu'on s'entend pas sur grand-chose. Pis c'est correct. On s'arrange, on contourne, on tourne autour. On fait des compromis. Mais sur ta job, des compromis, je serai jamais capable d'en faire. Comme je serai jamais capable d'accepter que tu dises aux enfants que mes idées sont niaiseuses pis sans importance. Bonne nuit. »

Adrien ne put jamais se souvenir des propos de Denise. Une chose, une seule, lui était restée en mémoire : ce murmure, le même chuchotement insupportable que tout le monde entendait lorsque madame Mousseau ouvrait la bouche. Ce murmure hurlant à tue-tête sa victoire sur sa propre vie.

Horrifié, Adrien ferma les yeux et se mit à pleurer. Passant près de lui, Denise le regarda d'un air suintant le mépris.

Cette nuit-là, Adrien la passa au salon, assis dans un fauteuil lui donnant des airs de son père, fixant le mur devant lui avec le même regard vide l'ayant traumatisé lorsqu'il était enfant. Et dans un silence tout aussi assourdissant.

Cela prendra un autre silence, d'un genre complètement différent, pour qu'Adrien agisse enfin. Et encore…

3
Patrick… à propos de Jean

Au printemps 1968, Jean avait réussi à se créer un semblant de vie de famille pour remplacer celle qu'il avait perdue. Adrien était toujours présent, évidemment. Mais Denise s'était aussi ajoutée à l'équation. Malgré ses rapports tendus avec Adrien, elle s'entendait plutôt bien avec Jean.

Madame Bouchard, pour sa part, avait accepté avec joie le rôle de mère que mon ami lui offrait de manière officieuse. Rien ne la rendait plus heureuse, d'ailleurs, que lorsque Jean la présentait à des amis ou à des collègues comme étant sa mère, ce qu'il faisait de plus en plus souvent, d'ailleurs. Veuve depuis peu, elle ne voulait rien savoir de la retraite, même si Jean lui avait offert de prendre soin d'elle jusqu'à la fin de sa vie.

« Qu'est-ce que je ferais, toute seule chez nous, sans Gaston ? J'haïs tricoter, j'haïs jouer aux cartes, pis la télé, c'est ben le *fun* pendant une heure ou deux, mais pas toute la journée. Je suis pas faite pour être une petite vieille, Jean. »

Lili Saint-Martin était, elle aussi, toujours présente dans la vie de Jean, même si la place qu'elle y tenait s'était quelque peu transformée avec les années. Les parties de jambes en l'air entre eux avaient depuis longtemps perdu tout intérêt et, à leur très grand étonnement, Lili et Jean s'étaient découvert des choses à se dire, des affinités autres que purement sexuelles. Une amitié profonde et sincère avait pris naissance, la toute première unissant Jean à un membre du sexe opposé, et je ne crois pas qu'il soit exagéré de ma part d'affirmer que Lili était devenue aussi importante dans la vie de Jean, aussi vitale, qu'Adrien, Paul-Émile et moi avions pu l'être à une certaine époque de sa vie.

Quant à moi, j'ignorais à ce moment-là si j'avais ma place dans la famille reconstituée de Jean et, bien franchement, cela me passait cent pieds par-dessus la tête. Au minimum. À cette époque – on parle ici du printemps 1968 –, je revenais du Cameroun avec la ferme intention de faire connaître Agnès à l'ensemble de l'Occident, et je n'étais absolument pas intéressé par les tribulations d'un avocat coureur de jupons qui se faisait un nom en offrant ses services à différents membres de la pègre. D'ailleurs, ce fut durant cette période que Jean prit la décision d'ouvrir son propre cabinet d'avocats. Rien de prestigieux. Rien qui lui apporterait jamais autant de notoriété que lorsqu'il fit acquitter le fils d'Aurèle Collard, mais tout de même suffisamment de clients pour être en mesure d'être son propre patron et de s'assurer encore et toujours plus de liberté. Évidemment, madame Bouchard continuerait d'exercer ses fonctions de secrétaire en travaillant pour lui, et la nouvelle fut annoncée par tous deux, un jeudi midi ensoleillé, alors que Lili, en pause d'un tournage à Radio-Canada, avait invité Jean, madame Bouchard et Adrien à manger avec elle au Café des Artistes.

«Je suis vidée, avait d'ailleurs déclaré Lili, après que la conversation eût porté sur autre chose que le nouveau cabinet. Tout le monde va bien?

— Je t'ai vue, hier, à la télé, répondit madame Bouchard sans vraiment répondre à la question. Maudite folle! J'ai jamais autant ri de ma vie que quand tu t'es retrouvée les quatre fers en l'air au restaurant!

— Je suis ben contente de savoir que t'as aimé ça, Muriel.»

La familiarité dont Lili pouvait faire preuve, à certains moments, me faisait grincer des dents. Ma mère, si elle avait échoué dans plusieurs aspects de l'éducation de ses enfants, nous avait tout de même appris le respect des personnes âgées. La claque monumentale reçue par mon frère Gavin le jour où ma mère le surprit à interpeller notre grand-mère Chénier par son prénom, d'un ton pour le moins condescendant, se fait encore ressentir par temps humide.

« Si tu savais à quel point j'suis rendue au bout du rouleau, poursuivit Lili. C'est pas mêlant, je pense que je m'ennuie de la Casa Loma.

— Tu penses quand même pas à partir ? lui demanda Adrien.

— Es-tu malade ? ! Je joue dans une des émissions les plus populaires au Québec ! Si j'ai la langue à terre, tant pis pour moi ! On a presque fini de tourner pour cette année. Je passerai mon été à dormir, c'est tout ! »

Pour ceux ayant l'âge de s'en souvenir, l'industrie du cabaret agonisait au Québec en 1968. Les boîtes à chanson avaient pris le relais, et plusieurs grandes vedettes de la Casa Loma, du Mocambo, du Faisan Doré et autres endroits du genre virent leur carrière prendre fin au même moment où les propriétaires mirent la clé dans la porte. Quelques artistes, aux premiers signes annonciateurs du déclin des cabarets, avaient tout de suite cherché à donner un souffle nouveau à leur carrière en optant pour la radio ou la télévision. Ce fut le cas de Lili qui, ayant fait quelques apparitions très appréciées dans des émissions de variétés, fut remarquée par les dirigeants de Radio-Canada qui lui offrirent le rôle « controversé » d'une jeune divorcée issue de la campagne venant tenter sa chance dans la grande ville. De nos jours, une émission comme celle-là coulerait à pic en raison d'un manque criant d'originalité, mais à l'époque, alors que le Québec connaissait encore de sérieux relents ultramontanistes, le succès d'une série portant sur l'histoire d'une jeune divorcée, interprétée par une actrice au talent plutôt quelconque pour jouer la comédie, était loin d'être assurée. Au bout du compte, l'émission fit de Lili une vedette encore plus populaire qu'elle ne l'était à l'époque de la Casa Loma. Pour ma part, je me suis toujours demandé si le succès de l'émission ne se voulait pas plutôt un moyen, pour les téléspectateurs, de remercier Lili d'avoir mis un terme à sa carrière de chanteuse. Après avoir été le témoin réticent d'un trop grand nombre de ses atroces tours de chant, je suis plutôt tenté de répondre par l'affirmative.

Mais revenons plutôt à Jean. Alors que 1968 se vivait sous le signe du chaos, sa vie aurait presque pu passer pour un long fleuve tranquille. Un métier qui le passionnait. Une famille reconstituée qui l'aimait de manière inconditionnelle. De bons amis. Des employés de bars branchés qui le connaissaient par son prénom. Des filles à profusion… Mais même si cela me peinait de le reconnaître, je ne pouvais m'empêcher d'éprouver du mépris envers l'existence que Jean menait, et que je qualifiais de véritable coquille vide, selon mes nouveaux critères. Surtout après avoir appris ce qu'il n'avait pas hésité une seule seconde à faire pour que cette vie ne soit dérangée d'aucune façon.

S'il y eut un temps où Jean m'apparut comme un être abject, dénué de toute sensibilité et qui ne méritait absolument pas sa bonne fortune, ce fut très certainement à cette époque-là. La douleur du Cameroun m'aveuglait, m'immunisait contre les souvenirs et déformait complètement ma vision de la réalité. Pour moi, qui m'étais mis en tête de changer le monde afin de le rendre digne de la mémoire d'Agnès, l'existence que menait Jean m'apparaissait dénuée de sens, et ses défauts, ramenés à des proportions trop grandes pour être vraies.

Mais je tiens à souligner que jamais je ne lui ai souhaité ce qu'il lui est arrivé peu de temps après. Je ne le raconterai pas tout de suite. Ce n'est pas encore le bon moment pour le faire. Mais tous verront et comprendront que 1968, avec son chaos et ses misères, finit par rattraper Jean. Alors qu'il avait trente-quatre ans.

4
Adrien... à propos de Paul-Émile

Denise et moi avons élevé deux enfants. Que j'ai adoré comme jamais je n'ai pu adorer qui que ce soit de toute ma vie. Je ne dis pas ça pour donner de moi l'image d'un père parfait – Dieu sait que je ne l'ai pas été –, mais j'aurais sincèrement été prêt à me faire couper bras et jambes pour mon fils et ma fille. Par contre, autant j'ai adoré mes enfants, autant la tâche de les élever m'est souvent apparue au-dessus de mes capacités, et Denise et moi, pour en avoir parlé à maintes reprises, avons souvent eu l'impression de ne pas savoir du tout ce que nous faisions. Lorsque nos enfants nous demandaient de quelle manière ils pouvaient se rendre du point A au point B, comment s'assurer que notre réponse ne les catapulterait pas plutôt directement au point Z? Je me souviens que, lorsque Claire avait sept ans, Denise l'avait surprise en pleine exploration vaginale en compagnie d'une de ses amies qui habitait en face. La fessée fut reçue presque instantanément, bruyante et vigoureuse, et ni Denise ni moi n'avons remis en question notre châtiment jusqu'à ce que Denise, qui lisait absolument tous les articles portant sur l'éducation des enfants lui tombant sous la main, apprit qu'il était tout à fait normal pour les petits d'explorer leur corps et qu'il ne fallait absolument pas décourager une curiosité aussi saine que nécessaire à leur bon développement. Denise et moi en avons fait des cauchemars pendant des semaines, convaincus que la claque administrée à Claire en avait fait une déviante sexuelle.

Je viens de donner cet exemple, mais j'aurais également pu parler de l'apprentissage pour aller seul aux toilettes, la rébellion à l'adolescence, les premières cuites, et autres traumatismes liés aux joies incommensurables d'être parent. Comme le disait si bien W.C. Fields, l'acteur préféré de mon grand-père Bissonnette: «*Ah! The good old days... May they never come back[9]!*»

Ce fut justement pour cette raison – le *burn-out* et les cheveux gris forcément engendrés par l'éducation des enfants – que je ne pus jamais comprendre pourquoi Paul-Émile, déjà père de deux filles et d'un garçon, s'était mis en tête de faire l'éducation d'une quatrième personne: sa propre épouse. Ici, il vaut peut-être la peine de faire un léger retour en arrière pour se rappeler les origines de l'épouse de Paul-Émile: Mireille était une Doucet, élevée dans la haute société montréalaise et ayant fréquenté les meilleures écoles d'Amérique du Nord et d'Europe, sans parler de tous les gens importants qu'elle croisa au cours de sa vie. Monsieur Marchand m'avait d'ailleurs dit, un jour, que sa bru conservait dans sa chambre à coucher une photo d'elle, enfant, assise sur les genoux de Winston Churchill qui demeure, à ce jour, son idole, toutes catégories confondues. D'ailleurs, Mireille était ce genre de femme qui ressentait un profond besoin d'admirer quelqu'un pour en arriver à l'aimer; qui respectait l'accomplissement et le dépassement de soi au point d'oublier lorsque c'était elle qui commandait l'admiration des autres. Et force est de constater que, professionnellement, Paul-Émile arrivait à nourrir l'amour de sa femme sans trop de difficultés. Grâce aux contacts politiques du beau-père, Paul-Émile avait pu mettre le pied dans l'engrenage du Parti libéral du Canada sans avoir à commencer au bas de l'échelle en organisant des soupers-spaghettis ou en allant chercher des petites vieilles avec sa voiture, pour

---

9 Traduction: Ah! Le bon vieux temps... Puisse-t-il ne jamais revenir!

ensuite les emmener au bureau de vote de leur comté lors de soirées électorales. Mais, malgré cela, il avait tout de même réussi à se faire un nom sans jamais avoir à utiliser celui de Doucet. Moi qui commençais également à peser plus lourd dans la balance du camp ennemi – je suis un souverainiste convaincu, alors que Paul-Émile prêche l'unité canadienne –, je le regardais aller, de loin, exhiber un talent de stratège politique que je ne lui avais jamais connu, et je ne pouvais que lui lever mon chapeau malgré la rancune tenace qu'il m'inspirait depuis sa défection du faubourg à mélasse. Le triomphe libéral de 1968, qui envoya Trudeau à Ottawa, fut en grande partie orchestré par Paul-Émile et je commençais à me demander si, un jour ou l'autre, nous n'aurions pas à nous affronter dans l'arène politique. En 1968, mon parti à moi n'était pas encore très solide sur ses pattes, mais j'étais néanmoins persuadé – l'avenir allait d'ailleurs me donner raison huit ans plus tard – que la situation allait changer. Pour l'instant, par contre, je pouvais encore me permettre de siffler mon admiration devant les prouesses de Paul-Émile sans passer pour un traître à ma patrie. Et, sans le dire trop fort, j'étais plutôt fier de lui.

Mireille aussi sifflait. De plus en plus. Et elle se serait volontiers contentée de siffler d'admiration pour le reste de ses jours. Mais Paul-Émile, depuis les tout premiers jours de leur mariage, s'acharnait à la mouler différemment; à la changer physiquement et psychologiquement pour la rendre conforme à ce qu'il voulait qu'elle soit. Et si la plupart des hommes exerçant un quelconque contrôle sur leur épouse veulent en faire des femmes soumises, ce n'était pas tout à fait le cas de Paul-Émile, qui voulait plutôt faire de Mireille une femme volontaire, indépendante, têtue, avec qui il pourrait argumenter et qui ne craignait pas de le remettre à sa place, si nécessaire. Ça ressemble à quelqu'un ? En gros, Paul-Émile essayait plus ou moins de faire contre mauvaise fortune bon cœur lorsqu'il lui était impossible de voir Suzanne – tous les deux avaient commencé à se voir en cachette le jour-même des noces de Paul-Émile –, allant même jusqu'à recommander fortement à Mireille de porter les cheveux courts et de s'acheter des vêtements semblables à ceux que Suzanne portait.

Mais Mireille ne voulait pas être volontaire, indépendante et têtue. Pas avec Paul-Émile, en tout cas, et rien ne la rendait plus heureuse que la perspective de se retrouver seule avec son époux et ses trois enfants, le soir venu, tous assis autour de la table en train de manger le roulé à la viande qu'elle avait passé la journée à préparer. De quoi faire hurler tous les mouvements pour la libération de la femme d'Amérique du Nord, qui commençaient à avoir le vent dans les voiles à cette époque.

Bref, si l'on résume la situation, Paul-Émile voulait faire de Mireille une femme libre à l'image de Suzanne, alors que Mireille ne demandait rien de mieux que de passer son temps à soupirer d'admiration devant lui. Et lorsque Paul-Émile s'aperçut qu'il ne réussirait jamais à éduquer sa femme pour en faire une version édulcorée de sa maîtresse, l'intérêt déjà très minimal qu'il portait à Mireille finit par disparaître complètement. Il choisit alors de diviser son temps entre son travail, ses enfants et Suzanne. À ce stade-ci de l'histoire, Mireille était plus ou moins devenue une mère monoparentale.

La campagne électorale de 1968 fut d'ailleurs un drôle de moment pour elle. Paul-Émile, comme je l'ai d'ailleurs affirmé un peu plus tôt, fut le maître d'œuvre de la victoire libérale, venant ainsi nourrir davantage l'admiration de sa femme au même moment où elle commençait à réaliser que son mariage n'allait peut-être pas aussi bien qu'elle le croyait. Paul-Émile n'était plus jamais à la maison et, lors d'une rare soirée qu'il passa chez lui pendant la campagne, en compagnie de son beau-père et de quelques autres têtes dirigeantes du PLC, Mireille s'était laissé aller à porter un commentaire très peu caractéristique d'elle-même, mais qui en disait long sur sa frustration sans cesse grandissante à l'endroit de Paul-Émile.

« Ça va me prendre quelque chose pour me souvenir de ce moment-là, lui avait-elle dit en remplissant des verres de bière pour les invités. Je pense que je vais écrire ça sur une feuille de papier : en souvenir d'une soirée où il est resté chez lui. Je vais l'encadrer, pis je vais l'accrocher au mur. »

Contrairement à ce que l'on serait porté à croire, je ne me réjouissais pas du vide matrimonial de Paul-Émile, tout simplement parce qu'il s'arrangeait toujours pour ne jamais se rendre compte de rien. Pour ma part, j'avais cherché à compenser pour ma vie affective plutôt désastreuse en me jetant à corps perdu dans le travail, me permettant des aventures une fois de temps en temps, essayant d'oublier que la personne m'attendant à la maison ne m'attendait pas, justement, et qu'aucun de nous deux n'aurait versé la moindre larme si l'autre avait été victime d'un enlèvement par des extraterrestres en provenance de la planète Mars. Paul-Émile, pour sa part, ne s'était privé d'absolument rien, avait réussi l'exploit d'avoir une carrière remarquable – avec l'appui du beau-père, mais tout de même ; son talent pour la stratégie politique ne lui venait pas d'Albert Doucet –, une épouse aimante, de beaux enfants en santé et une maîtresse ayant accepté de rompre avec monsieur Art-Ross 1957, comme l'appelait Paul-Émile de manière condescendante, pour jurer fidélité à un amant qu'elle ne voyait que toutes les deux semaines, si elle était chanceuse.

Je n'avais plus aucun contact direct avec Paul-Émile depuis longtemps – tous les ponts étaient désormais coupés avec le faubourg à mélasse et il n'y revenait jamais –, mais j'en savais tout de même assez sur sa situation pour éprouver de la tristesse envers Mireille, qui vivait de plus en plus ce même sentiment de vide que Denise et moi éprouvions depuis huit ans. Quoique cela devait très certainement être pire pour elle : Mireille aimait sincèrement Paul-Émile, alors que Denise et moi avions autant d'attachement l'un pour l'autre que nous en avions pour le facteur, ou le plombier. Deux situations pour le moins différentes.

Ce soir-là, après que Mireille eût ventilé sa frustration pour la première fois, Paul-Émile retourna au salon pour discuter stratégie.

« Y nous reste juste une semaine avant les élections, et tout ce que nous avons à faire, c'est de rien faire. *If it ain't broken, don't fix it.* On fait rien. On attend, point final. Que les candidats se contentent de serrer des mains pis d'embrasser des bébés. Ou d'aider des dames âgées à traverser la rue en se faisant prendre en photo pour le journal du quartier. Pas plus que ça. Une semaine en politique, c'est long, pis ça n'en prend pas plus que ça pour faire virer le vent de bord. »

Mireille avait suivi Paul-Émile, apportant un plateau rempli de verres de bière, observant son mari en même temps que son propre père regardait avec fierté ce gendre ayant su exploiter tout le potentiel qu'il avait un jour vu en lui. Fille d'Albert Doucet et épouse de Paul-Émile Marchand, Mireille avait toutes les raisons d'être fière et de profiter d'un amour qui carburait à l'admiration. Pourtant, en servant la bière aux invités, elle se demandait si Paul-Émile avait entendu ce commentaire désobligeant qu'elle avait fait à son égard, le premier en huit ans de mariage.

Pauvre Mireille! Paul-Émile ne s'était même pas rendu compte de sa présence.

5
Paul-Émile... à propos d'Adrien

J'ai souvent entendu dire qu'il y a des gens doués pour le bonheur et d'autres qui ne le sont pas. Qu'il y a des gens qui réussissent à attirer le positif, et d'autres qui ne sont capables que de le chasser. Ces explications ne m'ont jamais intéressé. Tu t'arranges pour être heureux, point à la ligne, peu importe ce qui te rend bien. Si tu es malheureux et continues de l'être, c'est ton problème, pas le mien, et je n'ai pas à être tiré vers le fond parce que tu n'es pas foutu de t'enlever les deux doigts du nez. Mon histoire, sans vouloir me vanter, en constitue le plus bel exemple. Adrien, malheureusement, adhéra plutôt à la philosophie du « Fais ce que dois » avec les résultats que l'on connaît, et ne comprenait pas ceux ayant assez de colonne vertébrale pour agir autrement. J'étais évidemment inclus dans le lot, comme tout le monde le sait maintenant, mais sa mère le fut également, à la surprise générale. Pourtant, si Adrien avait eu à espérer le bonheur de qui que ce soit, à l'exception de celui de ses enfants, celui de madame Mousseau aurait dû trôner au haut de sa liste.

J'ai déjà lu un livre où l'auteur citait Bob Dylan, qui disait se considérer comme un survivant, comme beaucoup d'autres de sa génération, pour avoir passé à travers l'année 1968. Il y avait de quoi. Martin Luther King, Bobby Kennedy – que j'ai rencontré une fois, d'ailleurs, au Mont-Tremblant, sur une pente de ski –, les manifestations étudiantes à Paris au mois de mai, le bordel du Vietnam, la contre-culture... Sans parler de la parade de la Saint-Jean-Baptiste, chez nous, qui tourna au match de lutte. Ce n'est pas que je veux sonner comme un livre d'histoire, mais je ne crois pas que quiconque ayant vécu cette époque peut prétendre avoir vécu quoi que ce soit de comparable depuis. Et que personne, surtout, ne vienne me dire que je ne suis rien d'autre qu'un *boomer* radoteux obsédé par son époque. Premièrement, étant né en 1935, je suis de onze ans l'aîné du premier *boomer* à être venu au monde. Et deuxièmement, aucune autre année, au vingtième siècle, n'aura fait autant parler d'elle, et ne fut autant analysée au quotidien, de janvier à décembre, comme ce fut le cas pour 1968. Quand je retourne en arrière et que je me remémore ce que fût cette année-là, je ne peux que regarder ceux qui ne l'ont pas vécue en secouant la tête de dépit. Ils ont manqué un méchant party.

Il faut croire que madame Mousseau, la mère d'Adrien, voulait elle aussi se joindre à la fête puisque 1968 fut l'année où elle prit enfin la décision de se débarrasser de son mari.

Après que moi, Adrien et tous ceux ayant notre âge eûmes quitté le domicile familial pour aller nous chercher ailleurs, nos parents, déjà en termes très familiers, commencèrent à se fréquenter sur une base plus régulière et ils étaient nombreux, à part ma mère, qui n'était pas très friande des jeux de cartes, à se réunir autour d'une table pour jouer au crib ou au poker. Même la mère de Patrick, l'insupportable Marie-Yvette, se joignait souvent au groupe avant sa mort.

Ces réunions, où tous riaient et discutaient de tout et de rien, firent en sorte que la vie en silence auprès de son mari devenait toujours plus intenable pour madame Mousseau, à mesure que le temps passait. Particulièrement depuis que monsieur Mousseau avait pris sa retraite du port de Montréal en octobre 1966. Souvent, la mère d'Adrien arrivait aux soirées de cartes les yeux rouges, au bord de la crise de nerfs, ne cherchant jamais à donner d'explication sur ses états d'âme, alors que tous comprenaient qu'elle n'en pouvait plus de perdre son temps aux côtés d'un cadavre vivant, et que la situation avait considérablement empiré depuis qu'elle était dans l'obligation de l'endurer vingt-quatre heures sur vingt-quatre.

Et puis un jour, madame Mousseau arriva chez les Flynn en demandant à l'une des sœurs de Patrick de lui servir un verre de gin. Sur le coup, mon père avait cru à une blague, sa voisine de table ne buvant jamais rien d'autre que de la bière d'épinette. Mais lorsque Maggie lui tendit son verre de gin, la mère d'Adrien ferma les yeux et l'avala d'un trait.

« Mon Dieu que c'est méchant, cette affaire-là !

— Doux Jésus, Justine ! s'était exclamé mon père. Voulez-vous ben me dire ce qui se passe ? »

En silence, madame Mousseau avait regardé tous les gens présents avant d'éclater comme elle n'avait jamais pu le faire auparavant. En chuchotant.

« J'en peux pus ! J'EN PEUX PUS ! Ça m'écœure de voir Honoré se lever, le matin ; ça m'écœure de le voir passer ses journées assis à lire le journal où à regarder la télé avec le volume au plus bas ! Mais par-dessus tout, je suis pus capable de le voir m'imposer son silence dans la maison, pis de le voir me regarder comme si y'allait m'égorger parce que j'ai eu le malheur d'échapper une fourchette à terre ! Du temps où il travaillait, c'était pas si pire ! Il partait travailler le soir, pis j'avais un peu de temps avant d'aller me coucher où je pouvais me promener dans la maison sans avoir honte d'être vivante. Mais là, depuis qu'y'est à la retraite, y'est dans la maison vingt-quatre heures sur vingt-quatre pis je me sens comme si je pouvais même pus respirer ! Excusez-moi de vous dire ça de même, mais je peux même pus péter tranquille sans avoir peur de ce qu'il va faire ou de ce qu'il va dire ! Je veux pus être apparentée à un homme de même ! Je veux pus jamais qu'il puisse décider quoi que ce soit pour moi ! Adrien, c'est la seule belle chose à être sortie de ce mariage-là, pis j'aime trop mon fils pour dire que j'aurais jamais dû marier son père. Mais Adrien est un homme depuis longtemps, pis y'a pus besoin ni de son père ni de sa mère. Pis moi, j'ai certainement pus besoin d'Honoré. Encore une fois, excusez-moi de vous dire ça comme ça, mais je l'haïs ! Je l'haïs tellement, vous pourrez jamais savoir à quel point ! »

Tous avaient figé. Évidemment, le faubourg à mélasse était au courant depuis longtemps des… particularités du père d'Adrien, compatissant avec les misères de madame Mousseau et de son fils. Mais personne, absolument personne, ne s'était attendu à ce sursaut de liberté de la part d'une femme de soixante ans, sur qui son mari semblait exercer un contrôle parfait depuis la nuit des temps. Madame Flynn, la mère de Patrick, avait d'ailleurs eu une réplique savoureuse il y a longtemps, alors que madame Mousseau s'était plainte, une fois de plus, du caractère intransigeant de son époux : « J'ai juste une chose à vous dire, Justine : prenez soin de votre santé, regardez des deux côtés avant de traverser, pis priez ben fort pour qu'Honoré crève avant vous. C'est tout ce que vous pouvez faire. »

Madame Mousseau, avec le temps, eut la présence d'esprit de ne pas suivre les conseils d'une ganache comme Marie-Yvette Flynn, et ce fut en tremblant qu'elle se présenta au tout nouveau cabinet de Jean, sur la rue Saint-Hubert, afin de lui demander son aide.

« C'est ben certain que je vais vous aider, madame Mousseau. Vous avez toujours été ma préférée. Vous le savez ben. Mais êtes-vous certaine de savoir dans quoi vous vous embarquez ? Je suis le premier à comprendre pourquoi vous voulez demander le divorce. Cet homme-là vous a jamais méritée, tout le monde sait ça. Mais savez-vous à quel point ça risque d'être long et compliqué ? Au Québec, on divorce pas en claquant des doigts. Pourquoi vous allez tout simplement pas vivre ailleurs ? »

En guise de réponse, madame Mousseau répéta mot pour mot ce qu'elle avait dit chez les Flynn. Le ton était ferme. La tête, bien relevée. La décision, prise de manière irréversible. Observant la mère d'Adrien pendant une dizaine de secondes, Jean se leva et ouvrit la porte, faisant signe à sa secrétaire, madame Bouchard, de venir le rejoindre.

« Muriel, pourriez-vous, s'il vous plaît, me donner le numéro de téléphone de maître Raymond Craig ?

— Tout de suite, maître Taillon.

— Raymond Craig ?… C'est pas un des plus gros avocats de Montréal, ça ?

— Oui, répondit Jean. Il se spécialise dans les cas de divorce. Ça risque de moins traîner en longueur si c'est lui qui s'occupe du dossier.

— T'oublies une chose, mon beau Jean : j'ai pas l'argent pour payer quelqu'un comme Raymond Craig, moi.

— Inquiétez-vous pas pour les honoraires de maître Craig. Je m'occupe de tout.

— Pour l'amour du bon Dieu, es-tu malade ?! Tu l'as dit toi-même, Jean, que ça risque d'être long. Sais-tu combien ça va coûter ?

— Oui, je le sais. Je suis avocat.

— C'est hors de question que tu paies pour ça, Jean. Ç'a pas de bon sens !

— Voulez-vous ben vous rasseoir pis remettre votre orgueil à la bonne place !

— Je veux rien devoir à personne, Jean. Je veux pus jamais être à la remorque de qui que ce soit.

— Vous me devrez rien du tout. Raymond Craig me doit une faveur pour un service que je lui ai rendu, y'a un bout de temps. Votre divorce me coûtera pas une cenne, madame Mousseau. »

Lorsque madame Bouchard revint avec les coordonnées de Raymond Craig – qui en devait une à Jean parce que celui-ci avait réussi à faire disparaître le nom de son distingué collègue des annales d'un célèbre bordel ayant été fermé par la police –, madame Mousseau pleurait sans retenue, incapable de croire qu'elle serait enfin libre. Jean et madame Bouchard, légèrement mal à l'aise, s'approchèrent pour la consoler.

On dira ce que l'on voudra, cela prenait une bonne dose de courage, dans le Québec encore puritain des années soixante, pour se décider à foutre un mariage à la mer. L'exploit fut d'autant plus remarquable que madame Mousseau venait d'atteindre la soixantaine, conditionnée toute sa vie à accepter l'idée que l'on se mariait pour le meilleur et pour le pire, même lorsque le pire prédominait largement sur tout le reste, et que l'on devait endurer sa situation sans jamais répliquer.

Ne restait maintenant plus qu'à voir comment Adrien allait réagir, lui qui croulait toujours plus sous le poids du devoir et de la morale devant les élans de liberté que tous se permettaient autour de lui. Même sa mère.

C'est peut-être vrai, après tout, que certains sont davantage prédisposés au bonheur que d'autres.

6
Jean... à propos de Patrick

Je crois avoir été très clair sur le sujet: j'étais incapable de supporter Teresa Flynn, la sœur de Patrick, que je classais volontiers dans la catégorie des avortements manqués, au risque de me mettre à dos la clique de Morgentaler au grand complet. Mais Teresa avait tout de même raison sur un point lorsqu'elle se demandait pourquoi Patrick était revenu au Québec. Personne ne le savait. Il n'avait cherché à contacter ni Adrien ni Paul-Émile ni moi, et n'avait manifesté aucune émotion particulière lorsqu'il s'était trouvé en présence de ses sœurs. Quoique... Qui pouvait l'en blâmer ?

L'argument logique aurait été de prétendre que Patrick était revenu pour James Martin. Pour s'assurer que son père se remettait bien du décès de Marie-Yvette. Mais lorsque le père Flynn réussit enfin à traîner Patrick à la taverne Normandie, la réunion père-fils ne dura que très peu de temps, James Martin buvant bière après bière, avant de se mettre à radoter, saoul comme une botte, que le quartier n'était plus ce qu'il était.

«Sont tous mm-morts! Depuis une cou-couple d'années, le quartier est en train de se vider. C'est pus... C'est pus pareil... Mais t'es revenu, mon Patrick. Pis toé pis moé, on va avoir du *fun*. La bonne femme, est morte, astheure, mon Patrick. Est pus là, la vieille maudite! On va p-pouvoir faire ce qu'on veut! Si tu... si tu savais à q-q-quel point je m'ennuie pas de ta mère, mon Patrick!»

Et le pauvre James Martin se mit à pleurer en cachant son visage entre ses mains, sous le regard ahuri des autres clients de la taverne. Comme unique marque de compassion, Patrick se leva et donna une légère tape dans le dos de son père avant de quitter les lieux. De toute évidence, il ne s'intéressait pas du tout aux contemporains de James Martin qui crevaient tous les uns après les autres, pas plus qu'il ne s'intéressait au faubourg à mélasse de son enfance qui prenait des airs radicalement différents de tout ce qu'il avait été jusqu'ici.

« On dirait qu-quasiment que la mort de ta mère te f-fait pas de peine ! » hurla James Martin à pleins poumons, alors que Patrick franchissait la porte de sortie de la taverne.

Encore une fois, Patrick se refusa à faire l'hypocrite en feignant un chagrin qu'il ne ressentait tout simplement pas. Ce que j'admirais moins, cependant, était son acharnement à ne pas nous voir, Adrien et moi. Pourquoi ? Lorsque j'avais appris le retour de Patrick, je m'étais empressé de mettre une bouteille de champagne au frais, même si je savais qu'il ne buvait jamais une seule goutte d'alcool, histoire d'être bien équipé pour fêter le retour de mon presque frère en attendant un appel de sa part. Mais l'appel ne venait jamais, alors qu'Adrien et moi nous nous demandions, comme deux parfaits idiots, ce que nous avions bien pu faire pour que Patrick nous snobe de cette façon. Nous étions pourtant bien au fait que de sa vie d'autrefois, il ne restait plus grand-chose. Après avoir assisté une floppée d'enfants dans la mort, qui se soucie des Red Wings de Détroit ? Qui se soucie du cirque de la rue de la Visitation ? Adrien et moi, apparemment, alors que nous cherchions, comme les deux beaux crétins que nous étions, à ramener Patrick à l'intérieur des limites de sa vie antérieure, sans jamais prendre le temps de comprendre qu'il en serait probablement incapable. Et ce fut avec la ferme intention de revivre le passé – le nôtre, surtout – qu'Adrien et moi, las d'attendre un coup de téléphone qui ne venait pas, nous sommes pointés chez les Flynn alors que Patrick se trouvait sur le pas de la porte avec ses valises.

«T'es un bel écœurant, toi! lui lança Adrien, ignorant au passage la splendide Teresa qui semblait au bord de la crise de nerfs. Ça fait une semaine que t'es revenu, pis tu serais parti sans nous voir… Pour qui tu te prends?»

Après quelques minutes d'un chaos qui me donna particulièrement mal à la tête, Adrien et moi avons fini par comprendre que Teresa, toujours furieuse contre son frère, avait ordonné à Patrick d'aller se loger ailleurs, tandis que Maggie et James Martin, respectivement ivres à la vodka et à la bière, hurlaient à Patrick de ne pas partir, leur bouche pâteuse mêlée à la pâleur de leur visage venant leur donner des airs de zombies parachutés au beau milieu du faubourg à mélasse. Impassible, Patrick déposa ses valises sur le perron avant de nous regarder, Adrien et moi, et de soupirer longuement. Nous étions sous le choc. Ahuris, surtout, parce que notre vieil ami ne semblait pas particulièrement enchanté de nous voir.

«Mon père vous a dit que j'étais en ville?

— Oui, répondit Adrien. Ma mère me l'a dit aussi. Pourquoi tu nous as pas appelés? On serait allés te chercher à l'aéroport.

— Je me suis dépêché d'aller voir mon père. Je voulais voir comment y'allait.»

Argument logique, comme je l'ai affirmé plus tôt, mais pas forcément véridique.

«Tu t'en retournes au Cameroun?

— Non.»

Adrien et moi nous sommes regardés, furtivement, embarrassés devant le regard fermé que nous renvoyait cet homme autrefois aussi proche de nous que l'aurait été un frère. Même Paul-Émile, le jour de son mariage, avait été plus chaleureux envers nous.

Paul-Émile… Patrick… Ça commençait à être vexant, à la fin.

« Si vous avez envie d'aller prendre un verre, je vous le dis tout de suite, j'ai pas beaucoup de temps. Aussi ben y aller maintenant. »

Si n'importe qui d'autre avait dit quelque chose comme ça, avec le même ton cassant n'admettant aucune réplique, Adrien et moi aurions eu un plaisir fou à répliquer à notre interlocuteur en lui assénant un superbe uppercut assorti d'un saut périlleux digne des plus belles années d'Édouard Carpentier[10], histoire de bien achever l'adversaire. Mon métier ne me laissait que très peu de temps libre, et Adrien avait corrigé des copies d'examen jusqu'à tard dans la nuit afin de pouvoir se libérer pour être en mesure de donner à Patrick des retrouvailles dignes de notre amitié. Alors je le répète : si n'importe qui d'autre s'était comporté de la sorte avec nous, le mépris aurait été intense et instantané. Mais ce n'était pas n'importe qui, et Adrien et moi étions trop sous le choc pour être en mesure de réagir avec une quelconque fierté. Alors, nous nous sommes tous les trois retrouvés à la taverne Quartier Français de la rue Saint-Hubert, chacun de nous regrettant de ne pas avoir eu assez de colonne vertébrale pour prétexter une urgence qui n'existait pas.

« Paul-Émile est pas là ? demanda Patrick, visiblement impatient.

— Paul-Émile est plus jamais là, lui répondis-je. Monsieur vit maintenant sur sa maudite rue Pratt et pète de la broue comme si y'avait avalé un champ de beans au grand complet. Un professeur pis un avocat, c'est pus assez bien pour lui. Monsieur a marié la fille d'Albert Doucet et fréquente

---

10 Lutteur français ayant œuvré au Québec à partir des années cinquante.

personne ayant un compte en banque inférieur à celui de son beau-père. »

Je me sentais l'âme au commérage – et, avouons-le, Paul-Émile était une proie facile –, parlant de tout et de rien comme Adrien le faisait si souvent – quoique de moins en moins, maintenant que j'y pense –, mais pouviez-vous me blâmer ? Pour la première fois depuis qu'Adrien et moi étions en présence de Patrick, celui-ci nous posait une question pouvant se répondre autrement que par oui ou non. J'en profitai largement.

« La dernière fois qu'on l'a vu, ajouta Adrien, c'est à son mariage. On lui a pas reparlé depuis ce temps-là. Ça fait six ans. »

Patrick ne dit rien, ne semblant pas troublé le moins du monde par l'abandon de Paul-Émile, regardant autour de lui en silence, secouant légèrement son verre de Pepsi, attendant visiblement d'avoir perdu suffisamment de temps avec nous pour se donner bonne conscience et nous laisser ainsi derrière. Mais il y avait des limites aux mauvaises manières, même pour moi, et Patrick venait de les atteindre.

« Sais-tu, Patrick, on n'est peut-être pas aussi stimulants qu'un cactus dans le Sahara, je comprends ça, mais pourrais-tu au moins faire semblant d'être content de nous voir ? Si ça continue, Adrien pis moi, on va commencer à croire que tu t'emmerdes. »

Pris de court, Patrick parut embarrassé pendant quelques secondes, gêné, laissant tomber pour la première fois ce masque de condescendance qu'il portait depuis son retour de Yaoundé.

« Je voulais pas... C'est juste que, depuis le Cameroun, je suis pus capable de m'asseoir, prendre un verre, parler du temps qu'il fait, pis de commenter la dernière *game* du Canadien.

— Qu'est-ce qui s'est passé, là-bas? demanda Adrien, hésitant, comme s'il craignait d'ouvrir une boîte de Pandore. Qu'est-ce que t'as ben pu voir qui t'a rendu comme ça?»

L'embarras de Patrick était toujours là, mais l'arrogance s'apprêtait à faire un retour en force, et ce fut avec une impassibilité appliquée qu'il répondit à la question d'Adrien.

«Vous seriez pas capable de comprendre.»

En ce qui me concerne, Patrick venait de frapper sa deuxième prise et, n'ayant aucune envie d'attendre la troisième, je me suis levé de ma chaise, bien décidé à laisser seul un homme qui, manifestement, ne désirait que cela, jusqu'à ce qu'Adrien me fasse signe de me rasseoir. Réalisant subitement que je n'avais pas terminé mon verre de gin, je lui ai obéi prestement.

«Laisse faire ce qu'on est capable de comprendre pis de pas comprendre. Qu'est-ce qui s'est passé? C'est tout ce qu'on veut savoir.»

Non. Ce n'est pas vrai. JE ne voulais pas savoir. Je ne voulais plus. Avalant ma dernière gorgée de gin, j'observais Patrick et j'avais peur de pénétrer dans son univers; j'avais peur de ce monde ayant bouffé mon plus vieil ami pour en cracher un autre que je ne connaissais pas et qui, de toute évidence, n'avait pas envie de faire ma connaissance. Patrick avait quitté Montréal pour Yaoundé avec le regard d'un gamin et en était revenu avec l'air grave de quelqu'un qui en a trop vu. Et qu'avait-il vu, exactement? Si Adrien voulait savoir, je me découvrais, par contre, des envies d'ignorance infinies.

«Il s'est passé que je suis un lâche de la pire espèce, répondit Patrick en souriant de manière sarcastique. J'ai abouti en Afrique parce que j'avais pas assez de couilles pour envoyer promener ma mère, mais en arrivant là-bas, je me suis rendu compte qu'il existait ben pire que Marie-Yvette Flynn. Pis si je suis même pas capable de dire non à une *loser* du bas de la ville, comment je fais, après ça, pour arriver à supporter la vue d'enfants mourants ; des enfants malades qui demandent juste à vivre mais qui finissent par crever au bout de quelques semaines faute d'argent pis de médicaments ? Comment je fais, moi, pour les aider ? Une enfant est morte dans mes bras en souriant. EN SOURIANT ! En vingt ans, je suis même pas capable de me souvenir si j'ai vu ma mère sourire dix fois ! »

Patrick avait enfin commencé à parler pour ne plus s'arrêter. Pour ma part, je me découvrais une haine toute renouvelée pour Marie-Yvette, grande responsable de l'effondrement dont Adrien et moi étions présentement témoins.

« Je suis pus capable de voir autre chose que des enfants qui meurent, poursuivit Patrick, qui, entre-temps, s'était mis à pleurer. Vous voulez savoir ce qui s'est passé ? Je suis pus capable d'être assis dans une taverne pis d'entendre des hommes radoter sur le baseball qui arrive en ville, sur leurs femmes qui sont pas capables de faire un rôti de porc comme du monde pis sur leurs maîtresses qui sucent pas assez ! Je suis pus capable d'entendre un paquet de bonnes femmes parler de leurs émissions, de leurs maris qui les regardent même pas, pis des œufs en spécial chez Steinberg ! Tout ce que j'ai envie de faire, quand je les entends, c'est de les passer à travers un mur ! Vous pouvez pas voir ce que moi, j'ai vu, et pas haïr du monde aussi insignifiant ! Des gens qui sont juste intéressés par leur petit monde, leur petit confort, pis qui veulent même pas se donner la peine d'aller voir ce qu'il y a en dehors de leur cocon. Ça les intéresse même pas ! Je leur raconterais l'histoire d'Agnès, ils garderaient le silence pendant une couple de secondes, pis ils me demanderaient, après, si j'ai vu Robert Demontigny, hier, à la télé! Pour du monde comme ma mère, la douleur des autres, ça les intéresse pas. Ça existe même pas!»

Révolté par ses propres propos, Patrick s'était mis à pleurer de plus en plus fort, incapable de ne voir rien d'autre que ses souvenirs qu'il refusait d'oublier, alors qu'Adrien et moi nous demandions quoi faire, embarrassé par notre ami et honteux, en même temps, en raison de cette gêne qu'il nous inspirait. Mais, à notre décharge, les tavernes, surtout avant que les femmes y soient admises, ne furent jamais des lieux propices à l'expression émotive et à l'étalement des états d'âme. De plus, Adrien et moi étions sincèrement désarmés devant l'effondrement de Patrick, et je pouvais deviner qu'Adrien en arrivait presque à regretter sa quête de connaître les causes d'une telle transformation. Mais le reste des clients autour de nous, par contre, ne cherchèrent aucunement à masquer leur inconfort et leur dédain. Soupirs prolongés et regards irrités fusèrent de partout. Patrick les ignora complètement, pleurant sans aucune retenue, indisposant davantage les autres clients qui auraient bien voulu s'enivrer en toute tranquillité. Le barman, lui aussi irrité par le spectacle qu'offrait Patrick, s'approcha de nous et, à son seul regard, je savais que mon ami allait devoir se calmer.

«Écoute, Jean... Je veux pas être bête, mais pourrais-tu emmener ton chum cuver sa boisson dehors? Les autres gars commencent à être tannés de...

— Y'est pas saoul.»

Si seulement cela avait été le cas... Je me serais retrouvé en milieu beaucoup plus familier.

«C'est le gars de James Martin Flynn, ajouta Adrien. Tu le reconnais pas?»

Étonné, le barman mit quelques instants à nous croire,

dévisageant Patrick tout en essayant de le replacer dans ses souvenirs, semblant se demander où était passé le collet romain attaché au cou par Marie-Yvette. Mal à l'aise devant un tel déploiement d'émotion à l'état brut, le barman, après de longues secondes, préféra s'éloigner et retourna derrière son comptoir. Lui aussi aurait souhaité que Patrick eût été ivre. Cela aurait été tellement plus facile. Plus familier, aussi.

Adrien et moi n'avons rien dit. Pour être honnête, j'avais peur qu'Adrien, afin de meubler le silence qu'il y avait entre nous trois, se mette à déblatérer sur la beauté des enfants africains, ou sur les paysages époustouflants du Cameroun qu'il avait vus dans une revue, un jour, dans la salle d'attente de son médecin. Mais pour une fois, Adrien parla avec ses yeux, mettant sa main sur l'épaule de Patrick en lui souriant timidement, espérant qu'il saurait comprendre ce que nous essayions de dire sans avoir à ouvrir la bouche.

Quelques jours plus tard, alors qu'Adrien et moi étions en route pour notre joute hebdomadaire de balle-molle, nous n'avons que très peu parlé de Patrick, tournant autour du pot en discutant, ironiquement, du baseball qui arrive en ville, du pain de viande douteux de Denise ainsi que des talents érotiques de mes dernières conquêtes. Ce n'est pas que nous ne voulions pas parler de Patrick, mais plutôt que nous ne savions pas à quoi nous en tenir. Nous ne savions pas s'il voulait de notre amitié. Ou de notre aide. Nous ne savions rien du tout.

Le sujet ne fut, finalement, abordé que de façon très brève alors qu'Adrien et moi, fraîchement débarqué de son vieux tacot, marchions en direction du terrain de baseball du parc Lafontaine.

«Patrick, résuma Adrien en regardant vers le sol, est revenu d'Afrique comme d'autres sont revenus de guerre.»

Je n'ai rien dit, moi qui essayais depuis quelques jours de chasser de ma mémoire cette image d'un Patrick que je ne connaissais pas, agonisant, pleurant au beau milieu d'une taverne qui ne savait que faire des émotions à froid. Je n'ai rien dit, mais le parallèle tracé par Adrien m'est longtemps resté en tête. Patrick était effectivement revenu chez lui dans le même état d'esprit que s'il était revenu de la bataille de Dunkerke ou des plages de Normandie, à la différence près qu'en guerre, il l'était toujours. En guerre contre l'injustice. En guerre contre la mort d'une enfant qu'il n'arrivait pas à oublier. En guerre contre sa mère, pour lui avoir imposé, même indirectement, ses huit années au Cameroun. En guerre contre un passé auquel il n'arrivait plus à s'identifier et, surtout, en guerre contre lui-même, alors qu'il se débattait comme un forcené pour savoir ce qu'il était vraiment.

Où était donc passée cette jeunesse qu'Adrien et moi avions tant espéré retrouver à l'annonce du retour de Patrick? Qu'était-il arrivé aux rêves d'avenir ayant peuplé notre passé? La douleur de Patrick ne m'apporta certainement aucune réponse, me ramenant plutôt devant la puissance du temps, et de son besoin de tout détruire sur son passage.

J'avais envie d'un verre de gin. Ou de scotch. Ou de vodka. N'importe quoi pourvu que je ne pense plus à rien.

7
Patrick… à propos de Jean

Jean Ier, même après toutes ces années, faisait encore des ravages. La mort, même celle des autres, eut toujours un effet implacable sur Jean. Si certaines personnes arrivent à contempler leur mortalité avec plus ou moins de sérénité, mon ami en fut toujours incapable. La simple vue d'un oiseau mort provoquait en lui une réaction aussi brutale qu'épidermique. Un peu comme quelqu'un étant allergique aux abeilles et qui ne tolère même pas d'être en présence d'un pot de miel.

Aurèle Collard, le membre de la pègre de la rue Panet, mourut en juin 1968, deux jours avant la parade de la Saint-Jean-Baptiste qui vira au bordel. Dans les rues du faubourg à mélasse, la disparition de monsieur Collard eut à peu près le même effet. Les gens de ma génération et celle de nos parents furent énormément touchés par la nouvelle, et plusieurs d'entre eux, en larmes, n'hésitèrent pas à affirmer que la mort de monsieur Collard allait également marquer la mort du faubourg à mélasse. Leur fort enclin à l'exagération en fit toutefois sourire quelques-uns, dont moi. Pour ma part, le bas de la ville tel que nous l'avions connu se mourait au fur et à mesure que nous grandissions, alors que nous n'étions plus en mesure de le vivre, de le sentir, de le voir avec l'âme de notre enfance. Le quartier changeait-il vraiment à ce point, depuis quelque temps ? Où n'était-ce pas plutôt que l'âge adulte et les responsabilités qui venaient avec, forcément, nous le défiguraient au point où nous n'arrivions plus à y reconnaître quoi que ce soit ? Peu importe la réponse. La mort d'Aurèle Collard n'avait rien à y voir.

Les liens entre Jean et monsieur Collard, d'ailleurs,

demeurèrent cordiaux jusqu'à la toute fin, et celui-ci ne se permit jamais d'oublier ce que mon vieil ami avait un jour fait pour son fils... même si fiston, lui, ne témoigna pas une seule fois la moindre marque de reconnaissance envers Jean.

Mais, en dépit des rapports conviviaux qu'il entretenait avec monsieur Collard, Jean fit tout ce qu'il put pour éviter de se rendre au salon funéraire, l'idée de fixer un cadavre entre quatre planches lui plaisant autant, comme il aimait le dire, que d'aller se promener sur une plage de nudistes en compagnie des membres de sa famille. Alors, il s'appliquait à remettre à plus tard sa visite, plongeant dans ses dossiers, appelant des clients, choisissant entre ceux qu'il allait défendre et ceux qu'il refuserait de représenter. À la fin, ce furent madame Bouchard et Lili qui le forcèrent à faire acte de présence au salon funéraire.

« Envoye, Jean Taillon ! lui avait d'ailleurs lancé Lili en faisant irruption dans son bureau. Ramasse tes petits, on s'en va au salon.

— Pas maintenant. J'ai pas le temps. »

Exaspérée, Lili déposa son sac à main sur Jean et s'assit sur le bureau, tassant du revers de la main la pile de papiers qui s'y trouvait.

« Aïe ! s'exclama Jean. C'est important, ça !

— Là, Jean, ça va faire ! Tu prends ton veston, tu refais ton nœud de cravate, pis tu viens avec nous autres au salon. Aurèle est exposé depuis trois jours, pis tu t'es pas pointé une seule fois. Les gens commencent à jaser.

— C'est vrai que ça m'a toujours intéressé, ce que les gens pensent de moi...

— Jean ! s'exclama madame Bouchard. Arrête de faire le fanfaron ! Tu sais comment ça fonctionne, dans ce milieu-là !

— Écoutez... Merci de vous soucier de mon avenir, c'est

très gentil de votre part à toutes les deux. Mais ça m'intéresse pas, moi, d'aller m'agenouiller devant un mort pis de réciter une prière en écoutant deux zouaves qui en reviennent pas de voir à quel point «ils» ont réussi monsieur Collard.»

Si ce n'eut été que ça! Après être finalement venues à bout de lui, Lili et madame Bouchard embarquèrent Jean dans un taxi, presque de force, pour ensuite se diriger vers le salon Victor-Dubois, où monsieur Collard était exposé. Celui-ci, dans ses dernières volontés, avait d'ailleurs souhaité revenir après sa mort dans le quartier qui l'avait vu naître et, lorsqu'ils prirent connaissance de ce détail du testament, ceux qui pleuraient monsieur Collard se mirent à se lamenter plus encore, émus par le vieux criminel qui, même mort, lançait encore des fleurs à ses racines, si je peux m'exprimer ainsi. Et lorsque Jean mit enfin le pied au salon funéraire, escorté à la dure par Lili et madame Bouchard qui avaient tenu, elles aussi, à venir exprimer leurs condoléances, il fut accueilli par l'épouse de monsieur Collard, qui n'avait nullement des airs de vieille veuve éplorée.

«Jean… Mon beau Jean!

— Bonjour, madame Collard. Mes sympathies…

— Harriette, mon beau Jean. Appelle-moi Harriette. Depuis le temps qu'on se connaît…

— Heu… OK… Harriette, Lili, Muriel pis moi, on est venus…

— Attends que je lui dise que t'es venu… Ça va tellement lui faire plaisir. Tu sais à quel point il t'aime, Jean. Comme son fils. Aurèle me dit souvent à quel point il est fier de toi. Pis quand il te regarde, y'a tellement l'impression de se revoir quand y'était jeune.»

Bouche bée, Jean, Lili et madame Bouchard se regardèrent en silence, ne sachant pas trop quoi faire ou quoi dire, écoutant Harriette Collard parler de son Aurèle comme s'il était toujours vivant, tandis que son cadavre se trouvait à distance de vue. Ayant un peu trop l'impression d'entendre sa grand-mère et tout le reste du clan Taillon parler du patriarche comme ils l'avaient si souvent fait pendant son enfance, Jean devint blanc comme neige, et sa respiration, soudainement courte, saccadée. Comme je l'ai déjà dit, mon copain avait les salons funéraires en horreur, ce qui est déjà, en soi, compréhensible. Mais d'entendre la veuve Collard s'exprimer ainsi venait donner au cadavre de son époux des airs de son grand-père qu'il fut absolument incapable de tolérer et, rapidement, il ressentit cette horrible impression de s'enfoncer dans le sol, incapable de hurler sa terreur d'être enterré vivant. Tout semblait vide autour de lui, alors que le peu de lumière qui semblait le guider faisait place à une obscurité dont il sentait ne jamais pouvoir se sortir.

Faisant enfin le lien entre le délire de madame Collard et celui que la famille Taillon fit endurer à Jean pendant des années, Lili et madame Bouchard le poussèrent soudainement vers la sortie tout en faisant leur signe de croix, essayant de gérer les élans de culpabilité qui les tenaillaient subitement, se traitant d'idiotes d'avoir traîné Jean là où il ne voulait pourtant pas aller. Mais de quoi se blâmaient-elles, au juste ? Qui aurait pu savoir que madame Collard allait réagir ainsi à la mort de son époux ? La plupart des gens, malgré la douleur qui les accable, réussissent à conserver un minimum de dignité lorsque la mort vient frapper un de leurs proches. La réaction qu'avait eue la famille Taillon à la mort de Jean Ier était, bien évidemment, complètement irrationnelle. Et qui aurait pu prédire que Jean allait un jour retrouver sur son chemin quelqu'un ayant très exactement la même réaction ?

Mais ce que Lili et madame Bouchard auraient dû savoir, cependant, est la raison véritable expliquant pourquoi, malgré toute l'affection qu'il portait à monsieur Collard, Jean s'était entêté à ne pas mettre les pieds au salon funéraire. Non, il n'aimait pas les commentaires sur l'allure vestimentaire et capillaire des morts. Non, il n'aimait pas voir les gens se pencher pour embrasser les cadavres. Non, il n'aimait pas les odeurs des salons funéraires qu'il arrivait encore à respirer même après avoir pris trois douches et passé ses vêtements à la machine à laver. Mais il y avait une raison de plus, et celle-là venait supplanter toutes les autres.

Lili et madame Bouchard auraient dû s'en souvenir. Et moi, si j'avais été plus présent, j'aurais pu la leur rappeler.

Quel était l'âge de Jean, déjà, en 1968 ? Trente-quatre ans, très exactement.

8
Paul-Émile... à propos d'Adrien

Étrangement, malgré ses convictions souverainistes, Adrien ne fut jamais très friand des défilés de la Saint-Jean. Ou de n'importe quel autre rassemblement public, au demeurant. L'émeute du Forum, comme tout le monde en est venu à l'appeler avec le temps, lui avait fait comprendre que, généralement, le quotient intellectuel des gens se révélait inversement proportionnel à la grandeur du rassemblement. Ce fut précisément pour cette raison qu'Adrien ne déboucha pas de bouteille de champagne le jour où le général De Gaulle nous balança son « Vive le Québec libre » par-dessus le balcon de l'hôtel de ville de Montréal. Pas parce qu'il n'était pas d'accord avec les propos du général – ce qui était loin d'être mon cas, ai-je besoin de le souligner ? –, mais plutôt parce qu'il craignait que quelques illuminés ne se servent des mots de De Gaulle comme prétexte pour mettre la ville à feu et à sang, arguant qu'ils ne faisaient que se libérer de leurs... hum... oppresseurs. Avec le temps, et l'expérience de la politique aidant de plus en plus, Adrien était devenu un fervent du dialogue, de la diplomatie et des idéaux démocratiques. Les fiers-à-bras, très peu pour lui. Mais lorsqu'il fut mis au courant de cette parade de la Saint-Jean-Baptiste en train de virer à la guerre ouverte entre les manifestants nationalistes et un Pierre Trudeau impassible, assis sur l'estrade d'honneur située sur le toit de la bibliothèque municipale, Adrien s'était dirigé en courant vers la rue Sherbrooke, sa curiosité l'emportant sur son aversion à l'égard des manifestations populaires.

Arrivé sur les lieux, Adrien fut paralysé par le spectacle qui s'offrait à lui, et qui n'avait absolument rien pour rehausser l'estime de soi d'un Québécois aux prises avec son complexe d'infériorité. La vue de manifestants se faisant jeter à coups de matraque dans des fourgons, les tirs de bouteilles de bière qui le contraignirent à se pencher en quelques occasions afin de les éviter, le tout mélangé aux cocktails Molotov visant l'estrade d'honneur, eurent tôt fait de provoquer, chez Adrien, une forte envie de se sauver sur une île déserte et de changer de nationalité. Depuis cette soirée du 17 mars 1955, son désir de faire du Québec un pays n'avait fait que s'intensifier. Mais rien, selon lui, ne justifiait la violence, et il croyait qu'une telle perte de contrôle ne pouvait que nuire à la cause souverainiste. Pour une fois, nous étions tous les deux d'accord.

Il va sans dire qu'Adrien n'était pas le plus fervent admirateur de Pierre Trudeau. Depuis ses années passées à travailler ou à militer en politique, Adrien s'était toujours fait un point d'honneur de respecter ceux qui n'adhéraient pas aux mêmes idéaux que lui. Même à l'époque où nous nous côtoyions encore, et qu'il m'emmerdait sérieusement avec ses idées d'indépendance et son désir quasi religieux de me convertir, je ne me souviens pas qu'il m'ait jamais traité de stupide ou qu'il m'ait envoyé un regard méprisant parce que je ne partageais pas les mêmes idéaux que lui. Mais Pierre Trudeau avait le don de l'irriter, de le flatter dans le mauvais sens du poil, et tout en lui, de ses opinions politiques jusqu'à sa façon de parler, avait le même effet, chez Adrien, que des ongles glissant sur un tableau. Pourtant, malgré la féroce antipathie qu'il éprouvait pour Trudeau, Adrien, alors que la manifestation dégénérait de façon encore plus sérieuse, s'inclina devant sa détermination à ne pas céder devant ceux qui n'attendaient de lui qu'un signe de faiblesse. Essayant de l'apercevoir de plus près, alors que Trudeau faisait signe à certaines personnes se trouvant à ses côtés qu'il ne s'en allait nulle part, Adrien tentait de s'approcher de l'estrade d'honneur lorsque son attention se porta sur un des hommes qui l'accompagnaient. Adrien observa cet homme qui semblait aussi décidé que Trudeau dans sa volonté de ne pas quitter les lieux, qui semblait aussi arrogant devant tous ceux protestant contre la présence du candidat libéral aux élections devant avoir lieu le lendemain. Et alors que des gardes du corps imploraient Pierre Trudeau de quitter les lieux au plus vite, ce dernier jeta un coup d'œil vers cet homme se trouvant à ses côtés et, même de loin, Adrien pouvait deviner cette connivence les unissant, cette certitude qu'ils partageaient et qui leur dictait qu'ils ne devaient absolument pas céder. Sous aucun prétexte.

Cet homme, c'était moi.

9
Adrien... à propos de Paul-Émile

Je me remis plutôt bien des élections fédérales de 1968. Au PQ, où j'avais déjà commencé à travailler comme consultant, je fus l'un des seuls à m'être réjoui des résultats, convaincu qu'à long terme, les positions centralisatrices de Pierre Trudeau allaient jouer en notre faveur. Notre idéologie différait à plusieurs niveaux de celle de notre tout nouveau premier ministre mais, d'un point de vue purement stratégique, sa victoire me rendait plutôt de bonne humeur.

La présence de Paul-Émile à ses côtés, alors que je les avais aperçus tous les deux au défilé de la Saint-Jean, m'avait surpris, choqué même, et je jonglai pendant quelques minutes avec l'idée d'aller le voir. Si j'avais pu m'approcher de lui, bien sûr. Mais l'endroit où je me trouvais étant de moins en moins sécuritaire, j'ai tourné les talons et suis parti. Nous ne nous étions pas vus depuis si longtemps... M'aurait-il seulement reconnu ?

Quelques jours après les élections, alors que Denise, les enfants et moi étions passés prendre ma mère pour l'emmener déjeuner au restaurant, nous tombâmes sur une madame Marchand on ne peut plus resplendissante.

« Veux-tu ben me dire qu'est-ce qu'elle fait ici ? me demanda ma mère comme si je devais connaître la réponse. Elle passe tout son temps à Outremont, la grande fendante ! Le pauvre Gérard passe le plus clair de son temps tout seul chez lui. »

Aussitôt, ma mère se dirigea au pas de course vers ma voiture, ce que j'interprétai comme étant de l'empressement de sa part à voir ses petits-enfants. Environ cinq minutes plus tard, je finis par comprendre qu'elle était surtout impatiente d'éviter madame Marchand. Lorsqu'elle m'aperçut, celle-ci me démontra un entrain sincère que je ne lui avais jamais connu. Dans notre prime jeunesse, madame Marchand n'était jamais très enthousiaste à l'idée de nous voir arriver chez elle, Jean, Patrick et moi. Mais nous n'avions plus dix ans, et j'imagine qu'elle ne craignait plus de nous voir mettre son logement sens dessus dessous en jouant aux cowboys et aux Indiens dans son salon. Pas moi, en tout cas. J'avais très certainement passé l'âge.

« Mon cher Adrien, se réjouit-elle en me serrant dans ses bras; le garçon prépubère que je fus un jour en aurait été tout émoustillé. Comment vas-tu ? »

Mais madame Marchand ne me laissa jamais le temps de répondre à sa question, s'embarquant plutôt dans un long monologue retraçant les derniers exploits de Paul-Émile.

« Lui et monsieur le premier ministre sont d'excellents amis. Très complices. »

Merci. On passe à un autre appel.

« Paul-Émile nous a emmenés, Mireille, les enfants et moi, prendre le thé chez le gouverneur général. »

OK. D'accord. On se rappelle et on déjeune. Promis.

« La maison où Paul-Émile habite, à Rockcliffe, est absolument superbe ! Sept chambres à coucher, presque autant de salles de bains, une piscine chauffée, des draperies en provenance d'Italie !... »

Est-ce que je pourrais partir, maintenant ? S'il vous plaît ?...

« Lisanne, l'aînée, ira fort probablement dans l'un des collèges les plus huppés de la ville. On ne peut être la petite-fille d'Albert Doucet et fréquenter l'école publique.

— Qu'est-ce que vous avez contre l'école publique ? lui demandais-je, plutôt vexé. J'y ai enseigné pendant des années ! »

Ignorant ma question de superbe manière, madame Marchand continua de m'ennuyer royalement avec sa description de la vie sociale de Paul-Émile, autant à Ottawa qu'à Montréal. Et alors que je cherchais ardemment à me débarrasser d'elle – du coin de l'œil, je pouvais apercevoir Denise et ma mère qui m'observaient en riant –, j'eus une pensée pour les hommes comme Aristote Onassis, riches à craquer, ne se refusant jamais ce qui leur faisait envie, mais qui se faisaient également un devoir de ne jamais oublier leurs origines. Était-il nécessaire, pour réussir sa vie professionnelle de manière spectaculaire, de se renier soi-même, de s'abandonner au côté schizophrénique en chacun de nous pour se raccrocher à quelqu'un ou à quelque chose que l'on n'est pas ? Non. Onassis en constituait une belle preuve. Et pourtant, le Paul-Émile dont me parlait madame Marchand, je ne le connaissais pas du tout. Surtout lorsqu'elle m'entretenait de la réussite exemplaire de l'union Paul-Émile/ Mireille. De toute évidence, j'en savais infiniment plus qu'elle.

Pour ceux qui s'en souviennent, le jour du mariage de Paul-Émile marqua également le début de sa relation avec Suzanne Desrosiers. Relation faite de hauts et de bas, et qui durait depuis maintenant un peu plus de six ans. Suzanne avait d'ailleurs donné son congé à Guy Drouin, au très grand chagrin de la famille Desrosiers qui ne cessa jamais vraiment de le pleurer. Sa mère, en passant, ne gaspillait jamais une occasion de rappeler à sa fille que sa vie affective ne s'en allait nulle part. Si seulement elle savait…

« T'es mon bébé, Suzanne, mais t'es aussi celle qui m'a donné le plus de misère quand j'ai accouché, pis c'est pas vrai que j'aurai enduré tout ça pour mettre au monde une vieille fille ! Je veux des petits-enfants, pis vite !

— Vous êtes déjà grand-mère quatre fois. C'est pas assez ?

— Non, c'est pas assez. Marc a déjà trois ans. C'est pus un bébé. Pis moi, j'en veux, des bébés. Grouille-toi ! J'aurai quand même pas enduré quarante-huit heures de contractions pour rien !

— Je suis quand même pas pour marier le premier venu juste pour vous remercier de m'avoir mise au monde !

— T'en avais un, un homme à marier. Le meilleur. Pis tu l'as sacré là.

— C'est pas important, pour moi, le mariage. Qu'est-ce que vous voulez que je vous dise ?

— Pas important ?! Pour l'amour du bon Dieu, Suzanne, je t'en supplie, arrive-moi jamais en me disant que tu t'es accotée avec un homme, comme les hippies font dans leurs communes ! Tu vas me faire crever avant mon temps ! »

Leur commune, Suzanne et Paul-Émile se l'étaient bâtie dans la maison de Rockcliffe, alors que tous deux vivaient comme mari et femme lorsque l'épouse officielle n'était pas dans le coin. Ayant un jour furtivement aperçu Suzanne qui quittait Rockcliffe pour retourner à Montréal, Albert en avait d'ailleurs glissé un mot à Paul-Émile, faisant preuve d'une compréhension à laquelle son gendre ne s'attendait pas.

« J'ai toujours tout fait pour que Juliette sache jamais rien de mes maîtresses. Arrange-toi donc pour faire pareil. »

Honteux, Paul-Émile baissa les yeux et ne dit rien. Albert Doucet, pour sa part, n'en reparla jamais. Pour ma part, je me demande, encore aujourd'hui, si cette honte fut provoquée parce qu'il s'était fait prendre en flagrant délit d'adultère par son beau père – rien de moins ! –, ou parce qu'Albert Doucet devenait la troisième personne, après Jean et moi, à savoir qu'une partie de Paul-Émile demeurait solidement ancrée au cœur même du bas de la ville. La question, je crois, demeurera toujours sans réponse.

Pendant la campagne électorale, Paul-Émile et Suzanne s'étaient que très peu vus et, au moment même où je subissais le monologue sans fin de madame Marchand, tous deux se retrouvaient enfin seuls, Paul-Émile analysant la couverture journalistique du triomphe libéral, alors que Suzanne dormait encore. Avec le temps, Suzanne avait plus ou moins accepté sa situation auprès de Paul-Émile. Mais si elle n'éprouva jamais la moindre trace de jalousie envers Mireille – elle seule était le grand amour de la vie de Paul-Émile, et elle le savait –, les fréquents moments de solitude que lui imposait sa vie avec lui commençaient à lui peser de plus en plus. Qui aurait pu la blâmer ? Noël, avec Paul-Émile, devait toujours être souligné au moins une semaine à l'avance, loin de toutes célébrations familiales. La Saint-Valentin devait se dérouler en secret, alors que tout le monde croyait que Suzanne était une vieille fille en devenir. L'insistance de sa mère, d'ailleurs, commençait à la frustrer de plus en plus, Suzanne devant prétendre ne pas vouloir d'enfants alors que ce n'était pas du tout le cas.

« Pourquoi tu lui dis pas que tu peux pas en avoir ? suggéra Paul-Émile.

— Parce que j'aimerais ça en avoir un jour, innocent ! Pis comme je rajeunis pas, je commence à y penser sérieusement.

— Qu'est-ce que ça veut dire, ça ?

— Ça veut dire que je commence à y penser sérieusement. Si c'est pas avec toi, ce sera peut-être avec un autre. Pourquoi je me priverais ? Tu t'es privé de rien, toi.

— Suzanne...

— Paul-Émile, tu le sais que je t'aime. Mais je commence à en avoir ma claque de toujours passer deuxième.

— Tu passes pas deuxième, tu le sais.

— Non, je le sais pas. Quand je suis prise pour passer les trois quarts de mes soirées toute seule, c'est dur de penser autrement. »

Lorsque la conversation prenait ce genre de tournure – ce qui arrivait de plus en plus souvent –, Paul-Émile détournait les yeux et changeait de sujet, faisant comme si la conversation n'avait jamais eu lieu et que l'amour de Suzanne lui serait toujours acquis. Mon ami ne sut jamais vraiment voir sa vie autrement que ce qu'il en faisait et, bien au-delà de sa carrière et de la famille Doucet, son besoin de Suzanne définissait profondément cette existence. Paul-Émile refusa donc toujours d'envisager la possibilité qu'elle n'en fasse plus partie.

À l'exception de Jean, Albert Doucet et moi, je ne crois pas que quelqu'un d'autre se doutait de ce qui se passait entre Suzanne et Paul-Émile. Monsieur Marchand, peut-être, mais je n'ai jamais osé le lui demander. Paul-Émile était disparu du faubourg à mélasse depuis si longtemps que les habitants ne l'incluaient pratiquement plus jamais dans leurs souvenirs. La réussite de Paul-Émile, contrairement à celle de Jean ou à la mienne, ne fut jamais considérée comme la leur, et sa volonté de nous renier contribuait fortement à ce désir de nous garder au loin. Malheureusement, Suzanne n'était pas toujours exempte de ce désir. Après les élections, alors que tous les deux ne quittaient pas la chambre à coucher, histoire de rattraper le temps perdu, Suzanne avait gardé pour elle que son vote n'était pas allé au Parti libéral. Une façon comme une autre de se prouver à elle-même que Paul-Émile ne pourrait jamais la posséder complètement.

Pourtant, dans ses moments de grande solitude, il lui arrivait de ne pouvoir être en mesure de souhaiter quoi que ce soit d'autre. Mais autant Suzanne que Paul-Émile avaient appris depuis longtemps qu'ils perdaient leur temps en essayant de vivre séparément. Ils ont essayé, pourtant. Ils n'y sont jamais parvenu.

10
Jean... à propos de Patrick

Les beaux souvenirs ont la vie longue. Je n'arrive plus à me rappeler si ce fut par envie, ou si c'était parce que nous nous étions senti obligés de le faire, mais Adrien et moi avons tenté une fois de plus de joindre Patrick. Lorsque nous trois avons quitté la taverne, l'autre jour, celui-ci était parti de son côté sans dire un mot, ne prenant même pas la peine de nous saluer. Repassant dans notre tête la scène où Patrick avait fondu en larmes en parlant du Cameroun, Adrien et moi avons tenté de ne pas nous sentir offusqués par ses manières qui laissaient à désirer, même pour moi, et qui n'étaient pas sans rappeler celles de la très peu regrettée Marie-Yvette.

Comme les deux beaux crétins que nous pouvions être parfois, Adrien et moi avons essayé de rejeter sur l'autre l'action même du coup de téléphone. À l'époque, les courriels n'existaient évidemment pas et, si quelqu'un cherchait à joindre une autre personne rapidement, son choix devait alors se porter sur le téléphone ou sur une rencontre en bonne et due forme. Après avoir perdu à pile ou face avec Adrien, j'avais bien essayé de vanter les vertus des signaux envoyés à l'aide d'un feu et d'une couverture, mais Adrien, fort de ne pas avoir à passer cet appel que nous ne désirions pourtant ni l'un ni l'autre, me pressa de faire un homme de moi et de chercher à joindre Patrick le plus tôt possible.

« Y'a toujours été un bon gars. Il file un mauvais coton, mais ça va passer. Il va s'en remettre. Patrick a besoin de nous. On peut pas le laisser tomber. »

Facile à dire. Pour lui.

Quand je me décidai à passer le coup de téléphone, nous étions un samedi matin, et je fus accueilli à l'autre bout du fil par une délicieuse Maggie à la voix pâteuse, dont l'haleine empestant la vodka et le tabac arrivait presque à se rendre jusqu'à moi à travers le combiné. J'en fermai les yeux de dégoût. À l'exception de Mary, qui n'était pas particulièrement laide, mais qui n'avait quand même rien d'une Élaine Bédard, les femmes Flynn avaient toutes quelque chose dans l'allure, la voix, la posture et l'attitude ayant le potentiel de m'écœurer des femmes à tout jamais. Ce qui n'était pas peu dire, considérant mon impressionnant tableau de chasse qui faisait ma fierté.

Lorsque Patrick me délivra enfin de sa sœur, je fus à même de constater que son ton de voix n'avait pas changé et sonnait toujours aussi froid. Aussi distant. Moi qui n'étais pas le type à m'encombrer de liens qui ne m'apportaient rien, qui n'étais pas le genre à traîner du bois mort sur mon dos, je nous traitais de noms, Adrien et moi, pour être incapables de laisser Patrick être ce qu'il était devenu : un beau souvenir.

« Pourrais-tu venir me chercher ? me demanda-t-il. Il y a quelqu'un que je veux aller voir. Faudrait que j'y aille maintenant. Ça peut pas attendre. »

Comme je l'ai dit plus tôt, les beaux souvenirs ont la vie longue parce que, malgré l'attitude plutôt sibérienne de Patrick, je me suis pointé vingt minutes plus tard sur la rue de la Visitation, apercevant du coin de l'œil l'ancien logement vide de mes parents retournés depuis peu à Verchères. Mon attention fut toutefois rapidement détournée vers Teresa qui, en compagnie de son pauvre fiancé, ordonnait à Maggie, à grands coups de pied au derrière – plutôt large, si vous voulez mon avis –, d'aller caler sa vodka dans sa chambre plutôt que sur le perron au vu et au su de tout le monde. Certaines choses ne changent jamais. *The Flynn*

Circus was still alive and kicking. Littéralement.

Par contre, si j'avais su où Patrick voulait m'emmener, j'aurais désespérément cherché à joindre Maggie dans sa chambre, histoire de partager sa bouteille, tout en conseillant à mon copain de passer un coup de téléphone à Adrien.

Tous ceux qui me connaissent savent à quel point je déteste les hôpitaux. Même le département d'obstétrique, qui est à peu près le seul endroit dans un hôpital, avec la cafétéria, à ne pas être synonyme de maladies et de mortalité. Et lorsque Patrick me traîna aux soins palliatifs de l'hôpital Sacré-Cœur, je sentis mon sang se glacer, et je l'avisai que j'allais l'attendre bien installé dans ma voiture.

« Je me souviens même pus où est stationnée ton auto, me répondit platement Patrick. Reste avec moi. Ça prendra pas plus que dix minutes. »

Au bord de l'évanouissement, je pus néanmoins demeurer suffisamment conscient pour être étonné lorsque j'aperçus le nom de l'abbé Lavallée inscrit sur l'une des portes de chambre du département où nous nous trouvions. C'était donc lui, le vieil abbé de Sainte-Bibiane, que Patrick voulait voir. Et lorsque ce dernier ouvrit la porte de la chambre, je n'ai très certainement pas cherché à entrer. La vue du frère Lavallée, maigre à faire peur et visiblement mourant, n'aida en rien à calmer les fortes nausées qui me secouaient violemment, et je détournai les yeux, qui finirent par se poser sur Patrick. Lorsqu'il ouvrit la porte, celui-ci ne sembla pas avoir la moindre réaction, mais je demeure persuadé à ce jour que ses yeux ont pâli et que la vue de l'abbé Lavallée sur son lit de mort l'atteignit en plein cœur. Stoïque, Patrick entra dans la chambre le dos droit, la tête haute, et referma la porte derrière lui. Porte que j'ai entrouverte de quelques centimètres, évidemment, pour écouter ce que Patrick avait à dire, faisant des efforts comme jamais afin d'ignorer l'écho de mort qui se cachait dans le murmure de l'abbé Lavallée.

«J'étais certain que vous alliez venir. J'avais demandé au bon Dieu la joie de vous revoir avant de partir. Je suis un homme chanceux. Une fois de plus, Il a exaucé mes prières.

— Vous devriez pas parler autant. Vous allez vous fatiguer.

— Mon pauvre garçon! Pour ce que ça va changer... Que ça me plaise ou non, mon temps est compté. Alors que je parle ou non, vous savez...

— Je voulais vous voir. C'est important pour moi.

— J'en suis touché. Il y a quelque temps, le curé Julien m'a appris le décès de votre mère. Dès ce moment, j'ai su que votre retour du Cameroun n'était plus qu'une question de temps.

— ...

— La vieille détestable a enfin levé les pattes, si vous me permettez l'expression.»

Malgré mes nausées toujours vigoureuses, je ne pus m'empêcher de sourire. Je comprenais soudainement Patrick de s'être attaché à lui.

«Comment va votre pancréas? demanda Patrick.

— Vous savez très bien comment se porte mon pancréas. D'ici un mois, tout devrait être terminé. Mais j'ose espérer que vous n'êtes pas venu jusqu'à Cartierville pour me demander des nouvelles de mon pancréas.

— Non. Je suis venu ici parce que je tenais à vous dire que c'est maintenant officiel. Je suis venu vous dire que je suis parti.»

De quoi pouvait-il bien parler, exactement? En signe d'interrogation, je me mis à froncer les sourcils, ce qui, sans que je ne sache trop pourquoi, vint accentuer mes nausées.

Toutes proportions gardées – je faisais le pied de grue devant la porte de chambre d'un mourant, tout de même –, je n'allais vraiment pas bien.

«Vous êtes un homme bon, Patrick. Et vous n'avez pas besoin d'une soutane pour répandre cette bonté autour de vous. J'ai dédié ma vie au Seigneur et j'ai été heureux plus que je ne l'aurais jamais imaginé. Ce bonheur, je vous le souhaite aussi, Patrick. Parce que vous le méritez. Dieu sait que vous n'avez jamais été en mesure d'aller le chercher pour vous-même.

— Je suis venu ici pour obtenir votre bénédiction.»

La voix de Patrick s'était mise à trembler.

«Je vous la donne, mon fils. À travers les lettres écrites au fil des années, vous le savez très bien. Et peut-être qu'un jour, vous retrouverez le chemin de l'Église. Qui sait? Mais que ce choix soit le vôtre. Pas celui d'un triste personnage qui a fait passer ses intérêts avant ceux de ses propres enfants.»

L'abbé Lavallée ne parlait plus et Patrick, les épaules voûtées, s'était mis à pleurer sans retenue, comme lorsque lui, Adrien et moi étions à la taverne. Pour ne pas lui enlever ce qu'il lui restait de dignité – et aussi parce que je n'avais pas le cœur de l'entendre une fois de plus, soyons honnêtes –, j'ai refermé la porte et suis demeuré dans le corridor.

Adrien et moi ne savions toujours pas pourquoi Patrick avait choisi de revenir chez nous, alors qu'il était clair qu'une grande partie de lui était encore au Cameroun. Tandis que le bruit de ses pleurs arrivait à se rendre jusqu'à moi en dépit de la porte refermée, je me demandais si lui aussi savait pourquoi il était revenu.

Je n'allais pas tarder à avoir ma réponse.

11
Adrien... à propos de Paul-Émile

«Ça fait à peu près dix fois depuis le début de la soirée, Florence, que tu me parles de ta rencontre avec Trudeau. Pas besoin de recommencer.

— Si seulement tu l'avais vu, Gérard! Plein de grâce, de beauté, de classe...

— Oui, je le sais. Tu me l'as tellement décrit en long et en large que j'ai l'impression que c'est moi qui ai passé la soirée à y lécher le derrière.

— Franchement, Gérard! Ce que tu peux être vulgaire...»

Cette scène s'est déroulée chez Paul-Émile, à Outremont, lors d'un souper organisé pour fêter l'anniversaire de Lisanne, sa fille aînée. C'était la première fois depuis un mois, environ, que monsieur et madame Marchand se trouvaient réunis au même endroit. Celle-ci en avait d'ailleurs profité pour s'habiller comme si elle devait se rendre aux Oscars, et pour décrire en menus détails à quel point sa vie à Outremont était bien plus excitante que l'existence ennuyante à mourir de monsieur Marchand, heureux retraité et fier habitant du faubourg à mélasse. Celui-ci, soit dit en passant, refusa de se faire humilier ainsi, alors lui et son épouse se mirent alors à échanger répliques cinglantes après répliques cinglantes, le tout entre deux bouchées d'un gâteau à la vanille à l'effigie de Bobinette.

Mireille, pour sa part, coincée entre des beaux-parents querelleurs et un époux qui lui donnait aussi des envies de l'insulter, commençait à en avoir assez.

«Paul-Émile, est-ce que je pourrais te parler dans la cuisine, deux minutes?» lui demanda-t-elle.

Racines de faubourg

Paul-Émile, d'un air superbement détaché, se leva et suivit son épouse.

« Là, Paul-Émile, tu sais que j'aime beaucoup tes parents, mais pourrais-tu leur rappeler, s'il te plaît, qu'ils ont passé l'âge de se chamailler comme s'ils étaient dans une cour d'école ?

— De quoi tu parles ?

— De quoi je parle ?! Es-tu sérieux ?! Depuis que ton père est arrivé, lui pis ta mère règlent leurs comptes sans se soucier des enfants qui les regardent. Ils ressemblent à deux lions en train de se bouffer tout rond !

— Voyons donc… Mes parents ont toujours été unis comme les deux doigts de la main. Tu sais pas de quoi tu parles. »

Mireille garda le silence pendant quelques secondes, se demandant si Paul-Émile était aussi stupide qu'il en avait l'air, ou s'il n'était tout simplement rien d'autre qu'un enfant incapable d'accepter la séparation de ses parents.

À mon avis, la réponse se voulait un savant mélange des deux.

« Regarde, Paul-Émile, s'énerva Mireille. Si ça te tente de t'imaginer que tes parents sont encore capables de s'endurer, c'est ton affaire. Mais pourrais-tu, pour l'amour de tes enfants, leur demander d'aller s'endurer ailleurs ? Ils s'endurent tellement fort qu'ils se mettraient à se frapper que ça m'étonnerait pas.

— Voyons donc… »

Mireille, de plus en plus impatiente, fit signe à Paul-Émile de jeter un coup d'œil à la salle à manger et de tendre l'oreille. Monsieur et madame Marchand, sous les yeux de leurs petits-enfants visiblement mal à l'aise, continuaient de se disputer.

«Si je m'ennuie, même un peu, de la rue Wolfe?! s'exclama madame Marchand. HA! Ma chambre à coucher, ici, est plus grande que le logement au complet! Voudrais-tu avoir l'amabilité, Gérard, de m'expliquer de quoi je pourrais bien m'ennuyer?

— Du vrai monde, peut-être? D'authenticité?... Mais, bon. De quoi je pouvais bien m'attendre de la part de quelqu'un ayant élevé le pétage de broue au rang de sport olympique?»

Détournant les yeux de manière obstinée, refusant de reconnaître une réalité qui se voulait, pourtant, de plus en plus virulente, Paul-Émile demeura muet, retournant à la cuisine pour y préparer du café.

Mireille s'impatienta davantage.

«Là, Paul-Émile, se crispa-t-elle, tu vas aller dire à tes parents de s'engueuler ailleurs que devant mes enfants. Est-ce que c'est clair?»

Paul-Émile regarda sa femme comme si elle eut été une Russe fraîchement débarquée chez lui, essayant de donner un sens à ce qu'elle tentait de lui dire alors qu'il n'en comprenait pas un traître mot. Et, après quelques secondes, il retourna à la salle à manger comme si de rien n'était, alors que monsieur et madame Marchand continuaient de s'insulter à qui mieux mieux.

Exaspérée, Mireille vint chercher les enfants, feignant un sourire, tout en leur disant qu'il était maintenant l'heure d'une surprise qu'elle aurait à improviser dans les prochaines secondes, histoire de les éloigner de leurs grands-parents.

Le stratagème de leur bru ne passa pas inaperçu aux yeux de monsieur et madame Marchand qui, honteux, baissèrent les yeux tout en mettant, finalement, un terme à leur dispute.

Paul-Émile, pour sa part, se contenta de demander à ses parents s'ils voulaient encore du café.

L'une des plus belles unions qu'il m'ait été donné de voir, celle m'ayant fait comprendre qu'il existait autre chose que le mariage lamentable de mes parents, se trouvait en état de désintégration avancée.

Quelle tristesse !

Paul-Émile, pendant ce temps, mangeait son morceau de gâteau et entreprit de discuter du dernier match joué par le Canadien.

Pour lui, tout allait pour le mieux dans le meilleur des mondes.

12
Paul-Émile... à propos d'Adrien

« Les enfants, allez jouer dehors.

— Pourquoi ?

— Parce que je vous l'ai dit, c'est tout. »

Je sais qu'Adrien me tient responsable des problèmes conjugaux de mes parents. Pourtant, qu'est-ce que j'aurais pu faire pour changer le cours des choses ? Une crise ? J'étais impuissant, il n'y avait rien que je puisse faire, mais j'étais tout de même peiné par ce qui arrivait à mon père et ma mère. Et de l'entendre dire que je me mettais la tête dans le sable me frustre un peu. Surtout si l'on prend en considération ce que fût la réaction d'Adrien lorsque madame Mousseau lui annonça son intention de divorcer.

Ce jour-là, madame Mousseau arriva sur la rue Robert extrêmement nerveuse, accompagnée de Jean et d'une pizza toute garnie, espérant que de ne pas avoir à manger la cuisine de Denise allait rendre Adrien plus disposé à accepter sa décision de quitter son père. Son plan échoua lamentablement.

En route vers la rue Robert, Jean avait cherché à calmer la nervosité de madame Mousseau en prétextant qu'Adrien serait heureux pour elle, surtout parce qu'il avait vu, pendant toute son enfance, à quel point elle avait souffert entre les mains d'un homme instable comme Honoré Mousseau. Mais Jean avait calculé sans tenir compte de l'amertume qu'avait provoqué, chez Adrien, l'aridité de sa vie affective aux côtés de Denise, et il fut ahuri, à l'annonce de madame Mousseau, de voir que le regard d'Adrien s'était assombri.

Pourtant, Adrien savait qu'il aurait dû être heureux pour sa mère ; il savait qu'il aurait dû l'appuyer de manière inconditionnelle, comme elle-même l'avait toujours appuyé; il savait qu'il aurait dû lui prendre la main et lui sourire, tout en lui disant qu'elle avait pris la bonne décision.

Mais il n'y arrivait pas.

À travers la nouvelle vie que madame Mousseau voulait se donner, Adrien ne pouvait s'empêcher de penser à la sienne; de penser, aussi, au visage de son père qui le hantait de plus en plus, et à sa peur atroce de finir comme lui. Pourtant, Adrien adorait son travail et ses enfants. Mais lorsque Denise et lui se regardaient, ne serait-ce que pendant quelques secondes, la même chose leur venait toujours à l'esprit: «Où serais-je, aujourd'hui, si j'avais eu l'intelligence de t'ignorer?» Malgré l'amour qu'ils éprouvaient pour Daniel et Claire, rien ne les unissait en tant que couple, et le vide constant de leur vie affective devenait toujours plus oppressant à mesure que le temps passait, les rendant constamment insupportables aux yeux de l'autre. Comment arriver à endurer la présence de l'autre alors qu'il symbolise parfaitement une vie que l'on n'a jamais voulue?

Madame Mousseau avait attendu trente-cinq longues années avant de se décider à changer le cours de son existence. Mais combien restait-il de temps à Adrien? Aurait-il, un jour, cette même occasion de refaire sa vie et de retrouver la liberté de ses jeunes années, qu'il n'arrivait plus à s'accorder que grâce à son travail et à quelques aventures passagères?

Avec le temps, Adrien avait réalisé, avec effroi, que l'union parfaite entre Denise et lui était une union semblable à celle de ses parents, où chacun aurait gardé le silence et vécu sa vie de son côté, attendant le départ des enfants de la maison. Mais qui peut arriver à vivre de cette manière, à l'exception, bien évidemment, d'un déséquilibré comme monsieur Mousseau? La façon d'élever les enfants, l'entretien de la maison, les convictions politiques à l'opposé d'Adrien et de Denise représentaient un champ miné, explosant à la moindre occasion où l'un des deux ouvrait la bouche et, même si Adrien aspirait toujours un peu plus au calme le plus plat à mesure que les années passaient, les circonstances faisaient constamment en sorte qu'il n'obtenait jamais ce qu'il voulait.

Madame Mousseau allait quitter son époux. Sa mère allait enfin refaire sa vie. Égoïstement, Adrien n'arrivait qu'à penser au jour où il allait enfin pouvoir refaire la sienne, et à la possibilité que ce jour n'arrive jamais. Et il rageait.

Madame Mousseau, quant à elle, cherchait désespérément à obtenir l'approbation de son fils.

« Dis quelque chose, Adrien. S'il te plaît... N'importe quoi.

— Vous avez pas besoin de ma bénédiction pour divorcer papa. Vous êtes assez vieille pour décider toute seule.

— J'aimerais juste que tu me dises que tu me comprends, Adrien. Je te demande pas plus que ça.

— Comprendre quoi ? Tout ce que papa a toujours voulu, c'est un peu de tranquillité. Me semble que c'est pas trop demandé. »

Je peux essayer d'analyser et de justifier la réaction d'Adrien dans tous les sens. Je peux essayer de comprendre en prétextant son mariage avec Denise qui le rendait malheureux. Je pourrais raconter en détail les confrontations de plus en plus fréquentes et violentes, en parole, qui les opposaient. Je ne le ferai pas. Adrien était un adulte, pas un enfant, et sa défense de monsieur Mousseau ne fut rien de moins qu'écœurante. Surtout aux yeux de Jean, qui demeura muet pendant plusieurs secondes alors qu'il tentait de trouver un sens à ces paroles dites par un homme qui n'avait jamais cherché à cacher l'ampleur de l'aversion qu'il ressentait pour son père.

« Il va falloir que tu me l'expliques, celle-là, parce que je comprends pas pantoute, s'étonna Jean. Toute ta vie, je t'ai entendu chialer contre ton père pis te demander comment ta mère faisait pour endurer ça. Tu sais comme moi que c'est pas humain, ce qu'il vous a fait endurer à tous les deux. Ton père c'est un sale, point à la ligne. Pis je comprends tout simplement pas comment tu peux dire à ta mère qu'elle devrait pas se sauver de là pendant qu'est encore capable de le faire. Ton père, elle aurait dû le sacrer là depuis ben longtemps.

— Jean, mêle-toi de tes affaires. »

Ces mots d'Adrien, Jean les reçut comme un coup en plein cœur. Presque comme une trahison. Enfants, adolescents, nous avions été des frères de sang, frères cosmiques, frères d'armes, et mon départ, jumelé à celui de Patrick, avait contribué à tisser encore plus serré les liens unissant Jean et Adrien. La volonté de ce dernier de laisser Jean à l'écart eut l'effet d'une décharge électrique.

« Je me mêle de mes affaires, répliqua Jean avec une brutalité qui fit sursauter Denise et madame Mousseau. C'est qui, tu penses, qui s'est occupé de trouver un avocat à ta mère ?

— C'est toi qui s'est occupé de trouver un avocat à ma mère ? »

Madame Mousseau aurait dû voir qu'Adrien, malgré son apparente considération pour les désirs de son père, était plutôt aux prises avec une jalousie étouffante devant cette liberté qu'elle avait choisi de s'offrir, lui faisant ainsi perdre le peu de raison que lui avait laissé ses sept années de mariage. Malheureusement, elle ne voyait rien d'autre que son fils qui la regardait d'un air méprisant.

«Un avocat de la pègre..., s'offusqua Adrien. Si j'étais à votre place, maman, je m'arrangerais pour avoir l'argent pour le payer, votre avocat. Si vous voulez pas vous retrouver dans le fleuve...

— ADRIEN!», s'exclama Denise.

Claire et Daniel jouaient dans la cour, la pizza refroidissait, madame Mousseau s'était mise à pleurer et Jean, pour la toute première fois de sa vie, regardait Adrien d'un air menaçant, les poings fermés.

«Je travaille peut-être pour des criminels, Adrien, mais j'en connais pas gros, parmi tous ceux que je côtoie, qui auraient fait ce que ton père a fait à ta mère pendant trente-cinq ans. Pis toi, en prenant sa défense, t'es pas mieux qu'lui.»

Jean avait répliqué de manière brutale et sincère à la fois. Mais Adrien n'était plus en mesure d'accepter sa vérité. Il leva la main et s'apprêtait à frapper Jean lorsque Denise décida d'intervenir.

«Pour l'amour du ciel, Adrien, t'as quel âge? s'exclama celle-ci, furieuse. Un enfant de douze ans réagirait mieux que toi!

— Denise, mêle-toi de ce qui te regarde!

— Je me mêle de ce qui me regarde, Adrien! Penses-tu sérieusement que je la connais pas, la vraie raison de ta réaction? Penses-tu que je le sais pas que si c'était pas à cause des enfants, ça ferait longtemps que tu serais parti? T'es pas en maudit parce que ta mère a décidé de divorcer, Adrien! T'es en maudit parce que ça fait sept ans que tu rêves de faire pareil, pis que tu peux pas!»

Adrien baissa doucement son bras, comme s'il prenait enfin conscience du ridicule de ses agissements.

«Toi pis moi, ajouta Denise, ça marchera jamais. On le

sait depuis assez longtemps, on se fera pas d'illusions là-dessus. Mais, au moins, aie la décence de comprendre le besoin de ta mère de penser un peu à elle. Pis aie donc aussi la décence d'y souhaiter un peu de bonheur pour le temps qu'il lui reste!»

Adrien ne sut pas dire un seul mot, s'assoyant plutôt à table, le teint pâle, jouant distraitement avec les piments ornant sa tranche de pizza qu'il n'avait pas encore touchée. Sa mère s'approcha doucement de lui, mettant sa main sur son épaule. Je doute qu'il n'eût jamais conscience de sa présence.

«Tout est prêt, Adrien. Je quitte pas ton père les yeux fermés. Ça fait longtemps que je m'y prépare. Mon plus grand souhait, aujourd'hui, c'était que tu me dises que t'étais d'accord avec moi, pis que tu me comprenais. Si tu me donnes pas ton accord, Adrien, ça va me faire de la peine, mais ça me fera pas changer d'idée. Si je quitte pas Honoré, je vais finir par crever. J'ai peut-être soixante ans, mais j'ai pas envie de mourir. Pas pour lui.»

Adrien ne dit rien, se retenant pour ne pas pleurer, alors qu'il prenait conscience de son désir d'être laissé seul à lui-même, de se réfugier dans un silence total, complet, alors que le moindre bruit, le moindre signe de vie, lui apparaissait aussi insupportable que ce vide imposé par son père lors des vingt premières années de son existence.

Et pourtant, au fil du temps, monsieur Mousseau deve-nait de plus en plus assourdissant.

13
Jean... à propos de Patrick

Je pus enfin comprendre pourquoi Patrick avait choisi de quitter le Cameroun pour revenir au Québec! Et comme cela s'avère toujours le cas lorsqu'un membre du cirque Flynn est en cause, la situation devint grotesque au point de faire pleurer même les plus endurcis comme moi.

Patrick s'est pointé chez moi par un vendredi soir du mois de juillet 1968, valises à la main, me demandant si je pouvais l'héberger pendant quelques jours, alors que m'attendait impatiemment dans la chambre à coucher ma toute dernière conquête. Empressé de retourner à ma belle Lorraine – ou Laurette?... Laurence, peut-être?... –, j'ai accepté, ne prenant même pas la peine de m'interroger sur la raison de sa présence pour le moins inattendue, lui qui était si distant avec Adrien et moi depuis son retour.

Le lendemain matin, lorsque Lorraine – supposons, pour des raisons de logistique, qu'elle s'appelait vraiment comme ça – retourna chez elle aux aurores, je reçus un appel d'Adrien, déjà mis au courant par sa mère du tout dernier numéro mis en scène par la famille Flynn.

Selon madame Mousseau, le voisinage au grand complet fut témoin de Teresa, fraîchement revenue de voyage de noces, entrant dans le logement de la rue de la Visitation comme si elle avait été un coup de canon.

«Y'est où, papa? demanda-t-elle à Maggie, occupée à manger ses omelettes arrosées de cognac.

— Voudrais-tu arrêter de crier, s'il te plaît? Ma tête va exploser.

— C'est à toi de *slaquer* sur le cognac! Pis là, tu ferais mieux de me dire tout de suite y'est où, papa! Je suis pas d'humeur à jouer aux devinettes, ça fait que si tu veux pas que je t'arrache la tête...

— Je suis ici! Je suis ici! s'exclama James Martin, sortant de sa chambre à moitié vêtu. Veux-tu ben me dire qu'est-ce que tu fais ici, à'matin, en hurlant comme une vraie folle avec les baguettes dans les airs?

— Avez-vous vu les journaux? s'enquit Teresa d'un ton glacial.

— Non. Pourquoi?

— Tenez, répliqua Teresa en lançant sur la table une copie du *Journal de Montréal,* ouvert à la page quatre. Lisez ça! Vous allez comprendre pourquoi j'arrive ici à'matin, comme une vraie folle, avec les baguettes dans les airs! »

Apercevant le nom de Patrick écrit sur le papier journal, James Martin, intrigué, s'assit aux côtés de la toujours très gracieuse Maggie, qui continuait de s'empiffrer d'omelettes, tout en calant son cognac comme si elle était en train d'avaler de la limonade.

« C'est quoi, ça? s'étonna James Martin.

— Ça, c'est votre écœurant de fils qui a décidé de salir la réputation de toute la famille!

— Y'en reste encore un bout à salir? » demanda Maggie, laconique, souriant malicieusement.

Nullement d'humeur à supporter le sarcasme d'une ivrogne finie, Teresa obligea Maggie à quitter la table, l'entraînant de force dans sa chambre tout en lui balançant une bouteille de cognac qui passa proche de lui heurter la tête.

« Tiens, Maggie. Y'est déjà huit heures et demie. Ton *shift* est commencé. Va t'enfermer dans ta chambre pis bois comme un trou. T'as ma bénédiction. »

Lorsque Teresa revint à la cuisine, James Martin avait

déjà terminé de lire l'article que sa fille lui avait pointé. Bouche bée, il ne fit rien d'autre que de la dévisager pendant de longues secondes.

« C'était pas assez, pour lui, de défroquer ? ! hurla Teresa, faisant abstraction, comme sa mère l'avait toujours fait, des fenêtres ouvertes, des voisins et des passants. C'était pas assez, pour lui, de faire de notre famille la risée du quartier parce que monsieur se sentait pas bien dans sa peau ? ! Fallait compliquer les choses encore plus ! Patrick, c'était le préféré de maman ! Elle l'a toujours couvé plus pis aimé plus que les autres, pis regardez ce qu'il fait ! Il salit sa mémoire ! Aïe ! C'est pas mêlant, je suis quasiment contente que maman soit morte ! Au moins, elle pourra pas voir ça ! »

Le pauvre et pathétique James Martin ne dit rien, se contentant de fixer la page du journal sans la voir vraiment, tout en espérant qu'une bonne bouteille de whisky lui tombe du ciel. Ou de la bière. Ou du gin. Ou le cognac de Maggie. Même du rince-bouche, à la limite, ferait l'affaire. N'importe quoi pour oublier son existence pitoyable.

« Pis voulez-vous en savoir une meilleure ? poursuivit Teresa. Cette maudite lettre-là – excusez-moi, mon Dieu –, il l'a fait publier dans tous les autres journaux de la ville ! Cette merde-là s'est aussi retrouvée dans *La Presse,* dans le *Montréal-Matin* pis dans le *Devoir* ! Depuis à matin, Mary arrête pas de brailler, sa belle-mère s'est mise à réciter un chapelet, pis Joe se demande à quelle famille de fous il vient de s'apparenter ! Comment voulez-vous, après ça, que Tom pis Gavin arrêtent de boire ? ! »

Après avoir terminé son résumé de la toute dernière représentation du Flynn Circus, Adrien me suggéra fortement d'aller m'acheter un journal, n'importe lequel, et de l'ouvrir à la page quatre.

«Tu vas comprendre ben des affaires», soupira-t-il, sans toutefois en ajouter davantage.

Observant Patrick qui avalait le contenu d'un bol de gruau, je mis sur moi les premiers vêtements me tombant sous la main afin d'aller emprunter sa copie de *La Presse* à ma voisine de quatre-vingt-neuf ans. Que j'ai lu dans le corridor, soit dit en passant. Je n'avais aucune idée de ce qui se trouvait dans le journal, tout comme je n'avais aucune idée de l'identité de la personne assise dans ma cuisine. Pourquoi son nom se trouvait-il dans le journal? Fuyait-il quelque chose? La police, peut-être?... Était-il venu se cacher chez moi pour une raison que j'ignorais? Je ne reconnaissais plus mon ami depuis son retour et, bien franchement, je ne savais pas quoi penser. Surtout, je ne savais pas comment il allait réagir lorsque j'allais lui mettre la copie du journal sous le nez. Avant de le faire, je voulais savoir pourquoi son nom s'y trouvait.

«T'es ben certain que je te dérange pas? me demanda Patrick. De toute façon, j'ai pas l'intention de m'éterniser ici.

— Inquiète-toi pas pour ça, mon Patrick. Tu me déranges pas pantoute.

— Je serais ben allé chez Adrien mais, avec les enfants, j'aurais eu peur d'être de trop.

— T'as ben fait de pas aller chez Adrien, mais c'est pas à cause des enfants. Adrien pis Denise passent leur temps à s'engueuler comme du poisson pourri. Après une heure passée là, t'aurais fini par aboutir chez moi, de toute façon.»

Prétextant du sucre que je devais quémander pour mon café – tout en espérant qu'il ne se mette pas à fouiller dans mon garde-manger alors qu'il en aurait trouvé en quantité industrielle –, je faussai compagnie à Patrick pour aller emprunter le journal à ma voisine.

Quelques minutes plus tard, tandis que je lisais dans le

corridor, je pus comprendre pourquoi Patrick avait demandé asile chez moi. S'il était demeuré sur la rue de la Visitation, Teresa l'aurait tout bonnement égorgé.

UNE SOCIÉTÉ MALADE, UNE ÉGLISE À L'AGONIE
En mémoire d'Agnès...

Je m'appelle Patrick Flynn et je suis prêtre. Je suis né le 27 février 1935 sur la rue de la Visitation, dans un quartier populaire de Montréal. Jusqu'à maintenant, mon histoire ne fut pas très intéressante. Aujourd'hui, j'ai décidé que ça allait changer.

Je ne suis pas devenu prêtre par choix. Je le suis devenu parce que ma mère, Marie-Yvette Flynn, a décidé que c'était ce que j'allais devenir. Le fait que je ne me sente pas du tout avoir la vocation n'était pas important pour elle, comme ça ne l'a jamais été pour plusieurs familles qui imposaient la prêtrise à certains de leurs membres. L'important, c'était de voir un de ses enfants porter une soutane pour se garantir une place au Ciel à sa mort. Ma mère est morte depuis quelques mois et, s'il y a une justice, elle se trouve en ce moment n'importe où sauf au paradis. C'était une femme dominante, méprisante et égoïste qui s'appliquait à rendre tout le monde autour d'elle malheureux. Je le répète : que je n'aie aucun talent pour la prêtrise n'était pas important pour elle. Ce qui comptait, c'était sa place au Ciel. Et l'Église m'a accepté quand même, moi qui aurais probablement été meilleur éboueur que curé, parce que celui de ma paroisse, monseigneur Maximilien Julien, préférait se faire flatter l'ego dans le bon sens du poil plutôt que de faire la bonne chose en me disant que ma place était ailleurs. Pas étonnant que les églises se vident quand une bonne partie de ses membres sont des gens comme moi qui n'auraient jamais dû s'engager au départ.

Ma mère me voulait habillé d'une soutane pour se venger des malheurs de sa vie, qui sont devenus les malheurs de toute ma famille. Une famille qui passe son temps à se lamenter depuis des années sur ses petits bobos, qui se plaint d'être née pour un petit pain, mais qui est trop inculte pour se rendre compte de sa propre richesse. Qui est trop paresseuse pour se donner la peine d'apprendre ce qui se passe dans le monde. Malheureusement, la famille de Marie-Yvette et James Martin Flynn est loin d'être une exception. Croisez quelqu'un dans la rue et demandez-lui où se trouve le Cameroun. Il, ou elle, va probablement penser que vous lui parlez d'un village dans le coin de Joliette.

Du Cameroun, j'en reviens, justement. J'y suis resté huit ans. J'y ai appris plein de choses, la plus importante étant que nous vivons dans une société pourrie jusqu'à la moelle. Une société qui se fiche complètement de ce qui se passe ailleurs dans le monde. À Yaoundé (la ville où je vivais, si ça intéresse quelqu'un), j'ai vu des enfants pauvres, malades, mourir pour une bête question d'argent et d'accessibilité aux anti-biotiques. Pour le monde d'ici, ces enfants-là n'ont pas de visage. Pour moi, ils ont tous un nom, une voix, une person-nalité, des qualités et des défauts. Et ils sont morts. Comment je fais, après, pour continuer à vivre ?

Je défroque. Je quitte la prêtrise. Je quitte une Église qui accepte n'importe qui dans ses rangs, même quelqu'un comme moi, parce qu'elle panique à l'idée de voir son effectif diminuer. Je quitte parce que j'ai enfin trouvé ma vocation à moi. Pas celle qu'une femme frustrée a voulu m'imposer. Ma vocation sera de faire comprendre aux gens d'ici les souf-frances d'ailleurs, leur montrer qu'il nous faut les soulager. Je sais que ce ne sera pas facile. À choisir entre Jeunesse d'au-jourd'hui et un jeune Africain en train de mourir, je ne me fais pas d'illusions à propos de ce que les gens préféreront. À choisir entre partager son salaire et de le garder pour aller le brûler en cartons de cigarettes, le gros bedonnant de banlieue va probablement courir vers la tabagie la plus proche. Mais il faut au moins que j'essaie parce que si je ne fais rien, je ne serai pas capable de vivre avec ma conscience.

Rendez-vous dignes des morts que j'ai côtoyés, arrêtez de vous gratter le nombril et aidez à faire disparaître les inégalités dans le monde. Vous allez voir. Vous n'en mourrez pas.

Patrick Flynn

Laïc

Pour moi, tout s'est éclairci en lisant la lettre et je pus enfin comprendre pourquoi Patrick était revenu parmi nous : ne s'étant manifestement jamais remis de la mort de la petite Agnès, il s'était décidé à la venger, à nous faire reconnaître notre propre part de responsabilité dans cette mort, et à nous ramener à son niveau à lui, où la culpabilité était aussi omniprésente qu'étouffante.

Abasourdi par le ton cassant de la lettre, ébahi par le manque de considération total dont il faisait maintenant preuve envers sa famille, je retournai chez moi en cherchant une réplique intelligente à dire, qui ne vint malheureusement jamais.

« Est-ce que t'as pensé à ce que le gros bedonnant de la rue de la Visitation va dire en lisant le journal à'matin ? », lui ai-je demandé.

Patrick prit quelques secondes avant de répondre, histoire de bien marquer la distance qui le séparait maintenant de ce qu'avait, un jour, été sa vie.

« Je peux pas me soucier de ce que les gens pensent. Si mon père est pas d'accord avec mes prises de position, y'a rien que je peux faire. Y'a droit à son opinion, j'ai droit à la mienne. »

Si son père n'est pas d'accord avec ses prises de positions ?! La lettre de Patrick était moins une prise de position qu'une attaque en règle contre sa famille. Toute une différence !

Encore sous le choc, je me dirigeai vers mon mini-bar pour me verser un verre de gin, saisissant que Patrick s'était pointé chez moi parce qu'il n'avait nulle part où aller. Le faubourg à mélasse ne comptait plus pour lui et mon appartement n'était qu'un point de transit, dans l'attente de savoir où il devait se diriger et de ce qu'il devait faire afin de tous nous faire payer pour la mort d'une enfant que nous n'avons pourtant jamais connue. Telle était la vraie raison de son retour : la vengeance. Vengeance contre Marie-Yvette, pour l'ensemble de son œuvre. Vengeance contre le curé Julien, qui eut la brillante idée de l'envoyer au Cameroun. Vengeance contre son père, qui ne sut malheureusement pas le défendre. Vengeance contre Adrien et moi, qui n'avons pas su le comprendre. Et, surtout, vengeance contre tout ce qu'il avait vu à Yaoundé mais qu'il ne sut jamais accepter : la mort, la maladie, la pauvreté et la profonde injustice de voir des enfants innocents en être atteints, alors que des gens comme sa mère et le père d'Adrien arrivaient à vivre, pétants de santé, jusqu'à soixante-cinq ans.

Me versant un deuxième verre de gin, alors que Patrick terminait son bol de gruau en affichant ce que je savais maintenant être une fausse sérénité, je devins soudainement convaincu que le jeune homme ayant lancé la grenade du haut des estrades du Forum, par un soir d'hiver de mars 1955, n'était rien d'autre que le véritable Patrick Flynn : contestataire, fragile devant l'injustice, désireux de s'élever plus haut que le complexe d'infériorité enfoncé dans le fond de la gorge par sa famille.

Le Patrick de mon enfance et de mon adolescence n'avait, en fait, jamais existé, n'étant rien d'autre que la création de Marie-Yvette forçant son plus jeune fils à jouer le rôle de l'enfant docile dans ce cirque dont elle était le maître de cérémonie incontesté.

Dans sa lettre, Patrick faisait maintenant comprendre à tous qu'il avait fini de jouer.

14
Paul-Émile... à propos d'Adrien

Ma grand-mère Beauregard, selon ma mère, disait souvent que rien n'arrivait jamais pour rien dans la vie. Je suppose que ma mère s'est souvent remis cette maxime en mémoire pendant ses trente-cinq ans et plus passés dans le faubourg à mélasse. Tout comme madame Mousseau, le jour où elle se décida enfin à annoncer à son époux qu'elle le mettait à la porte. Après trente-cinq ans d'un mariage malheureux et d'une tasse de café qu'elle n'en finissait plus de finir, madame Mousseau essayait de rassembler tout son courage afin d'être en mesure de chuchoter au père d'Adrien qu'elle avait entamé des procédures de divorce, et qu'il devait maintenant se trouver une nouvelle demeure. Où ? Madame Mousseau l'ignorait et, bien franchement, s'en balançait complètement.

Avalant finalement sa dernière gorgée de café, madame Mousseau se leva et prit la direction du salon où, comme toujours, la télévision était ouverte sans qu'aucun son n'en sorte. Marchant lentement, elle répétait dans sa tête tout ce qu'elle allait dire à son époux pour qu'il soit en mesure de comprendre qu'elle ne voulait plus jamais le revoir. Pendant trente-cinq ans, celui-ci s'était acharné à lui faire comprendre, par son silence, qu'il ne voulait plus d'elle. Maintenant, c'était au tour de madame Mousseau de lui faire saisir, de façon claire, qu'elle était pressée de le voir partir.

Malheureusement, lorsque madame Mousseau se décida enfin à ouvrir la bouche, elle fut incapable de prononcer une seule parole.

Bien installé dans son fauteuil, le père d'Adrien était mort.

Un peu moins de deux heures plus tard, le décès

d'Honoré Mousseau avait déjà fait le tour du faubourg à mélasse – «Y'était pas déjà mort?» fut d'ailleurs entendu à quelques reprises, ce jour-là – et une petite foule s'était réunie au salon des Mousseau pour offrir leurs sympathies à Adrien et à sa mère.

«C'est ben pour dire..., avait d'ailleurs laissé tomber celle-ci à son fils. Tout ce monde-là est venu ici parce que ton père vient de mourir, pis la dernière chose qu'Honoré aurait voulu, c'est de les voir dans son salon.»

James Martin et sa fille Maggie étaient présents, de même que monsieur et madame Desrosiers, les voisins de mes parents. Jean s'était évidemment rendu au logement de la rue Montcalm tout de suite après avoir reçu l'appel de Denise. Et mon père fit également acte de présence, l'air grave, prenant Adrien par les épaules.

«Adrien, je tiens à t'offrir mes sympathies. En mon nom, au nom de Florence, pis celui de Paul-Émile.»

Bon. Faudrait quand même pas exagérer. Cela prit des semaines avant que je ne sois mis au courant de la disparition du père d'Adrien et, pour le souvenir que j'en gardais, je ne peux dire que je fus particulièrement effondré à l'annonce de cette nouvelle. Quoique j'aurais été curieux de savoir si Jean s'était présenté à la résidence des Mousseau avec une bouteille de champagne à la main.

J'ai toujours trouvé d'une grande tristesse le fait que tous les gens présents au logement de la rue Montcalm ne l'étaient que pour Adrien et sa mère; que monsieur Mousseau n'avait laissé aucune trace dans le cœur et la mémoire des gens. Qui veut vivre ainsi? Qui s'acharne à gaspiller ses jours en demeurant misérable et en s'assurant que les autres le sont tout autant? À peu près à la même époque où le père d'Adrien mourut, je lisais une biographie de Ty Cobb[11], personnage détestable qui ne fût jamais reconnu pour sa tendresse, sa compassion et sa considération à l'égard d'autrui. Mais même lui, à la fin de sa vie, avait exprimé des regrets, affirmant que si tout était à refaire, il aurait vécu différemment. Monsieur Mousseau, lui, n'avait aucunement cherché à s'encombrer de ce qu'il ne voulait pas, rejetant le poids de ses regrets sur les épaules de sa femme et de son fils.

«Si tu savais comme je me sens coupable, Denise! s'exclama madame Mousseau, alors que sa bru préparait du café pour les invités. J'ai pas de peine! J'en ai pas! J'ai passé quasiment quarante ans de ma vie avec le même homme, pis le jour de sa mort, je suis même pas capable de pleurer pour lui!»

Pourtant, madame Mousseau pleurait. Abondamment. Et elle fut sincèrement étonnée lorsque Denise lui demanda pourquoi elle pleurait, alors qu'elle-même reconnaissait ne ressentir aucune peine concernant la mort de son mari.

«Je pleure parce que j'ai honte, Denise. Pendant le déjeuner, je m'étais préparée à lui dire que c'était fini, qu'il m'en avait assez fait endurer. Pis quand je l'ai vu dans son fauteuil, j'étais fâchée contre lui! J'étais en maudit parce qu'il m'a pas laissé le temps de lui dire ce que je pensais de lui! Pauvre Honoré... C'est quand même pas de sa faute si c'est aujourd'hui que le bon Dieu a décidé de venir le chercher. Mais quand même!... Y'est parti avant que je puisse y dire que c'était fini, pis qu'il m'contrôlait pus. Me comprends-tu? Y'aurait pu crever tout de suite après, pis je m'en serais sacrée comme de l'an quarante! Mais là, y'est parti pour toujours dans son maudit silence, pendant que moi, je

---

11 Joueur de baseball ayant évolué pour les Tigers de Détroit et les Athletics de Philadelphie, de 1905 à 1928.

reste ici avec tout ce que j'ai pas pu y dire ! Je pleure parce que je me sens épouvantable d'être fâchée contre un mort, Denise, mais si seulement tu savais à quel point je l'haïs ! »

Alarmés par les pleurs de madame Mousseau, Jean, madame Desrosiers et mon père arrivèrent à la cuisine au pas de course, alors qu'Adrien, sans que personne ne se rende compte de quoi que ce soit, avait quitté la rue Montcalm depuis un bon moment, déambulant sur la rue Sainte-Catherine, les mains dans les poches, traversant les intersections sans se soucier des voitures qui devaient parfois freiner brusquement pour ne pas le frapper. D'aussi loin que j'arrivais à me souvenir, monsieur Mousseau n'avait été, pour Adrien, rien d'autre qu'un phare éteint, un repère qui ne savait pas guider. Pourtant, avant même que je ne disparaisse de la circulation, le père et le fils avaient commencé à fusionner et, pour tous ceux ayant son bien-être à cœur, les longs silences d'Adrien faisaient maintenant regretter les insupportables monologues qu'il nous imposait pour cacher sa peur du vide. En dépit de ses enfants qu'il adorait et d'une cause à laquelle il vouait maintenant l'entièreté de sa vie professionnelle, la vie avec Denise était à ce point intenable qu'il en était venu à sympathiser avec son père. Au bout du compte, ce constat fut bien plus douloureux, pour Adrien, que la perspective de ne jamais revoir monsieur Mousseau. En un sens, la mort de celui-ci, aux oreilles de son fils, le rendait plus clair et bruyant que jamais. Malgré son départ inattendu, monsieur Mousseau avait eu une mort lente, douloureuse. Et si son mariage avait lentement engagé Adrien sur le chemin défriché par son père, le décès de ce dernier lui ordonnait de faire demi-tour au plus vite s'il ne voulait pas finir comme lui. En ce sens, Adrien comprenait maintenant que la mort de son père allait être le premier et dernier cadeau qu'il allait jamais recevoir de lui.

Malgré sa rancune envers moi, je crois sincèrement que ce fut à ce moment-là qu'Adrien comprit, du moins en partie, pourquoi j'avais choisi de quitter la rue Wolfe. Pour lui, le faubourg à mélasse, celui de notre enfance, avait commencé à mourir avec la disparition de madame Flynn et celle de monsieur Mousseau. À travers des immeubles qui demeuraient pareils, mais qui amassaient maintenant des souvenirs qui ne nous concernaient pas, le quartier mourait et nous survivait en même temps, nous poussant vers la porte de sortie afin d'aller vivre une vie qui ne serait rien d'autre que la nôtre. Pas celle d'un homme ayant refusé de vivre la sienne parce qu'il n'avait pas su comprendre que la vie, aussi cliché que le veut l'expression, n'est rien d'autre qu'une roue qui tourne. Adrien, lui, l'avait toujours compris et, pour la première fois depuis tant d'années, la peur de finir comme son père refaisait maintenant surface, lui enlevant ainsi toute envie de reprendre le flambeau des mains d'un homme qui n'avait jamais voulu le porter bien haut.

Deux bonnes heures s'écoulèrent avant le retour d'Adrien sur la rue Montcalm. Lorsqu'il tourna enfin le coin, il put apercevoir le camion de la morgue emportant le corps de son père, alors que les autres étaient demeurés à l'intérieur. Sans jamais percevoir le moindre son, Adrien put presque entendre sa mère crier « Bon débarras ».

Ouvrant discrètement la porte d'entrée, Adrien aperçut Denise en grande conversation avec mon père. Celle-ci n'avait même pas pris connaissance que son mari n'était plus là depuis un bon moment, et ne s'en souciait pas le moins du monde.

S'avançant vers Denise, Adrien ne voyait rien d'autre en elle que son propre père, mort, tel qu'il l'avait toujours été, écrasé dans son fauteuil, attendant que la morgue l'emporte loin de cette rue Montcalm qu'il n'avait jamais appris à aimer.

15
Adrien... à propos de Paul-Émile

J'ignore si qui que ce soit s'en est rendu compte, mais j'ai constamment l'impression de parler des gens gravitant dans l'entourage de Paul-Émile plutôt que de raconter l'histoire de Paul-Émile elle-même. C'est vrai. Depuis toujours, Paul-Émile vivait sa vie comme il l'entendait, sans trop se poser de questions sur les effets que cela pouvait avoir sur les gens autour de lui: Suzanne, Mireille, ses parents... Lorsqu'il s'agit de raconter mon histoire, celle de Jean ou celle de Patrick, ce qui se passait dans nos vies respectives avait suffisamment d'incidence sur nous pour que nos états d'âme soient étalés. Dans le cas de Paul-Émile, c'est l'inverse. Il était le provocateur, et tous les autres devaient s'arranger pour vivre avec les conséquences de ses actes à lui. C'est pour cela que raconter la vie de Paul-Émile, c'est surtout raconter celle des autres. Ce qui est plutôt ironique pour un homme ayant toujours fait preuve d'un certain égocentrisme, sinon d'un égocentrisme certain.

Est-ce que je fais du sens ? En tout cas, tout ça pour parler d'une secrétaire médicale répondant au nom de Rolande L'Heureux, grande amie de Suzanne et inconditionnelle de *Photo-Vedettes*, dont elle conservait toujours le dernier exemplaire caché dans l'un des tiroirs de son bureau. Incapable de se passer de ses *Craven A* lorsqu'elle travaillait, Rolande se gardait toujours une cigarette à proximité, doublée d'un petit ventilateur visant à chasser les odeurs pour ne pas qu'elles se rendent jusque sous les narines des patients de son patron, le docteur Lapierre, bien installés dans la salle d'attente.

«J'apprécierais beaucoup, Rolande, que vous ne fumiez

pas devant mes patients, lui signifiait souvent le docteur Lapierre. Une secrétaire médicale qui pompe des cigarettes comme une cheminée, ça ne fait pas très sérieux. »

En effet. Et pour fumer, Rolande fumait. Pas à peu près. Il m'est arrivé de la croiser quelquefois, à l'époque où elle et Suzanne suivaient leur cours de secrétariat au O'Sullivan College, et j'avais littéralement senti poindre en moi un extraordinaire cancer des poumons seulement en respirant l'intense odeur de tabac qui la suivait partout où elle allait. Moi qui n'ai jamais fumé de cigarette de toute ma vie, j'avais le cœur au bord des lèvres. Jean, par contre, croyait que Rolande dégageait une irrésistible odeur de paradis et aurait bien aimé tenter sa chance, si ce n'eut été de Bernard, l'époux de Rolande, qui serait venu, à tout le moins, compliquer les choses. Et Jean n'aimait pas les complications.

Si je mentionne Rolande, c'est parce que son patron était également le médecin de Suzanne, et que celle-ci se trouvait justement dans le bureau du docteur Lapierre pendant que sa copine boucanait allègrement devant son ventilateur tout en lisant les derniers potins concernant une présumée aventure entre Lili Saint-Martin et Donald Lautrec – *nota bene* : téléphoner à Jean pour savoir si c'était vrai ou non. Mais Rolande n'eut pas le temps de terminer sa lecture. La porte de bureau du docteur Lapierre s'ouvrit et Suzanne, le teint plutôt pâle, en ressortit à pas de tortue.

« Je suis pas enceinte. »

Dans la situation qu'elle vivait en raison de ses liens cachés avec Paul-Émile, Suzanne aurait dû se mettre à danser un vigoureux *paso doble* lorsqu'elle apprit qu'elle n'attendait pas d'enfant. Mais elle ne bougeait pas, comme si la nouvelle l'avait paralysée. Et Rolande ne comprenait plus rien.

« Viens-t'en, proposa-t-elle à Suzanne. Y'est midi, pis je meurs de faim. Je te paye le lunch.

— T'es chanceuse. Je serai pas capable de manger. Ça te coûtera pas cher. »

Le regard compatissant, Rolande prit la main de Suzanne et, vingt minutes plus tard, cherchait encore les mots justes pour la rassurer alors que toutes les deux attendaient leur repas à la Binerie Mont-Royal.

« Je le sais que t'aimerais ça, avoir un enfant, Suzanne. Mais pense un peu à tous les problèmes que ça causerait. Penses-tu sincèrement que Paul-Émile quitterait sa femme? Il vient juste de faire élire sa gang à Ottawa. Pis il sait qu'il se serait jamais rendu là sans son beau-père. Ce petit-là, Suzanne, tu le sais comme moi que tu l'aurais élevé toute seule. T'aurais ruiné ta vie, ma belle.

— Penses-tu que je le sais pas, Rolande, que ça m'aurait compliqué la vie? Me semble de voir la face de ma mère quand je lui aurais dit que j'étais enceinte, pis qu'il faudrait que j'accouche à 'Miséricorde…

— Pis quand tu lui aurais dit qui était le père…

— Je vais te dire une chose, Rolande : je pense que je lui aurais jamais dit. Ni à elle, ni à personne. T'aurais été la seule à savoir qui était le père de cet enfant-là. Je l'aurais même pas dit à Paul-Émile. »

Au moment où Suzanne prononça ces mots, Rolande était occupée à avaler sa première bouchée de fèves au lard. Bien évidemment, la bouchée ne passa pas très bien.

« Tiens, offrit Suzanne en lui tendant son verre d'eau. Prends ça, si tu veux pas mourir étouffée. »

Rolande reprit son souffle en avalant une grande gorgée d'eau et en s'allumant une cigarette. Ironiquement.

« Ma foi du bon Dieu, es-tu revirée sur le top? Te vois-tu

sérieusement élever un enfant toute seule? Moi, je te vois pas.

— Merci.

— Surtout que ton *boss* aurait pu te mettre dehors si y'avait appris que t'étais enceinte!

— Mon *boss* aurait jamais fait ça.

— *Big picture*, Suzanne! Avant que tu t'arranges pour tomber enceinte pour vrai, dis-toi que d'élever un petit, c'est autre chose que de se pâmer devant lui en disant qu'il ressemble à son père, pis en y faisant des «guilis guilis»! Ça coûte cher, un petit! Le lait, les couches, les pyjamas, le carrosse... Bernard pis moi, on en a trois, pis tu le sais, des fois, comment on aurait envie de les mettre à vendre! Je les aime, mes enfants. Comme une folle. Mais des fois, j'aimerais ça m'endormir pis me réveiller vingt ans plus tard, les petits élevés pis partis de la maison! Pis je vais te dire une autre affaire...

— Pourrais-tu parler moins fort, s'il te plaît? Tout le monde nous regarde.

— Je comprends pas pourquoi tu fais une face d'enterrement. Encore aujourd'hui, être enceinte sans être mariée, c'est de s'attirer un paquet de problèmes. Pis je suis pas capable de comprendre comment ça se fait que quand le docteur Lapierre t'a dit que ton test de grossesse était négatif, tu t'es pas mise à danser sur son bureau!

— Tu veux savoir pourquoi? Parce que des fleurs, ça fane. Parce qu'un manteau de fourrure, tu peux pas le porter en plein été. Parce qu'une chaîne en or, à un moment donné, tu finis par pus la voir. Parce que quand Paul-Émile part de chez nous pour retourner chez sa femme, ou quand moi je reviens d'Ottawa, ça rend pas l'absence plus facile. »

Lorsque l'on se retrouve avec des enfants qui hurlent, qui

se disputent continuellement, qui nous crachent de la nourriture au visage ou qui piquent des crises en plein centre d'achats, la solitude devient un luxe, un cadeau à s'offrir, un rêve nous aidant à supporter notre quotidien, et l'on oublie à quel point la plupart d'entre nous ont un jour tout fait pour fuir cette même solitude, et à quel point elle pouvait faire mal lorsque nous la vivions. Suzanne en était là, prête à changer seule toute une série de Pampers bien pleines, et à troquer ses nuits de sommeil pour des biberons à donner aux quatre heures en échange d'une garantie de ne plus jamais avoir à vivre l'ennui. De ne plus vivre ces moments qui revenaient de plus en plus souvent où elle se retrouvait seule à pleurer sur Paul-Émile qui lui manquait, et sur sa vie à elle lui glissant entre les doigts.

« J'ai pas dansé sur le bureau du docteur Lapierre, Rolande, parce qu'autant que tu peux trouver tes enfants fatigants, ils représentent ce que Bernard pis toi vous êtes l'un pour l'autre. Moi, j'aurai jamais ça. Tout ce que j'ai, c'est le temps que Paul-Émile peut m'accorder, les cadeaux qu'il passe son temps à me donner pis le vide que je ressens quand il finit par s'en aller. Pis tu sais comme moi qu'y'a personne qui rajeunit. Toi, t'es mariée avec trois enfants. Moi, tout ce que j'ai, c'est un homme que j'aime comme une folle pis qui m'aime aussi, mais qui me cache comme si j'avais la lèpre parce que je viens du bas de la ville. Si tu savais à quel point ça fait mal de voir les photos de ses enfants, pis de me dire qu'ils sont pas les miens. Pis que j'en aurai probablement jamais… »

J'aurais bien voulu, mais je n'ai jamais osé demander à Suzanne pourquoi une femme belle, intelligente et forte comme elle endurait de plein gré la solitude que lui imposaient ses liens avec Paul-Émile. Peut-être parce qu'il s'agissait de Paul-Émile, peut-être parce que je me refusais stupidement de reconnaître la moindre trace de charisme chez un autre homme, peut-être parce qu'il me tombait royalement sur les nerfs depuis qu'il nous avait tous laissé tomber, je n'arrivai jamais à comprendre, au risque de me répéter, ce que Suzanne pouvait bien lui trouver. Surtout après avoir fréquenté Guy Drouin!

Et Rolande ne comprenait pas plus que moi.

«Je t'adore, ma Suzanne, déclara-t-elle en secouant la tête. T'es la sœur que j'ai jamais eue. Mais ton foutu Paul-Émile, laisse-moi te dire qu'il te mérite pas.»

C'est ça, l'amitié: dire des trucs tout en sachant que l'autre désespère d'entendre quelque chose de complètement différent.

«T'es belle, t'es brillante pis t'es drôle comme un singe. Tu veux un mari? Tu veux des enfants? Va les chercher.»

Au même moment, Paul-Émile se promenait sur les routes d'Italie en compagnie de Mireille, de madame Marchand et des enfants, encore et toujours ignorant – ou insensible, selon le point de vue – des remous que provoquaient ses gestes, ses dires et ses décisions sur tous ceux qui l'entouraient.

16
Patrick... à propos de Jean

Je fus toujours fasciné par ces petits gestes, ces actions apparemment insignifiantes, qui finissent par jeter votre vie par terre, par avoir un effet presque excessif sur le reste de votre existence sans que personne ne devine jamais que, si vous aviez attendu cinq minutes de plus, si vous aviez tourné à gauche plutôt qu'à droite, si vous aviez ignoré telle ou telle personne plutôt que de la saluer, votre vie s'en serait trouvée complètement différente. L'évidence même, à mes yeux, n'est jamais intéressante. Dès le début, tous ont pu comprendre que j'allais être marqué au fer rouge par ma mère, que Jean éprouverait des difficultés à s'attacher à qui que ce soit en raison des folies de sa famille, que Paul-Émile avait honte de ses origines et qu'Adrien allait devoir lutter pour ne pas devenir comme son père. Mais les petits gestes commis, la plupart du temps, sans que nous n'en ayons trop conscience, viennent souvent tout transformer, pouvant vous métamorphoser en quelqu'un que vous croyiez ne jamais devenir, ou vous obligeant à poser des actions faisant de vous une personne que vous n'arrivez pas à reconnaître.

Le petit geste de Jean, ce jour-là, fut de prendre le chemin des studios de Radio-Canada pour aller y surprendre Lili plutôt que de demeurer au bureau et y travailler toute la soirée, comme il avait d'abord choisi de le faire. Avec le temps, tous deux s'étaient mis à ressembler davantage à un frère et une sœur plutôt qu'à d'anciens amants, avec madame Bouchard jouant à l'arbitre pour superviser les inévitables querelles qui marquent toujours les relations entre membres d'un même clan. Au fil des années, Jean s'était bâti sa propre famille, même s'il ne sut jamais se remettre complètement du rejet de monsieur et madame Taillon.

«Pas à'soir, Jean, s'excusa Lili lorsqu'elle aperçut Jean se diriger vers elle. J'ai la langue à terre.

— Lili St-Martin, depuis le temps qu'on s'est pas vus!… Tu ramasses ta langue, pis tu me suis. On s'en va au restaurant, pis après, je t'emmène aux vues.

— Aux vues?! Es-tu malade? Si tu penses que ça me tente de voir un de tes films plates de Bud Spencer, repense à ton affaire, mon homme. Je suis trop crevée pour aller faire semblant d'aimer ça.

— Arrête de t'époumoner, je t'emmène pas voir un film d'action. À'soir, j'ai envie de te faire plaisir, ça fait que je t'emmène voir un de tes maudits films français que t'aimes tellement.»

À peine émue par la sollicitude de Jean, Lili avait ri. Moi aussi, j'aurais ri. Jean aimait autant les films français que moi, je pouvais aimer ses bouteilles de gin.

«Toi? Aller voir un film français?

— Ça me tente de te faire plaisir.

— Une autre fois, OK? T'haïs ça, de toute façon, pis je suis trop fatiguée. Si ça te tente absolument de sortir, demande donc à une de tes guidounes d'y aller avec toi.

— Mes guidounes, je peux les voir n'importe quand. Mais toi, tu travailles tout le temps. Même cet été, t'as pas arrêté une seconde. Ça fait longtemps qu'on est pas sortis, juste nous deux. Je m'ennuie de ma chum.»

Opposant un minimum de résistance, Lili finit par céder, et tous les deux se retrouvèrent au Parisien à manger du maïs soufflé tout en visionnant une projection de *La Petite Vertu*. Enfin… Lili avait regardé le film. Jean, après avoir fait quelques commentaires sur la beauté de Dany Carrel lors des dix premières minutes, se laissa aller à d'intenses ronflements qui irritèrent prodigieusement les spectateurs autour de lui, mais faisant rire Lili aux éclats alors qu'elle le regardait, émue devant cette tentative de lui faire oublier son travail pendant quelques heures. Avec le temps, Jean était devenu son grand frère, son confident, le seul pouvant se permettre de lui dire tout ce qu'elle ne voulait pas entendre sans risquer l'excommunication ; le seul ayant la permission de la voir sans maquillage, telle qu'elle était, avec ses forces et ses faiblesses invisibles à l'œil nu. Pour ma part, je trouvais cela plutôt ironique de constater à quel point ils étaient attachés l'un à l'autre alors qu'au départ, ils s'étaient engagés de la seule manière dont ils étaient capables: sans lien à briser, sans confiance à trahir. Et ils avaient su accepter la profondeur de leur amitié de façon intelligente, sans jamais chercher à la briser. Sans céder à la panique.

Plus tard, lorsque le générique du film commença à défiler à l'écran, Lili, riant toujours devant les regards méprisants dont Jean était victime, s'attela à tirer celui-ci de son sommeil profond.

« Jean... Jean, réveille-toi. C'est fini. »

Ouvrant les yeux lentement, ayant des airs de moi tout de suite après un sermon, Jean se tourna vers Lili en lui offrant son sourire le plus niais.

« Le film était excellent, dit-il.

— Maudit niaiseux ! Je sais pas pourquoi tu t'es entêté à venir ici. Je le savais que ça allait arriver.

— T'es pas trop fâchée ?

— Ben non. Les goûts, ça se discute pas.

— T'es fine.

— De toute façon, c'était plus intéressant de te regarder ronfler. De voir les gens qui te fixaient comme si t'étais le plus grand des innocents, ça valait trois fois le prix d'entrée. »

Sortant du Parisien, Jean et Lili déambulèrent sur la rue Sainte-Catherine en silence, profitant de cette belle nuit chaude de septembre, l'une des dernières avant que l'automne ne s'installe définitivement. Dans un élan de considération qui l'honorait – comment Jean pouvait se montrer si avenant avec certaines personnes et si méprisable avec d'autres, je ne l'ai jamais su –, il entraîna Lili vers l'ouest de la rue, où de moins en moins de gens allaient la reconnaître à mesure que tous deux avançaient dans la partie anglophone de la ville. Depuis Radio-Canada, Lili était devenue, contre toute attente – la mienne, surtout –, une véritable vedette adulée par la population, et Jean savait que cet amour pouvait parfois lui peser.

« T'as jamais pensé à arrêter ?

— Pour faire quoi ? Retourner à Saint-Germain-de-Grantham pis traire les vaches comme ma mère l'a fait toute sa vie ? Marier un bonhomme qui va avoir plus de considération pour son *truck* que pour sa femme ? Non, merci. De toute façon, je serais probablement la pire fermière au monde.

— T'es une femme intelligente, Lili. Tu pourrais faire ce que tu veux de ta vie. T'es pas obligée de traire des vaches.

— Je suis peut-être intelligente, mais reste que de faire la folle devant tout le monde, c'est tout ce que je sais faire, Jean. Pis je le sais que je pourrai pas jouer éternellement. Le jour où les gens vont être tannés de me voir la face, j'aurai pas le choix de ramasser mes affaires pis de disparaître. Pis j'ai peur du jour où ça va arriver parce que qu'est-ce que je vais faire après ça, je le sais pas pantoute. En attendant, je bûche pis je remercie ma bonne étoile. Qui aurait pensé qu'un jour, le *opening act* de la Casa Loma serait devenue une star respectée de Radio-Canada ? Moi-même, j'aurais jamais gagé cinq piasses là-dessus. »

Le reste de l'histoire se déroula très rapidement. Seuls dans leur bulle, Lili et Jean marchaient toujours, rendus à une dizaine de mètres du Forum, discutant des derniers potins artistiques que racontait Lili avec une joie évidente, et dont Jean se délectait de manière presque enfantine avant de se retourner subitement, sourcillant devant cette impression que quelqu'un les suivait. Un homme, effectivement, marchait derrière eux, vêtu de noir, comme s'il avait voulu se fondre dans la nuit, observant Jean d'un air vide, comme si, pour lui, mon copain n'existait déjà plus. D'instinct, Jean prit la main de Lili en l'entraînant vers le Forum, priant le ciel comme cela lui était rarement arrivé afin que ses portes soient ouvertes et que tous deux puissent y entrer.

« Qu'est-ce que tu fais ? demanda Lili, le regard subitement apeuré. On va où, là ?

— Fais-moi confiance. Pis surtout, retourne-toi pas. »

Bien évidemment, Lili se retourna et comprit instantanément ce qui était sur le point de se produire, alors qu'elle aperçut l'homme qui s'approchait d'eux en accélérant le pas. Personne d'entre nous n'avait jamais vu Jean apeuré, et la lueur de pure frayeur illuminant ses yeux à cet instant précis fit savoir à Lili que les issues allaient se faire rares, voire inexistantes. Il était tard. Il faisait nuit. Le Forum était vide. La rue Sainte-Catherine, à la hauteur d'Atwater, ne ressemblait pas du tout au quartier animé lors de matchs de hockey. Et il n'y avait pratiquement personne à qui Jean et Lili auraient pu demander de l'aide.

L'homme vêtu de noir s'approchait toujours davantage, ignorant complètement Lili, et Jean délaissa la main de celle-ci et commença à avancer au pas de course, cherchant à la laisser derrière, sachant la survie de son amie assurée si elle choisissait de courir en direction opposée.

Mais Lili ne comprit que trop bien ce que Jean essayait de faire et refusa de le laisser à son sort. Et alors que l'homme pointait vers eux un vieux Colt Python, deux êtres ayant foncièrement recherché la liberté toute leur vie prirent pleinement conscience de la profondeur des liens qui les unissaient.

Ce soir-là, Jean aurait pu demeurer au bureau, rentrer chez lui, se rendre chez Adrien ou perdre son temps dans un bar à séduire le plus de femmes possible. Son choix fut autre. Sa vie aussi. Ses trente-quatre ans l'auraient-ils rattrapé s'il avait tourné à droite, plutôt qu'à gauche, en sortant du cinéma ? S'il avait attendu cinq minutes de plus ou de moins avant de sortir du Parisien ? Sûrement. Ou probablement pas. Personne ne le saura jamais. Et c'est ce qui fait la puissance des petits gestes. Les siens. Qui n'auront jamais plus rien d'insignifiant.

Le désordre

Remerciements

Merci à Jean-René d'être en mesure de voir au-delà du solde bancaire et de m'accepter comme je suis. J'ai vraiment frappé le jackpot matrimonial.

Merci à Guillaume et Dominic. Je vous aime très fort. J'espère que vous le savez.

Merci à ma famille, par voie biologique ou par alliance, pour votre soutien constant.

Merci à toute l'équipe chez Guy Saint-Jean, pour cette liberté dont j'ai tant besoin et qui m'est toujours accordée.

À mes grands-mères Marie-Louise Painchaud et Simonne Noël. Pour le macaroni au fromage, les beignes, la douceur infinie et les rires qui résonnent encore aujourd'hui. Je m'ennuie.

Arbres généalogiques des personnages

FAMILLE MOUSSEAU

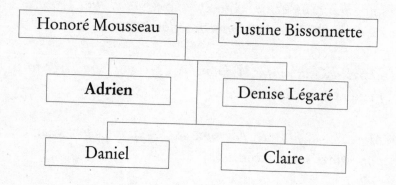

FAMILLE MARCHAND

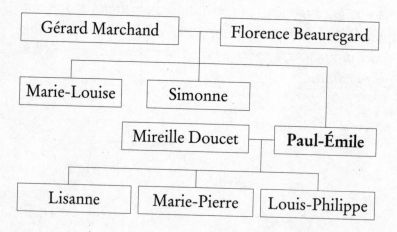

FAMILLE TAILLON

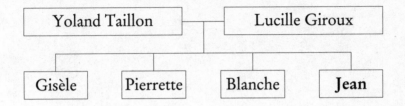

Yoland Taillon — Lucille Giroux

Gisèle | Pierrette | Blanche | **Jean**

FAMILLE FLYNN

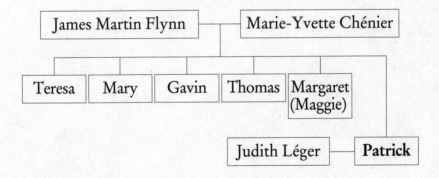

James Martin Flynn — Marie-Yvette Chénier

Teresa | Mary | Gavin | Thomas | Margaret (Maggie)

Judith Léger — **Patrick**

La nostalgie n'est plus ce qu'elle était.

Stan Kenton

Chapitre 1
1968-1969

1
Adrien... à propos des quatre

Jean et Lili étendus sur le sol...

Jean et Lili atteints par un projectile d'arme à feu...

Jean et Lili inconscients...

Qu'est-il arrivé exactement ?

Qui a tiré ?

Pourquoi ?

Qui était visé ? Jean ?... Lili ?... Les deux ?...

Est-ce que quelqu'un a entendu les coups de feu ?

Est-ce que quelqu'un a vu quoi que ce soit ?

Qui leur a porté secours ?

Dans des moments comme celui-là, il est curieux de constater que le temps semble s'arrêter et fuir à la fois. Plus rien n'existe et tout semble figé, comme si n'importe quel mouvement devenait théoriquement impossible en dehors de ceux que nous faisons pour arriver à nous soustraire de l'horreur que nous vivons. Mais au même moment, la survie, l'infime possibilité que l'horreur devienne encore plus intenable, devient affaire de décompte, de sablier, de rythme effréné et de sensation terrifiante que le temps s'écoule à une vitesse encore plus pressante qu'à l'habitude. Comme s'il était incapable, bien lâchement, de nous assister dans la douleur.

Nous étions quatre à l'hôpital, ne sachant pas trop si nous voulions vraiment savoir dans quel état Jean se trouvait. La possibilité de le savoir mort nous empêchait de parler, d'avancer, de cligner des yeux… Bref, de faire le moindre geste qui nous aurait propulsés à un endroit où tout retour en arrière aurait été impossible. Patrick, Muriel, ma mère et moi avions tous des airs d'enfants de cinq ans aux prises avec un besoin maladif de se faire rassurer; de savoir, au-delà des coups de feu et des deux corps étendus sur un trottoir de la rue Sainte-Catherine, que rien n'avait changé. Personne d'entre nous ne voulait voir Jean si cela signifiait que nous aurions à vivre avec le souvenir de ce qu'il ne serait, peut-être, jamais plus. Est-ce que Jean serait en mesure d'ouvrir les yeux? Est-ce qu'il serait en mesure de parler? De rire avec nous comme il l'avait toujours fait? Nous ne le savions pas et cela nous terrifiait.

Pourtant, nous n'avions pas le choix de l'apprendre. Notre entêtement à faire comme si rien ne s'était passé ne changeait rien à la réalité. Et cette réalité, la nôtre, comportait peut-être la perte de mon presque frère. Heureusement, miraculeusement, ce ne fut pas le cas.

«Monsieur Taillon a été atteint par un projectile à l'abdomen, annonça l'urgentologue assigné à Jean. Son état est toujours critique, mais stable.»

À ce stade-ci de l'histoire, je sais que l'on s'attend de moi à ce que je mette nos souvenirs en commun pour raconter ce qui s'est passé. Et je sais aussi que l'on n'aurait pas fait appel à mes services si l'on n'avait pas voulu une version, disons, détaillée des faits, enrichie de petits détails, racontée par quelqu'un ayant l'habitude d'en donner plus que ce que le client en demande, même si j'ai été très clair en affirmant dès le départ que je ne tenais pas du tout à revivre cette partie de notre existence. Qui fut aussi celle de Muriel, la secrétaire de Jean. Dieu, qu'elle faisait peine à voir lorsqu'elle demanda au médecin quelles étaient les chances, pour Jean, de s'en sortir.

« Il y a eu des dommages internes, mais je serais très surpris s'il n'arrivait pas à se remettre complètement de ses blessures. Les organes ont été touchés seulement de manière superficielle. Votre fils a été très chanceux, Madame. »

En écoutant l'urgentologue parler de Jean comme s'il était son fils, la pauvre Muriel s'était mise à pleurer telle une mère pleurant les malheurs de son enfant. Avec les années, Muriel était véritablement devenue la mère de Jean. Tout, en elle, témoignait de l'amour maternel qu'elle lui vouait, et si Patrick et moi souhaitions ardemment que notre copain ait la vie sauve afin de ne pas perdre cette partie de nous-mêmes, soudée à lui depuis si longtemps, une petite partie de moi souhaitait également que Jean s'en sorte pour ne plus avoir à supporter l'immense chagrin qui affligeait Muriel. À ce moment très précis, pour Patrick comme pour moi, elle fut davantage la mère de Jean que madame Taillon ne le fut jamais.

Je sais parfaitement devoir raconter des souvenirs communs ayant soudé, volontairement ou non, les liens unissant quatre copains d'enfance. Pourtant, avec le recul, notre réaction à la tentative de meurtre dont Jean fut victime me révèle plutôt l'égoïsme épouvantable dont nous avons tous fait preuve. Loin de moi l'idée de tomber dans les pires clichés en affirmant que ce qui arriva à Jean nous renvoya à notre propre mortalité. Dieu sait qu'à travers les Flynn, les Taillon ainsi que mon propre père, nous avions appris assez rapidement qu'une vie misérable peut très bien faire mourir quelqu'un sans qu'il cesse de respirer. Pour moi, pour Patrick, pour Jean, et aussi pour Paul-Émile, j'en suis convaincu, ce qui venait de se passer nous jeta au visage que, comme le veut l'expression anglophone, *you can never really go home again.* Tout, absolument tout dans ce que nous vivions nous changeait, nous transformait, mais chacun d'entre nous se raccrochait à cette conviction que peu importe ce que nous vivions, la magie de notre passé saurait toujours nous réconforter dans nos malheurs. Alors, qu'allions-nous devenir si l'un des visages de ce passé disparaissait ? Qu'allions-nous faire si l'une des portes qui nous offraient une vue sur ce que nous avions été se refermait ? Ce qui venait de se passer ne venait pas seulement nous rappeler la fragilité de la vie; cela nous rappelait aussi la vulnérabilité des racines ayant fait de cette même vie ce qu'elle était maintenant.

Ce que nous n'avions cependant pas encore compris, c'est que les portes, une à une, se refermaient déjà parce qu'aucun d'entre nous ne savait interpréter nos propres souvenirs de façon à ce qu'ils concordent avec ceux des autres. Nous tirions chacun la couverte de notre côté, espérant rehausser les aspects d'un passé plus ou moins réel, afin d'embellir un présent souvent difficile à supporter. De quelle manière allions-nous interpréter à notre avantage ce qui venait de se passer ? Comment allions-nous arriver à nous faire croire qu'une tentative de meurtre était ce qui avait pu arriver de mieux à Jean ? Et à nous, par ricochet ? À mon très grand chagrin, je ne voyais aucune façon d'y parvenir. Et alors que j'observais Patrick, tendu, faisant tout afin d'éviter les regards de pur désespoir que je lui lançais, je comprenais qu'il n'y arrivait pas plus que moi. Il n'y arrivait plus depuis bien longtemps, d'ailleurs. Jean et moi l'avions compris dès son retour du Cameroun et, je me trompe peut-être, mais j'eus longtemps le sentiment que son incapacité à me regarder dans les yeux à l'hôpital, ce jour-là, traduisait une certaine satisfaction à voir enfin quelqu'un près de lui ressentir cette même impuissance, cuisante, qu'il vivait depuis la mort d'Agnès. J'espère avoir eu tort.

« Excusez-moi, docteur… demanda Muriel. La femme hospitalisée en même temps que Jean… »

Lili… Mon Dieu, Lili ! Était-elle vivante ? Nous n'avions même pas cherché à le savoir. Quand je dis que cet événement avait fait de nous des monstres d'égoïsme… Heureusement, Muriel était là pour nous rappeler qu'il y avait un autre monde en dehors de nous.

« Madame Saint-Martin…

— Lili, c'est ça. Comment elle va ?

— Écoutez… Je ne devrais pas…

— S'il vous plaît, docteur… Lili fait quasiment partie de la famille. Les journalistes sont déjà dehors, de toute façon. La rumeur court qu'elle est morte. Je vous en supplie, docteur. Je vous le demande poliment. Comment va Lili ? Est-ce que… Est-ce qu'elle est ?… »

Je suis conscient que cela peut paraître incroyable, mais le besoin de savoir ce qui s'était passé et, surtout, de savoir qui avait tiré sur Jean et Lili ne nous effleurait pas l'esprit le moins du monde. Celui de Patrick et le mien, en tout cas. Pour ma mère et Muriel, je l'ignorais. Au moment où je fus mis au courant de la situation, je me trouvais chez moi, en compagnie de ma mère et, bien naturellement, elle m'avait suivi à l'hôpital. Sa présence, à ce moment précis, relevait presque de l'irréel pour moi. Je n'arrivais qu'à me concentrer – tout comme Patrick

– sur ce qu'allait devenir mon presque frère. Ce qui vient expliquer – et non justifier, je tiens à le préciser – notre apparente insensibilité à l'égard de Lili. Et je tiens à souligner le mot «apparente». Insensibles, Patrick et moi ne l'étions absolument pas. Lorsque Muriel avait demandé à l'urgentologue dans quel état Lili se trouvait, nous étions tous impatients de connaître la réponse.

«Madame Saint-Martin n'est pas morte. Mais les projectiles ont touché sa colonne vertébrale. Elle ne marchera probablement plus jamais.»

Instantanément, Muriel et ma mère s'étaient mises à pleurer, tandis que Patrick, stoïque, figé, semblait attendre les réponses qui lui permettraient de comprendre l'absurdité de la situation. Évidemment, ces réponses ne sont jamais venues. L'atrocité de ce qui venait de se passer nous renvoya tout de suite à Jean et à notre incapacité chronique à nous concentrer sur autre chose que lui. Jean n'était pas mort, allait survivre à ce qui venait de se passer, mais il nous apparaissait maintenant évident, en écoutant le médecin parler de Lili, que nous l'avions tout de même perdu. Les liens entre les deux étaient trop forts pour que Jean se permette, comme il l'avait si souvent fait dans le passé, d'ignorer la réalité. Cette fois-ci, il n'allait pas pouvoir se nourrir de nos erreurs pour savoir ce qu'il ne devait pas faire; il n'allait pas pouvoir profiter de notre passé pour l'aider à avancer. Nous qui le connaissions de A à Z savions que rien ne l'outillerait suffisamment pour lui permettre de faire face à cette culpabilité qui allait le déchirer, simplement parce que Lili avait eu le malheur de se trouver avec lui ce soir-là. Pour la toute première fois depuis que nous étions amis, nous étions incapables de lui venir en aide, de réécrire son histoire, comme sa famille l'avait fait avec Jean Ier pendant si longtemps. Nous ne savions pas comment faire et chacun d'entre nous détournait les yeux pour ne pas voir le reflet de son propre désespoir, de sa propre impuissance, dans le regard de tous les autres.

Jamais ne nous sommes-nous sentis aussi indignes de l'amitié de Jean qu'à ce moment-là.

Et lorsque je dis « nous », en passant, ça inclut également Paul-Émile. Jamais il ne l'a admis, jamais il n'en a parlé, mais je sais de source sûre qu'il soudoyait deux infirmières, la nuit, afin de pouvoir venir jeter un coup d'œil sur Jean pendant que celui-ci dormait. La scène s'est répétée à deux ou trois reprises. Et il finissait toujours par sortir les yeux rougis de la chambre d'hôpital de Jean.

Comment Paul-Émile a-t-il pu faire, après ça, pour se mettre en marge de nous comme il l'a fait ? Et, surtout, comment avons-nous tous fait pour être en marge de la souffrance de Jean en détournant les yeux d'une misère que nous n'avons pas su comprendre ?

Je ne ferai certainement pas un fou de moi en essayant de répondre à cette question. Et pour être honnête, ça ferait bien mon affaire de changer de sujet. Étonnamment, je n'ai aucune envie de raconter ce qui s'est passé; de m'étendre sur des détails insignifiants et de revivre des souvenirs que je n'aurais même jamais voulu vivre au départ. Je sais que je babille sans arrêt; que j'ai la manie – fâcheuse, pour la majorité des gens que je connais – de raconter n'importe quoi afin de meubler ma peur du vide. Je sais, je sais… Mais bavard, je ne l'étais pas à cette époque. Et surtout pas à ce moment-là. La tentative d'assassinat de Jean fait partie de ce genre de souvenir qui ne s'embellit jamais avec le temps, avec le recul que nous procurent les années à mesure qu'elles s'égrènent.

Bien franchement, j'aurais préféré raconter nos autres souvenirs collectifs. Comme le soir de l'émeute... Ou lorsque Patrick est parti pour le Cameroun. Ou encore ne rien dire du tout et me contenter de raconter l'histoire de Paul-Émile, ce qui m'aurait permis de demeurer muet sur cette partie de notre vie. Sur cet aspect-là, le silence ne me fait pas peur. Quand les paroles n'arrivent pas à meubler un vide, quand elles n'arrivent pas à embellir un passé figé dans le temps, quand elles n'arrivent pas à forcer le temps à tout réinventer, quand même les regrets ne nous donnent aucune envie de retourner en arrière, c'est qu'il n'y a rien à dire. Même moi, je suis capable de comprendre ça.

2
Patrick... à propos de Jean

Dans ma grande ineptie judéo-chrétienne – et je dis cela sans sarcasme aucun –, j'ai longtemps cru que l'alcoolisme était l'un des sept péchés capitaux. Pour tenter d'empêcher que l'un de ses enfants ne se retrouve avec le même penchant pour la bouteille que son époux, ma mère nous avait tous fait croire que quiconque se trouvant en état d'ivresse avancée, comme mon père l'était de l'aube au crépuscule, allait, selon la Bible, brûler en enfer pour l'éternité. Cette stupidité, ma mère la répéta pendant des années, même lorsqu'il était devenu clair que mes deux frères et ma sœur Maggie avaient choisi de ne pas se soumettre aux diktats de l'évangile selon mère Flynn. Ce qui faisait bien rire Jean, d'ailleurs.

«Savez-vous ce que ça veut dire, ça, Marie-Yvette? Ça veut dire que la moitié de vos enfants aiment mieux boire comme des trous que de passer le reste de l'éternité au Paradis, à jeun, avec vous. Ça vous fait quoi, de savoir ça?»

Ma mère, qui ne donna jamais dans la dentelle, devenait évidemment furieuse et se mettait à courir après Jean, essayant de le frapper avec le manche de sa vadrouille.

«Mon maudit sniffeux de mop! Envoye icitte, que je t'en sacre un coup sur le nez! Je vais finir la job, moi, si tes parents ont pas été capables de t'élever comme du monde!»

Jean courait dans tous les sens, souriant, lui qui adorait provoquer ma mère de la même manière qu'il l'avait si souvent fait avec monsieur Mousseau. Et moi, j'angoissais. J'étais nerveux parce que mon copain, à l'époque, semblait déjà avoir tous les symptômes d'un alcoolique en puissance et parce que j'étais persuadé qu'il allait se retrouver prisonnier en enfer. Ma mère, d'ailleurs, répétait souvent que Jean ne pouvait rien être d'autre que l'enfant du diable parce qu'il avait commencé à boire alors qu'il n'était même pas un adolescent. Ah !... Les années cinquante au Québec... Je n'ai pas envie d'élaborer.

Avec le temps, la consommation d'alcool de Jean ne fit qu'augmenter et l'attentat dont il fut victime ne fit rien, bien au contraire, pour calmer ses envies de gin et de vodka. En l'espace de seulement vingt-quatre heures après l'attentat, sa chevelure avait considérablement grisonné, vieillissement venant aussi se traduire dans sa façon de marcher. Son dos s'était courbé, le pas avait ralenti et, sur le coup, j'avais cru qu'il positionnait son corps de cette manière parce que c'était moins douloureux. Ou encore, parce qu'il avait peur que ses plaies ne rouvrent, ou quelque chose comme ça. J'avais tort, évidemment. Mais je n'en étais pas préoccupé le moins du monde. Au-delà du fait qu'il n'avait jamais cessé d'être mon frère, je cherchais à me détacher de Jean à cette époque. D'Adrien, aussi. Je n'avais la force de voir que ce que je voulais pour mener à bien cette mission de changer le monde que je m'étais donnée et la souffrance de Jean m'aurait bloqué la vue. Alors, je regardais ailleurs pour m'empêcher de bien voir la loque humaine qu'il était devenu en l'espace de seulement quelques jours. Pourtant... L'odeur épouvantable de vodka qui se dégageait de sa chambre d'hôpital aurait dû me forcer à regarder, et ce, même si c'était bien la dernière chose que je voulais faire.

« Je peux savoir où tu prends ta vodka ? lui avait d'ailleurs demandé Adrien, adoptant cet air à la fois dégoûté et découragé de ma mère lorsqu'elle regardait mon père.

— Ne jamais sous-estimer la camaraderie qui existe entre deux amateurs de boisson, Adrien. Le concierge du matin est un fan de bière. Je le paie pour qu'il me ramène du fort, pis je le récompense en lui payant une caisse de 24.

— Il pourrait perdre sa job si ça se savait !

— C'est pas mon problème. À l'âge qu'il a l'air d'avoir, y'est assez grand pour faire ses choix tout seul. Pis de toute façon, personne va le savoir. Han, Adrien ?... »

Il serait facile de supposer que Jean buvait ainsi pour engourdir le choc de l'accident. Pour ma part, je crois plutôt qu'il s'enivrait pour ne pas avoir à se rappeler qu'il n'avait pas encore vu Lili et qu'il se sentait comme le dernier des sans-cœur à vouloir repousser ce moment inévitable où tous les deux auraient à se parler.

Je crois avoir été clair sur mes sentiments concernant l'insensibilité dont Jean pouvait parfois faire preuve. La grossesse de mademoiselle Robert et le rejet sans appel de l'enfant qu'elle attendait furent, pour moi, les exemples le plus probants. Mais s'il fut relativement facile, pour lui, d'ignorer un bébé qui n'aurait aucun souvenir de son père, la présence d'une amie ayant besoin du seul être au monde pouvant comprendre sa hantise de se retrouver, une fois de plus, au coin de Sainte-Catherine et Lambert-Closse le jetait au-devant de sa propre lâcheté. Et au lieu d'en être honteux, il la prétexta, sans orgueil, pour justifier son absence aux côtés de Lili. Il n'en eut même pas honte.

« Comment veux-tu que je lui en veuille ? m'avait dit Lili de sa chambre d'hôpital, alors qu'Adrien et moi étions allés la visiter. J'ai pus cinq ans. Je suis capable de comprendre. C'est pas moi que Jean veut pas voir. C'est ce qui s'est passé. Comment veux-tu que je prenne ça personnel ? »

Lorsqu'Adrien et moi étions allés visiter Lili à l'hôpital, ce fut Agathe – son prénom véritable –, à mon grand ravissement, qui nous avait reçus. Les cheveux attachés, le visage sans maquillage – bien plus beau ainsi, à mon avis, que lorsqu'elle se le peinturait au rouleau –, elle nous avait raconté avec retenue et sobriété le peu dont elle se souvenait de l'attentat, rejetant les airs de carnaval de Rio habituels à son personnage de reine du show-biz québécois. Comme si elle avait voulu se faire toute petite, et laisser à Jean l'espace nécessaire pour se remettre de son choc ; pour le vivre à sa façon sans avoir, en plus, à gérer ses bouleversements à elle. Mais lorsqu'Adrien finit par lui dire dans quel état psychologique lamentable Jean se trouvait, Lili comprit que le temps et l'espace dont elle lui faisait cadeau n'aidaient en rien sa guérison et que si Jean refusait d'aller vers elle, alors ce serait elle qui irait vers lui. Même si aucun de nous trois n'était entièrement convaincu que d'imposer à Jean la présence de Lili était la chose à faire. Pour ma part, j'étais trop pressé de retourner au souvenir de ma belle Agnès pour réfléchir davantage à cette action, faisant à mon tour preuve d'une incroyable lâcheté en choisissant de détourner les yeux lorsque j'aperçus le visage de Jean devenir blanc comme de la craie à la vue de Lili en fauteuil roulant. Choisissant, également, d'ignorer que Lili s'était mise à pleurer en voyant que Jean semblait avoir pris vingt ans depuis la dernière fois qu'elle l'avait vu.

J'ai honte de le dire, mais je me dois d'être honnête et de l'admettre : je voulais partir, couper les liens, oublier ce fardeau que je savais que Jean allait devenir et qui allait

me tomber dessus parce que j'avais eu la malchance d'emménager chez lui quelque temps avant l'attentat. J'ignore
pour Adrien. J'ose croire qu'il avait accepté d'emmener
Lili à la chambre de Jean parce qu'il croyait sincèrement
que cela allait améliorer les choses. Pour ma part, je ne
voulais que passer le relais et m'éclipser discrètement.
Mon égoïsme et moi échouâmes lamentablement.

«Si tu veux pas me voir, c'est correct, dit Lili à Jean.
T'as juste à me le dire, pis je vais retourner dans ma
chambre.

— Pourquoi je te dirais de partir ? »

Ces mots furent les seuls que tous deux échangèrent
lors de cette rencontre. Lili cherchait le regard de Jean,
essayant de lui faire comprendre en des mots qui ne
venaient pas qu'il n'avait pas à se blâmer, tandis que les
yeux de Jean faisaient constamment l'aller-retour entre
la vodka déguisée en verre d'eau qu'il tenait entre ses
mains et les jambes paralysées de Lili.

L'attentat ne fit pas de la vie de Jean un roman policier. Aucun d'entre nous n'a dépensé des sommes considérables de temps et d'énergie à se ronger les ongles
pour connaître l'identité de la personne lui ayant tiré
dessus. Nous voulions tous savoir, bien évidemment.
Des années plus tard, nous avons d'ailleurs appris que
Paul-Émile utilisa discrètement certains de ses contacts
pour éviter que l'enquête soit suspendue. Mais Jean se
trouvait dans un état si pitoyable que de lui garder la tête
hors de l'eau exigeait de nous toute la force que nous
avions à lui consacrer. Tâche colossale, soit dit en passant, qui ne se résumait pas seulement au choc causé par
les balles de fusil ayant sifflé autour de lui. Et Adrien fut
le premier à comprendre que la loque humaine se tenant

devant nous, au-delà de ce qui venait de se passer, prenait surtout racine là où Jean Ier était enterré, et dans tous les gestes que son petit-fils avait été prêt à faire pour ne pas s'y retrouver côte à côte. J'avais tendance à être d'accord avec Adrien. Tout comme madame Bouchard, d'ailleurs. Mais, contrairement à eux, je ne voulais pas hypothéquer mes plans, endosser le mal de vivre de Jean, alors que j'allais me permettre de vivre le mien pour la première fois. Je refusais de donner à mon copain le monopole de l'égoïsme.

Cinq minutes à peine après que Lili soit entrée dans sa chambre, Jean nous supplia du regard, Adrien et moi, de l'emmener ailleurs. Immobile, je le regardais en ne voyant rien d'autre que cet enfant de la rue de la Visitation qu'il était toujours, se rebellant systématiquement contre ses parents, alors que j'avais fait le choix de constamment me soumettre à ma mère. Nous avions emprunté deux chemins tout à fait différents et, pourtant, nous nous retrouvions néanmoins brisés, traumatisés. C'est dommage. Au fond, quand on y pense, ça aurait été tellement plus simple si l'un de nous deux, n'importe lequel, avait été heureux et l'autre pas. De cette façon, nous aurions été en mesure de savoir qui de nous deux avait fait le bon choix. Et, surtout, de savoir ce qui avait été mal fait.

3
Adrien... à propos de Paul-Émile

Je suis soulagé. Me revoilà en pays de connaissance, à mon très grand bonheur. Ce n'est pas que je refuse de parler de Jean. Bien au contraire ! Jean eut une vie riche, pleine et je suis extrêmement fier de pouvoir me compter parmi son groupe très restreint d'amis. Seulement, j'aurais aimé pouvoir parler d'autre chose que de cette cochonnerie que fût pour lui la tentative d'assassinat. Comme Paul-Émile l'a probablement déjà dit, je me sens à l'aise dans l'anecdote, dans les discussions qui ne semblent que raconter des petites choses mais qui en cachent pourtant des grandes. Et il n'y avait absolument rien d'anecdotique dans ce que vivaient Jean et Lili depuis cette sortie au cinéma ayant assez mal tourné, merci.

Au fond, rien de ce que nous vivons ne relève de l'anecdote et moi qui suis chargé de raconter la vie de Paul-Émile, je tiens à m'excuser si je donne l'impression de prendre à la légère quelqu'un qui, lui, s'est peut-être un peu trop pris au sérieux. Et souvent aux dépens de ceux qui l'entouraient. Ce qui me ramène à Mireille, son épouse, partie quelques jours à New York pour se changer les idées. J'aurais bien voulu, moi, avoir les moyens de déguerpir à New York lorsque l'envie me prenait d'aller me voir ailleurs. Mais devant y aller avec les moyens du bord, je devais plutôt me résigner à jouer aux cartes ou à prendre une marche si je voulais être en mesure de ne plus penser à rien. Quoique le New York de Mireille, constitué presque exclusivement de comédies musicales de Broadway, n'était pas forcément celui dont j'étais tombé amoureux lors de mon voyage de noces. Et comme la perspective d'aller voir une bande de hippies poilus chanter *The Age of Aquarius* ne m'enchantait pas tellement... Denise, mon ex-femme, avait beau dire que le PQ n'était rien d'autre qu'une gang de poteux de la gauche, je n'étais absolument pas un adepte de la contre-culture, et il m'arrivait souvent de soupirer d'impatience en écoutant des hippies radoter sur les joies de l'amour libre et sur l'ignorance crasse des générations précédentes. Étant né en 1935, dois-je préciser que je faisais moi-même partie de ce qu'eux qualifiaient de vieux croûtons incapables de comprendre les vraies affaires ? Dois-je aussi préciser que ça m'insultait au plus haut point ?

Enfin...

Pour en revenir à Mireille, il est à préciser qu'elle avait aussi choisi New York parce qu'elle était certaine de ne pas y croiser Paul-Émile, qui détestait la Grosse Pomme avec vigueur, comme il l'a déjà raconté. Quelques jours avant son départ, Mireille, qui avait fini par comprendre que son mari ne l'aimait plus – pas, en fait, mais qui étais-je pour lui préciser la nuance ? –, avait découvert qu'il y avait quelqu'un d'autre dans la vie de Paul-Émile. Je ne sais pas si elle s'en doutait. J'ignore même si elle savait que son propre père était l'un des coureurs de jupons les plus prolifiques de son époque. Probablement, quand j'y repense. Ç'aurait expliqué cette tristesse entremêlée de résignation ressentie au moment où elle prit connaissance que son mari forniquait avec quelqu'un d'autre. Ce jour-là, Mireille s'était rendue au bureau de Paul-Émile, à Montréal, avant de passer prendre Lisanne à la sortie de l'école. En ouvrant la porte du bureau, elle entendit madame Lelièvre, la secrétaire de Paul-Émile, dicter par téléphone un message à un fleuriste pour deux douzaines de roses à livrer le lendemain. «Pas besoin d'une raison pour envoyer des fleurs à la femme de ma vie. Paul-Émile.»

Là-dessus, je dois dire que les minutes suivantes furent loin de faire honneur à Mireille. Un message comme celui-ci, jumelé à leur vie matrimoniale qui relevait davantage de la cohabitation, aurait dû lui faire comprendre de manière tout à fait claire que les roses étaient destinées à n'importe qui sauf à elle. De ce que j'en savais, à cette époque, Paul-Émile semblait avoir plus d'affection pour son facteur qu'il n'en avait pour sa femme et si Mireille était véritablement la femme de sa vie, comme il était écrit dans le message, alors Paul-Émile avait des manières franchement bizarres de le démontrer. Son intérêt pour Mireille paraissait aussi ardent que le mien pour Denise. Ai-je besoin d'en rajouter ?

Mais Mireille, et c'est ce qui me dépassa complètement, trouva le tour de croire que les fleurs étaient pour elle et, ne voulant pas que madame Lelièvre croie qu'elle avait tout entendu de la commande passée au fleuriste, retourna dehors et fit trois fois le tour du bloc pour ne pas donner l'impression qu'elle se doutait de quelque chose! TROIS FOIS! À la troisième, Mireille se fit interpeller par un petit vieux en mal de sexe, croyant qu'elle faisait le trottoir.

J'ai beaucoup ri. Même si je sais que je n'aurais pas dû.

Bien évidemment, les roses attendues n'arrivèrent jamais. Pas sur la rue Pratt, en tout cas. Et après avoir perdu son temps à attendre des fleurs qui n'étaient pas pour elle, Mireille eut l'idée d'appeler le fleuriste et de se faire passer pour la secrétaire de Paul-Émile afin de demander, bien innocemment, si les roses s'étaient rendues à destination.

« Les fleurs ont été livrées au début de la journée, Madame. Comme prévu. »

Dès ce moment, il n'y avait plus rien à faire. Continuer de se mettre la tête dans le sable aurait servi à quoi, au juste ? Mireille était tout sauf stupide et si elle se doutait depuis longtemps que Paul-Émile ne respectait plus sa part du marché en ce qui la concernait, elle en avait maintenant une preuve flagrante, lui revenant d'ailleurs sans cesse en mémoire chaque fois qu'elle avait le malheur de passer devant un fleuriste.

N'étant pas une femme, je ne peux que supposer de ce qui se passait dans la tête de Mireille. Et il me semble que j'aurais voulu savoir avec qui mon mari me cocufiait. C'était bien la moindre des choses ! J'aurais voulu savoir à quoi ressemblait la compétition. Mais, voilà. Mireille, bien plus sensible que moi à ce niveau, avait compris que, pour avoir compétition, il fallait être deux. Il fallait que toutes les deux se tiennent debout et soient directement opposées. Et tout dans l'attitude de Paul-Émile à son endroit – l'indifférence, l'apathie… – lui laissait deviner qu'elle était disqualifiée dès le départ. Cela étant dit, Mireille devait maintenant savoir si son besoin de Paul-Émile allait outrepasser cette petite voix – l'orgueil, sans doute – lui disant de sacrer son camp au plus vite. Personnellement, c'est bien ce que j'aurais fait. Je persiste et je signe : je n'ai jamais pu être en mesure de comprendre ce que les femmes pouvaient trouver d'attirant chez Paul-Émile. Je radote peut-être, mais Mireille elle-même devait aussi se poser la question puisque, lorsqu'elle revint de New

York, son attitude envers lui se transforma peu à peu.

Mireille revint à Montréal le 25 septembre, ne sachant toujours pas quoi faire de son mariage. Le 26, on annonça le décès du premier ministre Johnson. Le lendemain, la mère de Mireille appela sa fille pour l'informer que la famille allait prendre le chemin de Québec pour les funérailles. Mireille décida de ne pas y aller, la perspective de se retrouver seule en voiture avec Paul-Émile étant plus que ce qu'elle pouvait supporter.

« Qu'est-ce que tu fais en pyjama ? demanda Albert Doucet à sa fille, le matin des funérailles, en se pointant sur la rue Pratt.

— Elle veut pas venir », répondit Paul-Émile, ajustant sa cravate et haussant les épaules, l'air de s'en foutre complètement.

L'air indifférent qu'affichait Paul-Émile lorsqu'il parlait de Mireille ne datait pas d'hier. Loin de là. Déjà, au début de leurs fréquentations, il n'avait jamais semblé des plus avenants à son égard. Mais il y avait tout de même une bonne marge entre s'imaginer avoir épousé une émule de Robert Mitchum[1], qui adoptait un air de bœuf avec tout le monde, et prendre conscience que ce même air de bœuf nous était spécialement réservé. L'orgueil de Mireille, sans encore en mener très large, commençait toutefois à vouloir répliquer.

« Je veux pas y aller parce que j'ai pas d'affaires là. Vous autres non plus, soit dit en passant.

— Franchement, Mireille… répliqua Paul-Émile, le ton paternaliste. J'ai pas à t'expliquer comment fonctionne la politique.

---

1 Acteur américain décédé en 1997.

— Non, Paul-Émile. Ça, c'est déjà fait depuis long-temps. Merci. Mais tu trouves pas qu'il y a quand même des limites à l'hypocrisie ? Un homme vient de mourir. Pis dans mon livre à moi, monsieur Johnson méritait sûrement autre chose que de voir s'agenouiller devant sa tombe un clown comme toi qui passait son temps à dire qu'il devrait retourner roter sa bière à Saint-Pie-de-Bagot ! »

Furieuse, Mireille disparut en coup de vent, laissant derrière elle ses parents et Paul-Émile complètement bouche bée, ahuris devant cet accès de colère d'une femme pourtant réputée pour sa douceur.

« Elle est folle, ta femme !… » s'exclama Albert Doucet à Paul-Émile qui, lui, ne sut rien répliquer d'intelligent.

Quelques instants plus tard, tout juste avant de partir pour Québec, Paul-Émile, dans un rare élan de considé-ration envers sa femme, était allé voir Mireille, assise sur une chaise en rotin dans le jardin. Il s'arrêta tout juste avant qu'elle ne s'aperçoive de sa présence. Que lui aurait-il dit, de toute façon ? Tristement, Paul-Émile prenait conscience pour la première fois que Mireille jouait un rôle tout à fait secondaire dans la vie des gens qu'elle aimait: ses enfants, qui allaient grandir et qui, inévitablement, la réclameraient de moins en moins; ses parents, qui ne furent jamais très portés sur la vie de famille; et Paul-Émile, surtout, qui vivait facilement sans elle alors que, de toute évidence, tout le contraire s'appli-quait à elle.

Choisissant de tourner les talons avant que Mireille ne se retourne, Paul-Émile grimaçait en prenant conscience que sa propre femme ne lui avait jamais inspiré autre chose que de la pitié. Et n'ayant jamais su – ou voulu – apprendre à s'intéresser aux gens qu'il regardait de haut, mon copain choisit de garder le silence; de déprécier la douleur évidente de sa femme. Paul-Émile et Mireille avaient ceci en commun qu'ils carburaient tous les deux à l'admiration; qu'ils étaient incapables d'aimer sans respecter. Autre aspect où la réciprocité ne définissait pas leur mariage. Cruellement.

Au bout du compte, son besoin de Paul-Émile prima l'orgueil de Mireille. Quelque part, cependant, j'ai toujours cru que son refus de partir prenait plutôt racine dans une grande peur de se retrouver toute seule. Paul-Émile, bien évidemment, n'était jamais là mais l'idée de lui était suffisante pour calmer cette peur du silence éprouvée par Mireille. Peur que j'étais à même de comprendre. Et il faut avoir tapé le fond pour réaliser que le vide n'est qu'un pur produit de notre imagination. Ce que Mireille n'avait pas encore fait, de toute évidence.

Ce que je m'apprête à dire peut paraître sévère, et elle ne serait probablement pas d'accord avec moi, mais j'ai toujours eu l'intime conviction que Mireille ne fut jamais réellement amoureuse de Paul-Émile. L'obsession et la dépendance affective sont bien des choses – une source de revenus sans fin, entre autres, pour les psychologues de la province de Québec –, mais elles ne sont certainement pas de l'amour.

4
Paul-Émile... à propos d'Adrien

Adrien n'aimait plus autant le hockey depuis l'expansion de 1967. Moi non plus, d'ailleurs. En fait, je ne connais pas beaucoup de gens de notre génération qui étaient capables de regarder un match assis sur le bout de leur siège, comme nous l'avions fait pendant si longtemps, après que les dirigeants de la ligue eurent pris la décision de choisir l'argent aux dépens du talent. Pourtant, je n'en connaissais pas beaucoup, non plus, qui auraient craché sur une paire de billets pour assister à un match au Forum. Les parties étaient moins excitantes, d'accord, mais ce n'était tout de même pas comme d'assister à une joute de hockey en marchette de la ligue gériatrique de Montréal-Nord.

Daniel Mousseau, par contre, peinait à faire la différence entre les deux. Le fils d'Adrien, âgé de huit ans, s'emmerdait joyeusement lorsque quiconque le mettait en présence d'un bâton et d'une rondelle, trouvant le tour de s'endormir pendant un match contre les Bruins de Boston, alors que le père et le fils étaient assis tout juste derrière Gerry Cheevers! Même mon plus jeune, qui avait deux ans à l'époque, était plus intéressé par le hockey que ne l'était Daniel.

«Je le savais, avait constaté Denise, sourire en coin, lorsqu'elle vit Adrien revenir avec Daniel, endormi, dans ses bras. T'aurais dû y apporter un livre. Y aurait probablement trouvé ça pas mal plus intéressant.

— Tu peux pas blâmer un père d'essayer de faire de son gars le prochain Boom Boom Geoffrion.

— Je pense que t'aurais plus de chance d'y faire lire un livre sur Boom Boom Geoffrion.

— Peut-être… »

Cette discussion, quelques mois auparavant, aurait tourné à coup sûr en tournoi d'insultes, agrémenté d'un concours du lancer de la chaise de cuisine où le tout Saint-Léonard se serait réuni sur la pelouse des Mousseau pour connaître le résultat du combat. Un peu comme le faisaient les Américains, assis en marge des champs de bataille avec leurs paniers à pique-nique lors des premiers jours de la guerre de Sécession, alors qu'ils croyaient que tout serait réglé en l'espace de quelques heures. Mais les relations entre Denise et Adrien avaient radicalement changé depuis ce jour où, une semaine après la mort de monsieur Mousseau à l'automne 1968, Adrien se décida enfin à mettre un terme à son union avec Denise. Il était plus que temps ! Leurs enfants, ça sautait aux yeux, en faisaient presque des attaques de panique lorsqu'ils revenaient de l'école et qu'ils savaient que les deux parents étaient à la maison. Pas normal, comme situation.

Une fois de plus, Adrien aura réagi aux événements, plutôt que d'en être l'instigateur. C'est vrai. Quand on examine la situation de près, il est facile de se rendre compte qu'Adrien ne bouge jamais sans être provoqué. Façon de parler, évidemment, mais qui décrit bien comment il vit sa vie. Indépendantiste, Adrien l'est devenu à la suite des émeutes du Forum. Il a choisi de se marier après avoir appris que Denise était enceinte. Et il a décidé de quitter sa femme après avoir encaissé le choc du décès de son père. Je ne dis pas que c'est bon ou mauvais. Je dis seulement qu'il est comme il est. Et que sur ce point, j'étais très différent.

La séparation avec Denise se passa remarquablement bien. Et sans que celle-ci réagisse à l'annonce du départ d'Adrien en organisant une parade, elle avait tout de même poussé un gros soupir de soulagement, tout en disant à Adrien qu'elle comprenait, et qu'elle s'en voulait de ne pas avoir eu le courage de partir la première.

« Ç'aurait dû être fait depuis longtemps, avoua-t-elle.

— Mieux vaut tard que jamais. Ça fait cliché de dire ça, mais c'est vrai. Pis pour ce qui est des finances, je veux pas que tu t'inquiètes. Je vais faire ma part. J'ai aucune intention d'abandonner mes enfants.

— J'en doute pas, Adrien. T'es un bon père. Je serais menteuse de dire le contraire. »

Après s'être serré la main comme s'ils venaient de conclure un marché, les Mousseau finirent enfin par partir chacun de leur côté, Adrien aboutissant dans un 4 ½ de la rue Monselet, à Montréal-Nord. Redevenu célibataire, il entreprit de rattraper le temps perdu. Il sortait beaucoup, faisait la fête, couchait à droite et à gauche… Au bout du compte, Adrien comblait toujours cette même peur du vide qu'il ressentait lorsqu'il était enfant, maintenant avec des moyens de grande personne. Et cette fois, le silence qu'il craignait ne lui était pas imposé par son père, mais plutôt par l'absence de Claire et Daniel. Dans son besoin de s'éloigner de Denise, ce fut la seule chose qu'il ne prit pas en considération : à quel point ses enfants allaient lui manquer. Et le choc fut brutal.

À cette époque, les gardes partagées n'étaient pas monnaie courante. Ce n'était pas comme aujourd'hui, où les enfants passent une semaine chez la mère, et l'autre chez leur père. Dans le temps, la mère se retrouvait avec les petits, alors que le père les voyait quand il le pouvait. Ou le voulait, selon le cas. Pour Adrien, la situation n'était pas exactement comme ça. Denise avait effectivement la garde des enfants, mais tout, absolument tout, pour Adrien, était prétexte à leur rendre visite. Un genou éraflé, un récital de ballet, Denise qui voulait aller au cinéma, madame Mousseau qui s'ennuyait de ses petits-enfants, une discussion à avoir avec le petit *bum* du quartier qui avait eu le malheur de s'en prendre à Daniel... Infiniment patiente, Denise comprenait qu'Adrien s'ennuyait de ses enfants. Alors elle ne disait rien, allant même jusqu'à profiter de la situation, une fois de temps en temps, pour se sauver seule au cinéma ou au centre commercial.

Malgré la bienveillance de Denise, malgré les prétextes bidon pour se retrouver en compagnie de ses enfants, il y avait tout de même des moments où Adrien n'avait pas le choix de vivre sa solitude. Le matin, en se réveillant. Le soir, au coucher. Et dans des instants comme ceux-là, c'était plus lui-même que monsieur Mousseau qu'Adrien cherchait à oublier, assis dans le salon de ses parents sur la rue Montcalm, paniqué à l'idée que ses enfants en arrivent à le voir un jour comme l'homme au cœur sec que son propre père fut pour lui toute sa vie. C'est une réaction que, personnellement, je n'ai jamais pu comprendre. Si Adrien avait examiné la question logiquement – ce qui ne fut jamais l'un de tes grands talents, Adrien; tu en conviendras –, il aurait pu comprendre que ses peurs n'étaient pas fondées. Oui, à cette époque, Adrien monologuait de moins en moins – était-ce vraiment une mauvaise chose ? –, mais il s'acharnait tellement à ne pas être pour ses enfants l'homme détaché que son père avait été pour lui qu'il en était épuisant! Mais, bon...

Comprenant rapidement qu'il n'avait plus l'âge de traîner dans les bars jusqu'à trois heures du matin,

Adrien, pour combler le manque de ses enfants, opta pour une technique différente mais beaucoup moins dommageable pour la santé et nettement plus efficace: le travail.

À l'hiver 1969, le PQ n'était encore, pour moi, qu'une bonne blague et je ne cacherai pas que j'éprouvais un certain mépris à voir Adrien y perdre son temps.

La souveraineté m'apparaissait à l'époque – et c'est encore le cas aujourd'hui, après deux référendums – comme un rêve d'enfants, un songe faisant perdre un temps monumental à un gouvernement qui, en plus d'avoir à ramer comme un fou pour ne pas se faire bouffer tout rond par les Américains, devait également se battre contre une bande de bozos n'ayant jamais digéré la défaite des Plaines d'Abraham! La seule mention du mouvement indépendantiste me donnait des boutons et j'en avais presque vomi mon déjeuner lorsque j'appris qu'Adrien avait renoncé à son travail de professeur – et à la sécurité d'emploi qui venait avec – pour conseiller une poignée de poètes voulant se faire un peu d'argent de poche en devenant députés. À la place de Denise, j'en aurais profité pour demander une annulation de mariage au Vatican basée sur l'instabilité émotive d'Adrien. Quoi d'autre pouvait bien expliquer cette réorientation professionnelle?

Mais ce fut dans les locaux de la permanence du PQ, alors qu'il travaillait comme un défoncé pour engourdir son manque des enfants, qu'Adrien rencontra celle qui allait devenir le grand amour de sa vie.

Petit rappel à tous ceux qui espéraient une fin heureuse pour Denise et Adrien: ils n'en connaîtront pas. Je l'ai dit plus d'une fois. Cependant, Adrien finira par le vivre, le grand amour, et les amatrices de livres Harlequin pourront avoir leur roman à l'eau de rose. Seulement, avec Adrien, rien n'était jamais simple.

Je ne peux en dire plus pour le moment.

5
Jean... à propos de Patrick

Un peu plus tôt, dans le récit, Adrien a un peu parlé, à sa manière, de ce que c'était que de vivre dans les années soixante. Je ne rajouterai rien d'autre, si ce n'est que pour vous conseiller d'ouvrir des livres d'histoire et de regarder des documentaires célébrant le dixième, vingtième, trentième ou quarantième anniversaire de cette époque-là. Vous comprendrez alors pourquoi *the whole world was watching*, comme ils le disaient dans le temps.

Si on fait évidemment exception de la tentative d'assassinat dont j'ai été victime, je garde un souvenir plutôt flou de mes années soixante. L'âge n'aide pas, c'est bien évident, et mon statut d'homme perpétuellement paqueté ne faisait rien pour arranger les choses. J'ai levé le coude plus souvent qu'à mon tour, dans ma vie. Tout le monde sait ça et je n'apprends rien à personne. Et disons que la quantité de fort que mon foie dut supporter est trop... olympienne pour que je me fasse croire que ma mémoire n'est plus ce qu'elle était parce que je n'ai pas mangé suffisamment d'oméga-3 dans ma prime jeunesse. J'ai souvent agi comme un sans-dessein, mais je ne crois pas en être un. Il y a une différence.

Veut, veut pas, tout le monde finit par arriver à un âge où regarder en arrière devient plus facile, oui, mais surtout plus agréable. Prenez n'importe quel petit vieux – pas moi, s'il vous plaît – pris pour uriner dans sa couche parce qu'il ne peut plus courir assez vite pour se rendre aux toilettes et je vous garantis qu'il se fera un plaisir de vous raconter, en menus détails, toutes les fois où il a gagné les concours de celui qui pisse le plus loin.

Sans vouloir radoter, je tiens à répéter que je n'ai jamais été du genre à m'épancher à propos de mes souvenirs; à me lamenter comme un perdu sur le bon vieux temps. Je n'ai jamais vu la pertinence de vouloir absolument reculer quand tout le monde sait très bien que l'on n'a pas d'autre choix que celui d'avancer. Et si c'est le seul choix qui s'offre à nous, alors aussi bien avancer sur le party en riant! C'est tout ce qu'il nous reste à faire, bordel!

Au début de 1969, Patrick ne demandait rien de mieux que d'avancer, justement. Vers la porte de sortie de mon appartement, si possible. Qui aurait pu le blâmer? Je venais tout juste de me faire tirer dessus et je buvais comme un trou pour essayer de faire comme si de rien n'était. Mon attitude, évidemment, allait complètement à l'encontre de celle de Patrick, qui consistait à rappeler à la planète au complet à quel point depuis le Cameroun tout le monde le faisait suer. Malheureusement pour lui, alors qu'il passait le plus clair de son temps à me ramasser, saoul mort et bien écrasé sur le plancher de mon salon, les possibilités de faire comprendre sa frustration étaient plutôt rares.

L'attitude de Patrick envers moi devenait de plus en plus dure, alors qu'il devait vivre mes cuites par procuration. Comme toujours, Adrien essayait de tempérer ses humeurs.

«Jean traverse une mauvaise passe, affirmait-il. Mais y'est fait fort. Il va s'en sortir. Il s'en est toujours sorti. On peut pas le laisser tomber.

— S'il te plaît, Adrien... répliquait sèchement Patrick. J'ai passé les vingt premières années de ma vie à torcher le vomi de ma sœur pis de mes frères. En plus de mon père qui crachait de la bière pendant son sommeil. En ce qui concerne les ivrognes, tu trouves pas que j'ai assez donné?»

Visiblement pas, parce que Patrick me ramassa une fois de plus, une dernière, alors que j'étais inconscient et complètement nu, la porte d'entrée de mon appartement entrouverte, mon bras droit en dépassant légèrement. Je ne sais pas si l'image est claire mais disons seulement que ce ne fut pas l'un des moments où je suis apparu sous mon meilleur jour. À bout de patience, Patrick me traîna jusque dans la douche et ouvrit le robinet d'eau froide. J'ai repris conscience en hurlant. Je m'en souviens encore, d'ailleurs. Très clairement.

«&*%@#! Maudit pontife à marde! C'est quoi, ton problème?! Veux-tu me faire crever?!» lui ai-je crié à la tête.

J'étais saoul, tout nu, à quatre pattes dans la douche, grelottant comme si j'attendais l'autobus sur le coin d'une rue en plein mois de février. L'alcool m'avait enlevé toute dignité. Et j'étais furieux.

«Tiens, répondit Patrick d'un ton égal en me tendant une serviette. Essuie-toi. Je vais aller faire du café.

— Y'en a pus, de café.

— Je vais aller en chercher. Pis je t'avertis, Jean: si je reviens pis que je te pogne en train de boire autre chose que de l'eau, même si c'est de l'alcool à friction ou du rince-bouche, je te sacre une volée.»

J'ai eu envie de répliquer qu'un prêtre se battant à coups de poing n'était pas ce qu'il y avait de plus beau à voir, mais qui étais-je pour commenter? Et de toute façon, prêtre, Patrick ne l'était plus. Ce qu'il était vraiment, tout le monde l'ignorait. Lui le premier. Et c'est ce qui venait expliquer pourquoi il se trouvait encore chez moi, malgré son dégoût à me voir caler mon gin comme si c'était du jus de raisin. Il ne savait pas quoi faire, ne savait pas plus où aller et je lui offrais d'être nourri et logé en attendant de trouver des réponses à ses questions existentielles. C'était très bien payé, finalement, en échange de l'heure quotidienne où il devait me border et ramasser mes bouteilles vides.

Patrick n'est jamais revenu avec du café. Deux jours plus tard, pendant que j'étais au bureau, il est passé chercher ses effets personnels et est reparti comme le dernier des voleurs. Il s'était enfin trouvé un endroit où aller, où avancer, et cet endroit, à son très grand bonheur, n'incluait pas ce qu'il avait été avant le Cameroun. Adrien, Paul-Émile, sa famille et moi n'en faisions pas partie. Patrick nous abandonna tous sur le bord du chemin sans même y penser deux fois.

Pas extra pour l'ego, ça. Et je n'avais plus personne pour me ramasser après mes cuites.

Tout ça pour vous dire qu'au marché où il devait aller chercher le café, Patrick tomba sur un employé qui se mit à le dévisager comme s'il venait de tomber sur la réincarnation du frère André.

« Êtes-vous Patrick Flynn ?

— Heu... oui. Pourquoi ?

— J'en reviens pas ! Si vous saviez à quel point ça fait longtemps qu'on vous cherche ! »

À ce moment-là, le gérant du marché s'est approché du commis en le regardant avec des yeux de porc frais, comme mon père avait coutume de dire.

« Claude...

— ...

— Les boîtes de soupe aux tomates, elles se poseront pas toutes seules sur les tablettes.

— Je le sais, Monsieur Provencher. J'y vais, là.

— C'est pas la première fois, Claude, qu'il faut que je te dise de t'enlever les deux doigts du nez pour aller faire ta job, mais fie-toi sur moi que c'est la dernière. Si dans dix minutes les boîtes de soupe sont pas à leur place, je te sacre dehors. C'est-tu assez clair ?

— Oui, Monsieur Provencher. »

Mais le Claude en question, qui avait franchement des airs de Claudette avec ses cheveux longs lui arrivant presque au milieu du dos, continua de parler à Patrick comme si de rien n'était.

« Vous pensez pas que vous devriez retourner travailler, au lieu de me parler ?

— Inquiétez-vous pas pour moi. Une job de même, avec un vieux croulant comme monsieur Provencher, je peux m'en trouver une n'importe quand. »

Contrairement à mon bon ami Adrien, j'avais un plaisir fou à regarder aller les apôtres de la contre-culture. Il m'est d'ailleurs arrivé d'en côtoyer quelques-uns et Dieu sait que j'étais un défenseur convaincu de l'amour libre et de ses bienfaits. Mais là où je tiquais, c'était lorsque je les entendais parler de la génération de leurs parents comme s'ils étaient les derniers des morons. Tout le monde pouvait bien penser ce qu'il voulait de moi, je n'en avais sincèrement rien à foutre. J'ai toujours quand même cru qu'il y avait quelque chose de profondément indécent à regarder de haut des gens ayant dû se taper successivement la Grande Dépression et la Deuxième Guerre mondiale. La vie était loin d'être parfaite à l'époque, j'en conviens. Pourrait-on cependant s'entendre sur une façon moins méprisante de dire les choses ?

« De toute façon, j'en ai plus pour ben longtemps à placer des boîtes de soupes aux tomates. Votre lettre m'a montré qu'il y a des choses ben plus importantes que ça, dans la vie. Pis vous pouvez pas savoir ce que je serais prêt à donner pour vivre ce que vous avez vécu en Afrique, au lieu d'être pris ici à prendre des ordres d'un vieux schnock qui pense que le monde commence et finit avec son épicerie. »

Parlant de manière de dire les choses, celle de Claude était tellement racoleuse qu'à la place de Patrick, j'aurais ri. Je lui aurais donné une petite tape dans le dos et je serais parti. La tentative de flatter dans le sens du poil était trop grossière pour que Patrick ne se rende compte de rien. Mais c'est pourtant ce qui est arrivé. En écoutant Claude, Patrick revit le visage d'Agnès, tomba les yeux dans la graisse de *beans,* tandis que l'autre continuait de le farcir comme la dinde qu'il était en train de devenir.

J'exagère un peu. Patrick ne s'est peut-être pas fait emberlificoter de manière aussi expéditive que ce que je suis en train de raconter. Ou peut-être que si. Il me semble que oui. Au fond, on s'en fout comme de l'an quarante parce que ce qui s'est passé par la suite est tout à fait véridique, que l'on soit objectif ou non, et Patrick tomba de trop haut pour ne pas que je me désole de cette rencontre qu'il fit au marché, ce jour-là, même si je sais qu'il ne l'aurait probablement jamais rencontré si ce n'avait été de moi et de ma cuite. Mais, bon... À quoi ça sert de ressasser ce qu'on ne peut pas changer, de toute façon ?

« Écoutez, poursuivit Claude. J'ai lu la lettre que vous avez fait paraître dans le journal, l'année passée. On vous cherche depuis ce temps-là ! Vous êtes pas facile à trouver. Une chance qu'il y avait une photo de vous dans le journal !...

— Vous me cherchez pourquoi ?

— Parce que votre lettre a eu l'effet d'une claque en pleine face ! Pis que ça faisait tellement longtemps qu'on attendait quelque chose comme ça !

— Qui ça, "on" ?

— Je fais partie d'un groupe qui pense pareil comme vous, pis qui veut changer le monde. Qui va changer le monde. Pis vous nous feriez un immense honneur si vous acceptiez de venir nous rencontrer. Juste pour qu'on jase un peu... »

Je ne sais pas qui, de nous quatre, eut la brillante idée de tous nous faire raconter l'histoire de quelqu'un d'autre. Ce que je sais, en tout cas, c'est que ce n'était pas la mienne. À ce moment-ci de son histoire, ça devient difficile, pour moi, de raconter la vie de Patrick sans la brouiller avec des préjugés et des jugements de valeur. Patrick aurait vécu sa vie différemment s'il avait été à ma place, je sais. Mais l'inverse aussi était vrai. D'où mes difficultés à vous partager son histoire sans qu'elle devienne un peu la mienne.

Adrien – et je serais prêt à parier que Paul-Émile partageait son avis – fit part, un peu plus tôt, de sa réticence à adhérer à certaines idées de la jeunesse issue des années soixante. À l'époque, il disait souvent qu'il ne comprenait pas comment les poilus et les poteux, comme il les appelait affectueusement, pouvaient crier leur désir de changer le monde, alors qu'à les observer dans leurs communes et à travers leur mépris pour les plus vieux, il lui semblait plutôt qu'ils se repliaient sur eux-mêmes. Si le garçon que Patrick rencontra au marché semblait avoir des airs de hippie, la longueur de cheveux en était la seule et unique raison. Rien en lui, malgré le fait qu'il n'était âgé que de vingt et un ans, ne transpirait la paix, l'amour, et peut-être même aussi l'insouciance si caractéristique aux jeunes de son âge. Ce fut peut-être pour ça, quand j'y repense, que Patrick n'a pas ri comme je l'aurais fait en se faisant flatter dans le sens du poil de manière aussi flagrante ; parce qu'il se reconnaissait chez Claude et que tout, dans les gestes autant que dans la voix, semblait transpirer cette même maudite colère qu'il ressentait depuis son retour à Montréal.

Je n'ai pas été en mesure de comprendre quoi que ce soit à l'époque – j'étais toujours trop saoul, de toute façon –, tout comme je ne suis malheureusement pas plus en mesure de comprendre maintenant ce que Patrick est allé faire avec ces gens-là. Et même si Adrien et moi avions été en mesure de nous mettre dans ses souliers, je ne crois sincèrement pas que ça aurait changé quoi que ce soit. Dans sa douleur – qui ne m'atteignait pas du tout, et je le dis sans aucune méchanceté –, Patrick avait besoin de hurler, de crier, de tout casser. De la même manière que sa mère, l'exécrable Marie-Yvette, l'avait fait avant lui. Et il est parti hurler sa douleur avec des gens qui ne voulaient rien d'autre que hurler encore plus fort que lui.

Il n'y a pas si longtemps, à la télévision, je suis tombé par hasard sur un mauvais téléfilm qui racontait l'histoire d'une bande de jeunes Américains ayant vécu en fuite pendant des années après avoir posé des bombes en guise de protestation contre le racisme et la guerre au Vietnam. Après cinq minutes, j'avais déjà changé de poste. Pas parce que le film était mauvais – grand amateur de Bud

Spencer et de Steven Seagal, les films cotés 6 ne m'ont jamais dérangé –, mais parce que j'avais la très désagréable impression de remonter le temps et de revoir Patrick prendre joyeusement le chemin de ce qui allait être la pire période de sa vie.

Fiez-vous sur moi : Adrien finira par admettre qu'il y avait bien pire, dans la vie, que les poilus et les poteux.

6
Patrick... à propos de Jean

Autant le dire tout de suite, histoire de ne faire perdre de temps à personne: plusieurs années s'écoulèrent avant que l'identité de la personne ayant tenté d'assassiner Jean fût connue. Personne ne savait quoi que ce soit. Des pistes étaient suivies mais rien ne menait jamais à quelque chose de concret. Disons seulement que ça n'aidait pas vraiment Jean à passer à autre chose.

Pour ma part, j'avais foutu le camp de manière assez cavalière, je sais. Jean a déjà raconté ce qui s'est passé et je n'ai rien à ajouter, à l'exception que je ne l'ai pas laissé seul. Madame Bouchard était très présente. Elle aussi eut à ramasser Jean plus souvent qu'à son tour. Et présent, Adrien l'était également, comme ce frère qu'il fut toujours et que je ne voulais plus être. Même si, parfois, sa manière d'essayer de remonter le moral de Jean pouvait relever du burlesque le plus pur.

«J'ai réussi à mettre la main sur quatre billets pour le match d'ouverture des Expos, au parc Jarry. Veux-tu venir?

— Simonac, Adrien! Je me suis quasiment cassé une jambe, à matin, en glissant sur une plaque de glace! On a encore de la neige jusqu'aux genoux! Veux-tu ben pas me parler de baseball!»

Plus que jamais, Jean ne voyait la vie qu'à travers un verre de gin, ou de vodka. Ou de brandy, dont il était en train de devenir un adepte convaincu. Les yeux vides, essayant vainement d'engourdir sa douleur dans l'alcool, il s'était remis à travailler, en faisait le minimum, enrichissait son tableau de chasse à une vitesse qui étourdissait tout le monde autour de lui, refusait – c'est bien compréhensible – de mettre les pieds au Forum et revivait constamment la tentative d'assassinat à chaque instant de la journée. Depuis toujours, Jean avait voulu faire de sa vie un éternel hommage à l'hédonisme tel que pratiqué par le lord Henry de Dorian Gray. À trente-quatre ans, force est d'admettre qu'il n'y était pas arrivé. Peut-être était-il déjà mort ? S'il respirait toujours, il était toutefois très douloureux pour Adrien, madame Bouchard et moi-même d'assister à la lente agonie d'un ami n'ayant jamais voulu autre chose que de vivre sa vie au maximum.

Lili aussi était présente dans la vie de Jean. Je ne l'ai pas oubliée. Lui non plus, d'ailleurs. Leur amitié datait de plus de dix ans et ils étaient pratiquement aussi près l'un de l'autre que s'ils avaient été frère et sœur. Mais à l'époque, Jean ne voulait plus voir Lili. Il en était incapable. Depuis leur sortie de l'hôpital, elle l'appelait régulièrement et demandait à le voir. Jean refusait invariablement, se défilait et Lili, frustrée, demandait à Adrien et à madame Bouchard d'intervenir en sa faveur. Rien n'y fit. Jean adorait toujours Lili mais ne voulait plus d'elle et celle-ci peinait énormément à comprendre pourquoi. En dix ans d'amitié, elle ne l'avait jamais abandonné. Ne le voulait pas, non plus. Alors pourquoi Jean se permettait-il de ne pas respecter sa part du marché ? Jean, en bon avocat, prétextait qu'il n'y avait rien à respecter puisque personne n'avait jamais signé le moindre document notarié. Lili, pour sa part, répliquait qu'une poignée de main était suffisante pour faire de leur amitié une question de principe. Et c'était justement ça, le problème. Jean avait vécu sa vie en fonction de ne pas avoir à enfreindre ni principes ni règles. Et ce que Lili ne comprenait pas, c'était que son fauteuil roulant venait rappeler à Jean que chacun des choix faits tout au long d'une vie entraîne forcément des conséquences. Ce principe, élémentaire, n'importe qui en arrive à le comprendre généralement à un assez jeune âge. Si un gamin fait le choix de désobéir à ses parents, il saura rapidement, après une claque sur les fesses ou vingt minutes passées dans un coin, qu'il aura à vivre en fonction de ce choix. Mais Jean, ayant grandi au sein d'une famille qui le mettait constamment sur un piédestal et qui croyait en sa divinité, n'avait toujours calculé qu'en fonction de lui-même le prix à payer pour les choix qu'il aurait à faire au cours de sa vie, se disant qu'il serait le seul à aller dans le coin si les choses se mettaient à mal tourner. Jean buvait trop ? Il rationalisait le tout en se convainquant qu'il ne faisait du mal qu'à lui-même, et à son foie en particulier. Sa famille l'avait renié ? Il tournait la tête en disant qu'il avait toujours su le risque qu'il prenait en acceptant de se construire une image à des années-lumière de ce que l'on attendait de lui. Mais comment s'y prendre pour rationaliser les jambes finies de Lili ? Comment la regarder en fauteuil roulant tout en se disant que ses choix à lui n'avaient fait mal à personne d'autre ? En danger de mort, Lili avait refusé de le quitter ; elle s'était accrochée à lui plutôt que de courir en sens inverse, là où rien ne lui serait sans doute arrivé. Comment survivre au poids d'une telle loyauté ?

Malgré ses airs d'une Veronica Lake attardée, Lili était une femme dotée d'une remarquable intelligence et ni Adrien ni moi n'arrivions à saisir pourquoi elle ne comprenait pas le besoin de Jean à faire comme si elle n'existait plus. Ce que je n'excuse pas. Adrien non plus, d'ailleurs. Pas plus que madame Bouchard. Mais contrairement à Lili, qui semblait presque percevoir elle et Jean comme des frères d'armes revenant des champs de bataille, nous étions trois en mesure de comprendre que Jean allait devoir réapprendre à la connaître. À remettre leur compteur à zéro. À faire comme s'il ne l'avait jamais rencontrée autrement qu'en fauteuil roulant et qu'il n'avait strictement rien à voir avec son état. À sa manière, Jean poursuivait ainsi cette tradition propre aux Taillon à réécrire l'histoire; à s'y faire une place un peu moins insupportable dans ce qu'ils considéraient comme un vulgaire brouillon.

Mais Lili, elle, s'acharnait à forcer la note.

«Salut, Jean, sourit-elle en entrant dans son bureau. Comment ça va?»

Je voudrais ici préciser que je ne cherche pas à rabaisser Lili de quelque façon que ce soit. Déjà que Jean était difficile à suivre en temps normal, l'attentat vint lui donner une couche supplémentaire de complexité qui donnait envie à tout le monde de s'arracher les cheveux sur la tête! D'autant plus que Lili avait profondément besoin de lui, de son rire et d'être rassurée par lui avec cette presque arrogance lui étant propre, en lui disant que tout allait rentrer dans l'ordre. Mais Jean n'était plus lui-même. Ne le serait pas avant encore longtemps. Ce que Lili finit par comprendre ce jour-là, je crois. Comme je l'ai déjà dit, elle avait peut-être des allures de poupée gonflable, tout en étant, par contre, loin d'être stupide.

«Pourrais-tu me regarder dans les yeux, s'il te plaît?»

Ce jour-là, Lili s'était pointée au bureau sans s'annoncer. Madame Bouchard, paniquée, la supplia de rentrer chez elle, sachant que Jean allait ressortir de cette visite avec une soif renouvelée que seul un verre de brandy allait être en mesure de calmer. Mais son besoin de Jean était trop pressant pour que Lili veuille faire demi-tour.

« J'aimerais ça, te parler. »

Jean ne dit rien, assis à son bureau comme à une table de taverne, fixant la pauvre madame Bouchard avec tout le reproche dont il était capable. Il ne voulait pas voir Lili et elle le savait.

Certains m'ont souvent reproché d'être parti au moment où Jean avait le plus besoin de soutien. Ils ont raison et je n'ai aucune excuse. Mais au-delà de ma désertion, il faut surtout admirer le dévouement de Lili, d'Adrien et de madame Bouchard à être restés à ses côtés. Jean n'était vraiment pas facile à vivre.

« J'ai sous-loué mon appartement, Jean, annonça Lili. Je m'en vais chez ma mère pendant un bout de temps. À Saint-Germain… »

Lui qui l'évitait comme la peste depuis leur sortie de l'hôpital, Jean aurait dû vouloir célébrer le départ de Lili en avalant d'un trait le flacon de brandy qu'il gardait caché sous sa chaise. La nouvelle vint plutôt lui donner un solide coup au cœur qu'il chercha à engourdir, évidemment, en calant ledit flacon. Quand je dis que Jean était compliqué…

« Tu dis rien ?

— Qu'est-ce que tu vas aller faire là ?

— Penser à mon avenir. Réfléchir à ce que je vais faire. Qui va vouloir d'une actrice en chaise roulante ? Ma carrière est finie, faut pas se le cacher. »

Connaissant Lili, je suis convaincu que ces derniers mots furent dits sans arrière-pensée, sans aucune trace de méchanceté. Mais en l'entendant parler ainsi, madame Bouchard ne put s'empêcher de fermer les yeux. Le besoin de gin, de brandy et de vodka, pour Jean, venait tout à coup de se faire encore plus grand.

« As-tu absolument besoin de penser à ce que tu vas faire de ta vie entre deux bottes de foin ?

— Je le fais un peu pour faire plaisir à ma mère. Elle m'a beaucoup aidée, pis la moindre des choses que je peux faire, c'est de lui renvoyer l'ascenseur. »

Adrien et moi nous sommes quelquefois demandé, sans le dire trop fort, si la mort de Lili n'aurait pas aidé Jean à se remettre de l'attentat. Elle n'aurait pas été là pour lui rappeler ce qu'elle avait déjà été mais qu'elle n'était plus, et il aurait pu être en mesure de se refaire une mémoire en y excluant tous les souvenirs de Lili. Trop scandalisés par notre propre question, nous n'avons jamais pu y répondre.

« Tu sais, Jean, c'est pas loin d'ici, Saint-Germain. Tu peux venir me voir quand tu veux.

— Bof... Tu sais, moi... La campagne... Je vois une vache pis j'ai le vertige. »

Pas une seule fois, Jean ne regarda Lili dans les yeux.

Pendant des années, monsieur Taillon, malgré sa névrose, chercha à faire comprendre à son fils que la vie était toujours plus satisfaisante, plus belle, lorsque celle-ci était vécue la tête haute, malgré l'effort que cela pouvait parfois exiger. Pourtant, à ce moment précis, alors qu'il devait légèrement lever la tête pour regarder Lili dans les yeux, Jean fut atterré de constater qu'il n'en avait pas la force.

« Écoute-moi ben, Jean Taillon, lui assena Lili dans une ultime tentative pour arriver à l'atteindre. J'ai essayé autant comme autant de te faire comprendre que y'a rien, là-dedans, qui est de ta faute. Mais, maudit, tu veux rien savoir ! Tu veux boire comme un trou ? Parfait. Tu veux te couper du monde extérieur ? Vas-y. Mais comprends-moi bien quand je te dis que je te laisserai jamais tomber. Je vais toujours être là, dans ta face, pis je te jure que tu vas être pris pour m'endurer jusqu'à la fin de tes jours ! »

Lili aurait voulu inspirer Jean, lui donner une transfusion de cette incroyable force qui la poussait à regarder en avant, en dépit de l'accident et de la perte de ses jambes. Mais Jean était trop engourdi pour ressentir quoi que ce soit. Les mots étaient là, dits avec tout l'amour et l'amitié qu'elle éprouvait pour lui. Cependant, Jean était trop loin, trop éclaté entre Verchères et le faubourg à mélasse, entre sa réalité enivrée et celle, à froid, qu'il était incapable de supporter, pour être en mesure de ressentir le moindre frisson.

« Peut-être parce que j'ai perdu mon père quand j'étais jeune, j'ai jamais été bonne pour me lier avec les gens autour de moi. Mais avec toi, Jean, c'est pas pareil. On se comprend même quand on a rien à dire. Pendant longtemps, on a fait la gaffe de coucher ensemble en se disant qu'on serait capables de pas s'attacher l'un à l'autre. Tu sais comme moi que c'était pas vrai. Je t'aime d'amour, moi, Jean. Pis toi aussi. Pas comme un homme aime une femme, plutôt comme une âme en aime une autre. Je crois pas au grand amour, tu le sais. Mais je crois aux grandes amitiés, par exemple. Pis toi, t'es l'ami de ma vie. T'es celui qui est content quand ça va bien, pis qui me comprend quand j'ai envie d'arracher la tête à tout le monde quand ça va mal. T'es le seul qui me connaît assez pour savoir quand tu peux m'appeler Lili, pis quand tu peux m'appeler Agathe. C'est pour toutes ces raisons-là, Jean, que tu vas être pogné avec moi pour toujours. Pis pour la cinq centième fois, ce qui s'est passé, je te jure que c'est pas de ta faute. J'espère juste que tu vas finir par le comprendre avant de mourir d'une cirrhose du foie. »

Madame Bouchard, émue par cette splendide preuve d'amitié, pleurait sans retenue tandis que Jean ne bougeait pas du tout, fixant le vide, attendant que Lili quitte enfin les lieux pour soulager cette soif fulgurante s'étant emparée de lui au moment où il l'avait vue entrer dans son bureau.

Jean ne voulait pas être inspiré, ne voulait pas être remué jusqu'au fond de ses entrailles pour ensuite se lever, regarder au loin et jurer, la main sur le cœur, qu'il allait devenir un autre homme. Jean voulait sombrer. Purement et simplement. Sombrer pour souffrir encore plus que Lili, afin d'être en mesure de se débarrasser de ce sentiment de culpabilité qui l'écrasait.

Lili, pour sa part, comprit rapidement que ses paroles n'avaient rien donné. Pas ce qu'elle aurait espéré, en tout cas. Alors qu'elle avait voulu tirer Jean vers le haut, elle prenait conscience qu'elle avait plutôt empiré la situation. Jean voulait oublier. Oublier Lili, surtout, alors qu'elle s'acharnait à lui marteler qu'elle ne s'en allait nulle part. Alors, comment sauver quelqu'un qui veut couler sans sombrer à son tour ? La tâche était impossible, et si Lili n'arrivait pas à comprendre pourquoi Jean ne voulait pas la voir, sa loyauté, bien que considérable, ne se rendait pas au point où elle prendrait le risque de tomber aussi bas que lui. Alors, elle est sortie de sa vie. Comme moi. Mais contrairement à moi, elle n'est pas partie pour se sauver de Jean. Ou encore parce qu'elle ne voulait plus passer derrière les problèmes d'un alcoolique siphonnant la totalité de l'énergie des gens qui l'entouraient.

Lili laissa Jean à lui-même parce qu'elle venait enfin de comprendre qu'il avait besoin, comme le veut le cliché, de toucher le fond.

Mais alors que tous espéraient que le fond du baril était proche, Jean réussit, contre toutes attentes, à se dénicher une pelle.

7
Adrien... à propos de Paul-Émile

Après la mort de mon père, en 1968, ma mère ne voulut jamais refaire sa vie avec un autre homme.

« Y'a eu assez de ton maudit père qui m'en a fait voir de toutes les couleurs, c'est pas vrai que je vais laisser un autre innocent venir me gâcher le peu de temps qu'il me reste ! » gesticulait-elle, comme si elle avait voulu donner de la force à ses chuchotements.

J'aurais bien voulu, pourtant, que ma mère rencontre quelqu'un et tombe véritablement en amour pour la première fois de sa vie ; qu'elle sache ce que c'est que de se voir dans les yeux de quelqu'un qui la considère comme le plus beau cadeau de Dieu jamais envoyé sur Terre. Tristement, le silence perpétuel de mon père lui donna toujours l'impression de n'être rien d'autre qu'une nuisance.

Remis de mes émotions concernant le divorce de ma mère, j'avais été vite à m'excuser, à elle comme à Jean, pour avoir agi avec eux comme le dernier des crétins. Ce n'est pas parce que j'étais trop lâche pour quitter une femme que je n'aimais pas que ma mère était forcément obligée de faire comme moi. J'adorais ma mère et même si je savais qu'elle le savait, je tenais à ce qu'elle le sache encore plus. Je le lui devais, et pas à peu près.

Si ma mère avait pleuré, à l'époque, parce qu'elle avait peur que mon mariage avec Denise ait des airs de reflet dans le miroir avec le sien, j'étais d'autant plus en mesure de trouver triste le fait qu'elle n'avait jamais vraiment aimé personne. Elle m'aimait, évidemment, comme j'aimais mes propres enfants, mais elle ne fut jamais en position d'aimer… comme la reine Victoria avait aimé le prince Albert, par exemple. Elle aurait bien voulu, je crois; en aurait très certainement été capable. Or, mon père ne l'a jamais laissée faire.

Mais peut-on s'ennuyer de ce que l'on n'a jamais eu? Et qu'est-ce qui fait le plus mal? Avoir vécu toute une vie sans amour, ou avoir aimé à la folie, en vain, et continuer à avancer en sachant que l'on ne vivra jamais plus un amour pareil? Autrement dit, qu'est-ce qui fait le plus mal lorsque vient le temps du bilan? N'avoir jamais connu le grand amour, comme ce fut le cas pour ma mère? Ou, au contraire, de l'avoir connu et perdu comme ce fut le cas avec les parents de Paul-Émile?

Enfin…

En 1969, monsieur et madame Marchand vivaient des vies séparées depuis déjà un bon moment. La mère de Paul-Émile passait le plus clair de son temps à jouer du piano sur la rue Pratt. Au grand désespoir de Mireille, d'ailleurs, qui avait même été, un jour, jusqu'à hurler *Lindbergh*[2] à pleins poumons devant sa belle-mère jouant du Gershwin, pour lui faire subtilement comprendre qu'elle n'en pouvait plus de l'écouter à longueur de journée.

Monsieur Marchand, pour sa part, s'accommodait plutôt bien de sa vie de célibataire et ne se permettait jamais, ou alors en de très rares occasions, de faire mention de sa femme devant qui que ce soit. Pour ma part, cet état de fait me renversa complètement. Lui et madame Marchand avaient représenté le modèle par excellence pour nous, petits morveux, qui crurent longtemps que

---

2   Chanson de Robert Charlebois popularisée en 1968.

toute vie conjugale ne ressemblait à rien d'autre qu'à celle de mes parents, ou des parents de Patrick. Je n'arrivais pas à croire que quelque chose d'aussi fort, d'aussi beau, puisse connaître une fin aussi insignifiante.

Après s'être aimés comme des fous, après avoir passé des années à vivre collés l'un sur l'autre, monsieur et madame Marchand en étaient venus non pas à s'ignorer mais à s'éviter, à se complaire dans le vide de leur vie conjugale. À soixante ans et des poussières, ils n'avaient plus rien en commun, semblant marcher sur des œufs pour s'assurer de n'être jamais ailleurs en même temps. Comme si l'un avait peur que l'autre prenne conscience de l'amour qui était en jeu et se découvre, tout à coup, des envies de le sauver.

Quel gaspillage absolument ahurissant !

J'ignore si c'était pour se garder occupé, pour s'empêcher de regretter cette femme qu'il avait déjà aimée alors que l'autre ayant pris sa place lui tombait sur les nerfs au plus haut point, mais monsieur Marchand était plus ou moins devenu le responsable officiel de la vie sociale des gens de l'âge d'or du faubourg à mélasse. Parties de bingo, soirées de danse en ligne, tournois de cartes, il avait toujours quelque chose de planifié et s'arrangeait aussi pour embarquer le plus de gens possible dans ses projets. Les Desrosiers, ses voisins, le suivaient partout. Ma propre mère, grande amatrice de jeux de cartes de toutes sortes, était toujours présente aux tournois Gérard-Marchand. Et même monsieur Flynn, lorsqu'il n'était pas trop saoul et qu'il arrivait à tenir debout, pouvait se laisser tenter par une partie de bingo.

Ce fut à l'occasion d'une des parties de bingo, justement, que monsieur Marchand rencontra la sœur cadette de madame Desrosiers. Veuve quinquagénaire de Montréal-Est faisant le voyage jusque dans le bas de la ville pour accompagner sa sœur et son beau-frère aux soirées de monsieur Marchand, madame Rudel – Monique, de son prénom – était ce genre de dame un peu corpulente, toujours souriante et ricaneuse à souhait, donnant l'impression, au premier contact, de faire une tarte aux pommes absolument extraordinaire. Son aisance à discuter avec tout le monde, du facteur au pharmacien, en passant par ses voisins et les vendeurs de porte à porte, faisait dire aux gens du voisinage qu'elle était l'anti-Florence et je suis d'avis que ce fut la principale raison expliquant pourquoi ils l'ont acceptée aussi rapidement.

Monsieur Marchand aussi l'accepta rapidement. Au début, Paul-Émile ne sembla pas se formaliser des fréquentations de son père. Peut-être parce que ça ne l'intéressait pas. Ou peut-être parce qu'il s'imaginait, comme la majorité d'entre nous, que les gens âgés étaient trop préoccupés par leurs problèmes de vessie ou de prostate pour se permettre d'avoir une vie personnelle. Bien franchement, je l'ignore. Et Paul-Émile étant rarement présent pour discuter de ses états d'âme – ce qu'il ne faisait jamais, de toute façon –, il était plutôt ardu de connaître le fond véritable de sa pensée. De toute façon, avec lui, la situation était toujours la même : il était celui qui faisait des vagues mais laissait toujours à ceux derrière lui le soin de ne pas se noyer.

Pour les avoir souvent aperçus ensemble, je savais que monsieur Marchand était heureux avec madame Rudel. Ils riaient constamment – en fait, ils étaient souvent les seuls à rire, alors que les autres se demandaient ce qu'il y avait de si comique –, partageaient le même goût pour les jeux de cartes et la danse en ligne, et refusaient catégoriquement de s'en faire à propos de quoi que ce soit. Cependant, il manquait quelque chose. Ou quelque chose clochait, peu importe, malgré les rires fusant de toute part et la complicité qui sautait aux yeux. Tous deux étaient amis, aucun doute là-dessus. Mais pas une seule fois j'ai vu monsieur Marchand regarder madame Rudel, la couver du regard, comme il l'avait si souvent fait avec la mère de Paul-Émile. L'affection était là; la passion, elle, n'y était pas. C'est pourquoi je me demandais, en les observant, s'il était difficile pour monsieur Marchand de se contenter de moins que ce qu'il avait déjà eu. Et je n'arrivais sincèrement pas à répondre à la question. Sans vouloir manquer de respect à qui que ce soit – j'aimais bien madame Rudel, qui finit, d'ailleurs, par devenir une grande amie de ma mère –, j'avais de la difficulté à comprendre comment quelqu'un pouvait se contenter d'un hamburger après avoir été nourri pendant si longtemps au filet mignon.

Parlant de respect, je tiens à dire que monsieur Marchand eut la très grande classe, lorsque les choses sont devenues sérieuses avec madame Rudel, de vouloir officialiser ce qui était un fait depuis déjà longtemps. En d'autres mots, monsieur Marchand se pointa sur la rue Pratt avec l'idée d'offrir le divorce à son épouse. Il en avait d'ailleurs sursauté un coup lorsque la porte s'ouvrit et qu'il fut accueilli par une Mireille cernée jusqu'aux genoux. Le choc de monsieur Marchand dut être visible à partir de la lune parce que Mireille se sentit obligée, comme si elle était coupable de quoi que ce soit, d'expliquer son teint malade.

«Bonjour, Monsieur Marchand. Excusez-moi... Ça

fait une semaine que Louis-Philippe dort mal. Je sais pas ce qui se passe…

— Fais-toi-z'en pas avec ça, Mireille. T'es la plus belle, comme toujours.

— …

— Pis ton mari… Comment il va ?

— Mon mari… J'ai un mari, moi ? Vous m'apprenez quelque chose ! Moi qui pensais que mes petits avaient été enfantés par le Saint-Esprit… Vous devriez me le présenter pour que je voie de quoi il a l'air. Jean-Paul Dugas ferait bien mon affaire. »

Jean-Paul Dugas, pour ceux et celles n'étant pas en âge de s'en souvenir, était un acteur très connu à l'époque, plutôt bel homme avec ses cheveux blonds et son simili accent français. Denise, qui trouvait *Moi et l'autre* quétaine pour mourir, s'était pourtant mise à regarder religieusement l'émission lorsqu'il fut engagé pour jouer le rôle du mari de Dominique Michel.

« Si vous êtes venu pour voir Paul-Émile, y'est pas là, continua Mireille, embarrassée, comme si elle s'en voulait d'avoir trop parlé.

— Je suis pas venu pour voir Paul-Émile. Si ça te dérange pas, j'aimerais ben voir les enfants. Mais je suis surtout ici pour Florence. »

Étonnée, Mireille garda le silence pendant plusieurs secondes. Monsieur Marchand ne venait que très rarement sur la rue Pratt et lorsqu'il s'y rendait, c'était pour y visiter ses petits-enfants. Ou Paul-Émile. Mais jamais sa femme.

« Heu… Elle est dans sa chambre. Elle fait du rattrapage dans sa correspondance. Vous pouvez aller la voir. »

À qui madame Marchand pouvait-elle écrire ? De

toutes ses années passées sur la rue Wolfe, personne ne lui avait jamais connu d'amies. À l'exception de madame Desrosiers, évidemment. C'était peut-être pour ça, quand j'y pense, qu'elle était toujours avec son mari comme un pansement qui ne veut plus décoller. En dehors de Paul-Émile, Simonne et Marie-Louise, elle n'avait personne.

Je sais que ça peut paraître stupide mais la séparation des Marchand fut un véritable choc pour moi. Même si tous voyaient venir le coup depuis longtemps, je me sentais un peu comme un enfant faisant semblant de ne pas voir que ses parents ne s'aiment plus et qui fait une crise le jour où son père et sa mère lui annoncent qu'il aura maintenant deux maisons. L'apparente indifférence de Paul-Émile était un mystère pour moi, alors que je me désolais de l'échec d'une union m'ayant un jour montré qu'il existait autre chose que l'aridité de cœur démontrée par mes parents.

Je suis peut-être plus sentimentaliste que je croyais.

Madame Marchand, pour sa part, demeura muette lorsqu'elle aperçut son mari sur le pas de la porte de sa chambre. D'instinct, elle savait que sa visite n'augurait rien de bon. À leur âge, habituellement, les gens ne se voyant qu'occasionnellement ne le font que lors de grandes occasions, bonnes ou mauvaises. Et comme aucun mariage ne se pointait à l'horizon…

« Est-ce que Marie-Louise et Simonne vont bien ?

— Oui, oui. Inquiète-toi pas. Elles vont bien. C'est pas pour ça que je suis venu ici, aujourd'hui. »

Cherchant les bons mots pour exprimer la raison de sa visite, monsieur Marchand se mit à faire les cent pas dans la chambre à coucher de sa femme et tomba sur une feuille de papier où il y reconnut l'écriture de celle-ci. À qui pouvait-elle écrire ? À un certain Henri Monette, apparemment, qu'elle fréquentait de manière plus ou moins officielle depuis quelque temps déjà. Paul-Émile détestait le Henri en question, que sa mère avait rencontré lors d'un voyage dans l'Ouest canadien, et croyait que monsieur Monette ressemblait à une version malade et à bout de souffle de monsieur Marchand. Et pourtant, lorsque ce dernier, d'un calme olympien, fit part à sa femme de son désir de divorcer, celle-ci avait figé pendant quelques secondes, pour ensuite s'asseoir et se mettre à trembler.

Si quelqu'un, quelque part, cherchait la raison principale expliquant l'échec de ce mariage, elle se trouvait là, évidente aux yeux de tout le monde : monsieur Marchand regardait vers l'avenir, avançait, ne sachant pas toujours vers où, à l'exception que ce n'était pas pour mieux reculer. Madame Marchand, elle, ne voulait que retourner en arrière, remonter le temps pour mieux le reconstituer dans un présent qui viendrait effacer les années passées dans le faubourg à mélasse, refusant de prendre en compte ce qu'elle-même et son mari étaient devenus. Et si certains couples choisissent de divorcer parce que l'un et l'autre n'arrivent plus à regarder dans la même direction, ce cas-ci en était un exemple plutôt spectaculaire. Il n'y avait plus rien à faire.

« À notre âge, contra madame Marchand, qu'est-ce que les gens vont dire ?

— Ils diront ce qu'ils voudront, Florence. Nous aussi, on a le droit d'être heureux.

— Après presque quarante-cinq ans de mariage…

— Notre mariage s'est terminé le jour où Paul-Émile

s'est marié, chuchota monsieur Marchand. Ça fait des années qu'on vit pus ensemble. Je sais pas ce que tu fais de tes journées. Je sais même pas ce que t'as fait de tes années… »

Je ne sais pas si ce fut par galanterie ou par stratégie mais monsieur Marchand ne mentionna pas une seule fois le nom d'Henri Monette. Probablement pour ne pas avoir à parler de madame Rudel. Pas tout de suite, du moins. Il viendrait cependant un temps où il aurait à le faire, bien évidemment. Mais monsieur Marchand, peut-être en hommage à l'amour qu'il avait un jour éprouvé pour sa femme, choisit de ne consacrer qu'à eux seuls ce dernier moment passé ensemble.

Soit dit en passant, Paul-Émile n'était pas plus capable de blairer madame Rudel qu'il était en mesure de le faire avec Henri Monette. S'il voyait en celui-ci une pâle copie asthmatique de son père, madame Rudel était, pour Paul-Émile, l'équivalent d'une enfant de cinq ans ayant mangé une tonne de sucre. Chaque fois qu'il la voyait, il se plaignait de violents maux de tête et pourtant, il s'efforçait de faire comme si elle et Henri Monette n'étaient que quantité négligeable; comme s'ils n'étaient rien de plus que des connaissances de monsieur et madame Marchand. Pourtant, il est impossible que Paul-Émile ne se soit rendu compte de rien; qu'il n'ait pas pris conscience que le mariage de ses parents était foutu. Mais il se contentait de demeurer silencieux, satisfait dans la mesure où le *statu quo* des dernières années entre ses parents ne changeait rien à sa propre situation.

Une fois de plus, je m'attarde à parler de tout et de rien. Je tiens à m'excuser. Dieu sait que j'en ai emmerdé des gens, dans ma vie, avec mes monologues sans fin. Je

ne tiens pas à poursuivre la tradition. Alors, je m'arrê-
terai ici en ajoutant, juste avant de fermer boutique
momentanément, que Paul-Émile aurait lui aussi à se
demander, un jour, s'il est préférable d'avoir aimé en
vain plutôt que de ne pas avoir aimé du tout.

Aussi, je jure que jamais, malgré l'antipathie ressentie
pour lui à certains moments de ma vie, je ne lui ai souhaité devoir trouver réponse à cette question.

8
Paul-Émile... à propos d'Adrien

Ai-je besoin de répéter que je ne suis pas le plus doué pour raconter des histoires d'amour ? Je préfère, de très loin, avoir à raconter la peur du silence d'Adrien, ou encore sa peine à ne pas voir ses enfants sur une base quotidienne. À la limite, je me contenterais volontiers de faire le bilan de son mariage raté avec Denise, surtout lorsqu'il prenait des airs d'un match de lutte opposant Little Beaver à King Kong Bundy, pour ne pas avoir à faire un fou de moi en faisant le résumé d'un roman-photo.

Mais, bon. Aussi bien commencer si je veux finir... Alors, allons-y.

La semaine, alors que les enfants se trouvaient avec Denise, Adrien était toujours le premier arrivé dans les locaux de la permanence du PQ, où il travaillait. Plusieurs mois avaient passé depuis sa séparation et le manque de ses enfants était si cuisant que l'idée de retourner sur la rue Robert commençait sérieusement à le travailler. Je ne perdrai pas mon temps à commenter, tellement l'idée de son retour auprès de Denise m'apparaissait comme une gaffe monumentale, mais Adrien en était là, incapable de regarder *Sol et Gobelet* ou toute autre émission pour enfants pendant plus de trente secondes, à la télévision, sans que sa lèvre du bas ne commence à trembler de manière incontrôlable.

Un matin du printemps 1969, une femme se trouvait déjà au bureau lorsqu'Adrien arriva. Occupée à manger une tranche de pizza vieille de trois jours, installée sur la chaise de mon copain, les deux pieds sur son bureau.

432

« Ça va ?… On est à l'aise ? demanda Adrien.

— C'est ton bureau ?

— Oui, c'est mon bureau.

— Écoute, je m'excuse. Je commence à travailler aujourd'hui mais le mien est pas encore prêt. Je suis arrivée ici avec mes boîtes, pis à un moment donné, il fallait ben que je les pose quelque part. Ton bureau est le premier que j'ai vu. Tu m'en veux pas, j'espère ? »

La mal élevée s'appelait Alice Saint-Pierre, professeure de sciences politiques et chargée par le PQ de pondre une stratégie visant à augmenter les ventes de cartes de membre. Si j'ai l'air d'avoir un préjugé défavorable envers elle, je tiens à préciser que ce n'est pas le cas. Seulement, Alice était un peu trop enjouée, sociable, hop-la-vie les amis, le temps est bon, le ciel est bleu, pour ne pas irriter l'homme réservé que je suis encore aujourd'hui. Sans parler de la familiarité instantanée dont elle fit preuve avec Adrien, comme s'ils avaient grandi ensemble en élevant des cochons. Lui aussi était irrité. Nos mères ne nous avaient pas exactement éduqués de cette manière.

« Est-ce qu'on se connaît ? lui demanda Adrien.

— Je pense pas. En tout cas, moi, je t'ai jamais vu. Pourquoi ?

— Les moins de trente ans, la politesse, vous avez pas appris ça, à l'école ?

— Je peux pas répondre à ta question. J'ai trente et un ans. »

Alice avait répondu à la question d'Adrien en riant, pas du tout intimidée par le ton un peu cassant qu'il prenait avec elle. Personnellement, j'en aurais été vexé.

« Si ça t'énerve que je te tutoie parce qu'on se connaît

pas, je peux régler ton problème tout de suite. Je m'appelle Alice.

— Alice Saint-Pierre ?

— En personne.

— C'est vous, le génie supposé faire monter en flèche les ventes de cartes de membre ?

— C'est pour ça qu'on est venu me chercher, oui.

— Vous trouvez pas que vous avez l'air un peu jeune ?

— C'est quoi, le rapport ? Pis non, je trouve pas que j'ai l'air trop jeune. Même qu'avec le travail que j'ai à faire, ça va m'aider.

— Et de quelle manière, exactement ? »

Visiblement affamée, Alice prit soin d'avaler une bouchée de sa pizza passée date avant de répondre à Adrien. Pizza vieille de trois jours !... Et froide, en plus !

« J'aime beaucoup travailler sur le terrain. Rencontrer des gens, serrer des mains... Pis je pense que le monde aime ben ça, aussi, quand il me voit arriver. J'ai l'air jeune... Je suis pas laide... Quand je vais aller me promener dans les universités, je vais intéresser les jeunes parce que j'ai l'air d'avoir à peu près le même âge qu'eux autres. J'aurai pas l'air d'une vieille matante qui essaie de leur vendre des candidats qui vont chercher des votes à coups de bâton de baseball. Pis pour ce qui est des plus vieux...

— C'est là-dessus que vous basez votre stratégie ? Sur l'apparence ?... »

Tout de même... Adrien aurait pu avoir la politesse de laisser Alice terminer sa phrase. J'aurais bien aimé, moi, connaître sa stratégie pour aller chercher le vote de petits vieux qui en auraient probablement bavé un coup en la voyant faire la tournée des foyers pour personnes âgées de la province de Québec.

«C'est ben beau, aller chercher des nouveaux membres, poursuivit Adrien. Mais si vous avez rien pour les nourrir, ils vont aller manger ailleurs avant longtemps. Si c'est ça votre stratégie, on a un problème.

— Inquiète-toi donc pas pour le contenu… C'est quoi, déjà, ton petit nom ?

— Adrien, répondit-il presque en grognant.

— Inquiète-toi donc pas pour le contenu, Adrien. J'ai un bac en droit de Harvard, avec une maîtrise en sciences politiques de Stanford, pis un doctorat de George Washington University. Je suis pas une deux de pique. Côté contenu, je pourrais en montrer à ben du monde. Mais on vit à l'époque des minijupes, pis des *hot pants*. Qu'est-ce que tu veux que je te dise ? On est aussi ben d'en tirer profit au maximum. Veux-tu une tranche de pizza ?

— Justement… Vous trouvez pas qu'il est un peu tôt pour manger de la pizza ? *All dressed*, en plus…

— Voudrais-tu, s'il te plaît, arrêter de me vouvoyer gros comme le bras ? On a le même âge ou à peu près, batèche ! T'es pas obligé de me parler comme si j'étais ton arrière-grand-mère ! »

À ces mots, Adrien ne put s'empêcher de rire. Alice avait réussi à le détendre avec son attitude désinvolte.

Mon père a déjà dit, un jour, qu'Alice lui rappelait Carole Lombard[3], son actrice préférée quand il était jeune homme. Autant en ce qui concernait les cheveux blonds et les yeux bleus que la verve, le sens de la

---

3   Actrice américaine très populaire dans les années trente.

réplique et le cran. Alice souriait toujours, avait l'air d'un ange, mais sacrait comme un bûcheron et ne refusait jamais une bouteille de bière. Adrien n'en tomba pas instantanément amoureux, comme ce fut inversement le cas. Plus tard, Alice dira qu'à la seconde où elle vit mon copain s'approcher d'elle, son cœur fit trois tours. Et pas en raison de la pizza moisie.

«Pis pour répondre à ta question, reprit-elle, j'ai le système un peu déréglé. Ça fait trente-six heures que j'ai pas dormi. J'ai apporté un restant de pizza parce que j'ai rien d'autre dans mon frigidaire. J'ai même pas de quoi me faire un café. Je travaille tout le temps. Un pays, tu sais, ça se bâtit pas tout seul. »

Non, Adrien n'en est pas tombé tout de suite amoureux. Mais le processus venait d'être enclenché. Après presque dix ans de disputes avec Denise, dont la moitié fut consacrée à leurs opinions politiques divergentes, mon ami fut presque renversé par le fait de se trouver en présence de la plus belle femme qu'il eût jamais vue et qui était, par surcroît, aussi indépendantiste que lui.

Retournant le sourire d'Alice, Adrien finit par accepter une pointe de pizza.

9
Jean... à propos de Patrick

Au bout du compte, la lettre que Patrick fit paraître dans les journaux de la ville – où il s'était permis de ventiler tout son mépris pour sa famille et pour la société en général – ne donna pas exactement les effets escomptés. Oh! il fit parler de lui! En masse! Mais pas forcément pour les bonnes raisons. Au grand dam de Patrick, les gens s'intéressaient plus au prêtre ayant défroqué qu'au message qu'il cherchait à faire passer. Rien ne venait calmer son amertume, qui prenait des proportions comparables à ma consommation d'alcool, juste pour vous donner une idée.

À la mort d'Agnès, Lucien, le directeur du centre de Yaoundé, avait essayé de sortir le pauvre Patrick de sa détresse en lui balançant à la tête ce cliché voulant que la douleur s'atténue avec le temps. Simonac! Plusieurs fois, au cours des années, j'ai eu envie de lui poster les coupures de journaux où l'on parlait de Patrick et de ses arrestations – oui, de ses arrestations; et il y en a eu plusieurs. Je ne l'ai jamais fait, évidemment. Ce n'était quand même pas la faute de Lucien si Patrick avait complètement perdu les pédales!

Une fois de plus, je tiens à préciser que je n'étais pas insensible à la peine de Patrick. Voir Agnès mourir dans ses bras, elle qui fut essentiellement sa fille pendant près d'un an, dut être quelque chose d'assez épouvantable, merci. Mais si je peux comprendre la peine sans problème, c'est l'amour qu'il lui portait, par contre, que je ne comprenais pas. Il y a une différence. Il est vrai qu'à l'époque, je n'étais pas vraiment dans un état d'esprit pour comprendre ce qu'un enfant pouvait apporter à une vie. Pour moi, un enfant n'était qu'une petite peste, une nuisance qui me poussait à vouloir oublier que j'en avais déjà été un. Cependant, un enfant, avant toute chose, venait surtout me rappeler ce qu'Adrien, Paul-Émile et moi avions perdu, quelque part au Cameroun.

J'aurais bien voulu donner à Patrick la force de faire comme moi, de chercher à oublier mais, comme le beau crétin que je peux être parfois, je ne voyais pas que c'était la dernière chose qu'il voulait. Patrick voulait continuer de gratter le bobo, de saler sa plaie et de la garder ouverte, histoire de ne jamais se la sortir de la tête. Et même si j'étais le dernier placé pour passer un commentaire, je me suis tout de même permis de ventiler la frustration qu'il provoquait chez moi.

« Si on l'écœure tant que ça, pourquoi il retourne pas en Afrique pis qu'il nous sacre pas patience ? Il commence à me faire suer, pis pas à peu près. »

Adrien, beaucoup plus intelligent que je ne l'étais, avait compris que Patrick se trouvait enfermé dans un cercle vicieux qu'il refusait obstinément de rompre : pas assez fort pour retourner au Cameroun, il en venait à se sentir de plus en plus lâche et cette lâcheté le poussait à surcompenser en prêchant à tout le monde la décadence de la société dans laquelle nous vivions.

Joli bourbier, en effet.

Avant de disparaître et de joindre les rangs de son club d'anarchistes, Patrick essaya plusieurs fois de me convertir aux bienfaits d'une bonne vieille révolution, histoire d'imposer au petit peuple des idéaux communistes qu'il était trop simplet pour comprendre de lui-même. Chaque fois, la réponse était toujours la même.

«Moi, Pat, je suis un adepte de "Aide-toi, pis le Ciel t'aidera". On peut-tu s'entendre que j'ai pas mal de job en avant de moi?

— C'est beau, comme attitude. Après ça, ils vont venir me dire que le Québec est moins centré sur lui-même.

— Bof… On est quand même rendu avec des cégeps. C'est pas rien.»

Seigneur, que ça le rendait furieux quand je me mettais à faire de l'esprit de bottine!

Il s'est passé quelques semaines avant que je n'apprenne où Patrick avait abouti lorsqu'il est parti de chez moi: dans un appartement miteux de la rue Boyer, en plein cœur du Plateau Mont-Royal, tenu par une dizaine de personnes qui se branlaient et fumaient du pot en s'extasiant devant des affiches de Che Guevara et de Abbie Hoffman[4]. Devinant que Patrick ne savait absolument pas qui était Abbie Hoffman, Claude, le gars rencontré à l'épicerie, se chargea d'éclairer la lanterne de mon copain.

«C'est mon idole. Il crache sur la guerre du Vietnam et essaie de faire comprendre à tout le monde que des jeunes vont se faire tuer là-bas juste pour une question d'argent.»

Je l'ai déjà dit plus tôt: je n'ai jamais rien eu contre les hippies, les contestataires et tous les autres issus du mouvement de la contre-culture. C'était l'époque pour ça et Dieu sait que le Vietnam fournissait des raisons de contester qui s'étendaient jusqu'à la planète Mars! Cela étant dit, je détestais à m'en confesser – et pour que je veuille me confesser de quoi que ce soit… – la bande de

---

4   Militant contre la guerre du Vietnam, il fut arrêté et poursuivi en justice pour incitation à la violence.

délinquants de la rue Boyer. Pour des raisons bien personnelles, j'imagine. Je sais très bien que si ces clowns-là
n'avaient jamais rencontré Patrick, j'aurais probablement
regardé aller leurs semblables en tapant des mains, de la
même manière que je regardais aller tous ceux qui se faisaient un plaisir de foutre la merde un peu partout.
Malheureusement, leur merde m'était un peu trop personnelle pour que j'arrive à ne pas la sentir.

« Lui, poursuivit Claude en pointant une autre affiche,
c'est Jerry Rubin[5]. Il prône aussi la révolution, et…

— La révolution ? !

— Oui, la révolution, répliqua soudainement une voix
féminine. Parce que c'est seulement en faisant la révolution
qu'on va réussir à venir à bout de toutes les injustices sociales
et économiques qui pourrissent le monde occidental. »

Elle, c'était Judith Léger, contestataire entièrement
vêtue de noir ayant l'air aussi aguichante que Golda Meir[6]
dans son jeune temps. Elle avait le teint pâle, était maigre
comme un piquet et portait ses cheveux tirés si fort
qu'elle semblait avoir les yeux bridés. Sa garde-robe
n'était constituée que d'un chandail et d'un pantalon noir
qu'elle portait constamment. Ne souriant pratiquement
jamais, elle adoptait toujours un ton froid et cassant lorsqu'elle s'adressait à quelqu'un. Judith représentait tellement bien ce cliché propre à la jeunesse de vouloir être à
part qu'elle n'arrivait à se distinguer de rien du tout.

Vous aurez vite compris que je ne fus jamais le président de son fan-club.

---

5   Militant contre la guerre du Vietnam et en faveur des droits civiques, il
    fut lui aussi arrêté pour incitation à la violence.
6   Première ministre d'Israël de 1969 à 1974.

«Félicitations pour ta lettre, dit Judith à Patrick. Ça faisait du bien, pour une fois, de lire quelqu'un qui dit les vraies affaires.

— Bof… répliqua Patrick. Ma lettre a fait parler d'elle, mais pas exactement pour les bonnes raisons.

— Ça, c'est parce que t'as visé trop haut. À la minute où t'as écrit les mots "Afrique" et "enfants malades", t'aurais dû savoir que tu venais de perdre tout le monde. Au Québec, à moins de parler de recettes de cuisine ou de hockey, il faut quasiment que tu fasses un dessin si tu veux que les gens te comprennent. »

La simonac! Non, mais, pour qui elle se prenait?! Je veux bien admettre que ce n'est pas tout le monde qui peut aspirer à devenir membre de MENSA[7], mais on n'est pas des morons! Prenez mon cas, par exemple: sans être Einstein, je n'ai tout de même pas été accepté au Barreau du Québec en dessinant des bonshommes allumettes!

«Le problème, avec la société d'aujourd'hui, c'est que nos parents ont tellement eu peur de crever pendant la guerre qu'ils ont tout fait pour se rattraper après 1945. Mais trop cons pour se réconcilier pis pour apprendre à vivre en communauté, ils se sont mis à consommer à droite pis à gauche, parce que pendant une couple d'années, ils n'ont pas pu mettre de crémage sur leur gâteau. »

Encore une fois et au risque de me répéter: la simonac! Et je suis poli. De toute façon, il n'existe pas assez de points d'exclamation, d'arobas, de & et de # pour camoufler ici tous les sacres que je voudrais envoyer à la tête de Judith. Et ça, c'est sans parler de Claude, qui décida d'en rajouter.

---

7   Société pour les personnes ayant un quotient intellectuel élevé.

« Ç'a fait de la société occidentale une coquille vide, se désola-t-il. Une vie, ça se résume à autre chose qu'un lave-vaisselle Maytag ou à un char de l'année. Pis nous autres, on veut pas se faire dire comment vivre la nôtre par des matérialistes qui ne connaissent rien aux vraies affaires. »

Non seulement je n'avais rien contre les hippies mais je me suis mis à les aimer de plus en plus à mesure que Patrick s'enfonçait dans des idéaux de violence et de révolution. Au moins, s'il en était devenu un, son activisme aurait été pacifique.

Malheureusement, ce ne fut pas exactement comme ça que les choses se sont passées. Plus Judith et Claude parlaient, plus Patrick s'éloignait d'amour libre, de retour à la terre et de psychédélisme. Les réactions qu'il voulait susciter à la grandeur du Québec avec sa lettre, il les avait à ce moment précis et encore mieux que ce qu'il s'était imaginé. Depuis son retour du Cameroun, Patrick espérait que nous serions vites à comprendre que l'Occident, s'il ne faisait rien pour changer de trajectoire, filait tout droit vers un précipice. Judith et Claude, pour leur part, lui disaient qu'ils nous forceraient tous à comprendre, qu'on le veuille ou non. Et en usant de la force, si nécessaire. Alors en écoutant de parfaits inconnus parler de l'obligation de faire couler le sang pour purifier les infidèles matérialistes, mon vieil ami eut l'impression de se trouver en présence de deux âmes sœurs.

« Tu le sais probablement pas, poursuivit l'impayable Judith, mais Claude vient d'une des familles les plus riches au Québec. Pis moi, j'ai grandi à Saint-Lambert, complètement noyée dans la bourgeoisie de la Rive-Sud. Tous les deux, si on n'était pas partis de là, on serait mort, étouffé. J'ai essayé de parler à mes parents, pis Claude a essayé de parler aux siens mais ils voulaient absolument rien comprendre. Les miens ont même fini par me foutre dehors.

— ...

— Il faut pas lâcher, continua Judith. Pis il faut pas perdre de vue l'importance de faire la révolution, parce que c'est du monde comme mes parents qui s'occupe de gérer la société, pis qui la pourrisse jusqu'à l'os. Pis tant que ces gens-là vont tout contrôler, on va continuer de se gratter le nombril jusqu'au sang, pis des enfants comme Agnès vont continuer de mourir tous les jours. »

Je sais qu'elle vient seulement d'arriver dans l'histoire, je sais qu'il est encore tôt pour porter des jugements, mais Judith Léger, très rapidement, réussit le tour de force de me faire regretter la marâtre Flynn ! Si elle avait été encore vivante, Marie-Yvette aurait pris Patrick par le collet et l'aurait sorti du logement de la rue Boyer de manière assez expéditive, ce que ni moi ni Adrien n'avons été en mesure de faire à ce moment-là. Au lieu de cela, Patrick se mit à voir rose avec des gens habillés tout en noir, se faisant joyeusement entourlouper par une Judith qui eut la très grande intelligence de glisser subtilement Agnès dans la conversation ; de prendre le doux souvenir d'une enfant qui sut inspirer chez Patrick un amour d'une profondeur inimaginable et ensuite lui donner le visage d'une martyre pour qui il fallait prendre les armes et chercher vengeance.

C'était à ne rien y comprendre. Mais comme manipulation, j'aurais difficilement pu faire mieux.

10
Patrick... à propos de Jean

Je me souviens qu'un jour, alors que nous devions avoir quinze ou seize ans, Paul-Émile nous avait annoncé, de manière très solennelle, ne pas vouloir vivre plus vieux que cinquante ans. Rendu à l'âge de vingt ans, il ne se souvenait d'ailleurs plus du tout avoir fait cette affirmation, mais à l'époque, il nous avait dit que le corps humain commençait sa déchéance vers cet âge, et qu'il n'avait absolument aucune intention de vivre vieux à l'intérieur d'un corps qui le garderait en état perpétuel d'emprisonnement. Sa mère et son père ne montrant, à l'époque, aucun signe de maladie dégénérative, Adrien et moi avions regardé Paul-Émile en roulant les yeux, sachant très bien qu'il avait fait cette affirmation dans l'unique but d'impressionner Lucille Pigeon, l'une des filles les plus populaires de l'école Garneau. Le stratagème échoua d'ailleurs lamentablement et Lucille, haussant les épaules tout en torturant sa gomme à mâcher, partit rejoindre la brute qui lui servait de copain.

Adrien et moi avions éclaté de rire devant la tentative ratée de Paul-Émile, mais Jean était demeuré silencieux, ne riant aucunement. Paul-Émile baissa tout à coup les yeux. Entre nous, la mortalité n'était jamais un sujet abordé parce que nous savions que Jean en avait peur autant qu'Adrien craignait le silence. Un oiseau mort, un chien écrasé, le décès de quelqu'un dans le voisinage... Jean fuyait tout ce qui pouvait lui rappeler l'avis nécrologique dans le salon de ses parents, et la conviction de ceux-ci que leur fils allait y trouver, lui aussi, sa place très bientôt. Alors Paul-Émile, en guise d'excuses, alla chercher un sac de patates frites chez Therrien, que nous avons d'ailleurs dévoré en un temps record.

En 1969, Jean était âgé de trente-cinq ans et ne semblait plus fuir la mort comme il l'avait toujours fait depuis son enfance. Au contraire, il semblait dorénavant la chercher, l'attendre, la mettre au défi de venir le trouver. Je sais que Jean croit, peut-être encore aujourd'hui, que je suis disparu parce que l'envie m'avait pris d'aller poser des bombes. Mais la vérité, en grande partie, est que je n'étais plus capable de le voir couler ainsi. Claude, Judith et tous les autres de la rue Boyer n'avaient rien à y voir. Je n'en pouvais tout simplement plus d'avoir les nerfs constamment mis à l'épreuve, comme Jean continuait d'ailleurs de le faire avec Adrien, Lili et madame Bouchard.

Celle-ci, d'ailleurs, prétexta longtemps être un indécrottable bourreau de travail et s'ennuyer royalement lorsqu'elle ne bossait pas mais je n'étais pas dupe. Je savais que madame Bouchard usait plutôt de subterfuge pour coller Jean aux fesses et ainsi s'assurer qu'il soit tout de même en mesure de faire son travail sans se gaver de gin ou de brandy. Un rythme de travail de douze heures par jour devait être assurément éreintant pour une femme de cet âge mais madame Bouchard s'acharnait à tenir le coup, usant de toute son énergie pour empêcher le naufrage d'un navire qui, pourtant, prenait l'eau de partout. Néanmoins, le corps humain ayant des limites que même l'entêtement ne pouvait dépasser, madame Bouchard annonça à Jean qu'elle partait pour quelques jours se reposer à la ferme de sa sœur, à Saint-Janvier.

« Vas-tu jeter un œil sur lui ? demanda-t-elle à Adrien.

— Ben oui, Muriel. Voyons donc… Inquiétez-vous pas avec ça.

— Je vais être partie juste trois jours, de toute façon. Il crèvera quand même pas, d'ici à mercredi. »

Ces mots, madame Bouchard aurait voulu se frapper la tête sur un mur pour les avoir prononcés. Vingt-quatre heures seulement après son départ pour Saint-Janvier, elle téléphona au bureau de Jean afin de lui demander des informations sur un dossier important mais personne ne répondait. Évidemment, cela ne prit que très peu de temps avant que les battements de cœur s'accélèrent et que la tension artérielle de madame Bouchard s'élève à un niveau dangereux. Le souvenir de l'attentat, qui remontait déjà à presque un an, n'était jamais bien loin.

« Arrête donc de t'inquiéter, Muriel, la rassura sa sœur sans trop de conviction. Depuis le temps que tu le connais... Il doit être encore parti à'chasse aux filles, dans les bars du centre-ville.

— Non, ça se peut pas. Il devait rencontrer un client important, pis il devait me rappeler pour me dire comment ça s'était passé.

— Coudonc... T'étais pas venue ici pour te reposer, toi ? »

À travers sa sœur Muriel, Charlotte Saint-Arnaud en était venue à bien connaître Jean, sachant parfaitement que si celui-ci se trouvait seul au bureau, les chances étaient excellentes pour que le soi-disant client important se soit cogné le nez, non pas sur une porte fermée, mais plutôt sur une bouteille de gin vide.

« Mon Dieu, Seigneur ! J'aurais jamais dû prendre trois jours de congé ! S'il lui est arrivé quelque chose, je me le pardonnerai jamais ! »

En voyant ainsi sa sœur au bord de l'hystérie, madame Saint-Arnaud eut envie de lui hurler sa frustration à la voir gaspiller temps et énergie à aimer ce qui ressemblait de plus en plus à un ivrogne fini, tout en éprouvant de la culpabilité devant cet amour que Jean retournait à madame Bouchard du mieux qu'il le pouvait.

« Je le sais, ce que tu penses, Charlotte, sanglota madame Bouchard. Mais Jean, c'est le plus beau cadeau que j'ai jamais eu. Je l'aime pas comme s'il était mon fils. Jean, C'EST mon fils ! Tu sais à quel point je suis croyante, pis que je vénère le Bon Dieu. Des fois, malgré tout, je me dis qu'il s'est trompé. Que Gaston pis moi, on était supposés être ses vrais parents, qu'il est né un Taillon par accident pis que le Bon Dieu a réparé son erreur en m'envoyant travailler pour lui. Pis si Jean est mon garçon, en ce moment, il va pas bien pantoute et il faut que je sois là pour lui. Comme lui a été là pour moi quand Gaston est mort. »

Madame Bouchard eut énormément de mal à se remettre de la mort de son époux, décédé en 1966 d'un cancer du côlon absolument foudroyant. Elle pleurait constamment et ne s'intéressait plus à rien. Ce fut Jean qui finit par la ramener parmi les vivants. Avec patience. Avec amour. Comme un fils l'aurait fait avec sa mère, quoi. Madame Saint-Arnaud s'en voulut de l'avoir presque oublié.

« Charlotte, donne-moi tes clés de char. J'en peux pus ! Faut que j'aille voir ce qui s'est passé !

— Me prends-tu pour une folle ?! Penses-tu que je vais te laisser conduire, de Saint-Janvier jusqu'à Montréal, paquet de nerfs comme t'es ? Mon char va se retrouver dans le fossé avant même que t'embarques sur l'autoroute ! Envoye ! Mets ton manteau. Je vais y aller avec toi.

— Tu pues le fumier, Charlotte. Excuse-moi de te dire

ça de même mais j'ai pas très envie de faire de la route avec quelqu'un qui a passé sa journée dans une étable.

— On ouvrira les fenêtres. »

Loin de moi l'idée de vouloir généraliser mais rien n'arrive à me faire autant soupirer d'impatience que lorsque je me trouve pris à rouler en voiture derrière une personne âgée, tenant un peu trop fermement son volant et avançant à trente kilomètres à l'heure dans une zone où la limite est de soixante-dix. Étant moi-même maintenant un membre de l'âge d'or, j'ai fait très jeune le serment de brûler mon permis de conduire et de m'en remettre aux transports en commun le jour où j'allais commencer à irriter les gens sur la route de cette façon. Toutefois, madame Saint-Arnaud, malgré ses soixante-dix ans bien sonnés, se comportait plutôt comme si elle était au volant d'une Ferrari sur un circuit de Formule Un. Et malgré les fortes nausées provoquées par la conduite, disons, expérimentale de sa sœur, madame Bouchard fut heureuse de pouvoir se retrouver au cabinet de la rue Saint-Hubert en un temps qui vint défier toutes logiques.

Le bureau était désert lorsque les deux sœurs y arrivèrent essoufflées, au pas de course, ce qui eut pour effet d'accentuer la nervosité de madame Bouchard. S'il était véritablement arrivé quelque chose à Jean, qui serait en mesure de savoir ce qui s'était passé ? De comprendre ? De raconter ?

« J'aurais jamais dû prendre de vacances ! Jamais ! À quoi je pouvais ben penser, aussi !

— Partir pendant trois jours !… T'appelles ça des vacances ? Franchement, Muriel !

— JEAN!!! »

Le corps de Jean était étendu par terre, près d'un classeur ouvert, une bouteille vide de brandy traînant à ses côtés.

«Je le savais, baptême! Je le savais! hurla madame Saint-Arnaud, furieuse. Y'est saoul comme un cochon!»

Ivre, Jean le fut très certainement. Au point, d'ailleurs, de tituber et de heurter violemment sa tête sur le coin d'un tiroir ouvert du classeur et de perdre conscience. Paniquée, madame Bouchard le fit transporter d'urgence à l'hôpital, soulagée, toutefois, qu'aucune balle de fusil ne lui ait à nouveau transpercé le corps.

Adrien, dans un moment d'honnêteté brutale, a déjà dit que nous n'étions pas loin de nous foutre de savoir qui se cachait derrière l'attentat. J'endosse entièrement ses propos. Nous voulions savoir, bien évidemment. Nous voulions voir le, la ou les responsables payer pour ce qui avait été fait à Jean. Mais celui-ci était dans un état si épouvantable que nous en étions venus à considérer l'état psychologique dans lequel il se trouvait depuis l'attentat comme un virus dont il fallait à tout prix le soustraire; une maladie pire que la balle de fusil lui ayant transpercé le corps et cette situation exigeait de nous – je m'inclus, parce que je suis tout de même demeuré un certain temps avant de disparaître – une somme d'énergie absolument spectaculaire. Et Adrien commençait à perdre patience.

«Qu'est-ce que... qu'est-ce qui s'est passé? demanda Jean, de son lit d'hôpital.

— T'as eu une petite commotion cérébrale, répondit madame Bouchard, notant au passage qu'Adrien, ayant accouru lorsqu'il apprit la nouvelle, peinait à regarder Jean.

— Une... une commotion ?

— Oui, une commotion, ajouta Adrien sur un ton cassant. Pis tu peux dire un gros merci à Muriel d'être arrivée pas longtemps après parce que sans ça, tu te souviendrais probablement même pas de ton nom, à l'heure où on se parle. »

Ça vaut ce que ça vaut, bien sûr, mais j'ai toujours cru que les gens exprimant de la colère envers des proches ayant un problème de dépendance quelconque crachaient avant tout cette colère contre eux-mêmes. Comme s'ils avaient besoin d'exprimer leur rage vis-à-vis de leur impatience et de leur incapacité chronique à leur venir en aide. C'était très certainement le cas d'Adrien. De ça, j'en suis convaincu.

« Ça va être quoi, la prochaine fois, Jean ? Te tuer en char parce que tu vas être tellement saoul que tu verras rien en avant de toi ?

— Adrien, murmura madame Bouchard. Mets-toi à sa place...

— Ça fait un an que tout le monde fait juste ça, se mettre à sa place ! On en peut pus ! »

Les disputes opposant Jean à Adrien tout au long de leur amitié furent d'une admirable rareté. Il y eut, bien sûr, cet épisode lorsque madame Mousseau fit part de son intention de divorcer... Tout comme il y eut cette discussion animée, un soir d'hiver au parc Berri, il y a très longtemps, où Adrien avait juré que la rondelle avait franchi la ligne des buts tandis que Jean, jouant au gardien mauvais perdant, hurlait le contraire. Chacune de ces disputes, aujourd'hui, semblait égarée dans le temps, comme si elles n'étaient pas réelles et qu'elles ne viendraient jamais se greffer à leur vie. Celle-ci fut différente.

Pas en ce qui concerne les liens étroits entre Jean et Adrien, qui ne se relâchèrent jamais. Mais cette dispute vint plutôt décupler cette conviction que Jean avait de ne mériter rien d'autre que sa souffrance. À ce niveau, ce rare conflit entre lui et Adrien laissa des traces d'une désolante profondeur.

« T'as toujours été meilleur que les autres, han, Adrien… attaqua Jean. T'as toujours été au-dessus de tout le monde ! T'as toujours été plus fort, pis plus intelligent ! Dis-moi donc, Adrien… Comment ils trouvent ça, tes enfants, de plus avoir de père ? »

C'était un coup bas. Même pour Jean, qui ne dédaignait jamais jouer salaud. Mais c'était surtout un piège. Il devait savoir que Claire et Daniel étaient tabous et, surtout, que la réaction d'Adrien allait être expéditive. Ce qu'elle fut, effectivement, alors que Jean reçut une claque en plein visage presque en souriant. La gifle allait lui permettre de souffrir un peu plus.

« Sacre donc ton camp, Adrien. Je le sais pas ce que t'es venu faire ici, mais tu viendras sûrement pas m'engueuler. Retourne chez vous, j'ai pas besoin de toi ici !

— Ah non ? répondit Adrien, le ton sarcastique. À part Muriel pis Lili, que tu peux même pus regarder en pleine face, nomme-moi donc une seule personne qui s'intéresse à ce qui t'arrive ? Tes chums de bars ?… Tes *one-night stands*, peut-être ?

— Adrien… supplia madame Bouchard.

— Attends…, poursuivit Adrien en s'adressant à Jean, on devrait peut-être appeler le concierge de l'hôpital Notre-Dame qui te fournissait en boisson, l'année passée. Tu sais, celui qui t'apportait du fort en échange de sa caisse de 24 ?… »

La scène aurait pu être drôle à en mourir si les circonstances n'avaient pas été aussi tristes alors que madame Bouchard, scandalisée, donna un coup de pied sur la poubelle de Jean, tout en assénant une claque derrière la tête d'Adrien pour lui avoir caché quelque chose d'aussi épouvantable. Mais personne n'avait le cœur à rire.

« Tu peux ben dire ce que tu veux, Adrien. Ça me passe cent pieds par-dessus la tête. Oui, je bois. Pis si t'es pas content, tu sais ce que t'as à faire. »

Si je fus prompt à me convaincre que Jean n'était plus qu'un ivrogne fini, Adrien, pour sa part, eut longtemps toutes les difficultés du monde à accepter que le besoin de notre ami à s'engourdir les neurones avait, et depuis longtemps, outrepassé largement les limites de l'insouciance. C'était là un trait caractéristique chez lui, venant expliquer, en grande partie, la fidélité dont il fit presque toujours preuve envers nous : Adrien ne savait pas nous regarder avec des yeux autres que ceux de notre jeunesse. Et si le besoin de Paul-Émile et moi de mettre une distance entre nous et le faubourg à mélasse l'avait blessé, il fut le premier à tout nous pardonner sans jamais garder rancune. Toutefois, même lui ne pouvait plus ignorer la rage et le besoin de souffrir qui minaient Jean encore plus que les bouteilles de vodka cachées dans son bureau. Et l'envie fut forte, pour Adrien, de l'abandonner à sa boisson et de ne jamais revenir. Il ne le fit pas et pour cela, il mérite toute notre admiration. Je ne sus très certainement pas être aussi loyal. Jean voulait couler et j'avais trop peur de sombrer avec lui.

« Je me suis fait tirer dessus, Adrien, expliqua-t-il. Je suis passé à deux doigts de crever en pleine rue comme le dernier des robineux. Pis Lili remarchera plus jamais parce qu'elle a eu le malheur d'être avec moi à ce moment-là. Comment je fais pour passer par-dessus ça, Adrien ? Tu sais tout, pis tu connais tout. Dis-le parce que moi, je sais pas du tout comment faire ! »

Et tout à coup, au tournant d'un monologue, le vrai problème fit surface.

« J'ai trente-cinq ans, Adrien. Mon grand-père est mort à trente-quatre. T'en souviens-tu ? Maudit que ça m'écœurait quand mon père me prenait par les épaules en me disant que j'allais finir comme lui ! Comme si ça me tente, moi, de crever les quatre fers en l'air, dans une flaque de pisse ! Mais je commence à penser que mon père avait raison, Adrien. Pis que toute l'énergie que j'ai gaspillée à ne pas vivre comme lui aura rien donné, parce que j'aurai quand même crevé à trente-quatre ans ! »

Madame Bouchard se tenait debout dans un coin, pleurant sans retenue, alors que toute trace de colère avait disparu des yeux d'Adrien. Ne restaient plus que la tristesse et l'impuissance de regarder quelqu'un que l'on aime s'enfoncer toujours plus, tout en espérant de toutes ses forces que celui-ci ne meure pas avant d'avoir touché le fond.

« Je suis mort ! Je suis mort, et je respire encore. Pis je pense que c'est pire ! Ça fait un an que je suis pus capable de vivre, que de respirer me brûle la poitrine. Mais chaque maudit matin, il faut que je me lève pis que je fasse comme si de rien n'était. JE SUIS PUS CAPABLE ! Avant, au moins, j'arrivais à faire ma job si j'avais une couple de verres dans le nez pour me permettre de penser à rien ! Sauf que ça aussi, Adrien, c'est en train de mourir ! Astheure, même quand je suis en boisson, je suis pus capable d'oublier ! »

Au bout du compte, Adrien est sorti de la chambre d'hôpital de Jean avec un profond sentiment de tristesse, outrepassant largement la colère ressentie quelques minutes à peine auparavant. Au-delà de la frustration de voir un homme perpétuellement ivre faire un fou de lui en gaspillant une vie qui aurait pu être si différente, Jean provoquait aussi un immense chagrin chez tous ceux autour de lui en offrant une démonstration épouvantablement consternante du pouvoir de la souffrance. Sa douleur était si vive, si diaphane et manifeste qu'il était extrêmement difficile, pour quiconque se trouvant à ses côtés, de ne pas en ressentir la moindre parcelle. Et si j'avais réussi à m'éloigner pour être en mesure de ne vivre rien d'autre que mon propre désespoir, ce ne fut pas le cas d'Adrien, qui fut tout à fait incapable de ne pas confondre les tourments de Jean et la souffrance que lui-même vivait à cette époque. Pendant si longtemps, Paul-Émile, Adrien, Jean et moi-même avions été extraordinairement doués pour partager ensemble nos rires et nos moments de bonheur. Mais à ce moment-ci de nos vies, Adrien s'éleva au-dessus de nous tous en prouvant qu'il était également capable de partager les peines, de faire un bout de chemin de croix, même si celui-ci ne lui appartenait pas. Ayant aperçu toute l'immensité du mal de vivre de Jean, il fit la promesse de ne jamais plus laisser sa frustration outrepasser ce que Jean représentait pour nous depuis des années.

Cette promesse ne fut jamais brisée.

Quelque temps plus tard, Jean invita Adrien, madame Bouchard et quelques autres chez lui pour jouer aux cartes. Mais lorsqu'Adrien arriva à l'appartement de la rue Sherbrooke, une demi-heure plus tôt que prévu, Jean était étendu sur son lit, inconscient, une autre bouteille de brandy vide traînant à ses côtés. Secouant la tête de dépit, Adrien téléphona à madame Bouchard pour lui dire de rester chez elle.

Un épisode comme celui-ci s'est souvent répété avec les années. Et si Adrien ressentit une quelconque frustration, Jean ne l'a jamais su.

11
Paul-Émile... à propos d'Adrien

Comme bien des universitaires, Alice avait rarement la tête à l'endroit exact où se trouvaient ses deux pieds. Adrien m'a d'ailleurs déjà raconté qu'elle porta le même chandail taché pendant trois jours d'affilée, avant de se rendre compte qu'elle était en train de passer pour une malpropre. Elle était la personnification même de l'intellectuelle de haut niveau, adepte de la pensée de haute voltige mais incapable de se faire un bol de riz parce qu'elle ignorait devoir, d'abord, mettre de l'eau dans le chaudron.

Moi qui œuvre dans un milieu où la pensée pratique est généralement plus utile – et utilisée – que les théories universitaires de toutes sortes, je pouvais devenir impatient lorsque j'apercevais quelques collègues aux fortes tendances à l'enculage de mouches avoir tellement de difficultés à s'adapter aux contraintes du quotidien. Quand tu trouves des mottons dans ton lait, c'est qu'il est passé date et qu'il faut le jeter aux poubelles. C'est pas compliqué, il me semble !

Mais, bon. Toute une montée de lait pour dire qu'Alice devint très rapidement une partie importante de la vie d'Adrien. Tous les deux étaient d'ailleurs toujours ensemble lorsque les enfants se trouvaient avec Denise, travaillant sur des dossiers, s'accompagnant pour aller au restaurant – *shack* à patates frites serait plus exact, si l'on tient compte des goûts culinaires d'Alice –, et alimentant les ragots colportés sur leur compte par leurs collègues, au PQ. En voici d'ailleurs un exemple tout à fait édifiant :

« Ç'a l'air qu'ils vivent déjà ensemble.

— Moi, j'ai entendu dire qu'elle était fiancée pis qu'elle a sacré son chum là pour s'en aller avec Adrien.

— Qu'est-ce qu'elle a de plus que nous autres, elle ? »

En vérité, Alice et Adrien ne faisaient absolument rien de charnel. Pas ensemble, du moins. Ils ne se tenaient même pas la main. Alors pour la cohabitation, on repassera.

Contrairement à Jean qui lui aurait sauté dessus quinze minutes après leur première rencontre, Adrien travaillait fort pour garder une distance émotive entre Alice et lui, malgré tout le temps qu'ils pouvaient passer côte à côte. Un de ses prétextes préférés, d'ailleurs, était de dire qu'il ne voulait pas s'embarquer dans quoi que ce soit de sérieux, tant et aussi longtemps que son divorce ne serait pas officialisé. Et comme on ne divorçait pas, à l'époque, de la même manière qu'en allant se faire rembourser un chandail comme c'est le cas aujourd'hui, cela signifiait que l'attente pouvait être longue. Pourtant, je suis persuadé que Denise aurait joué les meneuses de claques si elle avait su qu'Adrien s'intéressait à une autre femme. Celui-ci avait d'ailleurs sauté la clôture assez régulièrement pendant ses années de mariage et il était impossible qu'une femme aussi intelligente qu'elle ne se soit jamais douté de rien. Denise ne l'a jamais dit mais le papillonnage d'Adrien faisait probablement son affaire.

Le cas d'Alice, par contre, fut complètement différent et j'ai mis longtemps à comprendre pourquoi. Alice était belle, drôle, intelligente – indépendantiste, mais bon ; personne n'est parfait – et Adrien, si l'on ne tenait pas compte des enfants, était libre comme l'air. Savoir ce que je sais aujourd'hui et avoir été à la place d'Adrien, je me serais tout bonnement menotté à elle. Adrien, lui, ne parlait pas, ne disait rien et faisait semblant de ne pas voir qu'Alice le contemplait comme s'il avait été la réincarnation de Louis-Joseph Papineau.

Mais il y avait tout de même des failles dans la muraille qu'Adrien érigeait autour de lui. Il pouvait bien faire comme si Alice lui était indifférente, mentir en affirmant que son mariage raté l'avait traumatisé pour toujours, il pouvait bien glisser par-ci, par-là que les relations à long terme ne l'intéressaient pas, tout chez lui, lorsqu'Alice se trouvait dans un rayon de deux kilomètres, venait témoigner du contraire. Comme lors de cette journée de l'automne 1969, alors qu'Alice s'était pointée à la permanence aux prises avec une forte grippe. À voir Adrien aller, par contre, tous auraient juré qu'Alice venait plutôt d'apprendre qu'elle était à l'article de la mort.

« ATCHOU !

— T'es brûlante, Alice. Dis ce que tu veux, mais en arrivant chez toi, je repars pas. Tu peux pas être toute seule, t'es malade comme un chien.

— Je veux pas retourner chez nous. J'ai pas fini d'éc... AH... AH... ATCHOU ! J'ai pas fini d'écrire mon article pour le colloque. Je veux finir ça avant de partir. »

L'article en question affirmait que le fédéralisme n'était pas rentable et qu'à force de marcher sur les plates-bandes de nos politiques respectives, les deux paliers de gouvernement faisaient diminuer le niveau de vie des Québécois, comme des Canadiens. Personnellement, je lui aurais dit de se moucher avec.

« Ton article, tu peux très bien le terminer demain matin. En ce moment, t'es pas en état de travailler. Viens. Je vais aller te reconduire chez toi.

— Pas en état de travailler, mon œil! Je suis en train de pondre probablement le... ATCHOU!... le meilleur article de toute ma carrière! Si je retourne chez nous, je voudrai rien faire d'autre que de me coucher.

— C'est justement ça, l'idée. Je vais aller chercher ton manteau pis on s'en va.»

À première vue, je n'aurais pas fait grand cas de l'insistance d'Adrien à s'occuper d'Alice. Je me souviens, un jour, avoir entendu la mère de Patrick dire qu'une action empreinte de bonté cachait souvent un certain degré d'égoïsme. Dans le cas d'Adrien, son égoïsme aurait très bien pu se traduire par un besoin de faire comme s'il ne s'ennuyait pas de ses enfants et que la vie sans eux était endurable. Mais le besoin d'Adrien de faire semblant aurait aussi pu le garder au bureau, ou encore l'envoyer faire la tournée des bars avec Jean. Au lieu de cela, il choisit plutôt de s'occuper d'une enrhumée au front brûlant, contagieuse, au nez rougi par une série de mouchoirs bon marché. En gros, disons seulement que l'empressement d'Adrien à jouer au docteur aurait été beaucoup moins pressant si le patient s'était appelé Pierre-Paul.

«As-tu au moins de quoi te soigner? demanda-t-il à Alice, une fois rendu chez elle.

— Je sais pas. Je pense que j'ai une bouteille d'Absorbine Junior dans la salle de bains.»

La bouteille, qui ne semblait pas dater d'hier, était vide. Adrien la jeta dans une poubelle pleine à ras bord.

«T'en as plus, d'Absorbine... Pis à l'heure qu'il est, tout est fermé. On trouvera rien nulle part.

— ...

— Viens. Je t'emmène chez moi.

— Pardon ?…

— J'ai tout ce qu'il faut pour te remettre sur pied. Du Vicks pour te déboucher le nez, de l'aspirine pour ta fièvre pis du poivre pour calmer ta toux.

— Du quoi ?! Du poivre ? SNIF ! Es-tu sérieux ?

— C'est un vieux truc de ma grand-mère Bissonnette.

— Mon pauvre Adrien… Si tu penses que je vais avaler une cuillerée de poivre, j'ai des petites nouvelles pour toi, moi. »

Alice n'était pas stupide. Elle savait que la présence d'Adrien à ses côtés venait combler ce vide qu'il ressentait lorsqu'il n'était pas en présence de ses enfants. De toute façon, n'importe qui le connaissant minimalement était au courant de sa douleur à être loin d'eux. Et avec la quantité considérable de temps qu'elle passait avec lui, Alice devait aussi savoir qu'il tolérait mal la solitude ; qu'il aurait été prêt à joindre le Cercle des fermières de Montréal-Nord pour y tricoter des pantoufles si ça lui garantissait de ne pas se trouver face à face avec le souvenir de son père, entre les quatre murs de son logement. Mais elle savait aussi qu'il aurait pu sortir avec des amis, assister à un match de hockey avec Jean ou emmener sa mère au restaurant. Alice avait compris qu'Adrien, avant tout, essayait de meubler sa solitude avec elle. Personne d'autre. Le coup de foudre qu'elle avait ressenti pour lui, la première fois où elle l'avait vu, elle travaillerait fort pour le rendre réciproque. Le potentiel était là. Et à la façon qu'Adrien avait de la regarder, Alice savait que tout ce qu'il lui restait à faire était de se tenir devant lui et attendre qu'il soit prêt à avancer vers elle.

Mais avec Adrien, rien n'était jamais simple. Et si ce l'était, comme avec Alice, par exemple, alors il faisait tout en son pouvoir pour que ça ne le soit plus.

Quand j'y pense, je me dis que c'est une bonne chose que je n'aie pas eu à raconter la vie de Jean, en plus de celle d'Adrien. Souffrir autant en le faisant exprès… Ça serait devenu redondant après un bout de temps.

12
Adrien... à propos de Paul-Émile

Pour la première fois depuis longtemps, je suis heureux d'annoncer que je vais enfin pouvoir parler de Paul-Émile! De le citer... De décrire ses réactions pour essayer de mieux comprendre ses états d'âme. Comme je l'ai déjà dit précédemment, raconter l'histoire de Paul-Émile, c'est surtout raconter celle des autres et de mettre en relief leurs réactions à chacune de ses paroles, chacun de ses actes. Lui vivait sa vie sans jamais se poser de questions, alors que tous les autres la subissaient.

Dans ce cas-ci, la situation diffère quelque peu alors que c'est Paul-Émile qui devait réagir à une situation donnée. C'était lui qui devait se démerder avec les remous que cette même situation créait en lui, venant ainsi me donner l'une des rares occasions de raconter son point de vue, et pas celui d'un autre. Je ne m'en plains pas. Depuis toujours, Paul-Émile fut quelqu'un de difficile à saisir, à comprendre, et il ne laissait jamais vraiment la chance à qui que ce soit – Suzanne, peut-être; et encore... – de percer un trou dans le mur de briques qu'il avait érigé autour de lui. Pour une fois que j'avais la possibilité d'essayer...

Paul-Émile, Marie-Louise et Simonne prirent connaissance de la décision de leurs parents de divorcer lorsqu'ils furent convoqués à la maison de la rue Pratt. Je n'apprendrai rien à personne, ici, en disant que mon ami n'était pas très proche de ses sœurs et que celles-ci mettaient rarement les pieds à Outremont. Au très grand bonheur de leurs époux, soit dit en passant. Julien Ferron et Édouard Vigneault – deux gars du bas de la ville que je connaissais assez bien; j'ai souvent eu l'occasion de jouer au hockey avec eux – n'avaient absolument rien contre Outremont. Ils en avaient contre Paul-Émile, cependant. Et contre sa fâcheuse manie de regarder les gens de très haut.

«Dire qu'on aurait pu être au parc Jarry en train de regarder la partie, à l'heure qu'il est. J'en braillerais...

— Y'auraient pas pu choisir un autre soir, les beaux-parents, pour réunir toute la famille?

— Surtout qu'on est pris pour se taper la face de fendant du beau-frère... Je te le dis: s'il continue de nous regarder comme si on était des rats d'égout, j'y estampe mon poing dans'face!»

Je ne prendrai même pas la peine de préciser qui disait quoi. Julien et Édouard détestant Paul-Émile de manière égale, chacun des deux aurait très exactement pu dire la même chose.

«Julien... souffla Simonne, l'une des deux sœurs de Paul-Émile. Veux-tu ben baisser le ton?

— Édouard pis moi, on avait des billets pour aller voir les Expos contre les Giants, Simonne! Gratis! Pis on a été obligés de les donner pour passer notre soirée à regarder la face de frais chié de ton frère! Enlève-moi pas mon droit d'être en maudit en plus!

— Pourrais-tu parler plus fort? Je pense qu'y'a quelqu'un à Saint-Hyacinthe qui t'a pas entendu.

— J'aurais pu voir jouer Willie Mays, Simonne. Willie Mays! À Montréal!

— Ben oui, ben oui! Willie Mays! Qu'est-ce que tu veux que je te dise? Si mes parents nous ont demandé de venir ici, c'est sûrement parce que c'est important. Pis pour les fois qu'on met les pieds chez mon frère...»

Je sais que je dois parler de Paul-Émile. J'y arrive, aussi. Seulement, le mépris que lui vouaient Édouard et Julien m'était trop comique pour que je me prive d'en glisser quelques mots.

«Julien... Édouard... salua Paul-Émile, froidement poli. Est-ce que je peux vous servir quelque chose? Une bière?...

— Je te prendrais ben une Laurentide, mon Paul-Émile.»

Julien avait fait sa demande avec un sourire des plus malicieux. Il le faisait exprès et c'était clair qu'il voulait s'en prendre à Paul-Émile, dans toute sa grandeur de seigneur de la maison. Demander à Paul-Émile s'il avait chez lui des bières de dépanneur se voulait l'équivalent d'offrir un verre de ginger-ale à Jean: c'était insultant.

«J'ai pas de Laurentide. Autre chose, peut-être?

— Une 50?...

— J'ai pas de 50 non plus.

— Une O'Keefe, d'abord.

— J'ai d'excellentes bières importées. Ça me ferait plaisir de t'en faire goûter quelques-unes.

— J'aurais ben trop peur d'aimer ça. Je suppose que ces bières-là doivent pas être accessibles au petit monde comme nous autres.

— Ben voyons... répondit Paul-Émile, un sourire en coin suintant le sarcasme. Imagines-tu le gros gras de deux cent cinquante livres qui part du dépanneur pour aller les livrer chez vous, avec son bicycle à pédales?... La honte!...»

Mon vieil ami était snob, oui, mais pas tant que ça, tout de même! Et il m'apparaissait clair que Julien s'acharnait à le faire sortir de ses gonds. Au fond, qu'importe. La relation entre Paul-Émile et ses beaux-frères ne fut jamais chaleureuse.

Quelques instants plus tard, lorsque monsieur et madame Marchand se pointèrent enfin le bout du nez, la mère de Paul-Émile était blanche comme un drap et peinait à avancer. Intrigués, Édouard et Julien se sont regardés, tandis que les enfants Marchand avancèrent instinctivement vers leur mère, cherchant à aider, tout en ne sachant même pas quel était le problème.

Dans les rues du faubourg, la rumeur courait que monsieur Marchand était sur le point, comme l'affirma subtilement monsieur Flynn, de « *dumper* sa chipie », ce qui fit dire à ma mère que les ventes de vins mousseux bon marché avaient curieusement monté en flèche dans toutes les commissions des liqueurs du voisinage. Pour moi, il était tout de même déroutant que l'antipathie provoquée par madame Marchand chez les gens du quartier réussit à perdurer pendant presque quarante ans ! C'était quand même quelque chose ! Et j'aurais bien voulu savoir si cette hargne résultait de l'attitude franchement déplaisante de madame Marchand, ou plutôt d'une incroyable force des habitudes.

Enfin…

« Premièrement, commença monsieur Marchand à sa famille, votre mère pis moi, on voudrait vous remercier d'être venus ici aujourd'hui. Avec la température qu'il fait dehors, j'imagine que ça devait sûrement vous tenter de faire autre chose que de venir voir le bonhomme pis la bonne femme. »

Le roulement d'yeux parfaitement synchronisé d'Édouard et de Julien provoqua un fou rire chez Marie-Louise et Simonne, qu'elles cherchèrent immédiatement à étouffer. L'air de croque-mort de madame Marchand faisait clairement savoir à tout le monde que l'heure n'était pas à rire.

« Y'a personne de malade, j'espère ? demanda Paul-Émile, les deux mains dans ses poches.

— Non, non. Personne de malade. C'est juste que Florence pis moi, on a une nouvelle à vous annoncer, pis que c'est pas facile à faire. D'abord, on voudrait surtout vous dire qu'on a pris une décision, qu'on est en paix avec cette décision-là pis qu'on l'assume complètement. »

Au teint pâle de madame Marchand, il était clair qu'elle ne semblait pas assumer quoi que ce soit. Ce que je trouvais curieux, par ailleurs. La décision de divorcer, selon ce qu'on m'a raconté quelque temps plus tard, fut apparemment prise à deux. De plus, madame Marchand fréquentait la copie bon marché de son époux depuis déjà un certain temps. C'était à ne rien y comprendre. Avait-elle l'air si mal en point parce qu'elle venait de réaliser ce qu'elle avait perdu ? Monsieur Marchand venait-il de lui faire part de ses plans avec madame Rudel ? Depuis l'enfance, la mère de Paul-Émile fut une véritable énigme pour moi. Un mystère que personne dans le faubourg ne pouvait – ou ne voulait – résoudre. Elle le restera jusqu'à la fin de sa vie.

Doucement, monsieur Marchand prit la main de son épouse et la serra très fort contre lui, donnant à leurs enfants cette image qui les catapulta des années en arrière, alors que Gérard et Florence Marchand, aux yeux de tous ceux qui les connaissaient, ne savaient faire autrement que de regarder dans la même direction. Ironiquement, ce fut également à cet instant précis que Paul-Émile, Marie-Louise et Simonne comprirent que tout était fini, alors que monsieur Marchand serrait la main de sa femme et que celle-ci se tenait à ses côtés, la proximité de leurs corps venant encore donner l'illusion qu'ils étaient soudés l'un à l'autre. Mais monsieur Marchand regardait droit devant, tandis que les yeux de la mère de Paul-Émile semblaient dévier vers la gauche. Mon vieil ami en eut le souffle coupé.

« Au diable, la *game*, chuchota Édouard à Julien. On a le reste de l'été pour aller au parc Jarry. »

N'ayant rien entendu du commentaire de son beau-frère, Paul-Émile, complètement sonné, regardait ses parents en voyant, pour la toute première fois, l'étendue de l'impact que ses choix pouvaient avoir sur la vie des autres. Est-ce que l'union de monsieur et madame Marchand aurait survécu si Paul-Émile avait acheté sa maison sur la rue voisine ? Auraient-ils été encore ensemble si leur fils, au lieu de s'acharner à leur redonner leur passé, ne leur avait pas plutôt fait cadeau de leur avenir ? Tristement, personne ne le saura jamais.

Gardant ses mains dans ses poches, cherchant à camoufler son malaise, Paul-Émile chercha à arrêter le temps.

« Depuis le temps que vous vivez comme ça, pourquoi pas continuer ? Ça va changer quoi, de divorcer ? Quand vous allez vous présenter en cour, vous allez faire rire de vous autres. »

Hé ! Seigneur ! Je tiens ici à préciser que cette réaction fut loin de m'emplir de fierté. Pas pour le manque total de diplomatie dont Paul-Émile fit preuve – il pouvait bien parler de moi ! –, mais plutôt parce qu'elle venait me rappeler la pauvreté de mon propre comportement lorsque ma mère me fit part de son désir de divorcer. Ma grand-mère Bissonnette se plaisait souvent à dire «Dis-moi qui tu fréquentes, je te dirai qui tu es». Qu'est-ce que ça pouvait bien dire à mon sujet?

«Les procédures sont déjà entamées, Paul-Émile. Pis non, on n'a pas fait rire de nous autres. Ta mère pis moi, c'est clair, on va toujours s'aimer. Mais ça fait longtemps qu'on est pus capable de vivre ensemble. Le divorce va venir officialiser notre situation. Y'est où, le problème?»

Comment Paul-Émile a-t-il fait pour garder sa tête dans le sable pendant tout ce temps, je ne l'ai jamais su. S'il avait pris la peine de reprendre son souffle, il aurait été en mesure de jouir de suffisamment de lucidité pour comprendre qu'il n'était pas normal que sa mère passe autant de temps sur la rue Pratt, tandis que son père vivait ailleurs, organisant soirées de danse et parties de bingo dans les rues du faubourg à mélasse. Mais comme Paul-Émile n'était jamais chez lui, de toute façon…

En passant, je m'en voudrais de passer sous silence l'incapacité chronique de Paul-Émile à voir la séparation de ses parents comme l'une des conséquences directes de ce qu'il était devenu. Je ne dis pas qu'il eut tort de faire les choix qu'il a faits – quoique son mariage avec Mireille ne fut pas un trait de génie –, mais ces mêmes choix consistèrent essentiellement à reconstituer, à l'intérieur des limites de sa propre vie, ce que celle de ses parents avait été autrefois, sans jamais considérer que ni l'un ni l'autre n'était apte à retourner en arrière. Le divorce de monsieur et madame Marchand vint imposer à Paul-Émile, pour la première fois, sa propre part de responsabilité dans des dommages collatéraux qu'il n'avait pas vu venir.

Au bout du compte, je crois que la véritable raison expliquant le dédain de Paul-Émile pour Henri Monette et Monique Rudel se trouvait dans son manque de volonté à reconnaître son rôle – même mineur – dans toute cette histoire. Tant qu'il n'y avait personne d'autre, il pouvait toujours se faire croire que tout allait bien dans le meilleur des mondes et que sa mère réussirait enfin à convaincre monsieur Marchand d'emménager dans son ancienne demeure, gracieuseté d'Albert Doucet. Mais l'arrivée de deux étrangers dans le paysage, même s'il se persuadait qu'ils n'étaient que des amis, venait un peu trop jurer avec le portrait que Paul-Émile voulait se faire de la situation. Henri Monette le forçait à voir sa mère en manque d'un homme qui n'existait plus et Monique Rudel l'obligeait à comprendre que son père refusait de faire comme s'il était toujours en 1929 et qu'il n'avait encore jamais mis le pied sur la rue Wolfe.

Aussi, le divorce de ses parents imposait à Paul-Émile la gestion d'un sentiment qui ne lui était franchement pas familier: la remise en question. Le destin de ses parents aurait-il été différent si lui-même avait vécu sa vie autrement? Aurait-il, lui-même, été différent? Que serait-il devenu s'il avait choisi de faire passer Suzanne avant tout le reste? S'il avait choisi d'être fidèle à notre amitié? L'introspection et les questions hypothétiques lui faisant à peu près le même effet qu'un mal de tête provoqué par les éclats de rire de madame Rudel, Paul-Émile choisit de fermer les yeux et de passer à autre chose. Ses parents avaient choisi de divorcer. Qu'aurait-il bien pu faire? Une crise, comme il l'avait lui-même suggéré? Une grève de la faim? Pour Paul-Émile, ce qui était fait était fait, figé dans le temps, hors de son contrôle et, forcément, indigne de tout intérêt. De toute façon, des choix différents auraient entraîné un portrait si radicalement opposé à sa situation actuelle que cela lui aurait demandé de s'imaginer non pas dans un environnement distinct, mais carrément dans la peau de quelqu'un d'autre. Et à cette époque, je ne crois pas que mon vieux copain était encore prêt à reconnaître que les racines outremontaises de ses parents n'étaient peut-être pas les siennes; que son acharnement à se bâtir un pont entre ce que monsieur et madame Marchand avaient un jour été ne faisait qu'éloigner toujours plus deux côtés d'une rivière ayant été habituée à couler doucement et sereinement pendant des années. Et alors que la distance entre Outremont et le faubourg à mélasse devenait de plus en plus grande, Paul-Émile n'avait aucune difficulté à rajouter des rallonges à sa structure. L'eau de la rivière, par contre, s'évaporait de plus en plus alors que les deux rives s'éloignaient l'une de l'autre.

Mon vieil ami n'a malheureusement jamais voulu se rendre compte de quoi que ce soit. Il s'était donné comme but de se construire un pont entre la rue Wolfe et la rue Pratt et avait réussi. Le reste importait peu.

«Si c'est ça qui vous rend heureux, lança-t-il à ses parents, faites ce que vous voulez. À l'âge où vous êtes rendus, vous avez sûrement pas besoin de moi pour vous dire quoi faire.»

Mais madame Marchand, de toute évidence, était loin d'être heureuse. Tous l'avaient remarqué. Même Julien et Édouard, qui ne furent jamais particulièrement excités à la vue de leur belle-mère, ne pouvaient faire autrement que de la prendre en pitié. Et pourtant, Paul-Émile choisit de détourner les yeux, quittant la pièce, les deux mains dans les poches.

Regardant son fils partir, le regard de monsieur

Marchand se posa soudainement sur Mireille qui s'était tenue à l'écart dans un coin de la pièce, ayant choisi d'assister à la scène sans dire un mot. Je ne crois pas que Paul-Émile s'était aperçu de sa présence, alors qu'il était parti sans même lui jeter l'ombre d'un coup d'œil. Honnêtement, cela ne semblait pas préoccuper Mireille, alors qu'elle fixait ses beaux-parents d'un air que monsieur Marchand, perplexe, mit quelques instants à déchiffrer.

Le regard de Mireille, c'était de l'envie.

13
Jean... à propos de Patrick

Contrairement à Adrien et à Paul-Émile, je n'ai absolument rien à foutre de la politique et je me fiche complètement de savoir le nom du parti au pouvoir. Les élections sont, pour moi, une véritable perte de temps et je n'ai jamais été ému par ceux qui disent que voter est un devoir, ne serait-ce que par respect envers certains peuples qui, eux, n'ont pas droit à ce même privilège. Voulez-vous bien me sacrer patience ?! Si voter est un devoir, servir l'est tout autant. Alors est-ce que je peux librement faire le choix de ne pas me faire représenter par une bande de zouaves ? Pendant quatre ans, on est pris pour voir la moitié d'entre eux nous tirer vers la droite, alors que quatre ans plus tard, l'autre moitié en fait autant vers la gauche. Et comme je n'ai jamais aimé que l'on me dise quoi faire... Adrien et Paul-Émile en sont depuis longtemps venus à la conclusion que je me situe au centre et bien honnêtement, je me fous pas mal de leur analyse. Je suis prochoix, je n'ai rien contre les joints de pot mais je ne suis pas forcément contre la peine de mort. Est-ce que ça me situe au centre ? Au nord ?... À l'est ?... Je le répète : je m'en fous comme de l'an quarante. La politique m'ennuie. Que voulez-vous... comme dirait l'autre.

Patrick aussi dira que la politique l'ennuyait royalement. Faites-moi une faveur, voulez-vous ? Si jamais il vous dit ça, ne le croyez surtout pas. Particulièrement à ce stade-ci de l'histoire. À la fin des années soixante, personne, incluant lui, ne bâillait d'ennui lorsque les conversations portaient sur la politique. À part moi, évidemment.

Quelques mois après le départ de Patrick pour la bicoque de la rue Boyer, Gérard Marchand, le père de Paul-Émile, eut la surprise de le voir au coin des rues Saint-Denis et Sainte-Catherine en compagnie de la savoureuse Judith. En passant, je tiens à m'excuser si je peux donner l'illusion d'influencer votre opinion vis-à-vis de quoi ou qui que ce soit. Ce n'est pas le cas. Ce n'est pas supposé l'être, non plus. Mais Judith me faisant à peu près le même effet qu'une circoncision à froid, je dois avouer qu'il m'est extrêmement difficile de ne pas laisser transparaître l'aversion que j'ai pour elle. Selon moi, si Claude fut celui qui emmena Patrick sur la rue Boyer, Judith fut celle qui l'y emprisonna et qui jeta la clé comme si elle avait été dans une compétition de lancer du poids aux jeux Olympiques. Je ne crois pas lui avoir jamais pardonné.

Bref, pour revenir à nos moutons, Gérard, ayant tout de suite reconnu Patrick, s'était avancé vers lui pour le saluer. S'il s'était attendu à un sourire et à une poignée de main, il fut plutôt reçu par Judith qui lui balança un feuillet où il était écrit « Ça ne suffit plus d'avoir le cœur brisé, parce que tout le monde a le cœur brisé, maintenant », citation plus ou moins bien traduite d'un *beatnik* du nom d'Allen Ginsberg[8]. Lili m'avait déjà, d'ailleurs, fortement recommandé l'un de ses recueils de poèmes qu'elle avait beaucoup aimé. Pas besoin de vous dire que je m'étais mis à ronfler après seulement deux verres de gin ! Je suppose qu'il n'eut pas le même effet sur Patrick, parce qu'en plus des feuillets qu'il distribuait avec la *wicked witch of the west*, la même citation était imprimée

---

8   Poète américain et figure emblématique de la *Beat Generation*.

sur le chandail qu'il portait et sur un macaron accroché à son sac à dos. On était loin de Ted Lindsay[9], je vous en passe un papier !

Gérard, évidemment, fut sonné par la vue de Patrick, qui semblait à des années-lumière de l'enfant qu'il avait connu en culotte courte. Le regard obsédé, ayant des airs d'un homme en mission, Patrick reconnut à peine Gérard du regard, alors que lui et Judith s'occupaient à hurler à qui voulait l'entendre – et à qui ne le voulait pas, surtout – qu'il fallait prendre les armes pour mettre à mort la société occidentale. Personnellement, j'aurais jeté le feuillet dans la poubelle la plus proche, pour ensuite me sauver de là à pas de sprint. Mais Gérard ne bougea pas, paralysé, soupirant de reconnaissance pour ce que Paul-Émile était devenu. Si les relations entre eux n'étaient plus ce qu'elles avaient déjà été, Gérard n'en était tout de même pas rendu à quêter des nouvelles de son fils par le biais de la section des faits divers comme c'était devenu le cas pour James Martin avec Patrick.

Malgré l'ampleur du choc qu'il ressentit, Gérard n'avait aucune, mais alors là aucune idée de la véritable transformation que Judith orchestra chez Patrick. Si le Cameroun avait réussi à rendre flou le visage de Marie-Yvette, Judith, de son côté, vint à bout de tout ce qui restait des souvenirs du bas de la ville tout en s'assurant, de manière très habile, que celui d'Agnès ne se brouille jamais. Ce fut tout ce qu'elle eût à faire pour que Patrick ne veuille plus quitter le poulailler de la rue Boyer.

Mais pour bien nourrir le souvenir d'Agnès, Patrick

---

9 Ailier gauche ayant joué pour les Red Wings de Détroit et les Black Hawks de Chicago, de 1944 à 1960, et en 1964-1965.

n'avait d'autre choix que d'être constamment en colère, révolté, scandalisé contre tout ce qui l'entourait, répétant à s'en rendre fou que le monde industrialisé était tout aussi responsable de sa mort que s'il l'avait tirée à bout portant. Mon plus vieil ami se radicalisait toujours plus chaque jour, suivait assidûment ce qui se passait en France et aux États-Unis, lisait tout ce qu'il y avait à lire sur Abbie Hoffman – qu'il s'était mis à vénérer comme si Hoffman avait été ce Dieu en qui il n'avait jamais vraiment cru –, se laissait pousser les cheveux et militait pour l'implantation d'une dictature semblable à l'Albanie.

Lorsqu'il parlait d'elle, Patrick ne nous avait-il pas raconté qu'Agnès lui avait fait connaître une sérénité qu'il n'avait jamais éprouvée ? En se donnant des airs de révolutionnaire sanguinaire, ne trahissait-il pas son souvenir d'une manière que nous, dans toute notre indifférence, n'avons jamais fait ?

D'accord, j'étais incapable de me mettre à la place de Patrick. Je le répète : je n'ai jamais été foutu de comprendre pourquoi la mort de cette enfant l'a changé à ce point-là. Pourquoi elle plus qu'une autre ? Avait-elle des étoiles à la place des yeux ? Est-ce que les moineaux la suivaient partout en chantant ? Et ce que j'arrivais encore moins à comprendre, par contre, fut l'attitude de Judith dans cette espèce de *remake* bizarre du cirque de la rue de la Visitation. Celle-ci modelait Patrick à sa main, jouait avec lui comme s'il avait été de la plasticine pour en faire une version radicale du prêtre désabusé ayant envoyé une missive pisse-vinaigre à tous les journaux de la ville. Mais à mesure que Judith le mettait à sa main, Patrick devenait plus grand que nature, prenant les traits de Mr. Hyde, tout en jetant Dr. Jekyll aux vidanges. Et au lieu de paniquer en voyant qu'elle perdait le contrôle de sa créature, de frustrer en prenant conscience que l'élève dépassait le maître à la vitesse d'un bolide de course, Judith, curieusement, se mit de plus en plus à dépendre de Patrick et à le regarder en soupirant, comme une groupie devant une vedette de cinéma. Pour elle, il devenait un objet de culte, une religion à suivre, un commandement en lui-même. Ce que je trouvais plutôt ironique, soit dit en passant, alors que mon vieux copain ne fut jamais très porté sur tout ce qui relevait du sacré.

Dans le feuillet que Judith avait remis au pauvre Gérard, il était écrit que la seule façon de soutenir une révolution est de s'en créer une soi-même. Quelques minutes plus tard, alors qu'une bonne foule s'était rassemblée à l'intersection des rues Saint-Denis et Sainte-Catherine, des policiers s'avancèrent vers Patrick et Judith qui, pour leur part, se mirent à regarder ceux-ci comme s'ils avaient été une meute de rats sortant des égouts. Le premier regard échangé fut électrique, survolté et il devint clair, pour tous ceux assistant à la scène, que les choses étaient sur le point de mal tourner.

« Au moins, s'était dit Gérard en secouant la tête, James Martin va avoir des nouvelles de son gars. »

Pourquoi les pires stupidités nous passent-elles toujours par la tête dans des moments où un intellect de qualité serait nettement plus apprécié ? J'aime à penser, pourtant, que nous sommes plus brillants que ça.

14
Patrick... à propos de Jean

« Simonac ! Y'est devenu complètement fou ! »

Le lendemain de mon arrestation, Jean eut la mauvaise surprise de voir mon visage en première page du *Journal de Montréal*. Ce ne fut pas l'une de mes meilleures photos, pour être honnête. J'avais la bouche grande ouverte – quelques-uns de mes plombages étaient même visibles – et je semblais vouloir me battre avec la voiture de patrouille alors qu'un policier tentait de m'y faire entrer à coups de matraque. Dégustant son troisième verre de gin du matin, Jean pensait déjà à son quatrième lorsqu'il se dirigea vers le téléphone pour passer un coup de fil à Adrien.

La distance des années me permet, aujourd'hui, d'être profondément ému par l'ampleur de l'amitié que me portaient Jean, Adrien et Paul-Émile – oui, Paul-Émile, comme Jean le racontera un peu plus tard – et par la loyauté dont ils firent preuve à mon endroit. Dieu sait qu'il y eut des moments où je ne la méritais pas. Mais à l'époque, j'étais trop endoctriné, trop occupé à gratter mon nombril pour être intéressé par quoi que ce soit ou qui que ce soit ne venant pas m'aider dans ma volonté de changer le monde et dans la préservation du souvenir de ma belle Agnès. Je fus donc incapable d'apprécier que Jean, malgré le fait que je me sois sauvé de chez lui comme le dernier des voleurs, eût la bonté d'appeler Adrien pour que tous deux viennent me chercher au poste de police.

Au bout du compte, Adrien se présenta seul. Tout juste avant de partir, Jean reçut un coup de téléphone qui l'entraîna, bien malgré lui, à des kilomètres de l'endroit où je me trouvais.

« Oui, allo ?

— Jean ?… C'est Lili. »

Nul besoin de s'identifier. Jean l'avait tout de suite reconnue.

« Jean ?…

— Je suis là.

— Tu m'appelais pas. Ça fait que je me suis dit que j'allais te déniaiser un peu. »

Comme je l'ai dit précédemment, Lili, malgré sa résolution à laisser tout l'espace voulu à Jean pour guérir, fut incapable de rester au loin pendant bien longtemps, sous-estimant son propre besoin de l'avoir près d'elle pour en arriver à se remettre de l'attentat. J'étais à même de comprendre que l'amitié développe de profondes habitudes qu'il est extrêmement difficile de briser. Lili, pour sa part, en fut incapable.

« Jean, viens me chercher. »

Comme Jean l'avait dit à Adrien, l'alcool n'arrivait plus à lui faire suffisamment d'effet pour engourdir cette douleur qui l'accablait à chaque moment de la journée et qui semblait doubler en force pendant que Lili lui parlait au téléphone. De la voir, Jean en serait incapable. Il devait se défiler, chercher un prétexte valide pour refuser. N'importe lequel ferait l'affaire et je fus le premier à lui venir à l'esprit.

« Adrien peut pas aller le chercher ? demanda Lili.

— Non. »

Si le talent de plaideur de Jean fut vanté à quelques reprises, je me dois de préciser que cette même habileté fondait de moitié lorsque l'alcool entrait en jeu. D'où le pauvre «Non» qu'il répondit à Lili, ce matin-là.

«T'es saoul, toi, hein? lui demanda-t-elle.

— Qu'est-ce qui te fait dire ça?

— Parce que quand t'es en boisson, tu deviens à peu près aussi intéressant à jaser qu'un poteau électrique.»

Le temps d'une répartie, Jean se mit à croire que Lili se tenait debout sur ses deux jambes, l'attendant après l'un de ses spectacles à la Casa Loma pour que tous deux puissent aller prendre un verre dans un bar quelconque et rire des passants. L'illusion ne dura qu'un moment, en dépit des nombreuses gorgées de gin cherchant à ranimer ce souvenir perdu dans le temps.

«Jean, je te demande jamais rien. Mais là, je t'en supplie, viens me chercher! Depuis que je suis arrivée à Saint-Germain, ma mère me barouette entre l'église, où il faut que j'aille expier mes péchés, pis la maison de tous les célibataires du grand Drummondville pour essayer de me trouver un mari!

— Pis qu'est-ce que tu vas faire à Montréal? Tu l'as dit toi-même: ta carrière est finie.

— Je penserai à ça quand je serai rendue là. En attendant, si je vois un autre veuf arriver avec ses enfants, je te jure, je vais faire une dépression! De toute façon, j'ai déjà averti le bonhomme qui sous-louait mon appartement qu'il fallait qu'il déménage. Y'est temps que je retourne chez nous.

— Pis ta mère?…

— Ma mère est partie voir sa sœur à Sherbrooke. Je lui ai écrit une lettre; j'espère juste qu'elle va comprendre. Mais toi, par exemple, t'as affaire à te grouiller parce qu'elle est supposée revenir avant la fin de l'après-midi.

— Pis si ça me tente pas d'aller te chercher à Saint-Germain ?… Tu vas faire quoi ? »

On aurait dit un jeune de quinze ans en pleine crise d'adolescence, en pleine rébellion contre tout ce que l'on attendait de lui. On aurait presque dit Benjamin Braddock dans *The Graduate*. Lili, pour sa part, était trop désespérée de s'enfuir pour ne voir autre chose, chez Jean, qu'un ivrogne lâche et pathétique cherchant à gagner du temps.

« Aïe ! Jean ! J'ai pas le temps pour tes niaiseries, OK ? Là, tu vas faire chauffer ta bouilloire, tu vas caler deux ou trois cafés, tu vas aller prendre une bonne douche froide pis tu vas venir me chercher. Ça fait au moins dix ans qu'on se connaît pis je t'ai jamais rien demandé mais là, t'as affaire à venir me sortir d'ici, pis vite ! Parce que si ma mère revient de Sherbrooke pis que je suis encore ici, je vais faire Saint-Germain-Montréal en chaise roulante, s'il faut, et je te jure que je vais venir t'arracher la tête ! Là, va chercher un papier pis un crayon pour que je te dise comment arriver jusqu'ici. »

Jean n'avala pas de café et ne passa pas par la douche avant de se rendre à sa voiture. D'une manière que mon pauvre père n'aurait certainement pas reniée, il sortit de son appartement une bouteille de brandy à la main, oublia complètement de verrouiller sa porte et s'installa au volant de sa Toronado, pour ensuite se diriger vers le pont Champlain. Mais là où ma mère explosait devant les problèmes d'alcool de mon père, qu'elle nourrissait pourtant chaque jour de sa vie, Jean se sentait le besoin de hurler sa colère justement parce que, contrairement à la moitié des membres de ma famille, l'alcool ne parvenait plus à lui faire oublier quoi que ce soit. La vodka et le brandy, avec le temps, ne venaient lui donner rien d'autre qu'une vision tordue d'une réalité qu'il cherchait à rejeter. Sa réalité, mon père l'avait acceptée avec résignation, buvant pour oublier cette incapacité – ou le manque de volonté… – à changer sa vie. Jean, pour sa part, était incapable d'accepter quoi que ce soit et rageait en constatant que les quantités phénoménales de gin et de brandy avalées n'arrivaient pas à lui donner un semblant d'illusion d'être quelqu'un d'autre. La culpabilité de savoir que la réalité de Lili n'allait jamais changer fut plus que ce qu'il était en mesure de supporter et détourner les yeux signifiait pousser toujours plus loin cet égoïsme dont il avait su faire preuve à certains moments de sa vie. Et alors qu'il avançait avec difficulté sur l'autoroute 20 en direction de Saint-Germain, Jean s'acharna à combiner insensibilité et colère qui n'avaient, comme seule utilité, de lui donner la force nécessaire de faire face à Lili lorsque tous les deux allaient se retrouver l'un devant l'autre.

Roulant lentement pour balancer sa vision brouillée par l'alcool, Jean rageait, confondait sa propre souffrance avec celle, réelle ou imaginée de Lili, alors qu'il se disait, à voix haute, qu'il venait de gaspiller un an de sa vie à culpabiliser sur son sort à elle même s'il était clair, d'après ce qu'il en savait, que la personne visée ce soir-là n'était personne d'autre que lui.

« Non, mais !… Pour qui elle se prend ?! Comment elle peut se permettre d'exhiber ses jambes finies quand c'est moi qui souffre comme un malade ?! Quand c'est moi qui passe mes journées à essayer de mettre un pied devant l'autre ! Quand je demanderais rien de mieux que de tomber raide mort ! Comment elle peut se permettre de faire semblant d'avoir mal quand c'est moi qui passe mes journées à maudire le tueur de pas m'avoir achevé pis de pas m'avoir laissé crever comme mon maudit grand-père ? ! C'est moi qui ai mal ! MOI ! Ça fait qu'Agathe Robitaille, qui est même pus assez bonne pour traire des vaches, a pas d'affaire à me voler ce qui m'appartient ! Si elle est en manque d'attention, c'est pas mon maudit problème ! Si elle s'ennuie des quêteux d'autographes, elle a juste à retourner à Radio-Canada ! C'est moi que le tueur visait ! Pas elle ! C'est moi qui devais crever pis qui vis avec la chienne que ça recommence ! Pas elle ! Lili a perdu ses jambes juste parce qu'elle était avec moi ! Pas parce que quelqu'un voulait la tuer ! Mon Dieu, qu'elle m'écœure avec son sketch de la pauvre fille en chaise roulante !... »

Ce fut dans cet état d'esprit que Jean finit par se pointer à la ferme des Robitaille, après avoir mis presque deux heures à esquiver des voitures sur la Transcanadienne. Et Lili, lorsqu'elle le vit débarquer de peine et de misère de sa Toronado, en eut le souffle coupé.

Le Jean qui avançait vers elle, une bouteille de gin à la main, n'avait plus rien à voir avec celui qu'elle avait connu à la Casa Loma, il y a longtemps. Son regard était éteint, son dos courbé et de profondes rides avaient prématurément fait leur apparition sur son visage. Si elle l'avait rencontré pour la première fois à ce moment-là, Lili se serait fort probablement sauvée en courant.

« Salut, Agathe. »

Le ton de voix de Jean cherchait à émaner mépris et arrogance. Il ne réussit qu'à faire transpirer un vide profond et une tristesse infinie.

« Viens, l'entraîna Lili en évitant de le regarder. Je vais

te faire un café avant de partir. T'es visiblement pas en état de conduire.

— Bof… Ça changerait quoi, si on avait un accident ? C'est pas comme si tu risquais une médaille d'or en course à pied… »

De quelle manière Lili s'y est-elle prise pour ne pas lui sauter au visage, je ne l'ai jamais su. Jean eut beau être en état d'ivresse avancée, rien ne pouvait justifier, en aucune façon, cette réplique mesquine envoyée, en plus, de manière aussi cavalière. Ma propre famille s'était long-temps chargée de me montrer jusqu'où les excès d'alcool pouvaient mener et j'étais triste de constater que Jean avait maintenant pris le relais. Le message, par contre, fut d'une incontestable efficacité: toute ma vie, je fus parfaite-ment incapable de supporter la moindre goutte d'alcool.

« J'en veux pas, de café, continua Jean. Dépêche-toi d'aller chercher tes bagages, parce que je veux retourner à Montréal au plus sacrant. Pis en passant, tu peux amener toutes les valises que tu veux, je m'en sacre comme de l'an quarante. Mais ta simonac de chaise rou-lante, par exemple, elle reste ici. »

Ces mots, avec le temps, prirent des airs de ligne de démarcation dans la vie de Jean. Bien plus que l'attentat, à mon humble avis. Ce qui s'était passé ce soir-là, aux portes du Forum, fut le fruit de quelqu'un d'autre, for-çant ainsi Jean à y réagir du mieux qu'il le put. Parce que malgré son immense sentiment de culpabilité vis-à-vis de Lili, ce n'est tout de même pas lui qui a appuyé sur la gâchette et jusqu'à un certain point, je crois qu'il le com-prenait. Mais les mots que Jean venait tout juste de dire à sa pauvre amie, jumelés à ceux qu'il était sur le point de prononcer, ne venaient uniquement que de lui; la douleur et l'humiliation qu'il était sur le point de causer ne relevaient de personne d'autre. Comme si Jean avait ressenti le besoin criant de se rabaisser au même niveau que le tireur; comme s'il avait voulu s'approprier toutes les responsabilités de ce qui s'était passé afin de souffrir encore plus.

«Je comprends pas… souffla Lili.

— T'as très bien compris. Ton *show* de la fille handicapée qui veut se faire prendre en pitié, ça fait assez longtemps que ça dure.

— Jean… Ma chaise roulante fait partie de moi. Comme moi, je fais partie d'elle.

— *Bullshit*! Là, tu vas te lever, tu vas aller chercher tes valises pis moi, je vais aller mettre cette horreur-là aux vidanges. Je l'ai assez vue. »

Pour changer sa réalité – et pour la nier, aussi, quelquefois –, Jean sut toujours faire preuve d'imagination, refusant de s'imposer la moindre retenue. Sa capacité à laisser partir ses parents, sa résolution à faire comme si l'enfant de mademoiselle Robert n'existait pas, sa manie de boire comme un forcené pour ignorer les choses qu'il ne voulait pas voir en constituent les exemples les plus probants. Et nous tous faisions semblant d'adhérer à sa vision des choses parce que celle-ci ne venait jamais nous toucher directement, en dépit de certaines occasions où l'envie de secouer Jean était difficile à résister. Cette fois-ci, par contre, Jean fut forcé d'inclure l'une d'entre nous à son œuvre de fiction. Lili faisait maintenant partie de la troupe à part entière, elle qui s'était jusque-là contentée, comme les autres, de jouer le rôle de spectateur en espérant que la fin ne serait pas celle qui s'annonçait. Étrangement, elle qui avait gagné sa vie pendant des années en attirant l'attention sur sa personne, se découvrait maintenant un trac qui la pétrifiait.

« Va t'asseoir dans ton char, Jean, ordonna-t-elle, visiblement mal à l'aise. Je vais aller chercher mes affaires. Je reviens tout de suite.

— Tes affaires, tu vas aller les chercher debout, sur tes deux pieds. »

Ce qui se déroula sur le perron de la maison des Robitaille ce jour-là fut trop triste, trop ignoble, trop imbibé de folie et trop personnel aussi, à certains égards, pour que je sois capable de le raconter sans vouloir déformer la réalité comme Jean chercha à le faire, justement, à ce moment-là. Mais je vais essayer. De toute façon, que puis-je bien dire, ou faire, pour justifier de telles actions ? Rien. Absolument rien. Alors aussi bien tout raconter exactement comme cela est arrivé.

« Je t'ai dit de te lever ! »

Écoutant Jean hurler ses ordres avec un éclat de folie lui traversant les yeux, Lili se mit à paniquer, voulut s'éloigner de lui et fit un effort désespéré pour retourner à l'intérieur. Malheureusement, sa volonté de fuir ne fit que décupler la démence de Jean et celui-ci la rattrapa pour la soulever, l'obligeant à se tenir debout.

« Je suis pas capable, Jean ! s'écria Lili en pleurant. Je suis pas capable ! »

Lili s'était mise à hurler et à pleurer toujours plus fort, regardant désespérément son fauteuil roulant, tout en suppliant Jean de l'y rasseoir. Mais celui-ci, s'entêtant à lui ordonner d'aller chercher ses valises en marchant, ne l'entendait pas du tout.

« Marche ! C'est-tu assez clair ?! JE T'AI DIT DE MARCHER ! »

Deux secondes plus tard, tout fut terminé. J'ignore si ce fut le gin qui lui avait engourdi les muscles, ou si Jean eut soudainement conscience de la folie de ses gestes mais ses bras n'eurent plus la force de soulever Lili, de la garder debout malgré ses jambes qui ne tenaient plus et il la laissa tomber sur le perron, en pleurant.

« Je m'excuse, Lili… Je voulais pas… Je te jure que je voulais pas… »

Lili aussi pleurait, étendue sur le sol, cachant son visage pour ne pas que Jean voie son humiliation mais aussi, surtout, pour ne plus le voir, lui, tel qu'il était devenu. À l'image de nous tous, elle n'avait plus la force de jouer le jeu et de faire comme si rien n'avait changé. Jean lui-même n'y arrivait pas, alors pourquoi le mettre en position pour le faire à sa place ? Lili s'y refusa et après avoir passé de longues et pénibles minutes à se rasseoir dans son fauteuil roulant, alors que Jean continuait de pleurer comme un enfant, elle partit chercher ses valises sans dire un mot, attendant patiemment que Jean fût en état de reprendre le volant.

J'espère avoir été en mesure de raconter décemment cet épisode peu glorieux de la vie de Jean. Lili ne méritait certainement pas cette épouvantable humiliation que Jean lui fit subir et je ne peux que m'incliner devant la force et le courage qu'elle démontra après l'attentat, alors qu'elle s'appliquait toujours à aller de l'avant, refusant de s'apitoyer sur son sort et s'acharnant à se bâtir une belle vie. Une très belle vie.

Jean, par contre, fut un cas différent et cela m'attriste de dire que j'en ai encore pour un moment à raconter ses déboires.

En terminant, je voudrais toutefois ajouter ceci : j'ai

toujours trouvé bizarre le fait que Jean eût tant de difficultés à comprendre cette rage qui m'animait à l'époque. Il aurait pourtant dû saisir mes états d'âme sans aucun problème. Cette hargne que je ressentais envers le monde entier, Jean la ressentait contre lui-même à la puissance dix. Et tandis que je faisais de mon mieux pour avancer avec cette certitude d'avoir le poids de l'univers sur mes épaules, Jean essayait de faire la même chose mais en rejetant tout le poids de son monde à lui sur les épaules de ceux qui l'entouraient. Ce fut peut-être pour ça que nous n'avons pas été en mesure de nous comprendre.

Et pourtant, l'amitié a survécu.

15
Jean... à propos de Patrick

Oui, l'amitié a survécu. Évidemment. Même si, quelquefois, nous ne savions pas trop si elle survivait parce que nous étions trop têtes de cochon pour admettre le contraire. Ou plutôt parce que c'était plaisant de s'imaginer, avec les problèmes d'adulte qui nous tombaient dessus, que nous avions encore quinze ou seize ans.

Mais peu importent les réponses «psychopop» à nos grands questionnements. Le fait demeure que, malgré les crêpages de chignon occasionnels, nous étions encore amis. Et pendant que je faisais un fou de moi à Saint-Germain, Adrien s'était présenté au poste de police pour aller y chercher Patrick, à la suite de son arrestation au coin de Saint-Denis et Sainte-Catherine. Et payer sa caution. Celle de Judith, aussi. Ça, c'est de l'amitié! Pas sûr que j'en aurais fait autant.

«Je voulais te dire merci, dit Patrick à Adrien. En mon nom, pis au nom de Judith.

— Ouin, justement... L'argent me sort pas par les oreilles, moi. Je savais pas que vous étiez deux.

— Inquiète-toi pas, on va te rembourser.»

Pendant que Patrick promettait un plan de remboursement avec 0 % d'intérêt, Judith se tenait debout à ses côtés, observant Adrien comme s'il avait été un cul-terreux la suppliant pour du pain sec! L'homme venait tout juste de payer sa caution, simonac! Il me semble qu'un sourire, au minimum, aurait été de rigueur! Mais non! Judith restait plantée là, avec son air de bœuf! Personnellement, j'aurais laissé la chipie croupir en prison. Alors pas besoin de dire qu'Adrien était un homme beaucoup plus généreux que je ne l'étais. Généreux, sans être stupide pour autant. Le remboursement de la caution, il n'y crut pas une seule seconde.

« Quoi ?... demanda Patrick. Pourquoi tu me regardes comme ça ?

— Je suis ben des choses, Patrick, mais je suis pas un innocent. Je le sais ben que je reverrai jamais mon argent. Vous allez me rembourser en quoi ? En pot ?

— Je rembourse toujours mes dettes, Adrien Mousseau. Depuis le temps qu'on se connaît, tu devrais le savoir. Pis pour être honnête avec toi, ça me fait un peu chier d'avoir à te le rappeler. »

Lorsque j'affirme qu'à ce stade-ci de l'histoire, notre amitié relevait davantage de l'habitude, je ne mentais pas. À quinze ou vingt ans, j'aurais su quoi faire pour calmer les angoisses existentielles de Patrick ; pour calmer ses envies de Karl Marx et d'Abbie Hoffman. À trente-cinq ans, je n'en avais plus la moindre idée. Pas plus qu'Adrien, d'ailleurs. Chacun des gestes que nous posions semblait déplacé. Chacun des mots qui sortaient de notre bouche faisait à peu près le même effet que le supplice de la goutte. Ce qui intéressait Patrick, en dehors de venger la mort d'Agnès, de la pauvreté, de l'injustice et des buffets chinois où l'on jetait la nourriture à coups de gros sacs de vidanges, nous ne le savions plus. Et il ne se donnait même pas la peine de lever ne serait-ce que le petit doigt pour éclairer notre lanterne. Alors, que Patrick soit frustré d'avoir à rappeler quoi que ce soit à Adrien, on s'en balance comme de l'an quarante !

« En passant, ajouta Adrien, justement, qui commençait à pomper l'air, tu trouves pas que t'es rendu un peu vieux pour passer tout ton temps avec des petits jeunes de l'Université du Québec ? »

Ça, c'était un coup directement adressé à Judith, qui continuait de regarder Adrien de travers, comme si elle lui en voulait de l'avoir sortie de prison. Patrick l'avait compris et la réplique fut instantanée.

« Ce que je fais pis avec qui je le fais, Adrien, c'est pas de tes affaires. Je te le dis-tu, moi, que je trouve ça insignifiant, ta job au PQ ? Que je pense que vous êtes juste une gang de gratteux de nombrils ? Quand t'auras fini de perdre ton temps, tu viendras me voir. Je t'expliquerai ce qui se passe dans le vrai monde. »

Il est cliché à mourir, je sais, de parler des contestataires des années soixante. Et bien franchement, je suis un peu gêné de dire que Patrick en était un. Ça fait un peu trop « hippie de service », à mon avis. Comme si c'en avait absolument pris un pour que cette partie de l'histoire se déroulant dans les années soixante soit complète. Mais n'importe qui ayant eu à côtoyer des contestataires radicaux, à cette époque, vous regardera immanquablement de travers si vous leur parlez de clichés ambulants. Clichés, les contestataires, hippies et autres poilus le sont devenus avec le temps, alors que le choc qu'ils causaient devenait moins menaçant, moins épeurant et que le recul nous permettait de les regarder avec un sourire en coin. Sauf qu'en 1969, d'entendre des gens cracher leur haine envers notre société, vanter les vertus de l'Union soviétique et prôner l'incitation à la violence n'avait absolument rien d'un lieu commun. Et l'effet, bon ou mauvais, provoqué par eux était trop gros, trop dérangeant, trop… révolutionnaire, justement, pour que nous puissions les voir comme des clichés. Ils étaient tout sauf ça.

Cliché, Patrick aussi l'est devenu avec le temps. Mais

en 1969, nous ne savions pas quoi faire, quoi dire, pour essayer de l'atteindre; pour qu'il se rappelle ce qu'il représentait pour nous et ce que nous avions, un jour, signifié pour lui. Quelquefois, il nous regardait non seulement comme si nous lui tombions joyeusement sur les nerfs mais aussi comme s'il ne nous connaissait carrément pas; comme s'il nous avait rencontrés pour la première fois cinq minutes auparavant et qu'il en savait déjà assez pour être convaincu que nous étions deux superbes morons qu'il ne voulait absolument pas côtoyer. Il nous est souvent arrivé, à Adrien et à moi, de nous dire que Patrick avait tout simplement décidé de faire comme Paul-Émile et de renier complètement le faubourg à mélasse. Toutefois, son regard avec nous pouvait parfois être si vide qu'il nous est aussi arrivé de nous dire qu'au fond, Patrick n'avait pas renié le bas de la ville. C'est juste qu'il ne s'en souvenait tout simplement plus, ses souvenirs de jeunesse se trouvant quelque part dans l'océan Atlantique, à mi-chemin entre l'Amérique et l'Afrique.

Désarmés, Adrien et moi l'étions complètement. Devant son attitude, évidemment. Mais aussi devant le fait qu'après Paul-Émile, une deuxième partie de nous s'éloignait sans que nous puissions y opposer quoi que ce soit. Les invitations à la taverne ne donnaient plus rien. Surtout que j'en ressortais toujours à quatre pattes, de toute façon…

Alors Adrien l'a laissé partir, lui et sa greluche. Mais comme je l'ai dit plus tôt, nous étions tous dotés d'une extraordinaire tête de cochon. Et nous n'étions pas encore prêts à faire le deuil d'une amitié vieille de trente ans.

C'est vrai que les habitudes ont la vie longue. Les mauvaises… Et les bonnes, aussi.

Adrien... à propos de Paul-Émile

Peut-être parce que j'étais habitué à côtoyer des célébrités, je ne devenais jamais gaga lorsque je me trouvais en présence de l'une d'elles. Pour moi, René Lévesque était mon patron, point à la ligne. Il était très certainement quelqu'un que j'aimais et admirais beaucoup – je n'aurais pas laissé mon travail d'enseignant si ce n'avait pas été le cas –, mais je devenais inévitablement sidéré lorsque je voyais dans la rue des gens qui perdaient complètement la boule lorsqu'ils le croisaient. C'était la même chose avec Lili. Je me souviens d'un soir, un an ou deux avant l'attentat, où Denise et moi l'avions accompagnée, elle et Jean, dans un restaurant où les trois quarts des clients s'étaient arrêtés pour la regarder manger, du coin de l'œil. J'en avais été mal pour elle.

Jean et moi avions, sur ce point, la même attitude. Lui non plus n'était pas très impressionné par les célébrités. Pour Jean, un acteur ou une chanteuse n'était pas très différent d'un débardeur ou d'une caissière.

«Ils chient tous par le même trou que nous autres» avait-il coutume de dire, de manière pas très subtile, j'en conviens. Et je m'en excuse.

L'exception, en ce qui nous concerne – parce qu'il y en a toujours une –, se trouvait du côté des athlètes. Un joueur de hockey ou de baseball – en 1969, les Expos venaient tout juste d'arriver en ville – se trouvait à distance de marche, et Jean et moi avions soudainement l'air de deux petites filles en présence de Mickey Rooney[10]. Je

---

10 Acteur américain ayant connu la célébrité à l'adolescence, dans les années trente.

me souviens, entre autres, d'un soir de juillet 1969 où je m'étais trouvé par hasard dans le même bar que Rusty Staub[11]. Évidemment, j'ai eu l'air du dernier des colons lorsque je suis allé lui parler. Pauvre Rusty… Il doit encore en faire des cauchemars.

Je parle, je jase, je radote mais je m'en vais tout de même quelque part avec mes histoires apparemment sans intérêt. Dans un restaurant de la Petite Patrie qui venait tout juste d'ouvrir ses portes, pour être plus précis. Jean et moi étions allés y manger en compagnie de Muriel, de ma mère et des enfants, pour la fête des Mères. Le restaurant en question était plein à craquer et nous avons cru, à cause de ça, que la cuisine devait y être excellente. Ce ne fut pas tout à fait le cas. Le spaghetti de Jean était froid, le poulet à la dijonnaise de ma mère goûtait trop la moutarde French et j'aurais très certainement pu casser la vitrine du restaurant d'un seul lancer du steak, tellement le mien était trop cuit. Muriel, pour sa part, se refusait à faire le moindre commentaire – parce que c'était Jean qui payait son repas et qu'elle ne voulait pas avoir l'air mal polie, j'en suis convaincu. Il était clair, cependant, à la manière qu'elle avait de fermer les yeux à chaque bouchée, que son filet de sole, s'il lui remplissait l'estomac, était loin de la remplir de joie.

Et puis, comme touchés par un coup de baguette magique, Jean et moi avons soudainement tout oublié. Une apparition vint nous faire comprendre pourquoi le restaurant était à plein à craquer, malgré de la nourriture aussi ragoûtante qu'un plat de Docteur Ballard. En un

---

11 Joueur de baseball, il fut la première grande vedette des Expos de Montréal.

instant, nos repas se sont mis à relever de la plus pure divinité culinaire.

«Bonsoir, nous salua-t-il. Je suis Guy Drouin, le propriétaire du restaurant. Bienvenue chez nous. J'espère que tout est à votre goût.»

Ah! Bien! Batèche, de batèche! Le gagnant du trophée Art-Ross 1957 en personne! Encore une fois et aux yeux de tous, Jean et moi avons eu l'air de deux parfaits abrutis.

«Tout est excellent, répondit Jean, ne faisant aucun effort pour camoufler son admiration béate. On se régale, monsieur Drouin. Tout est absolument parfait! Vous direz au cuistot que son spaghetti est le meilleur que j'ai jamais mangé de ma vie! Je sais pas où y'est allé pêcher son idée de mettre du sirop d'érable dans sa sauce à spaghat', mais vraiment!... Chapeau!

— Je suis bien content de savoir ça. Pis inquiétez-vous pas, je vais faire le message à mon cuisinier.

— Ah! Je m'inquiète pas pantoute! Si Guy Drouin dit qu'il va faire quelque chose, Guy Drouin va faire quelque chose. Un membre du Temple de la renommée du Hockey, ça tient ses promesses. Dis-moi donc, mon Guy – tu permets que je t'appelle Guy –, penses-tu que Jean Béliveau va prendre sa retraite?»

Devant Guy Drouin, je constatais, chez Jean, le même délire que tous ceux perdant la tête alors qu'ils se trouvaient en présence de monsieur Lévesque. Malheureusement, le sourire niais que j'affichais ne me donnait pas l'air bien plus brillant que mon ami et c'est en roulant leurs yeux que Muriel et ma mère choisirent d'assister à la scène.

Ma fille Claire, par contre, n'eut pas le même enclin à garder le silence.

« Pourquoi tu dis que c'est bon, mononc' Jean ? C'est pas ça que tu disais, tantôt… »

Daniel donna un coup de pied à sa sœur sous la table ; Muriel et ma mère rapetissèrent de deux ou trois pouces en l'espace de quelques secondes et Jean se mit à regarder Claire, qu'il adorait pourtant, comme si elle eut été un chien levant la patte pour uriner sur son pantalon fraîchement sorti de chez le nettoyeur. Il revint donc à moi de sauver la situation.

« Ce que ma fille veut dire, Monsieur Drouin, c'est que les portions sont trop petites. La nourriture est excellente, mais les portions sont pas assez grosses. C'est tellement bon… On en voudrait plus !

— Vous me soulagez ! Je pensais que c'était parce que les plats étaient pas bons.

— Ben non ! Voyons…

— Si c'est juste ça… Permettez-moi d'offrir à tout le monde une deuxième assiettée ! Aux frais de la maison, évidemment.

— Heu…

— Non, non. J'insiste. »

Tandis que Guy Drouin prenait le chemin de la cuisine, Jean poussa un énorme soupir de soulagement, m'administrant une vigoureuse claque dans le dos pour souligner mon travail bien fait. Tous, par contre, ne furent pas du même avis.

« C'est brillant, ça, Adrien, grimaça ma mère. Il va revenir ici avec sa bouffe à chien gratis, qu'on va être obligés de manger pour pas nous faire passer pour une gang de menteurs !

— Qu'est-ce que vous vouliez que je fasse ?

— Lui dire que c'était pas mangeable ! Tu lui aurais

évité de faire faillite dans six mois! Est-ce que ç'aurait été si pire que ça?»

Avant que je puisse expliquer à ma mère l'étendue de la divinité des athlètes professionnels, Jean me fit signe de me retourner vers la porte d'entrée du restaurant. Suzanne Desrosiers, aussi belle qu'elle l'était le jour où elle est revenue de Québec, venait de faire son entrée.

«Qu'est-ce qu'elle fait ici, elle?» me demanda Jean, comme si j'eus été en mesure de connaître la réponse.

Mais la réponse s'imposa d'elle-même lorsque Guy Drouin sortit de la cuisine pour aller rejoindre Suzanne et l'embrasser rapidement devant les clients.

«Jésus Marie! s'exclama ma mère. Mimi m'a pas dit que Suzanne pis Guy étaient revenus ensemble! Attends que je la voie, elle! Je vais lui dire ma façon de penser!»

Paul-Émile, comme tout le monde le sait, n'était plus dans le portrait depuis longtemps. En fait, aucun d'entre nous ne l'avait revu depuis son mariage avec Mireille Doucet. Mais la petitesse du monde étant ce qu'elle est, surtout en ce qui concerne les habitants passés et présents du faubourg à mélasse, il n'était pas rare d'entendre, à travers les branches, que Paul-Émile avait été aperçu à tel ou tel endroit et en compagnie de telle ou telle personne. Et comme l'endroit mentionné était souvent la rue Étienne-Bouchard, où Suzanne habitait, Jean et moi en avions rapidement déduit qu'elle et Paul-Émile se voyaient toujours en cachette.

Mais si Suzanne fréquentait encore Paul-Émile par la bande, quel rôle, exactement, Guy Drouin venait-il jouer dans cette espèce de mauvais roman à l'eau de rose? Bien franchement, la réponse ne m'importait pas beaucoup, même si j'étais parfaitement en mesure de comprendre pourquoi Suzanne voulut retourner auprès de son ex. Ce que je trouvais triste, par contre – et ce sentiment de tristesse ne s'est qu'amplifié avec les années –, est que Paul-Émile ne semblait pas du tout comprendre ce que sa propre vie était en train de lui coûter.

Je ne me rappelle plus très bien de quelle manière Guy Drouin et Suzanne sont revenus ensemble. Paul-Émile, bien évidemment, n'aime pas en parler et au fond, ça n'ajoute pas vraiment quoi que ce soit de pertinent à l'histoire. Mais j'ai fini par savoir qu'elle avait longtemps hésité avant de prendre sa décision et que le coup de pied nécessaire était venu de sa copine Rolande qui, avec les années, en était venue à détester Paul-Émile avec une passion comparable à celle qu'elle vouait à ses paquets de cigarettes.

Rolande, depuis longtemps, était aussi proche de Suzanne que Jean l'était de moi. Elle connaissait tout de sa solitude, de ses difficultés à voir le temps qui passe alors qu'elle semblait faire du surplace dans sa vie personnelle. Elle savait que Suzanne avait choisi de louer un logement sur la rue Étienne-Bouchard, dans un quartier où elle ne connaissait personne parce que personne, justement, ne serait en mesure d'y reconnaître Paul-Émile; tout comme elle savait tout de la frustration de Suzanne à aimer tout en recevant si peu en retour. J'imagine que c'est pour ça que celle-ci permit à Drouin de revenir auprès d'elle: parce que la solitude était devenue trop grande. Parce que le lit était toujours vide. Parce que le temps passait et, surtout, parce que Paul-Émile était trop zouave pour s'en rendre compte.

Le jour où Suzanne emmena Guy Drouin chez Rolande pour un souper, histoire de souligner officiellement leurs retrouvailles, cette dernière lui avait pratiquement sauté au cou en la serrant dans ses bras.

«Ma Suzanne, tu peux pas savoir comme tu me fais plaisir! Y'était plus que temps que tu te réveilles!»

Suzanne n'avait rien dit, se contentant de baisser les yeux, et Rolande avait alors tout de suite compris que Paul-Émile, à son grand chagrin, était toujours dans le décor. Et que Guy Drouin avait été rappelé des mineures pour jouer le rôle de pansement sur une plaie béante.

Un gagnant du trophée Art-Ross dans un rôle de bouche-trou! Où est-ce que le monde s'en va?!

Le soir de la fête des Mères, au restaurant, lorsqu'elle s'est approchée de notre table pour nous saluer, Suzanne baissa encore une fois les yeux. Sur le coup, je n'ai pas bien compris son embarras. Ce qu'elle faisait de sa vie personnelle ne nous regardait pas du tout et Dieu sait que ni Jean ni moi n'étions en mesure de porter des jugements sur qui que ce soit. Mais j'ai fini par comprendre qu'elle n'avait pas baissé les yeux parce qu'elle était embarrassée. Elle avait baissé les yeux parce qu'elle avait eu la douleur de se reconnaître en nous; parce que, comme nous, elle était un gros pan de la vie de Paul-Émile qu'il cherchait à ignorer. Ou à camoufler, comme il le faisait avec elle. Et si les retrouvailles de Suzanne avec Guy Drouin avaient comme but premier de lui donner l'énergie nécessaire pour refuser le rôle ingrat que Paul-Émile lui faisait jouer depuis presque dix ans, notre présence venait lui jeter en plein visage que, comme pour nous, rayer Paul-Émile de la carte était beaucoup plus facile à dire qu'à faire. Par notre seule présence, Jean et moi avons fait comprendre à Suzanne, ce soir-là, la futilité du geste qu'elle avait posé en retournant auprès de Guy Drouin.

Penaud, j'aurais voulu dire à Suzanne qu'elle n'avait pas à baisser les yeux devant nous et à avoir honte de quoi que ce soit. Mais je n'ai jamais osé. Comment trouver les mots pour lui dire qu'une histoire inventée dans les bras de quelqu'un d'autre ne pouvait certainement pas être pire qu'une réalité dans la vie de Paul-Émile, qui n'était jamais là? Pourtant, Suzanne, d'un sourire triste, me signala qu'elle avait déjà tout compris. Et sa décision de garder le pansement sur sa plaie allait me faire regretter, des années plus tard, d'avoir gardé le silence.

Comme le dernier des lâches, j'ai, bien sûr, essayé de justifier mes regrets: qu'est-ce que j'aurais pu bien faire? Et est-ce qu'il revenait à moi de faire quelque chose? Peu importe, au fond, car je demeure convaincu, encore aujourd'hui, que rien n'aurait changé. Paul-Émile, dans son besoin de tout contrôler, devait comprendre par lui-même, et pour lui-même, ce qui allait lui exploser en plein visage.

17
Paul-Émile... à propos d'Adrien

Adrien peut bien dire ce qu'il veut et raconter n'importe quoi. La vérité est que lui et moi étions loin d'être aussi différents que ce qu'il voulait bien croire. Pas que je veux l'attirer dans les bas-fonds mais lui aussi, à certains moments, avait des airs d'un train sur le point de dérailler. Et j'aime bien penser que si j'avais été dans le coin à l'époque où Adrien branlait dans le manche avec Alice, je ne serais pas demeuré assis en le regardant, les bras croisés. Au contraire, je lui aurais certainement brassé la tomate comme il aurait dû se la faire brasser à ce moment-là.

Je n'ai jamais compris ceux qui ont peur d'avancer ; ceux qui figent à l'idée d'entreprendre la moindre action. Mais ce que je comprenais encore moins, par contre, était ce *statu quo* personnel dans lequel se complaisait Adrien, lui qui travaillait pourtant si fort pour briser notre pays en deux. Et même si je ne partageais pas ses opinions politiques douteuses, Alice avait au moins le mérite de parler fort et d'agir. De foncer dans le tas. Même si, quelquefois, le tas en question n'était qu'un ramassis de nuages que plusieurs pelletaient allègrement.

Adrien, pour sa part, bougeait à la vitesse d'une tortue. Ses enfants, lorsqu'ils étaient avec leur mère, lui manquaient terriblement. Que faire, à part se morfondre ? Il pensait maintenant à Alice, matin, midi et soir. Encore une fois, que faire ? Rien, apparemment. Rien d'autre qu'analyser, décortiquer, faire des listes, peser le pour et le contre d'une relation avec Alice et, surtout, se croiser les doigts et attendre que le temps passe.

Quelqu'un, un jour, m'a déjà dit que le temps ne

respecte jamais ce qui est fait sans lui. Je veux bien. Mais même le temps, en regardant Adrien, devait se dire qu'il y avait tout de même des limites !

À l'époque, monsieur Mousseau continuait toujours de hanter Adrien, mais de manière différente : à mesure que le temps passait et à mesure qu'il se lamentait encore plus chaque fois qu'il devait reconduire Claire et Daniel sur la rue Robert, Adrien se demandait comment son père s'y était pris, autrefois, pour se garder le cœur aussi sec par rapport à sa propre famille. Pourtant, la réponse était d'une simplicité enfantine : l'absence. L'absence émotive, l'absence de temps, l'absence de liens, l'absence de communication... Monsieur Mousseau avait réussi à garder son cœur sec en étant absent de tout ce qui constituait l'âme de sa femme et de son fils. Il ne les regardait pas, ne leur parlait pas, devenant ainsi un fantôme, presque un mythe, à l'intérieur de sa propre maison. Séparé de Denise et devenu père à temps partiel par la force des choses, Adrien avait une peur bleue que sa propre absence en vienne à représenter, pour Daniel comme pour Claire, le même vide émotif ayant caractérisé ses relations avec monsieur Mousseau. Si Adrien s'était arrêté trente secondes, au lieu de continuer à faire la poule pas de tête, il aurait compris que sa relation avec ses enfants était à des années-lumière de celle qu'il avait eue avec son père. Je suis doté d'une excellente mémoire et d'aussi loin que je puisse me souvenir, je n'ai jamais vu monsieur Mousseau débourser une petite fortune dans des jeux d'adresse au Parc Belmont, pour décrocher le toutou en peluche convoité par ses enfants. Ce qu'il ne réussit pas à faire, soit dit en passant et il dut payer presque le double de ce qu'il avait déboursé dans les jeux d'adresse pour mettre la main sur ledit toutou. Au salaire qu'il touchait en travaillant pour le PQ, j'espère sincèrement que Patrick lui avait remboursé le prix de sa caution...

En ce qui concernait Alice, par contre, la situation était différente – au moins, il voyait ses enfants une semaine sur deux – et l'attitude d'Adrien me laissait perplexe. Je ne comprenais rien du tout. Tout aurait été facile avec elle. Simple. Il n'aurait eu qu'à l'aimer et à se laisser aimer. Il la tenait au contraire à distance, faisant tout pour lui faire comprendre qu'il ne la voyait que comme une amie ; une chum avec qui il aimait aller prendre une bière. Adrien a souvent parlé de mes jambes molles lorsque je me trouvais en présence de Suzanne mais il n'avait pas l'air bien plus brillant lorsqu'Alice se trouvait dans le coin. Le matin du 18 septembre 1969, lorsque celle-ci annonça à ses collègues que Jacques Parizeau allait joindre les rangs du PQ, en constitue un bel exemple.

« Si y'en a qui ont entendu la rumeur, moi, je vous la confirme. René va l'annoncer aux journalistes, demain. »

Bon. Petite parenthèse, ici. J'ai déjà fait mention que la familiarité d'Alice avait de quoi faire grincer des dents, même parmi les gens de son entourage. Mais d'appeler René Lévesque par son prénom, à mon avis, ne relevait pas seulement de l'impolitesse la plus pure. C'était faire preuve d'une rusticité que même Jean aurait reniée ! Moi-même, je ne me le serais jamais permis ! Pour qui se prenait-elle ? Corinne Côté ? Peut-être parce que mes parents m'ont élevé de cette manière, ou peut-être parce que je croyais simplement que René Lévesque, même avant qu'il devienne premier ministre, commandait plus de respect, je n'en revenais tout simplement pas que quelqu'un se permette de parler de cet homme-là comme s'il avait été le voisin en train de tondre sa pelouse en bedaine. Adrien était comme moi et je me souviens l'avoir déjà vu enguirlander un de mes collègues lorsque celui-ci avait parlé de Pierre Trudeau, premier ministre du Canada, en l'appelant Pete. Le collègue en question l'avait regardé comme si Adrien sortait tout droit d'un couvent. Certains croyaient que nous étions coincés – pour ne pas dire constipés. À eux, j'ai toujours préféré répondre que c'était plutôt parce que nos mères nous avaient bien élevés.

Fin de la parenthèse.

Alors que les gens présents au bureau célébraient l'arrivée prochaine de Jacques Parizeau au PQ – « Il a travaillé avec Johnson pis Lesage ; on va peut-être arrêter de se faire traiter de poètes ! » –, Adrien, souriant à pleines dents, encensait Alice comme si elle était la seule raison derrière l'arrivée prochaine de l'économiste.

« Est-tu bonne, han ? répétait-il à qui voulait bien l'entendre. Ça se peut-tu, intelligente de même ! »

Et alors que les autres continuaient de discuter des bienfaits, selon eux, qu'allait avoir l'arrivée de Parizeau sur le score du PQ aux prochaines élections, Alice regardait Adrien la vanter à tous les vents en secouant la tête, subitement fatiguée de ce jeu qu'elle le savait ne pas jouer mais qui lui laissait tout de même la sensation que tel était bien le cas.

C'était maintenant clair aux yeux de tous : ils s'aimaient. Profondément. Et Alice n'aurait pas demandé mieux que de passer ses journées à le démontrer à Adrien. Mais lui ne bougeait pas, regardant Alice en faisant du surplace, se balançant sur ses deux pieds de gauche à droite comme quelqu'un devant pisser de toute urgence.

Adrien n'aurait eu qu'un pas à faire, qu'un mot à dire et il aurait été bien. Trop bien, probablement, selon ses propres critères de bonheur. Et Alice commençait à s'impatienter. Qui pouvait l'en blâmer ?

En terminant, je voudrais prendre deux minutes pour changer de sujet et parler d'autre chose. Rien d'important, rien qui vint changer le cours de l'histoire mais qui revêt, pour moi, une signification particulière.

Plusieurs semaines après l'annonce d'Alice, un collègue d'Adrien était assis sur une chaise, les deux pieds sur son bureau, lisant son journal d'un œil distrait. Puis, tout d'un coup, l'attention du collègue fut attirée par un article portant sur Patrick, qui venait de se faire arrêter pour trouble à la paix publique et incitation à la violence pour la troisième ou quatrième fois en l'espace de quelques mois. Dans un paragraphe comportant quelques notes biographiques, le journaliste avait écrit que Patrick était né et avait grandi sur la rue de la Visitation, en plein cœur du bas de la ville. Le collègue porta soudainement son regard en direction de mon ami.

« Adrien ?…

— Quoi ?

— Je suis en train de lire un article sur le débile à Flynn, dans le journal. Il vient encore de se faire arrêter. C'est écrit ici qu'il vient du faubourg à mélasse. Rue de la Visitation… Tu viens de ce coin-là, toi. Le connais-tu ? »

Lorsque son collègue l'avait interpellé, Adrien était plongé dans des études de comté en vue des élections qui s'annonçaient pour le printemps 1970. Et s'il avait figé à la mention du nom de Patrick, qui faisait de plus en plus parler de lui dans les journaux et aux bulletins télévisés, il s'efforça de ne pas lever les yeux. Qu'aurait-il dû répondre, exactement ? Je n'ai pas à me faire rappeler que je suis mal placé pour répondre à cette question. Et de ce que j'en savais, René Lévesque avait une sainte horreur des radicaux, ce que Patrick était devenu, et Adrien aurait à coup sûr mal paru, aux yeux de son patron, si celui-ci avait su que l'un de ses conseillers comptait Patrick Flynn parmi ses bons amis. Mais, au fond, est-ce que c'était toujours le cas ? Est-ce qu'Adrien connaissait réellement le Patrick qui était revenu d'Afrique ? Leur dernière rencontre, alors qu'Adrien était généreusement allé payer la caution de Patrick et Judith, remontait déjà à un bon moment. Les rapports entre eux, au bord de la congélation, ne ressemblaient plus du tout aux liens fraternels qui nous avaient unis pendant nos années de jeunesse. Et lorsqu'il répondit enfin à la question de son collègue, Adrien choisit de jouer avec les mots, d'être honnête à l'intérieur des limites d'une réalité qui se voulait floue, pour ne pas dire inexistante.

« On est allé à la petite école ensemble mais c'est tout. Je le connais pas. C'est grand, le bas de la ville. »

Pas plus de trente secondes plus tard, malgré les dons pour la sémantique dont il venait de faire preuve, Adrien fut aux prises avec une cuisante impression d'avoir renié son propre frère.

Sincèrement, je n'ai pas raconté cette histoire pour paraître condescendant et pour démontrer que j'étais meilleur qu'Adrien. Je jure que ce n'est pas le cas. En racontant cette infime partie de sa vie, je ne cherchais qu'à démontrer qu'Adrien et moi n'étions pas si différents, après tout.

18
Adrien... à propos de Paul-Émile

J'ai déjà parlé de mon très grand intérêt pour les biographies. Celles d'hommes et de femmes d'État, en particulier. Sans vouloir me vanter, j'ai lu à peu près tout ce qui a pu s'écrire sur John Quincy Adams, Indira Gandhi, Golda Meir, William Lyon Mackenzie King et, bien sûr, René Lévesque. Je n'ai jamais pu comprendre pourquoi Maurice Duplessis faisait un fou de lui en étalant sa fierté de n'avoir jamais lu un livre de sa vie et, à l'époque, probablement par peur de devenir aussi inculte que lui, je m'étais mis à admirer avec fanatisme les gens ayant une très grande éducation. D'où mon énorme respect pour un personnage comme John Quincy Adams, par exemple, qui fut selon moi le président le plus intelligent – dans le sens d'intellect – de toute l'histoire des États-Unis.

Mais ce que j'aimais apprendre en lisant sur eux – à l'exception de monsieur Lévesque, bien sûr, que j'ai côtoyé pendant des années – ne relevait pas autant des actions qui les ont fait passer à l'histoire que des parties plus anonymes de leur vie les ayant emmenés là où ils se sont rendus. Le décès de la mère d'Hitler, par exemple. Ou encore, la relation tendue entre Bush père et Bush fils. Selon moi, les anecdotes sont souvent plus révélatrices de la nature profonde d'un être humain que si l'on ne s'attarde qu'aux grandes lignes de son existence. Là-dessus, je rejoignais complètement Patrick, qui ne fut jamais très intéressé par la facilité et l'évidence. Qu'un tel ou une telle se trouve en haut de la pyramide ne m'intéresse absolument pas. Le trajet emprunté pour s'y rendre, par contre, est bien plus digne de mention, à mon avis.

Paul-Émile, pour sa part, se trouvait bien en selle au sommet depuis déjà un bon moment. Bien placé dans la hiérarchie d'un parti au pouvoir, estimé par ses pairs, il voguait bien tranquillement en invitant sur son bateau des hauts dignitaires et élus de toutes sortes qui acceptaient joyeusement de converser et de se faire photographier avec celui que certains considéraient comme la personne non élue la plus puissante au Canada. Et le dernier en lice à rappliquer se nommait Benjamin Briar Quinlen, ambassadeur des États-Unis au Canada et candidat malheureux à l'investiture républicaine en 1952 et 1964. Pourtant… Avec des initiales pareilles, le pauvre aurait dû se douter que ses chances d'être élu président étaient condamnées dès le départ. FDR avait du panache. JFK, de la prestance. BBQ n'inspirait que des blagues plates qui firent, d'ailleurs, leur apparition assez rapidement un peu partout. À la suite de sa retentissante défaite lors des primaires du New Hampshire en 1952, plusieurs journaux avaient, entre autres, titré à la une: *BBQ: He's Toast.* Ou encore: *BBQ: Well Done, Medium, or Rare? New Hampshire doesn't care!* Après une autre tentative en 1964, qui ne s'avéra pas bien plus glorieuse qu'en 1952, le pauvre homme s'était rabattu sur un poste de diplomate qui le mena, éventuellement, à Ottawa.

« *Mr. Marchand, it appears to me that your country is in very deep trouble.*[12]

— *How so?*

---

[12] Les dialogues entre Paul-Émile et l'Ambassadeur ont été écrits en anglais par souci d'authenticité. Une version traduite de ces dialogues se trouve à la fin du roman, aux pages 554 et 555.

— Well, for one, I don't think that the separatist movement will fade away, like Prime Minister Trudeau and yourself probably believe. This Lévesque guy... I strongly think he represents a threat to the unity of this country. »

Les cocktails m'ont toujours joyeusement emmerdé. Les 5 à 7 m'ennuient au point de vouloir me balancer devant un train. Les soirées officielles, encore aujourd'hui, font pousser en moi des envies irrésistibles de roulette russe. La même chose valait pour Paul-Émile. Seulement, il était beaucoup plus doué que moi pour le camoufler. Et cette fois-ci, il le camoufla en expliquant à l'ambassadeur Quinlen que les Québécois comprenaient l'importance de garder le Canada uni, ne serait-ce que pour mieux résister à l'influence américaine. L'ambassadeur avait ri.

« You're quick on your toes, Mr. Marchand. And may I say your wife is looking absolutely stunning, tonight. »

Si l'on ne s'attardait que sur la partie se situant entre les épaules et le cuir chevelu, alors oui, Mireille était d'une beauté resplendissante. La robe qu'elle portait ce soir-là, par contre, ne lui allait pas du tout. Le vert olive ayant toujours donné à sa femme des airs de phase terminale, Paul-Émile aurait dû savoir, lorsqu'il fit cadeau de la robe à Mireille, que celle-ci lui irait aussi bien qu'un sarrau de chirurgien. La même robe, par contre, aurait convenu comme un gant à Suzanne.

« Mireille, you remember Mr. Benjamin Briar Quinlen, US ambassador to Canada...

— Of course. How do you do, Mr. Ambassador?

— Please... Call me Benjamin. And may I say you look absolutely wonderful tonight.

— Well, thank you. That's very flattering of you.

— *I'd like to introduce you to my wife, but I don't know where the poor thing is.*

— *Perhaps later*, coupa Paul-Émile. *Prime Minister Trudeau has just arrived.* »

L'ambassadeur partit en saluant Mireille de la tête alors que Paul-Émile, sur les traces de BBQ, ne la regarda même pas, la laissant seule et frustrée. Celle-ci, d'ailleurs, se demandait pourquoi elle avait accepté de venir perdre son temps à faire comme si elle et son époux formaient un couple uni alors que ce n'était manifestement pas le cas.

Et puis, tout à coup, quelqu'un fit son apparition auprès de Mireille, semblant être arrivé tout à fait de nulle part.

« T'as l'air d'avoir autant de *fun* que moi. »

Pendant un bon moment, Mireille se demandera d'ailleurs si cette rencontre ne fut pas uniquement le fruit de son imagination. Comme si son subconscient avait voulu lui faire comprendre qu'il était plus que temps, pour elle, de songer à se bâtir une vie ailleurs.

Étonnée, Mireille se retourna et aperçut une toute petite femme, visiblement en état d'ivresse avancée qui reluquait sérieusement le verre de martini qu'elle tenait entre ses mains. La dame, qui parlait avec un fort accent anglais, semblait âgée d'une soixantaine d'années, mais personne n'aurait été surpris d'apprendre qu'elle en avait en réalité dix de moins. Le teint de son visage semblait trop éteint et les rides, trop profondes pour ne pas supposer que l'alcool n'ait joué aucun rôle dans son apparence. Mireille en fut instantanément rebutée.

« Je vous demande pardon ? demanda-t-elle.

— T'as l'air aussi contente que moi de te trouver ici,

ce soir. Et aurais-tu la bonté, *darling*, d'aller au bar me chercher un verre comme le tien ? J'irais bien moi-même, mais mon valeureux *husband* a dit aux *barmen* qu'ils n'avaient pas le droit de me servir. Non, mais !… Ça prend-tu un *bastard* !

— Heu…

— *Come on! Come on!* Va m'en chercher un et toi et moi, on portera un toast à cette soirée : la plus plate de toutes les soirées plates d'un pays plate comme le Canada. *Cheers!* »

J'ignore comment Mireille s'y est prise pour ne pas rire, même un tout petit peu. L'embarras, sans doute. Ou tout simplement parce qu'elle avait davantage le sens du décorum que moi, qui ne fus jamais doué pour ne pas rire dans les moments où je savais parfaitement devoir me retenir.

« Vous êtes qui, vous ? demanda doucement Mireille, tenant entre ses mains un verre de martini à moitié plein.

— Moi, je suis la *poor thing*. Tu sais, celle à qui Benji voulait te présenter ?…

— Vous êtes l'épouse de l'ambassadeur Quinlen ?

— *In the flesh!* Je m'appelle Veronica. Vodka, pour les intimes. Tu peux quand même m'appeler comme tu veux. Gertrude… Tallulah… *Anything you want, dear, I don't care.* Dis donc, ma belle, si ça te tente pas d'aller au bar, *fine by me*. Pourrais-tu, au moins, avoir l'amabilité de me donner ton verre de martini ? J'irais bien m'en chercher un moi-même, mais si le *barman* me voit arriver, il va se mettre à japper. »

La pauvre Mireille essaya de gagner du temps en cherchant des yeux l'ambassadeur Quinlen pour qu'il vienne récupérer son épouse. Malheureusement pour

Mireille, l'ambassadeur semblait avoir complètement disparu de la surface de la Terre tandis que la splendide Veronica peinait, visiblement, à se tenir debout.

« Votre mari vous cherchait, tout à l'heure. Il voulait vous présenter à…

— *Bullshit*! *My dearest husband…* a jamais eu l'intention de me présenter à personne. Il pouvait pas me manquer : j'étais à côté du bar ! Impossible qu'il ne m'ait pas vue ! Benji m'a ignorée parce qu'il a honte de moi. *It's as simple as that.* »

Dans un élan qui ne pouvait être rien d'autre que de la pitié, Mireille s'approcha de la pauvre madame Quinlen, en danger de se retrouver à quatre pattes, pour l'empêcher de tomber. Si l'ambassadeur avait voulu fermer les portes du bar à son épouse, il était clair que celle-ci avait réussi à forcer la serrure en quelques occasions au cours de la soirée.

« Vous allez venir avec moi, lui dit Mireille. On va aller à la salle de bains, pis vous allez vous rafraîchir le visage. Ça va vous faire du bien.

— *No need, Honey. Really… Look at me.* Ça va prendre bien plus que de l'eau pour que je sois présentable.

— Ça peut pas nuire. »

Mais madame Quinlen ne voulait pas aller à la salle de bains pour se rafraîchir. Madame Quinlen voulait demeurer près du bar et paniquait véritablement à l'idée de le perdre de vue. Alors elle chercha un moyen de gagner du temps, ne faisant qu'ajouter au pathétique de sa situation.

« Je… J'ai pas besoin de te voir jouer à la mère avec moi ! *If you want to get rid of me*, ou si tu es trop gênée pour être vue avec moi, aie au moins la franchise de le dire!

— C'est pas ça, répondit Mireille sans trop de conviction. Vous avez de la misère à tenir sur vos deux jambes. Je veux juste vous aider, c'est tout.

— Si tu veux m'aider pour vrai, donne-moi ton verre de martini.

— Non. Venez avec moi. Vous avez besoin de dégriser un peu. »

Madame Quinlen, puant l'alcool comme si elle avait été elle-même un fond de tonneau, signala à Mireille qu'elle ne s'en allait nulle part. Et ce fut à partir de ce moment, très exactement, que la rencontre improbable entre ces deux femmes se mit à avoir de sérieuses répercussions sur la vie conjugale de Paul-Émile.

« J'haïs ça, moi, le *human interest*! Pis t'es qui, toi, pour me prendre en pitié? Si tu penses que tu es mieux que moi!... Toute la soirée, je te regardais, toute seule dans ton coin, pendant que ton *husband* faisait le beau avec le mien! *Good Lord!* C'était comme de me revoir à trente ans! Penses-tu que je suis née avec le goulot d'une bouteille de vodka dans la bouche? J'ai pas toujours eu l'air d'une *poor old pathetic drunk, you know*? Tu sais ce que j'étais avant mon mariage? *I was a Broadway actress! That's right, girlfriend! The Great White Way!* J'étais membre du *original cast* de *Anything Goes*! J'étais aussi belle que toi, tu l'es maintenant! *Probably even more so!* Mais un jour, j'ai eu le malheur de rencontrer Benji, qui m'a promis la lune, la Terre, et tout le reste du système solaire!

— Pourriez-vous baisser le ton, un peu? Les gens nous regardent...

« — *I don't give a shit!* Je vais finir de dire ce que j'ai à dire ! »

À ce stade-ci, Mireille ne désirait rien d'autre que Veronica Quinlen, dans toute son ivrognerie, disparaisse sur le coup de minuit, comme si elle avait été une version éméchée de Cendrillon. Pas seulement parce qu'elle était embarrassée mais plutôt parce qu'elle était anxieuse de ne plus être sous l'impression de se regarder dans un miroir lui indiquant à quoi elle ressemblerait au même âge.

Peine perdue. Veronica Quinlen ne voulait plus se taire.

« *I quit my career on Broadway!* Et j'ai marié monsieur Benjamin Briar Quinlen sans savoir que lui, ce qu'il voulait, c'était d'avoir une belle femme à montrer parce que quand tu veux devenir *president*, ça aide pas beaucoup d'être un habitué des bordels de la ville de New York. Mais ça, *of course*, je l'ai appris seulement après le *honeymoon*. Je l'aimais, moi, et lui, il aimait ses putains du bordel ! Et que penses-tu que j'ai fait, après ça ? J'aurais pu divorcer. *I could've revived my career and go back to Broadway!* Mais non ! *What do you think?* Ce ne paraît peut-être pas, comme ça, mais je me suis cultivée. Je me suis dit qu'il allait m'aimer si je devenais la parfaite *wife* pour un *president*! J'ai appris les bonnes manières. J'ai appris à parler français, *español* et *italiano*. J'ai même appris tout ce qu'il y avait à apprendre sur la politique américaine ! *The Congress!... The Senate!... You name it!* Je me suis complètement effacée ! Pouf ! Et tout ça pour quoi ? Pour rien. *Absolutely nothing!* Hot Dog se souvenait qu'il était marié quand je lui servais à quelque chose. Sinon, il ne me saluait même pas quand il partait pour le travail, le matin. *And you know what's the funniest thing?* Il a jamais eu l'ombre d'une chance de devenir *president*! S'il en avait eu, penses-tu sérieusement qu'il perdrait son temps à Ottawa? Eisenhower[13]... Nixon[14]... Ils sont tous passés avant lui. Le parti a même choisi *poor* Barry Goldwater[15] au lieu de mon *buffoon of a husband*! Alors moi, je ne lui sers plus à rien. *And in Washington, when you're a nobody, there's nothing else to do but drink until you drop dead.*»

Malgré le cours d'histoire récente des États-Unis que Veronica Quinlen lui donnait, Mireille n'arrivait à voir rien d'autre, en l'écoutant parler, que son propre visage le jour où, après l'appel logé au fleuriste, elle comprit que Paul-Émile la trompait.

— Tu sais comment je suis venue ici? En taxi! Benji ne m'avait même pas dit qu'il y avait un party! Avant, au moins, je pouvais sortir de ma niche pour l'accompagner dans des bals, des campagnes électorales... Maintenant, je n'ai même plus droit à ça. *But I wanted to come over, anyway.* Juste pour l'enrager. Pour l'humilier. Juste pour avoir la joie de tourner le fer dans la plaie, un peu plus!»

L'ambassadeur, subitement revenu d'on ne sait où et accompagné de Paul-Émile, se dirigea à grands pas vers madame Quinlen et Mireille. Celle-ci, par contre, ne s'aperçut même pas de leur présence, trop paralysée par cette horrible impression de s'être fait révéler son avenir

---

13 Dwight Eisenhower: président américain, de 1952 à 1960, élu sous la bannière du parti républicain.

14 Richard Nixon: vice-président sous Eisenhower de 1952 à 1960 et président élu sous la bannière républicaine, de 1968 jusqu'à sa démission en 1974.

15 Barry Goldwater: sénateur républicain, il fut le candidat défait à la présidence en 1964.

par une sinistre diseuse de bonne aventure. Comme si elle s'était retrouvée dans une mauvaise parodie d'une publicité de Liberté 55.

Lorsque l'ambassadeur Quinlen prit le bras de son épouse – de manière assez brusque, d'ailleurs – pour la ramener chez elle, celle-ci ne dit rien, se contentant de dévisager longuement Mireille, comme si elle avait tenu à lui donner un avertissement; comme si elle avait voulu la pousser à partir pour qu'elle puisse enfin, même seulement par procuration, espérer autre chose de sa vie que de quêter des verres de martini dans des soirées où elle n'était pas la bienvenue. Ce regard, Mireille allait le traîner avec elle pour le reste de ses jours.

« Ça va ? lui demanda Paul-Émile, la main sur son épaule. Qu'est-ce qu'elle te voulait, au juste ? »

Mireille ne répondit pas, avançant un peu vers l'avant pour que Paul-Émile ne soit plus en mesure de la toucher. Elle ne le sut pas immédiatement, mais ces petits pas allaient marquer un tournant définitif dans sa vie.

Mireille ne mettrait pas fin à son mariage immédiatement. Pas encore. Mais sa rencontre avec Veronica Quinlen la força à toucher enfin le fond du baril, même si ce n'était qu'avec son petit orteil, et l'obligea à voir ce qu'elle risquait de devenir si elle ne trouvait pas la force de se définir autrement que par cette épouse abandonnée qu'elle était devenue. Qu'elle avait toujours été, en fait.

À partir de ce moment, elle ne pouvait plus que remonter.

Je n'ai jamais su ce qu'était devenue Veronica Quinlen. Paul-Émile non plus, d'ailleurs. Pour lui, comme pour tous les autres présents à cette soirée, l'épouse de l'ambassadeur américain ne fut rien d'autre qu'une extraordinaire source de potins ; une loque humaine provoquant rire ou pitié sur son passage. Une anecdote comme j'aimais en lire dans des biographies.

Dans la vie de Mireille, par contre, Veronica Quinlen fut tout sauf une anecdote.

Chapitre II
1970

1
Paul-Émile... à propos d'Adrien

Bon. Je vais en avoir pour un bout de temps, ici, à raconter ce qui s'est passé. Tellement que j'ignore par où commencer. Je sais que je dois parler d'Adrien... Je sais que je dois parler d'Alice... Seulement, il n'y a que Claire et Daniel qui me viennent à l'esprit. Peut-être parce qu'en bout de ligne, si l'on prend la peine d'analyser les choses froidement, c'est surtout d'eux dont il s'agit. En plus des gestes posés par leur père, par amour pour eux.

J'ai souvent observé des couples qui considéraient leur vie à deux comme un projet, presque comme un investissement, et qui voyaient leurs enfants comme des valeurs ajoutées visant à faire hausser leur pourcentage de taux de réussite. Si bien que lorsque le couple en question se trouvait dans l'obligation de déclarer faillite, les enfants devenaient un fardeau, de la marchandise restante à liquider, personnifiant un échec que les parents ne voulaient pas avoir à se rappeler. Dépourvus de pertinence, ces enfants se trouvaient alors mis sur la voie de garage, barouettés entre un père et une mère qui rechignaient à se faire rappeler ce qui n'existait plus.

Loin de moi l'idée d'affirmer que le portrait ici dressé est celui de toutes les familles reconstituées mais j'en ai vu beaucoup pour qui cette situation prévalait. Et Adrien craignait comme la peste de faire partie du lot.

Ce qui m'amène ici à parler de sa relation avec Alice.

Qui n'allait toujours nulle part. À son grand dam à elle, évidemment.

Au printemps 1970, alors que le Québec nageait en pleine campagne électorale, Adrien et Alice passaient le plus clair de leur temps ensemble, travaillant comme des forcenés pour essayer de faire élire le plus grand nombre de députés péquistes possible et Alice en était rendue à mordre dans son dossier de chaise à force de se retenir pour ne pas sauter sur Adrien. Et lui, pauvre innocent, faisait semblant de ne rien voir, de ne rien ressentir et continuait de traiter Alice comme si elle était son compagnon de chasse. Pourquoi ? La réponse suivra sous peu.

Mais comme chaque humain est doté d'une patience ayant ses limites, Alice commençait à en avoir soupé des niaiseries d'Adrien. Elle eut l'occasion de le lui faire savoir le soir du 29 avril, après avoir appris que le PQ avait réussi à faire élire seulement sept députés.

« C'est pas juste ! se désola-t-elle en secouant la tête, ce qui lui donnait des airs d'enfant gâtée. Travailler aussi fort pour presque rien ! Maudit que c'est pas juste ! »

Bon. Loin de moi l'idée de vouloir sonner condescendant. Comme je l'ai déjà dit, à part pour ses opinions indépendantistes, je n'avais rien contre Alice. Mais elle s'attendait à quoi, au juste ? Le PQ en était à ses premières élections. À VIE ! Elle n'espérait quand même pas qu'il forme le prochain gouvernement ! Ses sept députés, elle pouvait se considérer chanceuse de les avoir.

« Pleure pas comme ça, la consola Adrien doucement. Si on tient compte du vote substantiel, on a de maudites bonnes raisons d'être fier. Aïe ! On s'enligne pour avoir vingt-trois pour cent des suffrages !… C'est pas rien ! »

Adrien n'avait pas tort. Surtout en considérant que le PQ était un parti souverainiste.

« Lâche-moi avec le vote substantiel, OK, Adrien ? C'est pas ça qui fait élire un gouvernement.

— Alice… Tu t'attendais quand même pas à ce qu'on casse la baraque à notre première campagne électorale… T'es pas naïve… Tu le sais que ça marche pas comme ça.

— Je suis pas niaiseuse, Adrien. Je m'attendais pas à un gouvernement majoritaire ! Mais sept députés… SEPT ! Pis quand je pense que René a même pas été élu…

— …

— J'ai pas mis ma santé en jeu pendant plus d'un an, à dormir quatre heures par nuit pis à carburer à 'pizza moisie pour me retrouver avec un résultat minable de sept députés à Québec !

— Tout le monde a travaillé fort, Alice. Pas juste toi. Pis y'a des gens ici, dont moi, qui travaillent pour faire l'indépendance depuis beaucoup plus qu'un an et demi. Ça fait que notre vingt-trois pour cent du vote y'a personne ici qui va cracher dessus. »

Là-dessus, Alice et moi étions assez semblables. Pour l'un comme pour l'autre, un chat était un chat, point à la ligne. Et une victoire morale, malgré le bon vouloir de toutes les meneuses de claques d'Amérique du Nord, n'était rien d'autre que de la rhétorique visant à cacher une défaite. Cuisante, la plupart du temps. Bien franchement, je n'ai jamais été en mesure de comprendre une telle attitude. Personne ne pourra me faire croire que le sourire forcé de Richard Nixon après sa défaite en 1960, alors qu'il était convaincu que le vieux Joe Kennedy avait volé l'élection pour en faire cadeau à son fils, lui donna un air plus brillant que s'il s'était permis d'exprimer son indignation en public. Et cela constitue, d'ailleurs, l'une des raisons – la principale étant mon manque lamentable de charisme – pourquoi je n'ai jamais voulu me faire élire pour quoi que ce soit. Me connaissant, j'aurais eu beaucoup de difficultés à me retenir pour ne pas exploser quand l'envie m'en aurait pris. Tout comme j'aurais eu beaucoup de difficultés, comme ce fut le cas avec Alice, à faire semblant de voir le verre à moitié plein après la volée mangée par le PQ en 1970.

Pour Alice, le fla-fla entourant une victoire morale signifia toujours un grave manque de respect. Que je pouvais comprendre, soit dit en passant. Il est vrai qu'il y a quelque chose de franchement indécent à voir un candidat défait, souriant comme si de rien n'était, essayant de maquiller un échec en une quelconque victoire alors que les deux tiers de son équipe se trouvaient en coulisse, occupés à rager, à pleurer et à remettre leur CV à jour. Alice, elle, n'avait aucune envie de faire semblant. Surtout qu'Adrien ne faisait rien pour l'empêcher de pleurer…

« C'est ben beau, ton discours, Adrien. Mais je sais pas si ça me tente de continuer à brûler la chandelle par les deux bouts jusqu'aux prochaines élections. Les victoires morales, moi, je suis pas ben forte là-dessus.

— Qu'est-ce que tu veux dire ?

— J'ai reçu l'appel d'un ami qui travaille à l'Université Cornell. Il m'offre d'aller enseigner là-bas. »

Sur le coup, Adrien n'a pas réagi. N'a pas compris. Il est demeuré immobile, regardant Alice d'un air presque condescendant, comme si elle venait de sortir la pire des inepties. À ce moment-ci, je dirais presque qu'Adrien avait des airs de moi.

«Franchement… Qu'est-ce que tu vas aller faire à Cornell, Alice? Enseigner les tendances électorales de l'Iowa entre 1846 pis 1860? Voyons donc! Tu carbures à la politique! Ta place est ici, tu le sais autant que moi.»

En cet instant, Adrien eut l'air aussi niais que le jour où Denise lui annonça qu'elle était enceinte. Presque dix ans avaient passé. Pourtant, il était toujours aussi inculte dans l'art de parler aux femmes.

«On a travaillé tellement fort pendant la campagne, répliqua Alice, pis pour presque rien que je sais pas si je me sens assez forte pour tenir le coup pendant quatre ans, avant de replonger dans une autre campagne qui va peut-être nous mener au même résultat. Je carbure à la politique, c'est vrai. Mais je me sentirai tout aussi bien à l'enseigner pis à faire des recherches. J'ai pas nécessairement besoin d'avoir les deux pieds dedans.»

Adrien aurait dû comprendre: il était en train de la perdre. Alice ne voulait plus attendre qu'il se décide à venir vers elle. Pourtant, il ne bougeait toujours pas. En fait, je crois qu'il comprenait ce qui était en train de se passer; je crois qu'il comprenait ce qu'elle signifiait pour lui mais l'ampleur du choix qu'il aurait à faire le paralysait et, par le fait même, l'éloignait encore plus d'Alice. Seulement, il n'y avait aucune décision à prendre. Ses grands dilemmes, ses tergiversations… Tout ça n'était rien d'autre que le fruit de son imagination.

«Donne-moi donc une seule bonne raison pourquoi je devrais pas accepter ce poste-là, Adrien. On vient de se faire torcher aux élections pis ça fait quasiment un an et demi que tu fais semblant de pas voir que je t'aime comme une folle! Une fille a ses limites. Pis moi, je viens d'atteindre les miennes.»

Alors, voilà. Les cartes étaient enfin sur table et Adrien ne pouvait plus faire comme s'il ne voyait rien. Ou comme si Alice n'était rien d'autre qu'un compère de taverne. Elle l'aimait. Lui aussi, l'aimait. Et un choix – un vrai, celui-là – s'offrait à lui : ou bien il continuait de se mettre la tête dans le sable et Alice partait pour Cornell, ou bien il agissait intelligemment en la gardant près de lui.

Adrien a agi intelligemment.

Le lendemain matin, Adrien se présenta chez Alice, penaud, la suppliant de ne pas partir. Souriant doucement, Alice le fit entrer dans la maison et Adrien n'en ressortit que deux jours plus tard, histoire d'aller chercher des vêtements de rechange, une brosse à dents et son rasoir électrique. Leur histoire d'amour venait de débuter pour de bon. Au grand bonheur de leurs collègues de la permanence, d'ailleurs, qui venaient enfin de trouver un fond de vérité aux ragots colportés depuis des mois.

Alice fut bien accueillie dans l'entourage d'Adrien, entre autres parce qu'elle le rendait visiblement heureux. Après des années de disputes incessantes avec Denise, après un mariage qui en fut un seulement parce qu'un curé avait accepté d'officialiser ce qui n'aurait jamais dû l'être, après des années perdues, passées aux côtés de quelqu'un que l'on meurt d'envie d'égorger, l'amour et la complicité unissant Alice et Adrien étaient beaux à voir. Madame Mousseau s'était d'ailleurs mise à rêver à d'autres petits-enfants, tandis que Jean jubilait à la vue de cette femme qui buvait sa bière à même la bouteille et la rotait allègrement, tout en étant le portrait craché d'une vedette de cinéma des années trente.

Adrien, pour sa part, découvrait pour la première fois de sa vie les joies d'un amour profond et sincère, vécu aux côtés d'une femme qu'il adorait et qui partageait également les mêmes valeurs et les mêmes idéologies que lui. Qui peut se vanter d'avoir expérimenté quelque chose de semblable ? Tout le monde, bien sûr, a aimé dans sa vie. Au moins une fois. Mais ceux ayant eu la chance d'aimer en ayant la certitude d'être avec la bonne personne et en voyant cette même certitude se nourrir d'elle-même, jour après jour, ne sont pas légion. Adrien et Alice, eux, pouvaient se vanter d'être de ceux-là.

Soyons francs : leur vie au quotidien ne fut rien pour écrire un roman Harlequin. Ils se levaient, déjeunaient, partaient pour le travail et revenaient le soir, très tard. Une routine s'établit entre eux rapidement, mais c'était leur routine, telle qu'ils l'avaient choisie, remplie de discussions sur la politique et de repas épouvantables qu'ils étaient les seuls à pouvoir digérer.

« Je me souviens pas d'avoir jamais vu mon fils aussi heureux », avait d'ailleurs confié madame Mousseau, émue, à madame Desrosiers.

Et conséquence directe de cette vie à deux aux allures de clignotements d'yeux en accéléré : les insupportables monologues d'Adrien, revenus en force après sa séparation d'avec Denise, étaient devenus des dialogues où lui et Alice conversaient sans arrêt, dans une joie presque enfantine. Cette peur du vide qui hantait Adrien depuis l'enfance ne le quitta jamais et Alice, plutôt que d'en être irritée comme la majorité d'entre nous, comprit rapidement que le bien-être d'Adrien passait par le bruit. Et si personne ne faisait jamais de cas de la télévision ou de la radio, allumées presque en permanence, tous les gens de leur entourage – dont je ne faisais pas partie à cette époque, dois-je le rappeler ? – s'extasiaient devant la capacité et l'enthousiasme d'Alice à discuter de sujets qui nous avaient tous plus emmerdés les uns que les autres. Reconnaissant, Adrien n'en aima Alice qu'encore plus.

Pourtant, Adrien, à l'intérieur d'une logique qu'il fut le seul à comprendre, eut la stupidité de tout foutre en l'air. Et c'est à ce moment-ci de l'histoire que Daniel et Claire, malgré eux et à leur insu, firent leur entrée en scène.

Je n'apprendrai rien à personne en affirmant qu'Adrien détestait son rôle de père à temps partiel. Paniqué à l'idée d'être pour ses enfants ce que son père fut pour lui, il vivait mal le temps passé loin d'eux et grimaçait littéralement de douleur lorsque Denise lui racontait, innocemment, qu'un enseignant avait vanté le talent d'écrivain de Daniel, ou encore que Claire avait fini par sacrer une volée à la fatigante qui lui tirait les tresses en riant pendant la récréation. Denise vivait l'histoire de ses enfants tandis qu'Adrien, lui, se la faisait raconter. Et l'amour ressenti pour Alice, au lieu de le soulager, lui donnait surtout l'impression de se trouver encore plus à l'écart de son fils et de sa fille.

Étrangement, Adrien prit la décision définitive de retourner sur la rue Robert au moment précis où il prit conscience qu'Alice était la femme de sa vie. En s'engageant auprès d'elle comme il aurait voulu le faire, Adrien comprenait aussi qu'il s'enlevait définitivement l'option de retourner en arrière et d'être autre chose, pour ses enfants, que ce passant qu'il voyait lorsqu'il se regardait dans le miroir.

Cette idée, pour Adrien, fut insupportable.

Avec le recul, je demeure ébahi par le fait que personne, dans son entourage, n'ait jugé bon de lui faire comprendre à quel point sa décision de retourner à Saint-Léonard était d'un égoïsme révoltant. En choisissant de faire marche arrière, il brisait non seulement le cœur d'Alice mais il venait également foutre en l'air la vie que Denise s'était bâtie depuis deux ans. Et surtout, il remettait un garçon et une fillette au milieu d'un champ de bataille, alors que ceux-ci avaient appris à vivre pleinement leur armistice. Tout ça parce qu'Adrien ne sut jamais faire la paix avec son enfance.

Je ne suis pas parfait. Loin de là. Et je serai le premier à admettre que j'ai blessé bien des gens dans ma vie. Mais je me réserve tout de même le droit de pointer du doigt et de rire d'un lâche lorsque j'en vois un. Et Adrien, à cette période de sa vie, méritait amplement mon mépris.

Au moins, il finit par faire preuve de lucidité et en vint à regretter sa décision. Mais pas avant longtemps. Et pas avant qu'il ne soit mis, une fois de plus, en position où il ne put rien faire d'autre que de réagir.

Désolant...

2
Jean... à propos de Patrick

« Donne-moi donc ton adresse ! J'aurais deux mots à dire à mon frère ! »

Presque quarante ans plus tard, le souvenir de Teresa Flynn Healy se tenant debout dans mon bureau, enceinte jusqu'aux oreilles, reste d'une précision un peu trop hallucinante à mon goût.

« Pourrais-tu sortir, s'il te plaît ? lui demandai-je de ma voix la plus suave. Je viens de payer une fortune pour l'installation d'un nouveau tapis pis je la trouverais pas drôle si tes eaux crevaient dans mon bureau. Ça fait que si tu voulais aller pondre ton petit ailleurs, je t'en serais reconnaissant.

— Je veux savoir où est mon frère pis je partirai pas d'ici tant que tu m'auras pas dit où il est.

— C'est fou, Teresa, comme tu ressembles de plus en plus à ta mère en vieillissant. Pis comprends-moi bien : c'est loin d'être un compliment que je te fais là. »

S'il y avait bien une chose – une seule ! – que j'avais en commun avec la truculente Teresa, c'était l'idée plutôt médiocre que nous nous faisions de l'humain en général et j'avais peine à croire qu'elle avait, en elle, suffisamment d'optimisme pour donner naissance à un enfant dans le monde de fous dans lequel nous vivions. Surtout qu'avoir Teresa Flynn comme mère était, en soi, suffisant pour décourager qui que ce soit de la race humaine. Je le jure, si son petit était mort-né, j'aurais cru à un suicide !

« Maître Taillon, me demanda maman Muriel, voulez-vous que j'appelle la sécurité ?

— Non, Muriel. Je vous remercie. Je m'en occupe. »

Je me trompe peut-être mais j'aurais juré que Teresa était déçue de ne pas voir arriver une armoire à glace de trois cents livres qui aurait essayé de la sortir de force. Elle aimait le combat et n'était vraiment en paix que lorsqu'elle se battait avec quelqu'un. J'imagine que cela devait lui rappeler son enfance… Et à défaut de ne pouvoir lutter avec un agent de sécurité ayant des airs de Hulk, Teresa choisit de se rabattre sur son prix de consolation : moi.

« Wow ! s'exclama-t-elle d'un ton sarcastique. Une secrétaire dévouée, ton propre cabinet d'avocat… Qui aurait pensé que le petit Taillon qui se saoulait au gin à dix ans serait devenu ce qu'il est aujourd'hui. Déjà, la pègre voyait ton potentiel.

— Ben oui… Pis qui aurait pensé, un jour, que le vilain petit canard de la rue de la Visitation trouverait quelqu'un pour l'engrosser. Parce que, soyons francs : t'as vraiment rien d'un cygne. »

Ce n'était pas très subtil, j'en conviens. C'était même un peu méchant, aussi. Mais quitte à se taper une joute de lutte, aussi bien la gagner d'un saut de la troisième corde.

« Je t'ai demandé ton adresse, poursuivit Teresa. Je veux parler à mon frère.

— Ton frère vit pus chez nous. Ça fait des mois que je l'ai pas vu. »

De toute évidence, Teresa ne me croyait pas. Elle restait là debout, les bras croisés, alors que j'espérais sincèrement que ses eaux ne viennent pas ruiner mon tapis.

« Là, Teresa, tes oreilles poilues, ouvre-les comme du monde parce que j'ai pas l'intention de me répéter : Patrick, ça fait des mois que je l'ai pas vu. Y'est déménagé sur le Plateau Mont-Royal avec une gang de yippies[16]. C'est tout ce que je sais. Pendant des semaines, j'ai essayé de le joindre mais il retournait jamais mes appels. Ton frère, j'en ai des nouvelles en lisant les journaux, comme tout le monde.

— T'as pas dû lire celui d'aujourd'hui, d'abord.

— Pourrais-tu, Teresa, arrêter de tourner autour du pot pis me parler franchement? Tu me fais perdre mon temps. »

Je commençais sérieusement à m'impatienter. Bien franchement, j'aurais voulu voir Teresa rouler vers la porte de sortie pour qu'elle me laisse à ma routine hybride, constituée de travail et de brandy. Mais elle refusait de partir, jetant plutôt sur mon bureau une copie du *Journal de Montréal*, où une photo de la section des faits divers eut tôt fait de capter mon attention.

« Pour l'amour du Ciel!... C'est pas vrai!... »

Depuis deux ans maintenant que Patrick s'arrangeait pour faire parler de lui dans les journaux. Pour James Martin, c'était souvent le seul moyen d'avoir des nouvelles de son fils. Pour nous aussi, d'ailleurs, alors qu'une image ou un article signifiait que Patrick n'était plus en prison, même si l'article disait qu'il était sur le point d'y retourner. Pour la plupart, les journaux écrivaient que Patrick livrait des discours incitant à la violence et au soulèvement contre le gouvernement. C'est triste à dire mais avec le temps, nous avons fini par nous y habituer. Une image de Patrick entrant de force dans une voiture de police m'était devenue pratiquement aussi familière

---

16 Les yippies, dans les années soixante, représentaient une branche plus radicale du mouvement de la contre-culture.

qu'une photo de Lili, prise un soir de première, dans *Échos-Vedettes*. Jamais, au grand jamais, cependant, je n'aurais cru un jour apercevoir Patrick dans le journal, flambant nu, au beau milieu d'une cérémonie de mariage, tenant par la main sa greluche révoltée qui, pour sa part, avait délaissé ses éternels vêtements noirs pour étaler – malgré la petite bande noire – une poitrine aussi plate que velue. J'en échappai mon verre de brandy sur mon tout nouveau tapis!…

« Viens quand même pas me dire que tu savais pas?… me demanda Teresa.

— Je te jure que je savais rien. Pis pour être franc avec toi, je le sais pas ce qui me choque le plus: qu'il se soit marié à poil, ou qu'il ne nous ait pas invités, Adrien pis moi.

— Attends… C'est pas fini. Lis l'article en bas. Y'a de quoi être fier. C'est dans des moments comme ça que je suis contente que ma mère soit pus là. »

Les propos de Teresa ne tenaient pas la route. De son vivant, jamais Marie-Yvette n'aurait permis que Patrick se retrouve à poil dans le journal. Et au-delà de ça, je trouvais d'une tristesse sans nom le fait que j'aurais donné gros pour ranimer la folle du bas de la ville suffisamment longtemps pour qu'elle puisse mettre du plomb dans la tête de son fils. Tout ça en dépit du fait que je sais très bien que, sans sa mère, Patrick n'aurait jamais eu envie de jouer au yippie.

Le cercle vicieux était parfait.

Mais revenons plutôt à l'article…

« "Les activistes Patrick Flynn et Judith Léger se sont épousé hier, devant Dieu, les hommes et les journalistes sur la ferme d'un ami à Saint-Étienne-de-Bolton, dans les

Cantons-de-l'Est. Les nouveaux mariés avaient prié leurs invités de se présenter à la cérémonie vêtus dans le plus simple appareil. Ceux-ci, de toute évidence, se sont pliés à cette exigence avec joie." Aïe! Moi, ils m'auraient payé cher pour que j'aille me promener la bite à l'air, entre deux vaches qui broutent du foin!

— Continue…

— "Après la cérémonie, la jeune mariée, resplendissante, est venue expliquer aux reporters présents qu'elle les avait convoqués afin qu'ils soient témoins de cette expression d'amour dans sa forme la plus pure. Sans le chiqué que la société impose aux cérémonies occidentales, expliqua-t-elle." »

Ce que Patrick pouvait trouver à Judith, je ne l'ai jamais su.

« Écoute, Teresa… Je sais pas quoi dire. À part qu'il a complètement perdu la tête.

— Vas-tu te décider, maintenant, à me dire où il est?

— Je connais même pas l'adresse. Je sais qu'il vit sur la rue Boyer… Si je passe devant, en auto, je pourrais peut-être dire c'est où…

— Parfait. Viens avec moi.

— Regarde, Teresa… J'ai du travail.

— Je te demande une demi-heure de ton temps, Jean. Pas une seconde de plus. Je te demande même pas de m'attendre. Laisse-moi chez Patrick pis je reviendrai chez nous en taxi.

— Explique-moi donc pourquoi tu veux lui tomber dans'face, Teresa? Ça va changer quoi, exactement? Est-ce qu'il va arrêter de faire un fou de lui à la grandeur de la province? Non. Est-ce qu'il va faire annuler son mariage avec cette dinde-là? Non plus. Pis c'est pas comme si Patrick pis toi vous étiez unis comme les deux doigts de la main, hein?... Qu'est-ce que ça peut te faire à toi, ce qu'il lui arrive?»

Teresa, à mon grand étonnement, n'ouvrit pas la bouche avant plusieurs secondes. Ce silence lourd, pesant, alors qu'elle caressait son ventre et qu'elle paraissait sur le point de pleurer, me la rendit presque belle. Comme si elle cherchait déjà à rassurer son enfant à propos de la dureté de la vie qui l'attendait; de la seule existence que Marie-Yvette a su lui donner et qu'elle était elle-même sur le point de transmettre à son bébé. Pour la première fois, je voyais Teresa en pure victime de sa mère. Et je ne sus pas quoi dire.

«Mon frère, j'en ai plus rien à foutre depuis longtemps. Y'aurait ben pu continuer de sécher dans'brousse parce qu'en ce qui me concerne, y'est mort en même temps que ma mère. Mais là, je suis pus capable de voir mon père éplucher les journaux tous les matins pour savoir ce qui se passe avec Patrick parce que son gars est trop sans-cœur pour lui donner des nouvelles.

— ...

— Qu'est-ce que tu penses que mon père a fait quand il a vu cette cochonnerie-là, dans le journal, à matin?

— Je sais pas, Teresa.

— Y'est allé se cacher aux toilettes pour brailler. Les hommes comme mon père, Jean, ça pleure pas. T'es ben placé pour le savoir... Ça boit comme un trou, ça se met la tête dans le sable, ça se gèle la face, mais ça pleure pas. Patrick est en train de rendre mon père malade, Jean. Pis je peux pas accepter ça.»

Je n'ai rien dit. Je n'ai rien fait d'autre que de prendre mon veston en accompagnant Teresa vers la sortie.

«Merci, Jean. Sincèrement.

— Ouin… Pis je vais être bon prince, je vais même t'attendre au coin de la rue. Mais je veux pas que Patrick sache que c'est moi qui t'ai emmenée là. Je te jure: si tu t'ouvres la trappe, tu reviens chez vous à pied.

— Pourquoi? Ça changerait quoi, au juste?

— Je me sens assez Judas comme c'est là sans qu'il sache que c'est moi qui t'ai dit où tu pouvais le trouver.»

Pendant le trajet, j'ai tenté de me convaincre par tous les moyens que je n'avais trahi personne; que Patrick méritait l'engueulade épique que Teresa lui administra, ce jour-là. Il pouvait bien se métamorphoser en Lenine, si ça lui chantait. Il pouvait venger la mort d'Agnès en traitant l'Occident d'Empire romain, s'il en avait envie. Reste que personne d'entre nous, à commencer par son pauvre père, ne méritait la douche froide qu'il nous faisait constamment subir depuis son retour du Cameroun. Pas James Martin, malgré l'étendue de sa lâcheté, et surtout pas Adrien et moi. Alors, je me suis dit que de lui envoyer Teresa, dans toute sa furieuse indignation, n'était rien d'autre que le coup de pied au cul que Patrick méritait depuis longtemps. Et pourtant, malgré tout ça, je me suis senti coupable d'avoir révélé à Teresa où Patrick habitait. Comme si j'avais moi-même livré Jésus Christ aux Romains. Peut-être parce qu'au-delà du tout nu qui en appelait au communisme, je n'arrivais jamais à voir rien d'autre que le petit cul en culotte courte avec qui Adrien, Paul-Émile et moi avions fait les quatre cents coups dans les rues du bas de la ville.

De toute façon, je me suis torturé pour absolument rien. L'ouragan Teresa fut loin de donner l'effet escompté – celle-ci se fit d'ailleurs mettre à la porte de manière assez cavalière par un *goon* vêtu en noir qui ressemblait comme deux gouttes d'eau à un Mad Dog Vachon avec des cheveux – et je ne crois pas que Patrick ait jamais su que c'était moi qui avais dit à sa sœur où il habitait. Teresa, d'ailleurs, sortit de la commune tellement en colère, tellement sur le point d'exploser que j'étais convaincu qu'elle allait pondre son petit sur le siège avant de ma voiture. J'ai même brûlé deux ou trois feux rouges pour m'éviter de laver des taches de placenta mais Teresa, trop furieuse, ne s'aperçut heureusement de rien.

« Je vais être franche avec toi, Taillon ! Entre vous deux, je sais pas qui est le plus niaiseux : mon frère pour s'être marié les fesses à l'air, ou toi pour te soucier encore de lui ! Pis fie-toi sur moi : si jamais il se retrouve un jour sur mon chemin, j'y tire une balle entre les deux yeux ! Le maudit enfant de chienne !... »

Une fois revenu au bureau, je me suis dépêché d'engloutir deux ou trois verres de brandy d'affilée. Avec ce qui venait de se passer, j'avais un pressant besoin d'oublier que, pour la première fois de ma vie, je logeais à la même enseigne que Teresa Flynn : Patrick ne ressemblait plus du tout à cet homme que je connaissais depuis toujours et bien franchement, je ne suis pas certain que j'avais envie de connaître cette nouvelle version. Qu'est-ce que ça disait à propos de notre amitié ? Qu'est-ce que ça disait de Patrick, surtout ?

3
Paul-Émile... à propos d'Adrien

Un jour, dans un restaurant près de l'Université de Montréal où je travaillais, j'eus le malheur de me trouver assis à côté de trois professeurs de philosophie qui débattaient de la notion de liberté. J'en eus mal à la tête pendant des heures!... Plus je les écoutais parler, plus il était clair, pour moi, que la liberté se définissait surtout par les aspects de notre existence qui viennent la limiter. Ma mère, par exemple, voyait surtout la liberté en termes monétaires. Jean, lui, la voyait plutôt comme le moyen absolu de contourner les règles qu'il aurait dû avoir, enfant, et qu'il n'a jamais eues.

Pour Denise, la liberté se définissait en des termes plutôt anodins: écouter du Claude François – qu'Adrien détestait – à tue-tête; siroter un bon café, le soir, tandis qu'Adrien n'en buvait que le matin, à la sauvette; acheter du savon Ivory, tandis qu'Adrien n'en avait que pour le Irish Spring... En gros, elle se permettait tout ce qu'elle ne pouvait se donner auparavant. Et pendant ses années de mariage, Denise fut surtout privée d'elle-même. Tout comme Adrien, d'ailleurs...

Le jour où celui-ci annonça son retour sur la rue Robert, Denise était assise à table, occupée à choisir entre conserver sa vieille voiture, qui datait de l'époque pré-télévision, et acheter un nouveau véhicule. Pour elle, la liberté, c'était surtout ça: être en mesure de prendre seule ses décisions, sans avoir à consulter qui que ce soit.

« Votre décision, je peux la prendre pour vous, lui avait dit Fernand Giroux, son mécanicien. Y'est fini, votre bazou, madame Mousseau. Arrêtez de rêver en couleurs.

— L'espoir a jamais tué personne.

— C'est pas de l'espoir, ça. C'est de l'entêtement pur et simple. Votre char, j'irais même pas me chercher une bière avec. J'aurais trop peur de me tuer.

— J'ai mon budget à considérer, Monsieur Giroux. Y'est déjà assez étiré de même sans que j'aie à l'étirer encore plus.

— Si c'est ça, le problème, arrêtez de vous inquiéter. Un de mes chums vend des chars usagés. Vous pourriez en avoir un bon pour pas cher. Je suis même prêt à y aller avec vous, si vous voulez.

— Hum… Qu'est-ce que vous entendez par "pas cher" ? »

Voilà ce qu'était la liberté pour Denise. Ce n'était pas un concept abstrait discuté par trois professeurs de philosophie ; plutôt tout simplement une vision d'un quotidien débarrassé d'Adrien ; une privation disparue mais assez fraîche en mémoire pour lui rappeler les années de sécheresse de son mariage. La liberté, pour Denise, c'était une routine où elle pouvait faire ce qu'elle voulait sans qu'Adrien vienne tout défaire en faisant le contraire.

La trêve dura deux ans.

Le jour de son retour, quand Adrien fit son entrée dans la maison, Denise n'en fit pas de cas. Comme il venait souvent saluer les enfants lorsque ceux-ci étaient avec elle, sa présence n'avait rien d'anormal.

« Denise ?…

— Attends… Je suis en train de calculer quelque chose.

— Denise, je… Je veux revenir à'maison. »

Sur le coup, Denise ne comprit pas trop où Adrien voulait en venir. Séparés depuis deux ans, tous les deux s'entendaient mieux depuis la rupture qu'au temps où ils étaient mariés. Adrien avait rencontré quelqu'un, les enfants étaient heureux… Un retour en arrière ne faisait aucun sens. Denise avait dû mal comprendre. Ou mal entendre. Ce n'était pas ça. Ça ne pouvait pas être ça. Pourquoi Adrien voudrait-il revenir à la maison? La hache de guerre était enterrée. Et la chose à faire était de la laisser sous terre.

« De quoi tu parles? Je comprends pas. »

Il n'y avait pourtant rien à comprendre.

Adrien, quant à lui, n'eut pas à ajouter quoi que ce soit. Son regard fuyant faisait comprendre à Denise tout ce qu'il y avait à comprendre. Et la réponse ne se fit pas attendre.

« Non, répondit-elle sèchement.

— Écoute… argumenta Adrien auprès de Denise. Je comprends que t'aies pas envie de me voir ici…

— Le mot est faible. Après deux ans, en plus…

— J'ai besoin des enfants, Denise. Je suis pus capable de les voir seulement une fin de semaine sur deux.

— Je t'ai jamais empêché de venir les voir, Adrien. Tu peux les voir quand tu veux.

— Les enfants, Denise, j'ai besoin de les voir quand ils se réveillent pis j'ai besoin de les border, le soir, quand ils s'endorment. J'ai besoin de les voir grandir. Pis j'ai besoin qu'ils sachent que je suis là pour eux autres.

— Ils le savent, que t'es là pour eux autres.

— Une fin de semaine sur deux, en plus d'un mois pendant les vacances d'été!… Ça fait deux ans que j'essaie de vivre comme ça pis je suis pus capable! Aux yeux des enfants, je dois avoir plus l'air d'un mononc' que de leur propre père! Les enfants, Denise, je les vois pas grandir, pis ça me tue! Comprends-tu? »

Justement. Denise ne voulait pas comprendre. Cela faisait deux ans que les états d'âme d'Adrien ne la concernaient plus et elle n'était pas intéressée à les subir de nouveau.

Que faire, alors? Adrien venait de frapper une balle qui filait à toute vitesse vers la clôture du champ gauche. La pauvre Denise ne disposait que de très peu de temps pour lui faire comprendre qu'il s'apprêtait, toutefois, à marquer contre sa propre équipe.

«Te souviens-tu, Adrien, pourquoi t'as choisi de partir? T'étais en train de devenir comme ton père. T'étais pas bien. Les enfants étaient pas bien. Es-tu prêt à revivre ça? Es-tu prêt à courir le risque de tous nous faire endurer ce que ton père vous a fait endurer, à toi pis à ta mère?»

Subitement, Adrien compris qu'un autre combat – le premier en deux ans – entre lui et Denise venait de débuter. Et comme à l'époque où ces combats se déroulaient presque sur une base quotidienne, la pensée rationnelle disparaissait au profit d'un fort désir de gagner à tout prix. Alice était loin et le but de cette discussion, au fond, n'avait plus rien à voir avec Claire et Daniel. Le temps, entre Denise et Adrien, était revenu à la guerre. Et ni l'un ni l'autre ne supportait de perdre.

«Veux-tu savoir une chose, Denise?...

— Non mais j'imagine que tu vas me la dire quand même.

— Je sais que jamais je serai comme mon père. Pour deux raisons. La première: parce que j'ai eu le *guts* de partir. Si mon père avait eu la générosité de sacrer son camp, on n'aurait pas vécu riche, ma mère pis moi, mais on aurait été beaucoup plus heureux. La deuxième raison:

je serai jamais comme mon père parce que je veux revenir. J'adore mes enfants. Je peux pas vivre sans mes enfants. Pis avoir passé deux ans à les voir seulement à temps partiel m'a fait comprendre jusqu'à quel point. Pour mon père, j'ai jamais été rien d'autre qu'une nuisance. »

Si l'utilisation de son père témoigne d'un talent indéniable pour la manipulation, je n'ai tout de même pas le choix de décerner une prise à Adrien pour la faiblesse de son argument. Il fallait avoir la mémoire courte pour ne pas se souvenir qu'après huit ans de mariage et d'un quotidien passé auprès de ses enfants, Adrien ÉTAIT en train de devenir comme son père et que le *guts* dont il se vantait avoir fait preuve aurait été plus pertinent s'il avait eu l'intelligence de demeurer parti. Malheureusement pour Adrien, l'adversaire en face de lui était dotée d'une excellente mémoire.

Avantage Denise.

« Pis Alice ? Qu'est-ce que t'en fais ? Tu l'aimes autant que tu peux me haïr, Adrien. Es-tu vraiment prêt à faire une croix sur elle ? Parce que si tu penses que tu peux revenir ici, vivre dans ma maison pis continuer de la voir comme si de rien n'était, oublie ça tout de suite ! »

Bon. D'un point de vue stratégique, je ne suis pas certain que j'aurais sorti Alice de mon chapeau aussi rapidement. Il me semble qu'il était trop tôt dans la partie pour le faire. Si j'avais été à la place de Denise, j'aurais fait subir à Adrien le supplice de la goutte, histoire de l'affaiblir pour ensuite l'achever pour de bon en exploitant sans vergogne ses sentiments pour Alice. On a beau avoir Lou Brock[17] dans son équipe, qu'est-ce que

---

17 Joueur de baseball reconnu pour sa vitesse ayant joué pour les Cubs de Chicago et les Cards de Saint-Louis, entre 1961 et 1979.

ça donne de lui faire signe de voler le marbre alors qu'il vient tout juste d'arriver au premier but ?

« Alice, je l'aime. Mais elle mérite mieux que quelqu'un qui peut pas s'engager parce qu'il a la tête ailleurs.

— Pis moi ? Tu penses que je mérite pas mieux que quelqu'un qui est en amour avec une autre mais qui choisit de rester avec moi juste pour les enfants ? »

De toute évidence, la mention d'Alice déstabilisa Adrien. Mais Denise commit l'erreur fatale de sortir ses gros canons en début de match, donnant ainsi à Adrien tout le temps voulu pour reprendre son souffle, retrouver son équilibre et poursuivre jusqu'au bout.

« On s'est pas marié parce qu'on s'aimait, Denise. Ça, je pense que c'est très clair. Pis je te demande pas de faire semblant qu'on est Liz Taylor et Richard Burton. Si tu veux, on peut faire nos affaires chacun de notre côté pis garder au minimum ce qu'il faut mettre en commun. »

Un petit coup sûr par ci…

« C'est pas un couple, ça, Adrien !

— On n'a jamais été un couple, de toute façon ! On n'a jamais su comment. On a été obligés de se marier parce qu'un soir, toi pis moi, on a été trop sans-dessein pour rester habillés !

— Que de romantisme, répliqua Denise sur un ton sarcastique. Donne-moi donc une guenille, Adrien. Il faut que je m'essuie. Le trop-plein d'amour me sort de partout.

— Toi pis moi, on a eu deux enfants ensemble, ajouta Adrien en choisissant d'ignorer le sarcasme. Pis moi, j'ai besoin de ces enfants-là pour vivre. J'ai passé deux ans à essayer de faire mes affaires tout seul, de mon côté. Je suis pas capable. J'ai besoin d'être avec Claire pis avec

Daniel. J'ai besoin d'être leur père pis eux autres ont besoin de moi. »

Un petit coup sûr par là...

« Pis si je veux pas t'avoir ici, Adrien ? Qu'est-ce qu'on fait ? »

Le match avançait ; était presque terminé. Denise menait toujours mais Adrien la rattrapait tranquillement, grugeant son avance, petit à petit, pour ensuite remporter le match à la dernière manche, à sa toute dernière apparition au bâton.

« PAPA ! »

Ce fut lorsqu'elle vit Claire sauter dans les bras de son père que Denise comprit qu'elle s'était fait avoir et qu'elle venait de perdre la partie. Depuis le jour où Adrien avait quitté la rue Robert, elle avait tout mis en œuvre pour redevenir une Légaré et, surtout, oublier qu'elle fut une Mousseau pendant presque huit ans. Mais dans son désir d'effacer le temps, Denise commit une autre erreur tactique qui allait lui coûter cher : en mettant tout en œuvre pour redevenir Légaré, elle oubliait que ses enfants, eux, demeuraient des Mousseau ; que si les liens la retenant à Adrien étaient enfin rompus, ceux qui liaient le père à ses enfants étaient plus forts que l'animosité et la rancune ; plus forts que la peur d'Adrien de devenir comme son père et, surtout, plus forts que le souvenir d'un homme et d'une femme toujours en train de se disputer.

Denise était redevenue Légaré. Mais Claire et Daniel demeuraient Mousseau et si Adrien ne serait jamais rien de plus que le père de ses enfants, cet aspect, négligeable pour elle, fut l'élément faisant pencher la balance en faveur d'Adrien. Si elle n'éprouvait aucun remords à le priver de ses enfants, elle était cependant incapable de priver Claire et Daniel de leur père. La nuance était importante. Et l'erreur stratégique fut fatale.

Une semaine plus tard, sous le regard ahuri de Jean venu lui donner un coup de main, Adrien déménagea ses effets personnels dans la maison de la rue Robert. La trêve était terminée et Denise, défaite, choisit de s'enfuir pour la journée plutôt que de regarder son époux réintégrer le domicile familial. Lorsque Jean demanda à Adrien où était passée son épouse, celui-ci choisit d'éviter le sujet.

Évidemment, peu de temps s'écoula avant que n'éclate la première dispute. Quatre jours, en fait. Pour une peccadille, bien sûr.

« Adrien, aurais-tu vu mon shampooing ?

— La bouteille était vide. Je l'ai jetée.

— En as-tu acheté, hier, à l'épicerie ?

— Oui. La bouteille neuve est dans'salle de bains.

— Du Milk Plus 6… Je prends pas ça.

— Du pareil au même…

— Tu connais quoi, toi, au shampooing ?

— J'en connais qu'avant, j'ai les cheveux gras pis qu'après, je les ai pas. C'est pas assez ?

— Qu'est-ce que ça t'aurait coûté de m'acheter ma sorte de shampooing ?

— Je sais même pas c'est quoi, ta sorte de shampooing.

— C'est ben toi, ça. Si ça t'intéresse pas…

— Coudonc ! Es-tu à'veille d'être menstruée ?

— Franchement ! En as-tu d'autres à dire, des niaiseries de même ?

— Des niaiseries ?… C'est qui, l'hystérique, qui part en guerre pour une sorte de shampooing ?

— Hystérique ?

— Hystérique, oui.

— Ben, vaut mieux être hystérique que sans-dessein, Adrien.

— Sais-tu, Denise ?... Plus je te vois aller, pis plus je me dis que t'auras pas à faire de choix entre les deux.

— Ça fait que je suis sans-dessein, maintenant ?

— C'est toi qui le dis. Pas moi.

— Tu sais, Adrien... Je te retiens pas, han. Je sais que t'as été habitué, depuis deux ans, à vivre avec de grands esprits qui s'encombrent pas de choses triviales comme de prendre une douche. Ça fait que si tu te sens pus capable de vivre ici, libre à toi de t'en retourner.

— Une folle. Une vraie folle ! Doux Jésus, je sais ben pas ce que j'ai pu te trouver ! »

Et comme autrefois, Claire partait se réfugier auprès de ses poupées, recréant avec elles, au mot près, la dispute se déroulant entre Denise et Adrien. Daniel, pour sa part, essuyait ses larmes tout en essayant de se perdre dans un *Bob Morane*, assis dans un coin de sa chambre.

Bien enfermés dans leur petit bungalow de Saint-Léonard, Denise et Adrien s'appliquèrent à devenir un monument à la médiocrité conjugale.

Venant de moi, ce n'est pas peu dire.

Peu avant le début de la crise d'Octobre[18], Adrien annonça à Alice qu'il retournait sur la rue Robert. En fait, elle fut la dernière à apprendre l'heureux événement. Adrien l'avait voulu ainsi parce que de cette manière, il s'enlevait toute possibilité de revenir sur sa décision.

---

18 Série d'événements sociaux et politiques ayant eu lieu en octobre 1970, marquée par l'enlèvement d'un diplomate britannique, d'un ministre québécois et par l'instauration de la Loi sur les mesures de guerre.

La manœuvre, d'une lâcheté presque risible, n'échappa pas à Alice.

« Laisse-moi te dire que je suis pas fière de toi, Adrien. T'as mal planifié tes affaires. Y'a quelqu'un, sur la Côte-Nord, qui est pas encore au courant que t'es retourné avec ta femme ! Veux-tu ben me dire comment ça se fait que je l'ai su avant elle ? !

— …

— T'aurais pas pu m'en parler avant ? ! demanda-t-elle, dans un élan de colère qui ne lui ressemblait pas du tout. Ça fait neuf mois qu'on reste ensemble ! Me semble que j'aurais eu droit d'apprendre avant le facteur que tu voulais me laisser ! »

Avant qu'Adrien puisse répliquer quoi que ce soit, Alice se leva, alla se chercher une bouteille de bière, la déboucha et se mit à faire les cent pas dans sa cuisine.

« Alice…

— Parle-moi pas, Adrien. Je pense que c'est mieux pour toi que tu dises rien. Pis je pense aussi que c'est mieux que je prenne une couple de gorgées pour me calmer. Ça part vite, une claque, tu sais.

— Écoute, je…

— La ferme, Adrien. T'as pas le droit de dire quoi que ce soit. Ton droit de parole, tu l'as perdu à la minute où t'as décidé, tout seul, de retourner chez ton ex. »

Je sais que mon histoire avec Suzanne fait en sorte que je suis mal placé pour critiquer Adrien. Mais je ne suis pas de cet avis, et ce, pour deux raisons : la première étant la suite de mon histoire, qui viendra modifier considérablement mes priorités. Et la deuxième étant que, malgré mes erreurs, je n'ai jamais perdu Suzanne de vue. J'aurais été misérable, tout comme Adrien l'a été.

Alice lui en a longtemps voulu.

«Je suis pas aveugle, Adrien, lui dit-elle, toujours aussi en colère malgré la bière. Je le sais, que tu t'ennuies de tes enfants! Je le voyais bien que tu souffrais le martyre quand ils partaient d'ici, le dimanche soir! Mais ça t'est jamais passé par la tête qu'on aurait peut-être pu faire quelque chose pour régler ça?! Ça m'aurait pas dérangée, moi, de déménager à Saint-Léonard! Ça m'aurait même pas dérangée d'acheter la maison à côté de celle de Denise!

— ...

— Mais ç'aurait été bien trop facile, han, Adrien?! Tout aurait été beaucoup trop simple! Dis-moi donc, Adrien, tu vas t'empêcher d'être heureux pendant combien de temps, encore, juste pour te prouver que t'es pas comme ton simonac de père?!»

Touché.

«Ah! Pis laisse donc faire..., poursuivit Alice. Réponds pas. J'ai pas du tout envie, en ce moment, de t'écouter me raconter pour la millième fois ta hantise de finir évaché, tout seul, dans ton salon! De te voir la face me donne déjà assez mal au cœur comme ça!

— Alice...

— J'aurais donc dû retourner à Cornell, moi, pendant que c'était encore le temps!... Maudit que j'ai été stupide de t'écouter!»

Retenant ses larmes, Alice partit se réfugier dans sa chambre à coucher. Dès le lendemain, au travail, elle manœuvra pour éviter tout contact avec Adrien. La chose ne fut pas facile. Le PQ étant ce qu'il était à l'époque, les employés y étaient peu nombreux, et les moyens, très limités. Alice eut donc à supporter mon copain pendant encore un moment avant de pouvoir demander à travailler à un endroit où elle le verrait le moins possible. Alors, évidemment, les ragots ont repris de plus belle.

« Ç'a l'air qu'Adrien trompait Alice avec sa femme pis qu'elle les a surpris les culottes baissées.

— Comment veux-tu qu'Adrien trompe Alice avec sa femme ? Lui pis Denise, à ce que je sache, sont encore mariés.

— En tout cas, j'aurais pas voulu être à la place d'Adrien si c'est vrai qu'Alice l'a vu en train de forniquer avec sa femme, qu'ils soient encore mariés ou pas. Y'a dû en manger toute une !…

— Hier, il disait qu'il avait mal à l'épaule droite. Pensez-vous que ce serait à cause de ça ?

— Sûrement. »

Adrien est né avec les regrets lui coulant dans les veines. Consciemment ou non, son père s'en est toujours assuré. Et s'il regretta profondément d'avoir laissé tomber Alice, il ne pouvait oublier les remords éprouvés lors des deux dernières années provoqués par son absence auprès de ses enfants. Peu importe s'il voulait avancer ou reculer, Adrien n'avait jamais de paix ; n'arrivait pas à se mettre les pieds à un endroit sans avoir un pincement au cœur en se souvenant d'où il était avant. Les regrets, jumelés à la lâcheté et la nostalgie, ne font jamais bon ménage. Heureusement, Adrien finit par l'apprendre. Mais pas avant encore longtemps. Malheureusement.

En attendant, lui et Denise s'étaient remis à l'engueulade avec une ferveur renouvelée, Claire et Daniel devaient réapprendre à vivre déchirés entre des parents leur demandant presque de choisir entre les deux et

Alice, le cœur en miettes, passa près d'accepter une offre de UCLA[19], jusqu'à ce qu'une collègue la supplie de changer d'idée en lui promettant de faire tout en son pouvoir pour garder Adrien loin d'elle.

«Ça fait mal, avait confié Alice à sa collègue, de savoir que dans mon couple, y'en avait un qui aimait plus fort que l'autre. J'ai pas envie de me le faire rappeler tous les jours.»

Sur ce point, Alice avait tort. Adrien l'aimait sincèrement et profondément. Autant qu'elle-même pouvait l'aimer. Par contre, je ne suis pas certain que l'amour d'Adrien pour Alice allait au-delà de sa haine pour Denise. Pas à cette époque, du moins. Nuance importante qu'Alice, d'ailleurs, a très bien comprise.

---

19 University of California in Los Angeles.

4
Jean... à propos de Patrick

Paul-Émile l'a déjà dit: le retour d'Adrien dans son mausolée de la rue Robert fut une gaffe monumentale que Denise s'acharnait à vouloir réparer sans, toutefois, passer pour la méchante aux yeux de ses enfants en mettant leur père à la porte. Adrien devait alors, une fois de plus, partir de lui-même. Mais comment faire? Monsieur Mousseau ne pouvait quand même pas crever une deuxième fois!...

Denise comprit rapidement que le meilleur moyen de stimuler Adrien à prendre la porte était de lui remettre constamment Alice au visage. Une allusion par ci, une photo sortie de nulle part par là... Méthodiquement et avec une patience quasi maniaque, Denise s'acharnait à faire comprendre à Adrien que sa place était auprès d'Alice, de la même manière qu'un hypnotiseur persuadait quelqu'un, pendant un spectacle, qu'il était soudainement devenu un perroquet. Ne manquait plus que le pendule. Adrien, évidemment, n'était pas dupe, comprenant dès le départ où Denise voulait en venir et jouait le jeu en feignant des soupirs de désespoir et en distribuant des regards embués dignes de la dernière des jouvencelles.

Après un certain temps, constatant qu'Adrien n'avait même pas mis un caleçon sale dans une valise, Denise haussa son jeu d'un cran et donna un coup de téléphone à Alice, feignant des larmes qui ne coulaient pas du tout, essayant de la convaincre d'intervenir parce qu'il était clair qu'Adrien ne l'avait pas oubliée. Alice, qui tentait tant bien que mal de se remettre de sa propre déception amoureuse, ne la trouva pas très drôle.

«Je suis désolé, lui souffla doucement Adrien quelques jours plus tard, sincèrement désolé. Denise aurait pas dû t'appeler.

— Non, elle aurait pas dû. Pis ben franchement, Adrien, j'ai autre chose à faire de mon temps que d'être mêlée à vos niaiseries.

— Alice…

— Si ça vous tente de jouer à celui qui est le plus innocent, c'est de vos affaires. Mais gardez-moi en dehors de ça. J'ai assez perdu de temps avec toi, Adrien. Pis j'ose croire que je suis trop intelligente pour être bonne à ce jeu-là. Apparemment, c'est pas ton cas.»

Celle-là, mon pauvre ami l'encaissa très mal. Le regard fermé d'Alice eut l'effet, pour Adrien, d'un coup de poing à l'estomac. Un autre.

Je sais… Je sais… Mon rôle consiste d'abord et avant tout à parler de Patrick. J'y arrive aussi. Seulement, parler de la crise d'Octobre n'a rien de particulièrement joyeux, vous en conviendrez, alors vous me pardonnerez si je me permets d'abord de rire un peu. Même si la situation conjugale d'Adrien n'était pas forcément très drôle.

Quelques semaines plus tard, par un soir d'octobre, le téléphone sonna chez les Mousseau et Adrien fut celui qui décrocha le combiné. Lorsqu'il reconnut la voix à l'autre bout du fil, il figea et sa mâchoire se durcit. Denise, rusée, le remarqua immédiatement mais fit comme si de rien n'était.

«Adrien?… dit la voix, hésitante, à l'autre bout de la ligne.

— Oui.

— Écoute… Je comprendrai si t'as pas envie de me

parler. La dernière fois qu'on s'est vus, j'étais pas de très bonne humeur…

— C'est beau. C'est correct.

— Denise est proche de toi?

— C'est ça, oui. Mais si tu veux m'attendre une seconde, je vais aller prendre le téléphone dans mon bureau.»

Le regard fuyant, le cœur battant, Adrien raccrocha doucement le combiné alors que Denise, pour sa part, faisait semblant de regarder un bulletin de nouvelles où Gaétan Montreuil évoquait l'application de la toute nouvelle Loi sur les mesures de guerre.

«C'est quelqu'un de la permanence, mentit Adrien, les yeux baissés. Je veux pas te déranger. Je vais aller le prendre dans mon bureau.»

Lorsqu'Adrien fut rendu hors de portée de vue, Denise se mit à improviser une claquette qui fit honte à la danseuse médiocre qu'elle était déjà. Convaincue que le regard fuyant d'Adrien signifiait qu'Alice se trouvait à l'autre bout du fil, Denise se dit, en chantant, qu'il ne lui restait plus qu'à les prendre les culottes baissées. Littéralement. Et elle aurait enfin la paix.

Mais la joie de Denise, malheureusement pour elle, s'avéra être non fondée. Quelques instants plus tard, le récital de claquette s'arrêta d'un coup sec lorsqu'elle apprit, en écoutant à l'autre bout de la ligne, qui se trouvait réellement au téléphone avec Adrien.

«Patrick?!… Es-tu encore là?

— Oui, oui. Je suis encore là.

— T'es où?!

— Je t'appelle d'une cabine de téléphone. Je suis au coin de Papineau pis Mont-Royal.

— Pis Judith ? »

Adrien était un meilleur homme que je ne l'étais. Pour ma part, je ne me serais pas soucié le moins du monde de ce qui advenait de la pétulante Judith. En ce qui me concerne, le FLQ aurait bien pu l'enfermer dans un coffre de voiture, elle aussi.

« Judith m'attend au Ty-Coq Barbecue. Écoute, Adrien... J'ai besoin d'aide. Pour faire une longue histoire courte, Judith pis moi, on était à une centaine de pieds de chez nous quand on a vu trois de nos colocataires se faire sortir par des gars de l'armée. On a juste eu le temps de se retourner pis de partir sans qu'ils se rendent compte qu'on était là.

— Ouin !... Je pense plutôt, moi, que c'est toi qu'ils cherchaient. »

Oui. Probablement. Mais pourquoi ? Ça faisait deux ans, je vous le donne, que Patrick faisait l'innocent en manifestant comme un enragé et en écrivant aux journaux pour dire qu'il se branlait en pensant à Leonid Brejnev[20]. Jamais, au grand jamais, il ne parlait de la séparation du Québec. Au contraire ! S'il s'était longtemps foutu des opinions politiques d'Adrien, Patrick était revenu du Cameroun avec un mépris absolument foudroyant pour des gens se disant opprimés mais qui, selon lui, ne manquaient d'absolument rien. Dans ce contexte, que l'amitié entre Patrick et Adrien ait survécu relève, pour moi, d'un mystère digne de la construction des grandes pyramides d'Égypte. Parce que si Paul-Émile et Adrien étaient capables de faire valoir leurs arguments sans se traiter mutuellement de face de rats, ce

---

20 Dirigeant de l'Union soviétique, de 1964 à 1982.

ne fut jamais le cas de Patrick, qui perdait automatiquement les pédales lorsqu'une discussion portait sur n'importe quelle question sociale. Ce qui était souvent le cas, comme vous pouvez l'imaginer. Mais l'indépendance du Québec ?... Patrick n'en parlait jamais. Il s'en fichait autant qu'il était possible de se foutre de quoi que ce soit. Alors pourquoi le mettre dans le même panier qu'une poignée de felquistes ? Je ne comprenais pas.

« Écoute…, reprit Patrick. Tout ce que je sais, c'est que j'ai vu des amis à moi se faire embarquer dans des fourgons. Du monde à qui on pouvait absolument rien reprocher.

— As-tu de l'argent sur toi ?

— Non. J'ai pas une cenne.

— OK. Inquiète-toi pas avec ça. Prends un taxi pis viens tout de suite chez moi. Appelle le taxi de la cabine pis bouge pas de là.

— Faut que j'aille chercher Judith au restaurant. C'est à deux ou trois coins de rue d'ici. Je me ferai pas remarquer. Ça devrait aller.

— Tu vas la chercher, t'appelles un taxi du restaurant pis tu t'en viens tout de suite ici. C'est clair ?

— Oui, c'est clair. »

Je n'ai rien su de tout ça. Pas tout de suite, en tout cas. Et lorsqu'Adrien m'annonça la nouvelle, mon premier réflexe, mis à part de me verser un verre de gin, fut de me demander pourquoi je ne fus pas celui que Patrick avait contacté. Le gars paqueté répondrait que Patrick, en appelant Adrien, évitait ainsi de devoir s'excuser pour être parti de mon appartement comme un voleur. L'homme sobre, par contre, aurait plutôt l'intelligence de vous répondre que Westmount était bien le dernier endroit où Patrick, avec la réputation douteuse dont il jouissait à l'époque, chercherait à se cacher.

« Adrien ?...

— Quoi ?

— Adrien, j'oublierai jamais ce que tu fais pour moi. C'est dans des moments comme ça qu'on voit qui sont nos vrais amis, pis...

— *Slacke* les remerciements, Patrick, pis dépêche-toi d'arriver chez nous. Le reste, on s'en occupera après.

— OK. Je vais chercher Judith, pis on s'en vient tout de suite.

— Dépêchez-vous. »

C'était dans des moments comme celui-là que j'arrivais, malgré l'abondance de preuves démontrant le contraire, à me convaincre que nous n'avions pas réellement vieilli. Pensez-y un peu. En cet instant précis, Patrick et Adrien ressemblaient parfaitement à deux *bums* faisant tout pour ne pas se faire prendre d'un mauvais coup comme nous en avions tant fait dans nos belles années. Que Patrick se cache de la police dans une cabine téléphonique de la rue Papineau ou qu'il court à travers les rues du bas de la ville pour échapper à Marie-Yvette et à son rouleau à pâte, la différence n'était pas si grande. Toutes proportions gardées, la terreur était la même, le cœur battait aussi vite et l'adrénaline montait tout autant au plafond. Et je demeure convaincu que c'est pour cette raison qu'Adrien accepta d'aider Patrick : parce qu'il ne sut jamais le voir autrement que comme le ti-cul de la rue de la Visitation, avec son chandail taché des Red Wings de Détroit. Et aussi parce que s'il n'avait rien vu d'autre que le Patrick aigri et franchement désagréable qui était revenu du Cameroun,

Adrien lui aurait, à coup sûr, raccroché la ligne au nez.

En écoutant Patrick le supplier de lui venir en aide, c'était notre enfance qu'Adrien revoyait. Notre adolescence, aussi, ignorant tout au-delà de nos vingt ans, au-delà de nos rires et de nos parties de hockey. Ignorant tout au-delà des soirées d'été passées à jaser, assis sur la première marche de l'escalier menant à la porte des Marchand. Ignorant tout au-delà de notre amitié.

Denise, évidemment, ne vit pas tout à fait les choses de cette manière.

À suivre...

Traduction des dialogues en anglais

Page 507

Ambassadeur Quinlen : Monsieur Marchand, j'ai l'impression que votre pays se trouve dans une situation pour le moins compliquée.

Paul-Émile : Et pourquoi donc ?

Page 508

Ambassadeur Quinlen : Premièrement, je ne crois pas que le mouvement séparatiste disparaîtra, comme le premier ministre Trudeau – et vous aussi, probablement – le croit. Ce René Lévesque… Je crois fortement qu'il représente une menace pour l'unité de ce pays.

Ambassadeur Quinlen : Vous possédez un très bon sens de la réplique, Monsieur Marchand. Et puis-je me permettre de dire que votre épouse est tout à fait resplendissante ?

Paul-Émile : Mireille, tu te souviens de l'ambassadeur Benjamin Briar Quinlen ?

Mireille : Bien sûr. Comment allez-vous, Monsieur l'ambassadeur ?

Ambassadeur Quinlen : Appelez-moi Benjamin. Et permettez-moi de vous dire que vous êtes tout à fait resplendissante, ce soir.

Mireille : Je vous remercie. C'est très flatteur.

Page 509

Ambassadeur Quinlen : Je vous présenterais bien mon épouse mais j'ignore où elle se trouve, la pauvre…

Paul-Émile : Plus tard, peut-être. Le premier ministre Trudeau vient tout juste de faire son entrée.